判例刑法総論

第8版

山口 厚・佐伯仁志・橋爪 隆著

有 斐 閣
YUHIKAKU

第 8 版はしがき

　本書第 7 版が 2018 年 3 月に刊行されてから 5 年が経過したため，ここに第 8 版をお届けする。

　今回の改訂は，第 7 版まで共著者であった故西田典之氏を除く 3 人で行い，橋爪と佐伯が主に作業を担当した。本書の作成を最初に提案されたのは西田先生であり，先生に心より感謝を捧げたい。

　今回の改訂では，第 7 版以降に公刊された最高裁判例，下級審裁判例で刑法の学習上重要と思われるものを補充するとともに，学習上重要と思われるがこれまで収録されていなかったもの若干も補充した。他方で，教材として適切な分量に留めるために，先例としての価値がなくなったものや理論的に重要でなくなったと思われるものを削除した。その結果，総論において，新規 17 件を収録し，18 件を削除し，各論において，新規 20 件を収録し，16 件を削除することになった。

　本書第 8 版がこれまでと同様に，法学部や法科大学院の刑法の講義や学習において広く利用されることを願っている。

　　2023 年 3 月

　　　　　　　　　　　　　　　　　　　執筆者を代表して

　　　　　　　　　　　　　　　　　　　佐 伯 　仁 志

初版はしがき

　刑法総論の講義・学習においても，いわゆる「生きた法」としての判例を学ぶことが重要であることは他の法分野と同様である。刑法総論における講義の対象は，刑罰の意義・目的に関する刑罰論と犯罪成立の一般的要件に関する犯罪論であるが，犯罪論に関する刑法総則の規定はわずかであり，しかも，抽象的なものが多い。それだけに，その意義・解釈を明らかにするには，これまでに集積されてきた判例を学ぶことが必要・不可欠であるといえよう。本書は，このような必要にこたえるべく，犯罪論に関する理論的に重要と思われる判例を選び体系的に配列したものである。本書には，1992 年（平成 4 年）12 月までの判例を収録した。その後の情報については，今後改定する予定である。

　本書を作成するにあたって配慮したのは以下の諸点である。まず第 1 に，判例に関する十分な情報を提供するという観点から，重要と思われる論点については網羅的に判例を収録した。また，その引用に際しても，判例の趣旨が十分理解しうるように配慮した。判例によっては，かなり長文にわたるものがあるのもこのためである。さらに，判例上重要な変遷のみられる問題領域については，判例の変化が時系列的に明らかとなるよう工夫した。第 2 に，判例は，具体的事件の解決を第一次的な目的とするものであるから，判例の理解にとって必要な場合には，なるべく詳しく事案を紹介することにした。第 3 に，事案におうじて必要があるときは，その当時の関連条文を掲げたほか，判例の理解を助けるために有益と思われる参考条文や外国判例をも掲記した。以上のような編集方針の結果，本書は，質量ともに，刑法総論の学習にとって十分な情報を提供しうるものとなったように思われる。

　本書は，本来，講義の教材として編集されたものであるが，個別の論点に応じて利用すれば，刑法総論の自習用にも十分役立つであろう。先に刊行した「判例刑法各論」とともに，本書が，刑法の講義や学習に広く利用されれば幸いである。

　1994 年 2 月

執筆者を代表して

西田　典之

目　次

I　罪刑法定主義（1）

III 違法性 *(111)*

Ⅳ 責 任 （226）

V 未遂犯 (359)

VI 共 犯（*401*）

不作為による共犯（490）

中立的行為による幇助（502）

VII 罪 数（508）

[1] 包括一罪（508）

集合犯・営業犯（508）

吸収一罪（509）

VIII 刑法の適用範囲 (530)

凡　例

I 罪刑法定主義

［**1**］ 法 律 主 義

命令への罰則の委任

1 法律による委任の必要性

最大判昭和 27 年 12 月 24 日刑集 6 巻 11 号 1346 頁／判タ 28・50

【事案】 被告人は，火薬の不法所持で起訴され，原審は，鉄砲火薬類取締法施行規則（明治 44 年勅令 16 号）22 条，45 条により懲役 1 年に処した。弁護人は同規則の新憲法下における有効性を争って上告した。

【判決理由】 「本件において火薬類の所持を処罰したのは，明治 44 年勅令 16 号鉄砲火薬類取締法施行規則（以下施行規則という）22 条，45 条を適用したものである。

　同規則は日本国憲法施行前制定された命令であるが，日本国憲法施行前の命令の新憲法施行後における効力については，昭和 22 年法律 72 号日本国憲法施行の際現に効力を有する命令の規定の効力等に関する法律（以下法律 72 号という）が制定され，この法律は日本国憲法施行の日から施行された。そして，その 1 条においては，『日本国憲法施行の際現に効力を有する命令の規定で，法律を以て規定すべき事項を規定するものは，昭和 22 年 12 月 31 日まで，法律と同一の効力を有するものとする』と定めている。右規定にいわゆる『法律を以て規定すべき事項』とは，旧憲法下におけるものではなく，新憲法下において法律を以て規定すべき事項を意味するものと解するを相当とする。しかるに，憲法 73 条 6 号によれば，法律の規定を実施するために政令を制定する内閣の権限を認めると共に，『政令には，特にその法律の委任がある場合を除いては，罰則を設けることができない』と定めている。別の言葉でいえば，実施さるべき基本の法律において特に具体的な委任がない限り，その実施のための政令においては罰則を設けることを得ないのである。すなわち，罰則を設けることは，特にその法律に具体的な委任がある場合を除き，新憲法下においては

⇒ *1*

法律を以て規定すべき事項であって，従って，また法律 72 号 1 条にいわゆる『法律を以て規定すべき事項』に該当するのである。

　さて，本件前記施行規則において実施を定めている基本法律である明治 43 年法律 53 号鉄砲火薬類取締法 14 条 2 号においては，『銃砲，火薬類の取引，授受，使用，運搬，貯蔵，其の他の取扱』に関し必要な規定は命令を以て定める旨を規定している。そして，この委任に基ずき，前記施行規則 22 条は，特に列挙した例外の場合を除き，原則として火薬類の所持を禁止した。そして，同 45 条は，この 22 条の規定に違反し火薬類を所持する者は，1 年以下の懲役又は 200 円以下の罰金に処する旨を規定しているのである。しかしながらこのように命令で罰則を規定し得るがためには，新憲法下においては，基本たる法律において具体的に委任する旨の規定の存在することを必要とすることは上述の通りであるが，前記取締法 14 条 2 号の規定による命令，すなわち前記施行規則 22 条に違反した者に対し命令を以て罰則を設けることができる旨を特に委任した規定は，基本法である法律の中のどこにもこれを発見することができない。（なお，前記施行規則 45 条の罰則は，明治 23 年法律 84 号命令の条項違犯に関する罰則の件の委任によって設けられたものと認められる。しかし，右法律 84 号は広範な概括的な委任の規定であって新憲法下においては違憲無効の法律として新憲法施行と同時に失効したものということができるし，また現実に明文をもって法律 72 号 3 条で新憲法施行と同時に廃止されている。それ故，新憲法施行後においては，前記施行規則 45 条の罰則を設けることについては法律の委任は全然存在していないのである。）

　よって，前記施行規則 45 条で火薬類の所持に対し罰則を設けている規定は，法律 72 号 1 条にいわゆる『日本国憲法施行の際現に効力を有する命令の規定で，法律を以て規定すべき事項を規定するもの』に該当するわけであり，従って昭和 22 年 12 月 31 日までは法律と同一の効力を有するが，昭和 23 年 1 月 1 日以降は国法として効力を失うものと言わなければならぬ。されば，弁護人 A の上告趣意第 2 点については判断するまでもなく，本件火薬類の所持については，その行為当時（昭和 21 年 7 月上旬頃ないし同 22 年 1 月中旬頃）及び第 1 審判決当時（昭和 22 年 7 月 29 日）には前記施行規則 45 条という刑罰法規が存在していたが，原判決当時（昭和 23 年 7 月 27 日）においては該刑罰法規は失効し犯罪後の法令により刑の廃止ありたるときに該当するから，原審は

旧刑訴 363 条 2 号，407 条により免訴の言渡をすべきにかかわらず有罪の言渡をした違法がある。論旨に理由があり，原判決は破棄さるべきである。」

　　［参考］　命令の条項違犯に関する罰則の件（明治 23 年法 84 号）「命令の条項に違犯する者は各其の命令に規定する所に従ひ 200 円以下の罰金若は 1 年以内の禁錮に処す」

2　包括的委任（猿払事件）

　　最大判昭和 49 年 11 月 6 日刑集 28 巻 9 号 393 頁／判時 757・33，判夕 313・171
（重判昭 49 憲 7・刑 1）

【事案】　被告人は，北海道宗谷郡猿払村の郵便局に勤務する郵政事務官であったが，昭和 42 年の衆議院選挙において日本社会党を支持する目的をもって，同党公認候補者のポスターを公営掲示場に掲示したため，国家公務員法 102 条 1 項，110 条 1 項 19 号，人事院規則 14-7（政治的行為）に違反したとして起訴された。第 1 審判決は，国公法 110 条 1 項 19 号は，勤務時間外に国の施設を利用することなく，労働組合活動の一環として行われたと認められる被告人の行為に適用される限度において，制裁としては，合理的にして必要最小限度の域を超えるものであり，憲法 21 条，31 条に反するとして，被告人を無罪とし，原審もこの判断を是認した。検察官上告。最高裁大法廷は，本件罰則規定の適用は憲法 21 条，31 条に違反しないと判示し，破棄自判して，被告人を罰金 5000 円に処したが，その際，国公法 102 条 1 項が刑罰の対象となる政治的行為の定めを一様に人事院規則に委任していることについて，以下のように判示した。国家公務員の政治的活動の禁止・処罰と憲法 21 条，31 条との関係については⇒*18*。

【判決理由】「なお，政治的行為の定めを人事院規則に委任する国公法 102 条 1 項が，公務員の政治的中立性を損うおそれのある行動類型に属する政治的行為を具体的に定めることを委任するものであることは，同条項の合理的な解釈により理解しうるところである。そして，そのような政治的行為が，公務員組織の内部秩序を維持する見地から課される懲戒処分を根拠づけるに足りるものであるとともに，国民全体の共同利益を擁護する見地から科される刑罰を根拠づける違法性を帯びるものであることは，すでに述べたとおりであるから，右条項は，それが同法 82 条による懲戒処分及び同法 110 条 1 項 19 号による刑罰の対象となる政治的行為の定めを一様に委任するものであるからといって，そのことの故に，憲法の許容する委任の限度を超えることになるものではない。」

条例による罰則

3 条例への罰則の委任

最大判昭和 37 年 5 月 30 日刑集 16 巻 5 号 577 頁／判時 303・2

【事案】 被告人は，大阪市の街路等における売春勧誘行為等の取締条例 2 条 1 項に違反し，「売春の目的で街路その他公の場所において他人の身辺につきまとい又は誘う行為」を行ったとして起訴された。尚，判決理由中の地方自治法 14 条 5 項は現在の 3 項。

【判決理由】 「論旨は，右地方自治法 14 条 1 項，5 項が法令に特別の定があるものを除く外，その条例中に条例違反者に対し前示の如き刑を科する旨の規定を設けることができるとしたのは，その授権の範囲が不特定かつ抽象的で具体的に特定されていない結果一般に条例でいかなる事項についても罰則を付することが可能となり罪刑法定主義を定めた憲法 31 条に違反する，と主張する。

しかし，憲法 31 条はかならずしも刑罰がすべて法律そのもので定められなければならないとするものでなく，法律の授権によってそれ以下の法令によって定めることもできると解すべきで，このことは憲法 73 条 6 号但書によっても明らかである。ただ，法律の授権が不特定な一般的の白紙委任的なものであってはならないことは，いうまでもない。ところで，地方自治法 2 条に規定された事項のうちで，本件に関係のあるのは 3 項 7 号及び 1 号に挙げられた事項であるが，これらの事項は相当に具体的な内容のものであるし，同法 14 条 5 項による罰則の範囲も限定されている。しかも，条例は，法律以下の法令といっても，上述のように，公選の議員をもって組織する地方公共団体の議会の議決を経て制定される自治立法であって，行政府の制定する命令等とは性質を異にし，むしろ国民の公選した議員をもって組織する国会の議決を経て制定される法律に類するものであるから，条例によって刑罰を定める場合には，法律の授権が相当な程度に具体的であり，限定されておればたりると解するのが正当である。そうしてみれば，地方自治法 2 条 3 項 7 号及び 1 号のように相当に具体的な内容の事項につき，同法 14 条 5 項のように限定された刑罰の範囲内において，条例をもって罰則を定めることができるとしたのは，憲法 31 条の意味において法律の定める手続によって刑罰を科するものということができるのであって，所論のように同条に違反するとはいえない。従って地方自治法 14 条 5 項に基づく本件条例の右条項も憲法同条に違反するものということができ

ない。」

4 法律と条例の関係（徳島市公安条例事件）

最大判昭和 50 年 9 月 10 日刑集 29 巻 8 号 489 頁／判時 787・24，判タ 327・120
（重判昭 50 憲 2・刑 8）　⇒*12*

【事案】　被告人は，昭和 43 年 12 月 10 日徳島市内で行われた反戦青年委員会主催の集団示威行進に青年，学生約 300 名とともに参加したが，右集団が車道上において，だ行進を行い交通秩序の維持に反する行為をした際，自らもだ行進をしたり，集団行進者にだ行進するよう刺激をあたえ，集団行進者が，交通秩序の維持に反する行為をするようにせん動した。このうち，被告人が自らもだ行進をした点は，所轄警察署長の道路使用許可に付されていた「だ行進をするなど交通秩序を乱すおそれがある行為をしないこと」という条件違反として道路交通法 77 条 3 項，119 条 1 項 13 号（法定刑は 3 月以下の懲役または 5 万円以下の罰金）により，集団行進者をせん動した行為は，徳島市の「集団行進及び集団示威運動に関する条例」3 条 3 号に定められた遵守事項「交通秩序を維持すること」に違反し，3 条違反の集団行進の主催者，指導者またはせん動者を処罰する 5 条（法定刑は 1 年以下の懲役若しくは禁錮又は 5 万円以下の罰金）に該当するとして起訴された。第 1 審判決は，道路交通法 77 条 3 項，119 条 1 項 13 号該当の点については被告人を有罪としたが，本条例 3 条 3 号，5 条該当の点については，被告人を無罪とした。右無罪の理由とするところは，道路交通法 77 条は，表現の自由として憲法 21 条に保障されている集団行進等の集団行動をも含めて規制の対象としていると解され，集団行動についても道路交通法 77 条 1 項 4 号に該当するものとして都道府県公安委員会が定めた場合には，同条 3 項により所轄警察署長が道路使用許可条件を付しうるものとされているから，この道路使用許可条件と本条例 3 条 3 号の「交通秩序を維持すること」の関係が問題となるが，条例は「法令に違反しない限りにおいて」，すなわち国の法令と競合しない限度で制定しうるものであって，もし条例が法令に違反するときは，その形式的効力がないのであるから，本条例 3 条 3 号の「交通秩序を維持すること」は道路交通法 77 条 3 項の道路使用許可条件の対象とされるものを除く行為を対象とするものと解さなければならないところ，いかなる行為がこれに該当するかが明確でなく，結局，本条例 3 条 3 号の規定は，一般的，抽象的，多義的であって，これに合理的な限定解釈を加えることは困難であり，右規定は，本条例 5 条によって処罰されるべき犯罪構成要件の内容として合理的解釈によって確定できる程度の明確性を備えているといえず，罪刑法定主義の原則に背き憲法 31 条の趣旨に反するとしたのである。原判決も検察官の控訴を棄却した。

【判決理由】　「これを道路交通法 77 条及びこれに基づく徳島県道路交通施行細則と本条例についてみると，徳島市内の道路における集団行進等について，道

⇒ *5*

路交通秩序維持のための行為規制を施している部分に関する限りは，両者の規律が併存競合していることは，これを否定することができない。しかしながら，道路交通法 77 条 1 項 4 号は，同号に定める通行の形態又は方法による道路の特別使用行為等を警察署長の許可によって個別的に解除されるべき一般的禁止事項とするかどうかにつき，各公安委員会が当該普通地方公共団体における道路又は交通の状況に応じてその裁量により決定するところにゆだね，これを全国的に一律に定めることを避けているのであって，このような態度から推すときは，右規定は，その対象となる道路の特別使用行為等につき，各普通地方公共団体が，条例により地方公共の安寧と秩序の維持のための規制を施すにあたり，その一環として，これらの行為に対し，道路交通法による規制とは別個に，交通秩序の維持の見地から一定の規制を施すこと自体を排斥する趣旨まで含むものとは考えられず，各公安委員会は，このような規制を施した条例が存在する場合には，これを勘案して，右の行為に対し道路交通法の前記規定に基づく規制を施すかどうか，また，いかなる内容の規制を施すかを決定することができるものと解するのが，相当である。そうすると，道路における集団行進等に対する道路交通秩序維持のための具体的規制が，道路交通法 77 条及びこれに基づく公安委員会規則と条例の双方において重複して施されている場合においても，両者の内容に矛盾抵触するところがなく，条例における重複規制がそれ自体としての特別の意義と効果を有し，かつ，その合理性が肯定される場合には，道路交通法による規制は，このような条例による規制を否定，排除する趣旨ではなく，条例の規制の及ばない範囲においてのみ適用される趣旨のものと解するのが相当であり，したがって，右条例をもって道路交通法に違反するものとすることはできない。」

[2]　事後法の禁止

5　労役場留置期間の延長

大判昭和 16 年 7 月 17 日刑集 20 巻 425 頁

【事案】 被告人は，原審において罰金刑と同時に，労役場留置の換刑期間を言い渡されたが，刑法 18 条 1 項は昭和 16 年法律 61 号により，それまでの「1 日以上 1 年以下」

が「1日以上2年以下」に改正されていた。このため原審は，労役場留置は，「宣告せられたる罰金刑等に対する特別執行方法にして刑其のものに非す該処分に関する規定の変更は刑の執行手続に関する規定の変更にして刑法第6条に所謂刑の変更に該当せさるにより該処分に関する法規に変更あるも同法条に則り右処分に関する新旧法の比照を為して其の軽きものを適用すへきに非す」と述べて新法を適用した。しかし，大審院は，結論的には同じ換刑期間を維持しつつも，原判決を破棄自判した。

【判決理由】「因て案するに刑法第18条に規定する労役場留置の言渡は判決により刑の執行基準を定めしむへき趣旨にして刑其のものにあらすと雖体刑の如く執行官に其の処分を為さしむへきものと其の性質を異にす故に罰金科料の言渡を為したるときは必す判決に於て之を完納すること能はさる場合の補充的宣告を為さしむへき趣旨にして刑法上刑に準して規定したるものと解するを妥当とす加之刑事訴訟法第403条の解釈に於ても原判決の刑より重き刑を言渡すことを得すとあるに拘らす労役場留置に付原判決の言渡したる留置期間より長きときは所謂不利益変更禁止の趣旨に反するものと為せること本院判例の趣旨とする所なり故に犯罪後の法律に因り右期間に変更ありたるときは刑法第6条の精神に則り其の軽きものを適用すへきものと解するを相当とす然るに原判決に於て本件に付改正後の刑法第18条を適用して労役場留置の言渡を為したるは所論の如く擬律錯誤の違法あるものにして本論旨は其の理由あり原判決は破毀を免れす」

6 刑の変更による公訴時効期間の変更

最決昭和42年5月19日刑集21巻4号494頁／判時487・62，判タ208・137
（重判昭41・42刑訴3）

【決定理由】「検察官は，公訴の時効は訴訟法上の制度であるから，前記判例の示すように，犯罪後の法律により法定刑が変更されて，その刑を標準とすれば，その罪に対する時効期間が変わる場合には，裁判時施行されている法律によって，その期間を定めるべきであると主張する。しかし，公訴の時効は，訴訟手続を規制する訴訟条件であるから，裁判時の手続法によるべきであるとしても，その時効期間が，犯罪に対する刑の軽重に応じて定められているのであるから，その手続法の内容をなす実体法（刑罰法規）をはなれて決定できるものではない。従って，公訴の時効が訴訟法上の制度であることを理由として，時効期間について，すべて裁判時の法律を適用すべきであるとするのは相当で

ない。そして，本件のように，犯罪後の法律により刑の変更があった場合における公訴時効の期間は，法律の規定により当該犯罪事実に適用すべき罰条の法定刑によって定まるものと解するのが相当である。本件被疑事件において，けん銃所持の事実に適用すべき罰条は，銃砲刀剣類所持等取締法（昭和40年法律第47号）附則5項の罰則の適用に関する経過規定により，本件犯行当時施行されていた右改正前の銃砲刀剣類等所持取締法（同33年法律第6号）31条1号，3条1項，34条であって，その法定刑は，3年以下の懲役又は5万円以下の罰金（又はこれを併科）であり，また，けん銃用実包所持の事実に適用すべき罰条は，火薬類取締法59条2号，21条であって，その法定刑は，1年以下の懲役又は10万円以下の罰金（又はこれを併科）であるから，本件被疑事件の公訴時効の期間は，刑訴法250条，251条により3年である。すると，本件被疑事件については，被疑者の勾留の裁判がなされた昭和41年12月17日当時，すでに公訴時効が完成していたことが明らかであるから，これと同旨の理由により，被疑者を勾留すべきではないとした原決定は正当である。されば，所論引用の前記各大審院の判例および札幌高等裁判所の判例は，これを変更するのが相当であり，本件抗告は，結局，理由がないことに帰する。」

7 公訴時効の廃止

最判平成27年12月3日刑集69巻8号815頁／判タ1440・126
(重判平28憲10・刑訴3)

【事案】 本件は，平成9年4月13日に行われた強盗殺人の事案であり，その公訴時効期間15年が経過する前に，「刑法及び刑事訴訟法の一部を改正する法律」（平成22年法律第26号。以下「本法」という。）による刑事訴訟法250条の改正により強盗殺人罪に係る公訴時効が廃止され，本法附則3条2項により，施行の時点で公訴時効が完成していないものについても本法による改正後の刑事訴訟法250条1項が適用されることとなって，本件は公訴時効の対象でなくなった。

【判決理由】 「公訴時効制度の趣旨は，時の経過に応じて公訴権を制限する訴訟法規を通じて処罰の必要性と法的安定性の調和を図ることにある。本法は，その趣旨を実現するため，人を死亡させた罪であって，死刑に当たるものについて公訴時効を廃止し，懲役又は禁錮の刑に当たるものについて公訴時効期間を延長したにすぎず，行為時点における違法性の評価や責任の重さを遡って変更するものではない。そして，本法附則3条2項は，本法施行の際公訴時効が完成していない罪について本法による改正後の刑訴法250条1項を適用すると

したものであるから，被疑者・被告人となり得る者につき既に生じていた法律上の地位を著しく不安定にするようなものでもない。

したがって，刑訴法を改正して公訴時効を廃止又は公訴時効期間を延長した本法の適用範囲に関する経過措置として，平成 16 年改正法附則 3 条 2 項の規定にかかわらず，同法施行前に犯した人を死亡させた罪であって禁錮以上の刑に当たるもので，本法施行の際その公訴時効が完成していないものについて，本法による改正後の刑訴法 250 条 1 項を適用するとした本法附則 3 条 2 項は，憲法 39 条，31 条に違反せず，それらの趣旨に反するとも認められない。」

[3] 類推解釈の禁止

限定解釈の例

8 火炎瓶は「爆発物」か

最大判昭和 31 年 6 月 27 日刑集 10 巻 6 号 921 頁／判時 79・3，判タ 61・66

【判決理由】「爆発物取締罰則にいわゆる爆発物とは，理化学上の爆発現象を惹起するような不安定な平衡状態において，薬品その他の資材が結合せる物体であって，その爆発作用そのものによって公共の安全をみだし又は人の身体財産を害するに足る破壊力を有するものを指称すると解するのを相当とする。けだしこの罰則は爆発物に関する特別法として一般法たる刑法に対比し，互に類似する犯罪行為を規定する場合にも著しく重い刑罰を定めている外（罰則 1 条，3 条，5 条，9 条，刑法 117 条，113 条，201 条，199 条，103 条，104 条等参照），或は爆発物を発見した者及び爆発物に関する犯罪を認知した者に対し告知義務違反の罪を認め（罰則 7 条，8 条参照），或は罰則 1 条の罪を犯さんとして脅迫，教唆，煽動，共謀したに止まる場合，若しくはこれが幇助のため爆発物又はその使用に供すべき器具の製造輸入等をする行為をも独立の犯罪とする等（同 4 条，5 条参照）著しく犯罪行為の範囲を拡大規定しているのであるが，それは一に爆発物がその爆発作用そのものによって前段説示するような破壊力を有する顕著な危険物たることに着目したために外ならないからである。

そしてここに『理化学上の爆発現象』というのは通常，ある物体系の体積が物理的に急激迅速に増大する現象（物理的爆発）及び物質の分解又は化合が極

⇒ *9*

めて急速に進行しかかる化学変化に伴って一時に多量の反応熱及び多数のガス分子を発生して体積の急速な増大を来たす現象（化学的爆発）を指すのである。従って塩素酸カリウムを主剤として製作されるマッチ軸頭薬の如きも理化学上の爆発現象を起し得るものたること勿論であろうけれど，その薬量極めて僅少であり，その爆発に当っても多量の反応熱を生ずることもなく，また多数のガス分子を生成することもなく爆発作用そのものによる直接の破壊力の認められないようなものは，もとよりこの罰則にいわゆる爆発物ということはできない。」

拡張解釈の例

9 電気窃盗事件

大判明治 36 年 5 月 21 日刑録 9 輯 874 頁
⇒各論 *172*

【判決理由】「刑法第 366 条に所謂る窃取とは他人の所持する物を不法に自己の所持内に移すの所為を意味し人の理想のみに存する無形物は之を所持すること能はさるものなれは窃盗の目的たることを得さるは論を待たす然れとも所持の可能なるか為めには五官の作用に依りて認識し得へき形而下の物たるを以て足れりとし有体物たることを必要とせす何となれは此種の物にして独立の存在を有し人力を以て任意に支配せられ得へき特性を有するに於ては之を所持し其所持を継続し移転することを得へけれはなり約言すれは可動性及ひ管理可能性の有無を以て窃盗罪の目的たることを得へき物と否らさる物とを区別するの唯一の標準となすへきものとす而して電流は有体物にあらさるも五官の作用に依りて其存在を認識することを得へきものにして之を容器に収容して独立の存在を有せしむることを得るは勿論容器に蓄積して之を所持し一の場所より他の場所に移転する等人力を以て任意に支配することを得へく可動性と管理可能性とを并有するを以て優に窃盗罪の成立に必要なる窃取の要件を充たすことを得へし故に他人の所持する他人の電流を不法に奪取して之を自己の所持内に置きたる者は刑法第 366 条に所謂る他人の所有物を窃取したるものにして窃盗罪の犯人として刑罰の制裁を受けさるへからさるや明なり然るに原院に於て窃盗罪の目的物は有体物に限るものとし而して電流は有体物にあらさるか故に窃盗罪の

⇒ 10・11

目的物たることを得すとの理由を以て被告に無罪を言渡したるは失当の判決たるを免れすして原院検事長の上告は其理由あるものとす」

10 ガソリン・カー事件

大判昭和 15 年 8 月 22 日刑集 19 巻 540 頁

【判決理由】「刑法第 129 条には其の犯罪の客体を汽車，電車又は艦船と明記しあり而も汽車なる用語は蒸気機関車を以て列車を牽引したるものを指称するを通常とするを同条に定むる汽車とは汽車は勿論本件の如き汽車代用の『ガソリンカー』をも包含する趣旨なりと解するを相当とす蓋し刑法第 124 条乃至第 129 条の規定を設けたる所以のものは交通機関に依る交通往来の安全を維持するか為め之か妨害と為るへき行為を禁し以て危害の発生を防止せんとするに在ること勿論なれは汽車のみを該犯罪の客体と為し汽車代用の『ガソリンカー』を除外する理由なきのみならす右両者は単に其の動力の種類を異にする点に於て重なる差異あるに過きすして共に鉄道線路上を運転し多数の貨客を迅速安全且つ容易に運輸する陸上交通機関なる点に於て全然其の撰を一にし現に国有鉄道運転規定軌道建設規程等に於ても汽動車は蒸気機関車及客車に準して之を取扱ひ居れる事実に徴するも之か取締に付ても亦両者間何等の差等を設くへき理拠あることなく又均しく交通機関たるも航空機及自動車の如く前記法条所定の目的物に包含するものと解するを得さるものに付ては夫々特別法を設け航空法第 52 条自動車交通事業法第 57 条に於て刑法第 129 条と同趣旨の罰則を定め居る事実に徴するも前記解釈の相当なることを了知するを得へけれはなり然らは原判決か右と同趣旨の解釈の下に判示所為に対し同法条を以て問擬したるは正当にして所論の如く擬律錯誤の違法あるものと謂ふへからす論旨理由なし」

11 鴨撃ち事件

最判平成 8 年 2 月 8 日刑集 50 巻 2 号 221 頁／判時 1558・143，判タ 902・59
（百選 I 1，重判平 8 刑 1）

【事案】 被告人は，食用とする目的で，洋弓銃（クロスボウ）を使用して，マガモあるいはカルガモ目掛けて矢 4 本を発射したが，命中しなかった。第 1 審判決は，被告人の行為は，鳥獣保護及狩猟ニ関スル法律 1 条の 4 第 3 項の委任を受けた昭和 53 年環境庁告示第 43 号 3 号リが禁止する「弓矢を使用する方法」による捕獲に当たるとして，被告人を罰金 15 万円に処した。原判決は，狩猟鳥獣を狙ってクロスボウで矢を射かける行為は，たとえ殺傷しなくとも，狙った鳥ばかりでなくその周辺の鳥類を驚かすことになるのであり，同法 1 条の 4 第 3 項の禁止，制限の委任の趣旨および告示 43 号の目的

⇒ *12*

である狩猟鳥獣の保護繁殖を実質的に阻害するものである点では同様であるから，同法1条の4第3項を受けた告示43号3号リが禁止する捕獲に当たるというべきである，と判示して，被告人の控訴を棄却した。

【判決理由】「食用とする目的で狩猟鳥獣であるマガモ又はカルガモをねらい洋弓銃（クロスボウ）で矢を射かけた行為について，矢が外れたため鳥獣を自己の実力支配内に入れられず，かつ，殺傷するに至らなくても，鳥獣保護及狩猟ニ関スル法律1条の4第3項を受けた同告示3号リが禁止する弓矢を使用する方法による捕獲に当たるとした原判断は，正当である」

[4] 明確性の原則

12 徳島市公安条例事件

最大判昭和50年9月10日刑集29巻8号489頁／判時787・24，判タ327・120
（重判昭50憲2・刑8）

【事案】 ⇒*4*参照

【判決理由】「次に，本条例3条3号の『交通秩序を維持すること』という規定が犯罪構成要件の内容をなすものとして明確であるかどうかを検討する。

　右の規定は，その文言だけからすれば，単に抽象的に交通秩序を維持すべきことを命じているだけで，いかなる作為，不作為を命じているのかその義務内容が具体的に明らかにされていない。全国のいわゆる公安条例の多くにおいては，集団行進等に対して許可制をとりその許可にあたって交通秩序維持に関する事項についての条件の中で遵守すべき義務内容を具体的に特定する方法がとられており，また，本条例のように条例自体の中で遵守義務を定めている場合でも，交通秩序を侵害するおそれのある行為の典型的なものをできるかぎり列挙例示することによってその義務内容の明確化を図ることが十分可能であるにもかかわらず，本条例がその点についてなんらの考慮を払っていないことは，立法措置として著しく妥当を欠くものがあるといわなければならない。しかしながら，およそ，刑罰法規の定める犯罪構成要件があいまい不明確のゆえに憲法31条に違反し無効であるとされるのは，その規定が通常の判断能力を有する一般人に対して，禁止される行為とそうでない行為とを識別するための基準

を示すところがなく，そのため，その適用を受ける国民に対して刑罰の対象となる行為をあらかじめ告知する機能を果たさず，また，その運用がこれを適用する国又は地方公共団体の機関の主観的判断にゆだねられて恣意に流れる等，重大な弊害を生ずるからであると考えられる。しかし，一般に法規は，規定の文言の表現力に限界があるばかりでなく，その性質上多かれ少なかれ抽象性を有し，刑罰法規もその例外をなすものではないから，禁止される行為とそうでない行為との識別を可能ならしめる基準といっても，必ずしも常に絶対的なそれを要求することはできず，合理的な判断を必要とする場合があることを免れない。それゆえ，ある刑罰法規があいまい不明確のゆえに憲法 31 条に違反するものと認めるべきかどうかは，通常の判断能力を有する一般人の理解において，具体的場合に当該行為がその適用を受けるものかどうかの判断を可能ならしめるような基準が読みとれるかどうかによってこれを決定すべきである。

　そもそも，道路における集団行進等は，多数人が集団となって継続的に道路の一部を占拠し歩行その他の形態においてこれを使用するものであるから，このような行動が行われない場合における交通秩序を必然的に何程か侵害する可能性を有することを免れないものである。本条例は，集団行進等が表現の一態様として憲法上保障されるべき要素を有することにかんがみ，届出制を採用し，集団行進等の形態が交通秩序に不可避的にもたらす障害が生じても，なおこれを忍ぶべきものとして許容しているのであるから，本条例 3 条 3 号の規定が禁止する交通秩序の侵害は，当該集団行進等に不可避的に随伴するものを指すものでないことは，極めて明らかである。ところが，思想表現行為としての集団行進等は，前述のように，これに参加する多数の者が，行進その他の一体的行動によってその共通の主張，要求，観念等を一般公衆等に強く印象づけるために行うものであり，専らこのような一体行動によってこれを示すところにその本質的な意義と価値があるものであるから，これに対して，それが秩序正しく平穏に行われて不必要に地方公共の安寧と秩序を脅かすような行動にわたらないことを要求しても，それは，右のような思想表現行為としての集団行進等の本質的な意義と価値を失わしめ憲法上保障されている表現の自由を不当に制限することにはならないのである。そうすると本条例 3 条が，集団行進等を行おうとする者が，集団行進等の秩序を保ち，公共の安寧を保持するために守らなければならない事項の一つとして，その 3 号に『交通秩序を維持すること』を

⇒ *13*

掲げているのは，道路における集団行進等が一般的に秩序正しく平穏に行われる場合にこれに随伴する交通秩序阻害の程度を超えた，殊更な交通秩序の阻害をもたらすような行為を避止すべきことを命じているものと解されるのである。そして，通常の判断能力を有する一般人が，具体的場合において，自己がしようとする行為が右条項による禁止に触れるものであるかどうかを判断するにあたっては，その行為が秩序正しく平穏に行われる集団行進等に伴う交通秩序の阻害を生ずるにとどまるものか，あるいは殊更な交通秩序の阻害をもたらすようなものであるかを考えることにより，通常その判断にさほどの困難を感じることはないはずであり，例えば各地における道路上の集団行進等に際して往々みられるだ行進，うず巻行進，すわり込み，道路一杯を占拠するいわゆるフランスデモ等の行為が，秩序正しく平穏な集団行進等に随伴する交通秩序阻害の程度を超えて，殊更な交通秩序の阻害をもたらすような行為にあたるものと容易に想到することができるというべきである。」

13 福岡県青少年保護育成条例事件

　　最大判昭和 60 年 10 月 23 日刑集 39 巻 6 号 413 頁／判時 1170・3，判タ 571・25
　　　　　　　　　　　　　　　　　　　　　　　　（百選 I 2，重判昭 60 憲 1）

【事案】　被告人は，A 女が 18 歳未満であること（当時 16 歳）を知りながら性交したとして，福岡県青少年保護育成条例 10 条 1 項，16 条 1 項違反で起訴され，第 1 審，第 2 審で有罪となった。

【判決理由】　「被告人本人の上告趣意第一部の二ないし四及び第二部の一ないし四は，福岡県青少年保護育成条例（以下，「本条例」という。）10 条 1 項，16 条 1 項の規定は，13 歳以上，特に婚姻適齢以上の青少年とその自由意思に基づいて行う性行為についても，それが結婚を前提とする真摯な合意に基づくものであるような場合を含め，すべて一律に規制しようとするものであるから，処罰の範囲が不当に広汎に過ぎるものというべきであり，また，本条例 10 条 1 項にいう『淫行』の範囲が不明確であるから，広く青少年に対する性行為一般を検挙，処罰するに至らせる危険を有するものというべきであって，憲法 11 条，13 条，19 条，21 条の規定に違反すると主張し，弁護人 A は，当審弁論において，被告人の右主張は憲法 31 条違反をも併せ主張する趣旨である旨陳述するとともに，その上告趣意第 1 において，右の『淫行』の範囲に関し，青少年を相手とする結婚を前提としない性行為のすべてを包含するのでは広き

に過ぎるから，『淫行』とは，青少年の精神的未成熟や情緒不安定に乗ずること，すなわち，誘惑，威迫，立場利用，欺罔，困惑，自棄につけ込む等の手段を用いたり，対価の授受を伴ったり，第三者の観覧に供することを目的としたり，あるいは不特定・多数人を相手とする乱交の一環としてなされる性行為等，反倫理性の顕著なもののみを指すと解すべきであると主張する。

そこで検討するのに，本条例は，青少年の健全な育成を図るため青少年を保護することを目的として定められ（1条1項），他の法令により成年者と同一の能力を有する者を除き，小学校就学の始期から満18歳に達するまでの者を青少年と定義した（3条1項）上で，『何人も，青少年に対し，淫行又はわいせつの行為をしてはならない。』（10条1項）と規定し，その違反者に対しては2年以下の懲役又は10万円以下の罰金を科し（16条1項），違反者が青少年であるときは，これに対して罰則を適用しない（17条）こととしている。これらの条項の規定するところを総合すると，本条例10条1項，16条1項の規定（以下，両者を併せて「本件各規定」という。）の趣旨は，一般に青少年が，その心身の未成熟や発育程度の不均衡から，精神的に未だ十分に安定していないため，性行為等によって精神的な痛手を受け易く，また，その痛手からの回復が困難となりがちである等の事情にかんがみ，青少年の健全な育成を図るため，青少年を対象としてなされる性行為等のうち，その育成を阻害するおそれのあるものとして社会通念上非難を受けるべき性質のものを禁止することとしたものであることが明らかであって，右のような本件各規定の趣旨及びその文理等に徴すると，本条例10条1項の規定にいう『淫行』とは，広く青少年に対する性行為一般をいうものと解すべきではなく，青少年を誘惑し，威迫し，欺罔し又は困惑させる等その心身の未成熟に乗じた不当な手段により行う性交又は性交類似行為のほか，青少年を単に自己の性的欲望を満足させるための対象として扱っているとしか認められないような性交又は性交類似行為をいうものと解するのが相当である。けだし，右の『淫行』を広く青少年に対する性行為一般を指すものと解するときは，『淫らな』性行為を指す『淫行』の用語自体の意義に添わないばかりでなく，例えば婚約中の青少年又はこれに準ずる真摯な交際関係にある青少年との間で行われる性行為等，社会通念上およそ処罰の対象として考え難いものをも含むこととなって，その解釈は広きに失することが明らかであり，また，前記『淫行』を目して単に反倫理的あるいは不

純な性行為と解するのでは，犯罪の構成要件として不明確であるとの批判を免れないのであって，前記の規定の文理から合理的に導き出され得る解釈の範囲内で，前叙のように限定して解するのを相当とする。このような解釈は通常の判断能力を有する一般人の理解にも適うものであり，『淫行』の意義を右のように解釈するときは，同規定につき処罰の範囲が不当に広過ぎるとも不明確であるともいえないから，本件各規定が憲法 31 条の規定に違反するものとはいえず，憲法 11 条，13 条，19 条，21 条違反をいう所論も前提を欠くに帰し，すべて採用することができない。

　なお，本件につき原判決認定の事実関係に基づいて検討するのに，被告人と少女との間には本件行為までに相当期間にわたって一応付合いと見られるような関係があったようであるが，当時における両者のそれぞれの年齢，性交渉に至る経緯，その他両者間の付合いの態様等の諸事情に照らすと，本件は，被告人において当該少女を単に自己の性的欲望を満足させるための対象として扱っているとしか認められないような性行為をした場合に該当するものというほかないから，本件行為が本条例 10 条 1 項にいう『淫行』に当たるとした原判断は正当である。」

　伊藤正己裁判官の反対意見「本条例 10 条 1 項の規定につき，多数意見は，処罰の範囲が不当に広がり，その適用が恣意にわたることを防ぐため，同規定にいう『淫行』の意義を明確にする限定解釈を行っているが，このような多数意見の考え方には共感するところが少なくない。しかし，そこで示された解釈が右規定から導き出されうるものとし，これによって同規定による処罰の範囲が不当に広すぎるとか同規定が不明確であるとはいえないから，それが憲法 31 条の規定に違反しないとする多数意見の結論には，私は左袒することができず，本条例 10 条 1 項の規定は，刑罰法規に対して要求される明確性を欠くものであって，違憲といわざるをえないと考える。以下に，その理由を述べることとする。

　一　本条例のように青少年の健全育成，保護を目的とする条例は，現在，長野県を除く各都道府県において制定されている（なお全国十余の市町にも同種の条例があるが，以下都道府県条例についてのみ言及する。）。しかし，右の都道府県条例における青少年との淫行及びわいせつ行為に対する規制は，余りにも区々であるといわざるをえない。まず，青少年との淫行及びわいせつ行為の

禁止並びに処罰に関する規定（以下，「淫行処罰規定」という。）の有無について
てみると，東京都，千葉県にはこれがなく，他の道府県はこれを設けており，
淫行処罰規定をおくものについてその構成要件の定め方をみると，多くの条例
は，青少年に対する淫行（みだらな性行為又は不純な性行為とするものを含
む。）又はわいせつ行為を構成要件とするのに対し，京都府，大阪府，山口県
では，性行為及びわいせつ行為を手段又は目的等によって厳格に限定している
のが目立っている。また，法定刑についてみても，各道府県とも罰金刑を定め
ているが，その上限は 10 万円（24 例），5 万円（14 例），3 万円（6 例）と分
かれており，これに選択刑として懲役と科料を定めるもの 2 例，同じく懲役刑
のみを定めるもの 25 例，同じく科料のみを定めるもの 2 例，他の選択刑を定
めないもの 15 例となっており，懲役刑を定めている 27 府県におけるその上限
は，6 月（6 例），1 年（16 例），2 年（5 例）と分かれていて，法定刑の差は著
しく顕著である。さらに，本罪を親告罪とするもの（4 例）とそうでないもの
があり，また，行為者が青少年であるときには罰則を適用しないと規定するの
が通常であるが，そのような例外規定をおかないもの（5 例）もあり，なお，
行為の対象となった青少年の年齢についての認識に関し，故意の推定規定をお
くもの（26 例）とそうでないものとがある（ちなみに，本条例 10 条 1 項及び
その罰則を定める 16 条 1 項は，昭和 52 年の改正にかかるもので，青少年に対
する淫行又はわいせつ行為に対して 2 年以下の懲役又は 10 万円以下の罰金と
いう，地方自治法の許容する最高限度の刑罰を定めている。）。

　以上に示したように，青少年に対する淫行の処罰に関する各都道府県の条例
における規定は，処罰規定の有無，処罰規定における構成要件の精粗，法定刑
の種類と軽重，告訴の要否，処罰対象者限定の有無及び故意推定規定の有無に
ついて顕著な異同がみられ，全体として，著しく不均衡かつ不統一なものとな
っているのが実情である。

　所論は，このような地域差のあることを理由に本条例 10 条 1 項の規定が憲
法 14 条に違反すると主張するが，憲法 94 条が地方公共団体に条例制定権を賦
与した以上，一定の行為について処罰するかどうかにつき，また処罰の態様に
つき，各地方公共団体の条例における取扱いに差異を生ずることがあっても，
このような地域差のあることをもって直ちに憲法 14 条に違反するとはいえな
いことは，多数意見の引用する当裁判所の判例の示すところである。結論とし

てこの点の論旨を採用することができないことは，多数意見のいうとおりであろう。

しかし，わが国のように，性及び青少年の育成保護に関する社会通念についてほとんど地域差の認められない社会において，青少年に対する性行為という，それ自体地域的特色を有しない，いわば国全体に共通する事項に関して，地域によってそれが処罰されたりされなかったりし，また処罰される場合でも地域によって科せられる刑罰が著しく異なるなどということは，きわめて奇異な事態であり，地方公共団体の自主立法権が尊重されるべきものであるにせよ，一国の法制度としてはなはだ望ましくないことであるといわなければならない。もとより，このような地域による不均衡があっても，これを正当化しうるだけの実質的な理由があれば別であるが，すでに述べたような顕著な差異について，国民を納得せしめるに足りる合理的理由をみいだすことはできないと思われる。例えば，日本の人口の1割を超える住民をもつ東京都において，青少年の育成保護の必要度は決して他に比して低いと考えられないにもかかわらず，淫行処罰規定が設けられていないこと，また東京都や千葉県において処罰の対象にならない青少年に対する淫行が隣接する神奈川県や埼玉県では処罰の対象になることについて，これを合理的ならしめる実質的な理由をあげることは不可能であろう。刑法の強姦罪，強制わいせつ罪などが被害者の名誉を顧慮して親告罪とされているのに対し，たとえ保護法益を異にする面があるにせよ，多くの条例が淫行罪について被害者の告訴を要件としていないことも，問題として指摘されてよいと思われる。このようにみると，青少年との淫行の処罰に関し各都道府県の条例の間に存する前述のような著しい不均衡は，きわめて不合理なものであることが明らかであるといわなければならない。

すでにみたように，このような不均衡が憲法14条に違反するといえないとしても，かかる著しく不合理な地域差を解消する方向を考える必要がある。そうでないと，淫行処罰に関する条例の規定の文面上における著しい不均衡がそのまま右規定による検挙，公訴の提起及び処罰という実際の運用面にあらわれ，延いては国民に右規定の合理性に対する強い疑問や不公正感を抱かせるに至ることがおそれられる。したがって，右規定の解釈及び運用において，処罰に対して抑制的な態度をとることが相当であると考えられ，とくに本条例10条1項にみるような，淫行処罰規定の構成要件の明確性を欠く場合には，処罰対象

を国民多数の合意が得られるようなものに絞って，厳格に解釈することが憲法の趣旨からも要請されるといってよい。

　二　次に問題となるのは国法との抵触である。いうまでもなく，条例は『法律の範囲内で』制定することが許されるのであるから（憲法94条。地方自治法14条1項は，「法令に違反しない限りにおいて」制定できるとする。），国の法令と矛盾抵触する条例は無効である。もとより，いかなる場合にこの矛盾抵触があるとすべきかは，微妙な判断となることが少なくない。ある事項について国の法令中にこれを規律する明文の規定がないからといって，当然に条例がこれについて規律することが許されることにはならないし，また特定事項について国の法令と条例が併存するときにも，矛盾抵触があると考えられない場合もある。条例が国の法令に違反するかどうかは，両者の規律対象や文言を対比するのみでなく，それぞれの目的，内容及び効果を比較して決定されることになる（最高裁昭和48年(あ)第910号同50年9月10日大法廷判決・刑集29巻8号489頁参照）。

　ところで，淫行処罰規定に関連のある国の法令として，児童に淫行をさせる行為に重罰を科する児童福祉法の規定及び売春の相手方を不可罰としている売春防止法もあるが，ここでは刑法の強姦罪の規定を検討することとしたい（なお，条例の淫行処罰規定にいう青少年とは男女を問わないものであるが，実質上年少の婦女を主眼とするものであることは疑いをいれないところであるから，それを前提として考えてみる。）。

　刑法177条及び178条の規定によれば，13歳未満の婦女については，いかなる手段方法によるかを問わず，また完全な合意がある場合であっても，これを姦淫することを強姦罪とするとともに，13歳以上の婦女については，暴行，脅迫をもって又は抗拒不能や心神喪失に乗ずるなどの所定の手段方法によってこれを姦淫した場合に限定して，強姦罪に当たるとされている。これは13歳に満たない婦女は性行為の意義を理解することができず，その同意の能力を欠くものとされるからであるが，無限定に姦淫を処罰することを相当とする年齢の上限を何歳とすべきかは，国法のレベルにおける裁量によるもので，その変更は法律をもってしなければならないことは明らかであろう。

　本条例10条1項の規定は，小学校就学の始期より前にある者を除き18歳未満の者である青少年に対して淫行をした行為を処罰するものである。かりにこ

の淫行の意義をゆるやかに解し，例えば『淫行』すなわち姦淫と解釈するとすれば，何らの限定なく処罰する姦淫（性交）行為の対象となる年少婦女の年齢の上限を18歳にひきあげるに等しいこととなる。この点は，条例の淫行処罰規定と刑法177条及び178条の規定とがその保護法益を異にする面があることを考慮に入れても，なお看過し難いところであって，右にいう『淫行』を性行為一般と解するときは，結局『法律の範囲』外に逸脱する疑いを免れず，この点においても，憲法の趣旨からいって，そこに何らかの要件を付加することにより限定をすることが求められるのである。そして，このような限定を付するにあたっては，刑法の規定との調和が当然に考慮されるべきこととなろう。

三　以上に述べたところからみて，『淫行』の意義について，どのような解釈をとれば，著しい条例間の不均衡を生ずることを免れ，また，国法とくに刑法との整合性を保ち，かつ，憲法の要求する明確性を充たすことになるのであろうか。

本条例10条1項にいう『淫行』を広く青少年に対する性行為一般を指すと解したり，また単に反倫理的ないしは不純な性行為と解したりするのでは，あるいは広きに失し，あるいは不明確となるのは多数意見の説示するとおりであるし，私のすでに述べたところからもきわめて不適当といわざるをえない。これまで高裁判決などで多く示された解釈によれば，『淫行とはみだらな性行為のことであり，健全な常識を有する社会人からみて，結婚を前提としない，専ら情欲を満たすためにのみ行う不純とされる性交又は性交類似行為をいう』とされる。この解釈は，一見して限定を付しているようにみえるが，性行為そのものは，自己の性欲を満足させるために行われるのが通常であるから，それはほとんど限定の作用をいとなまず，結婚を前提としない青少年を相手方とする性行為のすべてを包含することに近いと考えられ，適当と考えられる限定とはいえないであろう。

私の見解によれば，現在のわが国において，青少年に対する性行為であって社会的な非難を受け，国民の多数が処罰に値するものと考えるのは，青少年の無知，未熟，情緒不安定などにつけ込んで不当と思われる手段を用いてする性交又は性交類似行為であると考える。すなわち，刑法のような，暴行，脅迫をもって，あるいは心神喪失，抗拒不能に乗じて行うという程度には達しないが不当と考えられる手段を用いて行う性行為がそれに当たるというべきであり，

具体的にいえば，まさに多数意見のいう『青少年を誘惑し，威迫し，欺罔し又は困惑させる等……不当な手段により行う性交又は性交類似行為』ということになる。多くの淫行処罰規定は，本条例を含めて，『淫行』とか『みだらな性行為』とか『不純な性行為』というように，むしろ安易に構成要件を定めていたといえるのに対し，近年制定された京都府の条例 21 条 1 項，大阪府の条例 18 条，山口県の条例 12 条 1 項が，多少表現及び範囲を異にするが，ほぼ私見のような限定をおいて禁止処罰の対象を定めていることが注目されよう。淫行処罰規定についてこのように処罰の範囲を限定することによって，はじめて顕著な地域差の解消，国法との調和の保持という憲法の趣旨に沿った運用がなされることになるのである。

　なお，多数意見は，右にあげたところに付加して，『青少年を単に自己の性的欲望を満足させるための対象として扱っているとしか認められないような性交又は性交類似行為』をも『淫行』に当たるとするが，これは，後述の明確性の点で問題があるのみでなく，以上に述べた国法との関係からいっても，処罰範囲の限定として適切なものとはいえないであろう。

　四　問題となるのは，前叙のように『青少年を誘惑し，威迫し，欺罔し又は困惑させる等その心身の未成熟に乗じた不当な手段により』という限定を加えることは，単に『淫行』とのみ規定する本条例 10 条 1 項の解釈として可能であるか，ということである。

　当裁判所は，すでに，前記の大法廷判決において，ある刑罰法規があいまいで不明確である理由でもって憲法 31 条に違反すると認めるべきかどうかは，通常の判断力を有する一般人の理解において，具体的場合に当該行為がその適用を受けるものかどうかの判断を可能ならしめるような基準が読みとれるかどうかによって決定すべきであるとし，また最近では，いわゆる税関検査に関して，右の大法廷判決を参照しつつ，『表現の自由を規制する法律の規定について限定解釈をすることが許されるのは，その解釈により，規制の対象となるものとそうでないものとが明確に区別され，かつ，合憲的に規制し得るもののみが規制の対象となることが明らかにされる場合でなければならず，また，一般国民の理解において，具体的場合に当該表現物が規制の対象となるかどうかの判断を可能ならしめるような基準をその規定から読みとることができるものでなければならない』と判示している（最高裁昭和 57 年(行ツ)第 156 号同 59 年

⇒ *14*

12 月 12 日大法廷判決・民集 38 巻 12 号 1308 頁）。

　以上の判例は，いずれも表現の自由にかかわるものであり，表現の自由の特質からその規制の立法はとくに明確性が憲法上要求されることはたしかであるが，刑罰という最もきびしい法的制裁を科する刑事法規については，罪刑法定主義にもとづく構成要件の明確性の要請がつよく働くのであるから，判例の説示するところは，憲法 31 条のもとにあって，刑罰法規についてもほぼ同様に考えてよいと思われる。

　この判断基準にたって本条例 10 条 1 項の規定が憲法 31 条の要求する明確性をそなえているかどうかを考えてみるに，多数意見の示すような限定解釈は一般人の理解として『淫行』という文言から読みとれるかどうかきわめて疑問であって，もはや解釈の限界を超えたものと思われるのであるが，私の見解では，淫行処罰規定による処罰の範囲は，憲法の趣旨をうけて更に限定されざるをえず，『誘惑し，威迫し，欺罔し又は困惑させる等』の不当な手段により青少年との性交又は性交類似行為がなされた場合に限られると解するのである。しかし，このような解釈は，『淫行』という文言の語義からいっても無理を伴うもので，通常の判断能力を有する一般人の理解の及びえないものであり，『淫行』の意義の解釈の域を逸脱したものといわざるをえない。このように考えると，『淫行』という文言は，正当に処罰の範囲とされるべきものを示すことができず，本条例 10 条 1 項の規定は，犯罪の構成要件の明確性の要請を充たすことができないものであって，憲法 31 条に違反し無効というほかはない。原判決及びその支持する第一審判決は破棄を免れず，被告人は無罪であると考える。」

［**5**］　刑罰法規の適正

14　医業類似行為

　　　　最大判昭和 35 年 1 月 27 日刑集 14 巻 1 号 33 頁／判時 212・4，判タ 109・25
【事案】　被告人は，法令上の資格無しに医業類似行為を行ったとして起訴された。原審は次のように述べて有罪としたが，最高裁大法廷はこれを破棄差し戻した。差戻し後の第 2 審判決は，被告人の行為が，人の健康に害を及ぼす危険がある旨を認定し有罪とした。被告人は，再度上告したが，上告棄却（最決昭和 39 年 5 月 7 日刑集 18 巻 4 号

144頁）となっている。

「原判決挙示の証拠によれば，被告人が昭和26年9月1日から同月4日までの間前後4回に亘り，肩書住居等において反覆累行の意思を以てA外2名に対し，HS式高周波器なる器具を用い，HS式無熱高周波療法と称する療法を1回100円の料金を徴して施したこと，即ち右施術を業として行った事実は明かである。

而して論旨は右被告人の行った療法はあん摩師，はり師，きゅう師及び柔道整復師法にいうところの医業類似行為ではないと主張するので之を按ずるに右法律第12条にいうところの医業類似行為とは『疾病の治療又は保健の目的を以て光，熱，器械，器具その他の物を使用し若しくは応用し又は四肢若しくは精神作用を利用して施術する行為であって他の法令において認められた資格を有する者が，その範囲内でなす診療又は施術でないもの』，換言すれば『疾病の治療又は保健の目的でする行為であって医師，歯科医師，あん摩師，はり師，きゅう師又は柔道整復師等他の法令で正式にその資格を認められた者が，その業務としてする行為でないもの』ということになるのである，而して右法律が之を業とすることを禁止している趣旨は，かかる行為は時に人体に危害を生ぜしめる場合もあり，たとえ積極的にそのような危害を生ぜしめないまでも，人をして正当な医療を受ける機会を失わせ，ひいて疾病の治療恢復の時期を遅らせるが如き虞あり，之を自由に放任することは正常な医療の普及徹底並びに公共の保健衛生の改善向上の為望ましくないので，国民に正当な治療を享受する機会を与え，わが国の保健衛生状態の改善向上をはかることを目的とするに在ると解される。本件について之を見るに被告人の司法警察員に対する供述調書，原審証人Bの証言（原審第3回公判）及び当審証人Cの証言を総合すれば，本件HS式無熱高周波療法は電気理論を応用して疾病を治療する目的を以て製作販売使用せられているHS式高周波器なる器具を使用し，疾病治療の目的を以て行われる施術で少くとも之を使用している者の間では疾病治療に著大の効果ありと信ぜられているものであるから，之を所定の資格を有する者が行った場合以外医業類似行為というべきことは疑いなく，而して被告人は医師歯科医師，あん摩師，はり師，きゅう師又は柔道整復師等法令で正式にその資格を認められた者でないのに右施術を業として行ったものであるから被告人の前記本件行為が医業類似行為を業としたものとして前記法律第12条の規定にふれることは疑いがない。論旨は被告人の本件行為は憲法第22条によって保障された職業の自由の範囲内に属するものであるというが所論職業の自由は公共の福祉に反しない範囲においてのみ認められることで，前記法律が医業類似行為を業とすることを禁止した趣旨に鑑み論旨の右主張もまた理由がない。」

【判決理由】「憲法22条は，何人も，公共の福祉に反しない限り，職業選択の自由を有することを保障している。されば，あん摩師，はり師，きゅう師及び柔道整復師法12条が何人も同法1条に掲げるものを除く外，医業類似行為を

⇒ *15*

業としてはならないと規定し，同条に違反した者を同 14 条が処罰するのは，これらの医業類似行為を業とすることが公共の福祉に反するものと認めたが故にほかならない。ところで，医業類似行為を業とすることが公共の福祉に反するのは，かかる業務行為が人の健康に害を及ぼす虞があるからである。それ故前記法律が医業類似行為を業とすることを禁止処罰するのも人の健康に害を及ぼす虞のある業務行為に限局する趣旨と解しなければならないのであって，このような禁止処罰は公共の福祉上必要であるから前記法律 12 条，14 条は憲法 22 条に反するものではない。しかるに，原審弁護人の本件 HS 式無熱高周波療法はいささかも人体に危害を与えず，また保健衛生上なんら悪影響がないのであるから，これが施行を業とするのは少しも公共の福祉に反せず従って憲法 22 条によって保障された職業選択の自由に属するとの控訴趣意に対し，原判決は被告人の業とした本件 HS 式無熱高周波療法が人の健康に害を及ぼす虞があるか否かの点についてはなんら判示するところがなく，ただ被告人が本件 HS 式無熱高周波療法を業として行った事実だけで前記法律 12 条に違反したものと即断したことは，右法律の解釈を誤った違法があるか理由不備の違法があり，右の違法は判決に影響を及ぼすものと認められるので，原判決を破棄しなければ著しく正義に反するものというべきである。」

15 薬事法違反事件

最判昭和 57 年 9 月 28 日刑集 36 巻 8 号 787 頁／判時 1057・30，判タ 480・62
（重判昭 57 刑 8）

【判決理由】「所論にかんがみ，職権をもって判断すると，原判決及びその是認する第 1 審判決の認定するところによれば，被告人 X が被告会社の業務に関し東京都知事の許可を受けずかつ法定の除外事由なくして販売した本件『つかれず』及び『つかれず粒』は，いずれもクエン酸又はクエン酸ナトリウムを主成分とする白色粉末（80 グラムずつをビニール袋に入れたもの）又は錠剤（300 粒入りのビニール袋をさらに紙箱に入れたもの）であって，その名称，形状が一般の医薬品に類似しているうえ，被告人らはこれを，高血圧，糖尿病，低血圧，貧血，リウマチ等に良く効く旨その効能効果を演述・宣伝して販売したというのであるから，たとえその主成分が，一般に食品として通用しているレモン酢や梅酢のそれと同一であって，人体に対し有益無害なものであるとしても，これらが通常人の理解において『人又は動物の疾病の診断，治療又は予

防に使用されることが目的とされている物』であると認められることは明らかであり，これらを薬事法2条1項2号にいう医薬品にあたるとした原判断は，正当である。」

木戸口久治裁判官の反対意見　「そもそも，薬事法が，元来国民の自由に任されるべき飲食物等の供給行為のうち，『医薬品』の製造・販売につき厳格な法的規制をしている最大の理由は，『医薬品』は，一般に薬理作用を有しその故に疾病の治療・予防等に効果があると考えられる反面，その使用に伴い副作用や中毒等，人又は動物の健康に対する積極的な危険を生ずるおそれがあるという点にあると考えるべきである。したがって，同法2条1項2号にいう『医薬品』を，右のような積極的危険を及ぼすおそれのある物質のみに限定しようとする所論の見解に一理あることは，これを否定することができない。しかし，多数意見も指摘するとおり，薬事法による『医薬品』の規制の根拠は必ずしも右の点だけに限られるものではない。このような積極的な危険を及ぼすおそれはなくとも，客観的に薬効の保障のないものが，これを有するもののごとく薬効を標榜して自由に販売されるときは，その標榜された薬効に対する過度の信頼から，国民をして適切な医療を受ける機会を失わせるおそれがあると考えられるのであって，薬事法が『医薬品』の使用によるかかる消極的な意味での弊害の防止をも目的としたものであると考えることは，不合理ではない。多数意見が，同法の立法趣旨につきおおむね右と同旨の前提に立脚したうえ，同法2条1項2号にいう『医薬品』にあたるか否かを，その物の成分のいかんや薬理作用の有無のみによってではなく，その名称，形状，その物に表示された使用目的・効能効果・用法用量，販売方法，その際の演述・宣伝などをも総合して決すべきであるとしているのは，右に述べた意味において，ほぼこれを支持することができる。

　しかしながら，薬事法による『医薬品』の規制の趣旨が前記のようなものであるとすると，健康に対し積極的な危険を及ぼすおそれのある物質についてはともかく，健康上有益無害と考えられる物質を『医薬品』と認めるのは，慎重でなければならないであろう。世間一般で何らの疑いもなく『食品』として通用しているものの中には，健康上有益で，疾病の予防・治療にも効果があるとされているもの（いわゆる「健康食品」）が，必ずしも少なくはないのであって，かかる『食品』についてその有するとされる効能効果を標榜して売買した

としても，これをその本来の姿のままで売買する限り，標榜された効能効果に対する国民の常識的な判断を不当に惑わすことにはならず，薬事法が防遏しようとする『消極的な弊害』を生ずるおそれはない。このような『食品』をその薬効の標榜の故に『医薬品』にあたると解することは，国民の健全な常識にも反するであろう。『食品』に若干の加工を加え，これが本来の姿とは異なる外見を呈するに至っている場合には，これと全く同一に論ずることはできないが，その原料である食品と製品との関係が明示されており，その間に本質的なちがいのあるものではないことが何人にも容易に理解することができ，全体として，標榜された薬効に対する不当な過信を生ずるおそれのないものは，やはり『医薬品』にあたらないと考えるべきである。私は，多数意見の定義にいう『その物の成分，形状，名称，その物に表示された使用目的・効能効果・用法用量，販売方法，その際の演述・宣伝などを総合して，通常人の理解において『人又は動物の疾病の診断，治療又は予防に使用されることが目的とされている』と認められる物』という概念は，当然に右に述べたような趣旨をも含むものと理解するのであるが，もし多数意見が，かかる実質的な考慮を抜きにして，その定義を機械的・形式的に具体的事案に適用すべきであるとの趣旨であれば，とうてい賛同することができない（なお，前記のような私の基本的立場を前提としても，薬効のない物質を原料とし，その形状・名称をことさら「くすり」に似せ，特定の疾病に対する効能効果を強調して売られるいわゆる「偽薬」については，これを「医薬品」にあたると解すべきことはもちろんである。）。

ところで，本件において，被告人Xが被告会社の業務に関し無許可で販売した『つかれず等』の主成分は，一般に食品として通用しているレモン酢や梅酢のそれと同一であるクエン酸又はクエン酸ナトリウムであり，人の健康上有益でこそあれ，これを摂取することにより積極的な危険を生ずるおそれのあるものではない。そして，同被告人は，右『つかれず等』の主成分及びこれがレモン酢や梅酢のそれと同一である旨を製品の袋や紙箱に明記しているばかりでなく，その効能効果を演述・宣伝するにあたっても，これがあくまで『酢』であることを前提として，『酢』の人体に対する効用を強調するに止めているのである。また，多数意見の指摘するその形状の点にしても，近時の食品の中には，白色粉末をビニール袋に包んだものとか，錠剤型にして箱詰めにしたものなどが，必ずしもめずらしくはないのであって，本件『つかれず等』の形状が

一般の『医薬品』にきわめて類似しているとはいえない（なお，液状の酢は，一般に飲みにくくしかも携帯に不便なものであるから，被告人Xが，これを飲み易くまた携帯に便ならしめるため，その固形化を図ったことには，合理的な理由もあるというべきである。）。さらに，本件『つかれず等』の名称については，果たして多数意見のいうように，医薬品的特徴を具有しているといえるのかどうかすら疑問である。以上の諸点のほか，被告人Xが右『つかれず等』を販売するにあたり，医薬品的な用法を指示した事実はなく，その価格も比較的低廉であること（単価は，おおむね100円から，せいぜい数百円以下である。）など，記録上明らかな諸点に照らすと，右『つかれず等』については，その宣伝方法にやや行過ぎと思われる点がないではないにしても，いまだ，これが，標榜された効能効果に対する国民の判断を不当に惑わすおそれのあるものであるとは考えられないのであって，その無許可の販売を認めても，薬事法が防遏しようとする弊害を（積極的な弊害はもとより消極的な弊害も）生ずるおそれはないというべきである。したがって，本件『つかれず等』のようなものは，薬事法上の『医薬品』の概念には該当しないと考えるべきであり，せいぜい，食品衛生法上の規制の対象とすれば足りる。

このような意味において，私は，本件『つかれず等』は，薬事法2条1項2号にいう『医薬品』にあたるという見解のもとに被告人X及び被告会社につき同法24条1項，84条5号（なお，被告会社につき同法89条）の罪の成立を認めた原判決及びその是認する第1審判決には，法令の解釈適用を誤った違法があると考えるものであり，右違法は判決に影響を及ぼすことが明らかであって，原判決及び第1審判決を破棄しなければ著しく正義に反するものと認められるから，これを破棄したうえ，被告人X及び被告会社に対し，いずれも無罪の判決を言い渡すべきものと思料する。」

16　公務員の政治的行為の処罰

最判平成24年12月7日刑集66巻12号1337頁／判時2174・21，判タ1385・95
（重判平25憲8①・行11①・刑1①）

【事案】　社会保険事務所に年金審査官として勤務していた厚生労働省事務官であるXは，休日に，政党甲を支持する目的で，同党の機関誌等を配布したとして，国家公務員法110条1項19号，102条1項，人事院規則14-7（政治的行為）6項7号，13号（5項3号）に当たるとして起訴され，第1審で有罪となった。しかし，控訴審判決は，

⇒ 16

「本件罰則規定は，その文言や本法の立法目的及び趣旨に照らし，国の行政の中立的運営及びそれに対する国民の信頼の確保を保護法益とする抽象的危険犯と解されるところ，これが憲法上の重要な権利である表現の自由を制約するものであることを考えると，これを単に形式犯として捉えることは相当ではなく，具体的危険まで求めるものではないが，ある程度の危険が想定されることが必要であると解釈すべきであるし，そのような解釈は刑事法の基本原則にも適合すると考えられる」と一般論を述べた上で，本件配布行為について，上記のような法益を侵害すべき危険性は，抽象的なものを含めて，全く肯認できず，本件配布行為に対し，本件罰則規定を適用することは，憲法21条1項および31条に違反するとして，第1審判決を破棄し，Xに無罪を言い渡した。最高裁第二小法廷は，下記判決理由欄のように述べて，検察官の上告を棄却した。

　同法廷は，同日の判決で，政党甲の機関誌等を配布して第1，2審で有罪となった厚生労働省大臣官房統計情報部社会統計課長補佐であったYについては，「指揮命令や指導監督等を通じて他の多数の職員の職務の遂行に影響を及ぼすことのできる地位にあった……被告人が政党機関紙の配布という特定の政党を積極的に支援する行動を行うことについては，それが勤務外のものであったとしても，国民全体の奉仕者として政治的に中立な姿勢を特に堅持すべき立場にある管理職的地位の公務員が殊更にこのような一定の政治的傾向を顕著に示す行動に出ているのであるから，当該公務員による裁量権を伴う職務権限の行使の過程の様々な場面でその政治的傾向が職務内容に現れる蓋然性が高まり，その指揮命令や指導監督を通じてその部下等の職務の遂行や組織の運営にもその傾向に沿った影響を及ぼすことになりかねない。したがって，これらによって，当該公務員及びその属する行政組織の職務の遂行の政治的中立性が損なわれるおそれが実質的に生ずるものということができる」と述べて，Yの配布行為に110条1項19号の罰則を適用しても憲法21条1項，31条に違反しないと判示した。

【判決理由】「(4)　所論は，原判決は，憲法21条1項，31条の解釈を誤ったものであると主張する。

　ア　そこで検討するに，本法102条1項は，『職員は，政党又は政治的目的のために，寄附金その他の利益を求め，若しくは受領し，又は何らの方法を以てするを問わず，これらの行為に関与し，あるいは選挙権の行使を除く外，人事院規則で定める政治的行為をしてはならない。』と規定しているところ，同項は，行政の中立的運営を確保し，これに対する国民の信頼を維持することをその趣旨とするものと解される。すなわち，憲法15条2項は，『すべて公務員は，全体の奉仕者であって，一部の奉仕者ではない。』と定めており，国民の信託に基づく国政の運営のために行われる公務は，国民の一部でなく，その全

体の利益のために行われるべきものであることが要請されている。その中で，国の行政機関における公務は，憲法の定める我が国の統治機構の仕組みの下で，議会制民主主義に基づく政治過程を経て決定された政策を忠実に遂行するため，国民全体に対する奉仕を旨として，政治的に中立に運営されるべきものといえる。そして，このような行政の中立的運営が確保されるためには，公務員が，政治的に公正かつ中立的な立場に立って職務の遂行に当たることが必要となるものである。このように，本法102条1項は，公務員の職務の遂行の政治的中立性を保持することによって行政の中立的運営を確保し，これに対する国民の信頼を維持することを目的とするものと解される。

　他方，国民は，憲法上，表現の自由（21条1項）としての政治活動の自由を保障されており，この精神的自由は立憲民主政の政治過程にとって不可欠の基本的人権であって，民主主義社会を基礎付ける重要な権利であることに鑑みると，上記の目的に基づく法令による公務員に対する政治的行為の禁止は，国民としての政治活動の自由に対する必要やむを得ない限度にその範囲が画されるべきものである。

　このような本法102条1項の文言，趣旨，目的や規制される政治活動の自由の重要性に加え，同項の規定が刑罰法規の構成要件となることを考慮すると，同項にいう『政治的行為』とは，公務員の職務の遂行の政治的中立性を損なうおそれが，観念的なものにとどまらず，現実的に起こり得るものとして実質的に認められるものを指し，同項はそのような行為の類型の具体的な定めを人事院規則に委任したものと解するのが相当である。そして，その委任に基づいて定められた本規則も，このような同項の委任の範囲内において，公務員の職務の遂行の政治的中立性を損なうおそれが実質的に認められる行為の類型を規定したものと解すべきである。上記のような本法の委任の趣旨及び本規則の性格に照らすと，本件罰則規定に係る本規則6項7号，13号（5項3号）については，それぞれが定める行為類型に文言上該当する行為であって，公務員の職務の遂行の政治的中立性を損なうおそれが実質的に認められるものを当該各号の禁止の対象となる政治的行為と規定したものと解するのが相当である。このような行為は，それが一公務員のものであっても，行政の組織的な運営の性質等に鑑みると，当該公務員の職務権限の行使ないし指揮命令や指導監督等を通じてその属する行政組織の職務の遂行や組織の運営に影響が及び，行政の中立的

運営に影響を及ぼすものというべきであり，また，こうした影響は，勤務外の行為であっても，事情によってはその政治的傾向が職務内容に現れる蓋然性が高まることなどによって生じ得るものというべきである。

　そして，上記のような規制の目的やその対象となる政治的行為の内容等に鑑みると，公務員の職務の遂行の政治的中立性を損なうおそれが実質的に認められるかどうかは，当該公務員の地位，その職務の内容や権限等，当該公務員がした行為の性質，態様，目的，内容等の諸般の事情を総合して判断するのが相当である。具体的には，当該公務員につき，指揮命令や指導監督等を通じて他の職員の職務の遂行に一定の影響を及ぼし得る地位（管理職的地位）の有無，職務の内容や権限における裁量の有無，当該行為につき，勤務時間の内外，国ないし職場の施設の利用の有無，公務員の地位の利用の有無，公務員により組織される団体の活動としての性格の有無，公務員による行為と直接認識され得る態様の有無，行政の中立的運営と直接相反する目的や内容の有無等が考慮の対象となるものと解される。

　イ　そこで，進んで本件罰則規定が憲法 21 条 1 項，31 条に違反するかを検討する。この点については，本件罰則規定による政治的行為に対する規制が必要かつ合理的なものとして是認されるかどうかによることになるが，これは，本件罰則規定の目的のために規制が必要とされる程度と，規制される自由の内容及び性質，具体的な規制の態様及び程度等を較量して決せられるべきものである（最高裁昭和 52 年㈹第 927 号同 58 年 6 月 22 日大法廷判決・民集 37 巻 5 号 793 頁等）。そこで，まず，本件罰則規定の目的は，前記のとおり，公務員の職務の遂行の政治的中立性を保持することによって行政の中立的運営を確保し，これに対する国民の信頼を維持することにあるところ，これは，議会制民主主義に基づく統治機構の仕組みを定める憲法の要請にかなう国民全体の重要な利益というべきであり，公務員の職務の遂行の政治的中立性を損なうおそれが実質的に認められる政治的行為を禁止することは，国民全体の上記利益の保護のためであって，その規制の目的は合理的であり正当なものといえる。他方，本件罰則規定により禁止されるのは，民主主義社会において重要な意義を有する表現の自由としての政治活動の自由ではあるものの，前記アのとおり，禁止の対象とされるものは，公務員の職務の遂行の政治的中立性を損なうおそれが実質的に認められる政治的行為に限られ，このようなおそれが認められない政

治的行為や本規則が規定する行為類型以外の政治的行為が禁止されるものではないから，その制限は必要やむを得ない限度にとどまり，前記の目的を達成するために必要かつ合理的な範囲のものというべきである。そして，上記の解釈の下における本件罰則規定は，不明確なものとも，過度に広汎な規制であるともいえないと解される。なお，このような禁止行為に対しては，服務規律違反を理由とする懲戒処分のみではなく，刑罰を科すことをも制度として予定されているが，これは，国民全体の上記利益を損なう影響の重大性等に鑑みて禁止行為の内容，態様等が懲戒処分等では対応しきれない場合も想定されるためであり，あり得べき対応というべきであって，刑罰を含む規制であることをもって直ちに必要かつ合理的なものであることが否定されるものではない。

　以上の諸点に鑑みれば，本件罰則規定は憲法21条1項，31条に違反するものではないというべきであり，このように解することができることは，当裁判所の判例（最高裁昭和44年（あ）第1501号同49年11月6日大法廷判決・刑集28巻9号393頁，最高裁昭和52年（オ）第927号同58年6月22日大法廷判決・民集37巻5号793頁，最高裁昭和57年（行ツ）第156号同59年12月12日大法廷判決・民集38巻12号1308頁，最高裁昭和56年（オ）第609号同61年6月11日大法廷判決・民集40巻4号872頁，最高裁昭和61年（行ツ）第11号平成4年7月1日大法廷判決・民集46巻5号437頁，最高裁平成10年（分ク）第1号同年12月1日大法廷決定・民集52巻9号1761頁）の趣旨に徴して明らかである。

　ウ　次に，本件配布行為が本件罰則規定の構成要件に該当するかを検討するに，本件配布行為が本規則6項7号，13号（5項3号）が定める行為類型に文言上該当する行為であることは明らかであるが，公務員の職務の遂行の政治的中立性を損なうおそれが実質的に認められるものかどうかについて，前記諸般の事情を総合して判断する。

　前記のとおり，被告人は，社会保険事務所に年金審査官として勤務する事務官であり，管理職的地位にはなく，その職務の内容や権限も，来庁した利用者からの年金の受給の可否や年金の請求，年金の見込額等に関する相談を受け，これに対し，コンピューターに保管されている当該利用者の年金に関する記録を調査した上，その情報に基づいて回答し，必要な手続をとるよう促すという，裁量の余地のないものであった。そして，本件配布行為は，勤務時間外である

⇒ *16*

休日に，国ないし職場の施設を利用せずに，公務員としての地位を利用することなく行われたものである上，公務員により組織される団体の活動としての性格もなく，公務員であることを明らかにすることなく，無言で郵便受けに文書を配布したにとどまるものであって，公務員による行為と認識し得る態様でもなかったものである。これらの事情によれば，本件配布行為は，管理職的地位になく，その職務の内容や権限に裁量の余地のない公務員によって，職務と全く無関係に，公務員により組織される団体の活動としての性格もなく行われたものであり，公務員による行為と認識し得る態様で行われたものでもないから，公務員の職務の遂行の政治的中立性を損なうおそれが実質的に認められるものとはいえない。そうすると，本件配布行為は本件罰則規定の構成要件に該当しないというべきである。

エ　以上のとおりであり，被告人を無罪とした原判決は結論において相当である。なお，原判決は，本件罰則規定を被告人に適用することが憲法21条1項，31条に違反するとしているが，そもそも本件配布行為は本件罰則規定の解釈上その構成要件に該当しないためその適用がないと解すべきであって，上記憲法の各規定によってその適用が制限されるものではないと解されるから，原判決中その旨を説示する部分は相当ではないが，それが判決に影響を及ぼすものでないことは明らかである。論旨は採用することができない。

II 構成要件該当性

[**1**]　主体（法人処罰・両罰規定）

17　法人の犯罪能力

大判昭和 10 年 11 月 25 日刑集 14 巻 1217 頁

【事案】　被告人（法人）は，貯蓄銀行法 18 条（法定刑は 5000 円以下の罰金）に違反し，主務大臣の許可を得ずして貯蓄銀行業を営んだとして起訴された。原審は，同条が法人の犯罪能力を認めたものではないとして無罪とした。

【判決理由】　「上告趣意書に就て之を審案するに第 1 法人か一定の業務の主体たることを得るは現行法令の解釈上何等疑問の存せさる所なりと雖も法人の代表者其の他の従業者か法人の業務に関し犯則行為を為したる場合に於て法人を以て右反則行為の主体なりと為し当然之に対して刑罰制裁を科することを得るや否やは別個の問題にして我現行刑罰制裁法令の解釈としては本問を否定するを通説とし本院判例亦此の通説に一致する所なり而して本件に付所論の事実関係ありとせは被告会社を以て所論業務の主体なりと認むるに足れりと雖も之か為当然に同会社に刑事責任ありと断定するは失当たるを免れさるものとす

　第 2 法人に犯罪行為能力ありや否に付ては所論の如く見解の一致せさるところなりと雖も我現行法の解釈としては之を否定すへく若し法人の機関たる自然人か法人の名義に於て犯罪行為を為す場合に於ては其の自然人を処罰するを以て正当と為すへきこと夙に本院判例の宣明する所なり蓋し我現行刑法か自然意思を有する責任能力者のみを以て刑罰を科せらるへき行為の主体なりと認むるは同法第 38 条乃至第 41 条の規定に徴するも疑を容れさるのみならす明治 33 年法律第 52 号其の他特別法令の罰則中法人を処罰する規定に在りても最も多くは法人自体の犯則行為を認めす従業者の犯則行為に付て罰則を法人に適用すへき趣旨を明示するに依りて之を考察するも我現行刑事制裁法令の大系は法人の犯罪行為能力を否定するものなることを知るに難からさるか故に絋上本院判例の趣旨は特に明白なる根拠の存するに非されは反対の解釈を容るるものに非

す而して貯蓄銀行法第18条の規定は明治23年法律第73号貯蓄銀行条例第9条の規定に対応するものにして法人を処罰せさることを明かにせさる点に於て後者と異なる所ありと雖も其の法文自体に依りて毫も法人の犯罪行為能力を認むる趣旨を明かにせさるのみならす其の他の規定に於ても此趣旨を啓示するものと認むるに足るへき所なきか故に同条の規定は刑法第8条本文に依り刑法総則の精神に従て之を解釈するを当然なりとす乃ち同条の規定は自己の為にすると他人の為にするとを問はす免許を受けすして貯蓄銀行業を営む事実行為者を処罰するものにして法人の犯罪能力を認め之を処罰するの趣旨を含蓄するものに非すと解すへきものなりとす」

18 両罰規定における業務主の責任

大判昭和17年9月16日刑集21巻417頁

【事案】 被告人Xは，靴の製造販売業を営んでいたが，息子のYが，統制価格に違反して靴を販売した事実につき，国家総動員法48条の両罰規定により起訴された。Xは営業をYに任せており，Yを監督する立場にはなかったと主張した。

【判決理由】「原判示に依れは原審の認定したる事実は被告人は原判示場所に店舗を設け自己の計算に於て靴製造販売業を営むものにして即ち所論の如く右営業の単なる名義人に止まるものにあらす其の実質上の主体にして被告人の二男Yに於て右被告人の営業一切を統轄担当中被告人の右業務に関し判示第二の各所為を為したりと云ふにあること明かにして該事実は原判決挙示の諸証拠を綜合して之を認むるに十分にして記録を精査するも原判決の右事実認定に重大なる誤認あることを疑ふに足るへき顕著なる事由なく斯る業者か国家総動員法第48条に所謂人に該当すること亦論なきところなりとす又国家総動員法第48条は営業者の代理人か其の営業者の業務に関し同条列挙法条の違反行為を為したるときは営業者に故意又は過失ありたると否とを問はす常に之に対し同条所定の刑責を負はしむる法意なること疑を容れさるか故に原判決か右事実に付被告人に於て所論の如き故意又は過失ありしや否を審理せすして前記法条を適用処断したるは毫も違法に非す」

19 過失推定説

最大判昭和32年11月27日刑集11巻12号3113頁／判時134・12

【事案】 被告人（自然人）は，キャバレーの経営者であったが，従業員による入場税の逋脱行為につき，入場税法17条の3の両罰規定により処罰された。

【判決理由】「所論は，廃止前の入場税法 17 条の 3（但し昭和 22 年法律第 142 号による改正前の条文）のいわゆる両罰規定は，憲法 39 条に違反すると主張する。

しかし，同条は事業主たる，人の『代理人，使用人其ノ他ノ従業者』が入場税を逋脱しまたは逋脱せんとした行為に対し，事業主として右行為者らの選任，監督その他違反行為を防止するために必要な注意を尽さなかった過失の存在を推定した規定と解すべく，したがって事業主において右に関する注意を尽したことの証明がなされない限り，事業主もまた刑責を免れ得ないとする法意と解するを相当とする。それ故，両罰規定は故意過失もなき事業主をして他人の行為に対し刑責を負わしめたものであるとの前提に立脚して，これを憲法 39 条違反であるとする所論は，その前提を欠くものであって理由がない。」

20 過失推定説（法人業務主への推及）

最判昭和 40 年 3 月 26 日刑集 19 巻 2 号 83 頁／判時 418・66，判タ 175・150

(百選 I 3)

【判決理由】「所論は，憲法 31 条違反をいうもので，その理由として，本件適用法令たる本法 73 条のいわゆる両罰規定について，従業者の違反行為に対する事業主の過失を推定したもので，事業主において従業者の選任，監督に過失がなかったことを立証すれば罪責を免れうる趣旨の規定であるとする見解があるけれども，右過失の推定自体，刑罰法における責任主義の原則に反するし，以上のような立証は事実上不可能であって，結局事業主の無過失責任を認めるに帰するものであり，しかも，右過失推定についての明文を欠いているのであるから，右規定は，責任主義，罪刑法定主義を定めた憲法 31 条に違反する，また，本法制定当時においては，本件のような事案に対する処罰の必要と根拠があったのであるが，本件当時にはわが国の外貨事情が著しく好転した結果，実質上かような必要と根拠が失われていたのであって，本法 2 条の法意から考えても，法律があるからというだけで，本件を処罰することは同じく憲法 31 条に違反する，と主張する。

しかしながら，事業主が人である場合の両罰規定については，その代理人，使用人その他の従業者の違反行為に対し，事業主に右行為者らの選任，監督その他違反行為を防止するために必要な注意を尽さなかった過失の存在を推定したものであって，事業主において右に関する注意を尽したことの証明がなされ

⇒ *21*

ない限り，事業主もまた刑責を免れ得ないとする法意と解するを相当とすることは，すでに当裁判所屢次の判例（昭和26年(れ)第1452号，同32年11月27日大法廷判決，刑集11巻12号3113頁，昭和28年(あ)第4356号，同33年2月7日第二小法廷判決，刑集12巻2号117頁，昭和37年(あ)第2341号，同38年2月26日第三小法廷判決，刑集17巻1号15頁各参照）の説示するところであり，右法意は，本件のように事業主が法人（株式会社）で，行為者が，その代表者でない，従業者である場合にも，当然推及されるべきであるから，この点の論旨は，違憲の主張としての前提を欠き理由がない。」

21 免責を否定した事例

東京高判昭和48年2月19日判タ302号310頁

【判決理由】「原記録の各証拠および当審における事実取調の結果によれば，本件会社は横浜店，銀座店，赤坂店などの各店舗をもち，社長たる会社代表者Xのもとに常務取締役，取締役，総支配人，管理課長，経理課長，調理課長，各店の支配人をおき，各店のチーフ・コック以下の従業員を合わせると，約120名に達する規模の料理店業者であること，各監督系統に応じて従業員等の監督が行なわれ，代表者Xも幹部会に出席し，経営，労務につき一般的な発言をしていたことを認めることができる。

　しかし，本件のように本件会社の横浜店の調理責任者であって，同店の従業員関係を担当していた使用者たるYが，事業主たる本件会社のために深夜18才未満の男子労働者のAを調理人として使用した場合に，労働基準法121条1項但書に従い，本件会社がその責を免れるためには，代表者たるXが右の基準法違反の防止に必要な措置をした場合でなければならないところ，それはAの深夜使用の禁止に関し単に一般的，抽象的に注意を与えただけでは足りないのであって，特にその禁止につき進んで積極的，具体的に指示を与えて違反の防止に努めたことを必要とするのである。

　ところが，原記録の各証拠によると，代表者たるXは，1年に1回位しか職場に顔を出さず，一切を現場の監督系統に委かせて，自らは意慾的に年少者の深夜使用の禁止に関心を示していなかったこと，従って横浜店の調理責任者Yも，本店調理課長のZから『Aはコックとして使ってくれ，年令が足りないから注意してくれ。』と申しつがれたが，それもYに対し深く留意させるほ

どのものでなく，仮に代表者ら幹部が年少者を深夜に使用しない意向を持っていたとしても，その意向はYに対して徹底していなかったことを認定することができ，当審における事実取調の結果に徴するも右の認定を左右することはできないし，他に代表者がYの本件違反行為の防止に法律上，必要な措置を尽したことを認めるに充分な証拠を発見しえないのである。」

22 免責を肯定した事例

高松高判昭和 46 年 11 月 9 日判時 660 号 102 頁／判タ 275・291

【事案】 被告人X（自然人）は，鉄工業を営むものであったが，A建設会社から鉄骨の組み立て作業を請け負った。Xは従業員Y他数名に作業を命じたが，Yが作業現場において高圧電線に対する危険防止の措置をしなかったため，従業員に感電による死傷事故を生じた。このためXは，労働基準法旧42条，121条1項により起訴された。

【判決理由】「右Yは，原判示のとおり，本件工事現場において 6,600 ボルト高圧電線に同法 45 条に基づく労働安全衛生規則 127 条の8（昭和 44 年1月労働省令1号による改正前のもの）による絶縁用防護具の装着をしないまま，右架空電線に近接する場所において，鉄骨の吊り上げ，組立作業をしたのであるから，電気による危害防止のため必要な措置を講じなかったもので，これが同法 42 条に違反することは明らかである。……してみると，事業主たる被告人は同法 121 条1項本文の両罰規定の適用を受けるべき関係にあるわけであるが，所論は同項但書の免責を主張するので，以下この点について検討を進めることとする。

ところで，右但書にいうところの，事業主が違反の防止に必要な措置をするとは，当該違反防止のため客観的に必要と認められる措置をすることであり，従って，それは，事業主が，単に一般的，抽象的に違反防止の注意，警告をしただけで足りるものではなく，違反行為の発生を有効に防止するに足りる相当にして具体的な措置を実施することを要すると解すべきである。そして，右にいう相当にして具体的な措置とは，当該事業所の機構，職制をはじめ，事業の種類，性質，更には事業運営の実状等当時の具体的状況によって決すべきものと解するのが相当である。」

「このように，XとA建設株式会社の間の下請元請の関係は，従前から何回か継続したものであり，しかも，この間高圧電線等の危険物の防護措置に関しては前述のような事情から常に元請人たるA建設株式会社において電力会社

に依頼して行なうという方法が累行され，かつその方法自体合理的な理由が存し，過去において特に問題視される点もなかった以上，被告人がこの方法に従って，事故前日の14日に同会社に電話で電線被覆の依頼方を要請し，更に翌15日朝再び同会社社長にその実行方を強く要請し，かつそれを確約させたその措置を不適当ないし不十分なものと言い去ることはできない。しかも，A′は，被告人が前記家庭の事情で現場に行けないことを承知したうえ，現場には自分も行ってみてやると返事したというのであるから，被告人において，Yらの鉄骨組立の作業が電線被覆の完了後に開始されるものと信じ，それ以上の措置に出でなかったのも無理からぬものといわなければならない。」

「前認定のようなXとA建設株式会社との間の関係，違反防止措置に関する実施の実情とその合理性，更に被告人の立場と当時の事業所の規模，内情等すべての状況を勘案して考えると，前示のように，被告人が，A建設株式会社に対し，14，15両日にわたって，強く四国電力株式会社に対する電線被覆工事の依頼方を要請し，かつ，その旨を確約させている以上，違反の防止に必要な措置をとったものと認めるのが相当である。」

　［**参考**］　昭和47年法57号により労働安全衛生法に移される前の**労働基準法42条**。「使用者は，機械，器具その他の設備，原料若しくは材料又はガス，蒸気，粉じん等による危害を防止するために，必要な措置を講じなければならない。」

23　構成要件修正説

最決昭和43年4月30日刑集22巻4号363頁／判時519・95，判タ222・234

【事案】　商品取引所法91条1項（昭和42年法律97号による改正前のもの）は，商品仲買人がその営業所外において売買取引の委託を受けることを禁じ，その違反については，同法161条1号が「3万円以下の罰金を処する」と規定し，さらに，同法163条が両罰規定を規定していた。被告人Xは商品仲買人Yの従業者であったが，同法91条1項違反の罪で起訴された。第1審は，同法91条1項，161条1号によりXを有罪とした。

【決定理由】　「商品仲買人の従業者が商品取引所法（昭和42年法律第97号による改正前のもの，以下同じ。）91条1項に違反する行為をしたときは，その従業者は同法161条1号，163条によって処罰されることになるものと解すべきであるから，右163条の適用を示さなかった本件第1審判決を認容した原判

決には法令の適用を誤った違法があるといわなければならない。しかし，右違
法は判決に影響なく，刑訴法411条により原判決を破棄しなければ著しく正義
に反するものとは認められない。」

［参考］　法人処罰・両罰規定に関する参考条文

未成年者飲酒禁止法4条2項（転嫁罰規定。平成11年法律151号による改正前の
条文）「営業者は其の代理人，同居者，雇人其の他の従業者にして其の業務に
関し本法に違反したるときは自己の指揮に出てさるの故を以て処罰を免るるこ
とを得す」

法人に於て租税及葉煙草専売に関し事犯ありたる場合に関する法律（明治33
年法律52号）**1条**（法人処罰の導入）「法人の代表者又は其の雇人其の他の従業
者法人の業務に関し租税及葉煙草専売に関する法規を犯したる場合に於ては各
法規に規定したる罰則を法人に適用す但し其の罰則に於て罰金科料以外の刑に
処すへきことを規定したるときは法人を300円以下の罰金に処す」

資本逃避防止法（昭和7年法律17号）**5条**（両罰規定の導入）「法人の代表者
又は法人若は人の代理人，使用人其の他の従業者が其の法人又は人の業務に関
して前条の違反行為を為したるときは行為者を罰するの外其の法人又は人に対
し亦前条の罰金刑を科す」

生活保護法86条2項（免責条項あり。平成11年法律151号による改正前の条文）
「法人の代表者又は法人若しくは人の代理人，使用人その他の従業者が，そ
の法人又は人の業務に関し，前項の違反行為をしたときは，行為者を罰する外，
その法人又は人に対しても前項の刑を科する。但し，法人の役員（理事，取締
役その他これに準ずべき者をいう。）又は人（人が無能力者であるときは，そ
の法定代理人とする。）がその法人又は人の代理人又は使用人その他の従業者
の当該違反行為を防止するため相当の注意を怠らなかったことの証明があった
ときは，その法人又は人についてはこの限りでない。」

人の健康に係る公害犯罪の処罰に関する法律4条（免責条項なし）「法人の
代表者又は法人若しくは人の代理人，使用人その他の従業者が，その法人又は
人の業務に関して前2条の罪を犯したときは，行為者を罰するほか，その法人
又は人に対して各本条の罰金刑を科する。」

労働基準法121条1項（免責条項あり）「この法律の違反行為をした者が，
当該事業の労働者に関する事項について，事業主のために行為した代理人，使

⇒ 24

用人その他の従業者である場合においては，事業主に対しても各本条の罰金刑を科する。ただし，事業主（事業主が法人である場合においてはその代表者，事業主が営業に関し成年者と同一の行為能力を有しない未成年者又は成年被後見人である場合においてはその法定代理人（法定代理人が法人であるときは，その代表者）を事業主とする。次項において同じ。）が違反の防止に必要な措置をした場合においては，この限りでない。」

[2] 行 為

24 行為性を否定した事例

大阪地判昭和 37 年 7 月 24 日下刑集 4 巻 7 = 8 号 696 頁／判時 309・4

【事案】 被告人は，殺されようとする夢をみて，極度の恐怖感におそわれ，半覚半醒の意識状態のもとで，相手の首をしめるつもりで傍らに寝ていた妻の首をしめ殺害した。

【判決理由】「被告人は夢から覚醒したものの意識は通常の状態にまで回復しないまゝ運動機能のみ完全に回復し，強度の恐怖観念を伴った不完全な意識で夢の中に現われた男の首を半ば無意識的にしめたところ妻の A の首をしめていたのであって，当時被告人は外界の現存する事実を確実に認識したうえ，それに基いて意識的，自覚的に行動したとは言えないのであって，被告人は自己の所為について意思支配の自由をもたず，また自己の行動を判断，理解してこれを抑制しうる意識状態にはなかったことが認められる。」

「そこで，右認定の如き意識状態のもとになされた被告人の本件所為が，検察官主張の如く殺人罪に該当する『人を殺す』行為と言い得るかについて検討して見るのに，およそ刑罰の対象たる犯罪とは刑罰法規に規定された構成要件を充足する違法，有責の行為であり，右構成要件は違法，有責な行為を類型化した観念形象であって，刑罰法規において科刑の原由として概念的に規定されたものであるから，ある行為が犯罪として成立する為には，先づその行為が構成要件に該当しなければならない。そして行為者のある外部的挙動がその者の行為と評価され得るのは，その挙動が行為者の意思によって支配せられているからであって，右の意思支配が存しない場合には行為も存しないと言うべきであり，ある行為が刑罰法規の構成要件に該当するか否かは，右法規によって要

求される規範に従って行為者が自らの行動を統制し得る意思の働らき即ち規範意識の活動に基ずいてなされた行為を対象としてなされるべきであって，行為者は自ら意識的自覚的になそうとする行動については，右の規範意識によってこれを統制し得る可能性を有しているが，右の如き任意の意思に支配されていない非自覚的な行動については，その規範意識も活動の余地がなく，これを統制し得る機会も持たないのであるから，かかる行動を刑罰の対象とすることはできず，右の任意の意思に基く支配可能な行動のみが，刑罰法規の規定された構成要件該当性の有無についての判断の対象とされるべきであって，右の任意の意思を欠く行動は，行為者についてその責任能力の有無を論ずるまでもなく，刑罰法規の対象たる行為そのものに該当しないと解すべきである。」

[3] 実 行 行 為

25 殺人の実行行為

東京高判平成 13 年 2 月 20 日判時 1756 号 162 頁

【事案】 被告人は，殺意をもって，包丁で妻の左胸部を数回突き刺した。その後，ベランダに逃げ出した同女を追いかけ掴みかかったところ，同女はベランダから転落して，死亡した。

【判決理由】 「被告人は，右刺突行為後も，重傷を負った被害者が玄関から逃げ出そうとするのを捕えて連れ戻し，同女に対する救護等の措置を全く講じないどころか，日頃から抱いていた不倫の疑いについて詰問したこと，同女がこれを認め謝ったので，それまでの疑問に思っていた気持が晴れ，同女は，このまま放っておいても暫くすれば死ぬだろうと思ったこと，同女がベランダに飛び出し逃げて行ったので後を追い掛け，ベランダの手すり伝いに隣室へ逃げ込もうとしている同女を見て，部屋の中に連れ戻してガス中毒死させるという気持から，同女の腕を掴もうとして手を伸ばしたところ，同女が転落したこと，再度逃げ出しベランダ上で不安定な姿勢でいる同女に対し，更なる危害を加えない旨安心させるような声もかけずにいきなり掴みかかり，同女が転落した後も，救急車の手配や警察への通報等，同女の安否を気遣うような行動は一切なく，ベランダの仕切り板を壊した後，長女と無理心中を図ろうとしたことが認

められる。

　右認定事実を前提に検討すると，被告人は，刺突行為を終え，本件包丁を流しに戻した後も，被害者を自己の支配下に置いておけば出血多量により死に至るものと思っていたため，被害者が玄関から逃げようとするのを連れ戻し，また，ベランダから逃げようとした被害者を連れ戻してガス中毒死させようと考えて，掴まえようとしたものである。刺突行為により相当の出血をしている被害者が，地上からの高さが約24.1メートルもあるベランダの手すり伝いに逃げようとしたのも，このまま被告人の監視下にあれば死んでしまうと考え，命がけで行った行為と解される。

　そうすると，被告人の犯意の内容は，刺突行為時には刺し殺そうというものであり，刺突行為後においては，自己の支配下に置いて出血死を待つ，更にはガス中毒死させるというものであり，その殺害方法は事態の進展に伴い変容しているものの，殺意としては同一といえ，刺突行為時から被害者を掴まえようとする行為の時まで殺意は継続していたものと解するのが相当である。

　次に，ベランダの手すり上にいる被害者を掴まえようとする行為は，一般には暴行にとどまり，殺害行為とはいい難いが，本件においては，被告人としては，被害者を掴まえ，被告人方に連れ戻しガス中毒死させる意図であり，被害者としても，被告人に掴まえられれば死に至るのは必至と考え，転落の危険も省みず，手で振り払うなどして被告人から逃れようとしたものである。また，刺突行為から被害者を掴まえようとする行為は，一連の行為であり，被告人には具体的内容は異なるものの殺意が継続していたのである上，被害者を掴まえる行為は，ガス中毒死させるためには必要不可欠な行為であり，殺害行為の一部と解するのが相当であり，本件包丁を戻した時点で殺害行為が終了したものと解するのは相当でない。

　更に，被告人の被害者を掴まえようとする行為と被害者の転落行為との間に因果関係が存することは原判決が判示するとおりである。

　以上によれば，被告人が殺人既遂の罪責を負うのは当然である。」

26　殺人の実行行為

　　最決平成16年1月20日刑集58巻1号1頁／判時1850・142，判タ1146・226
　　　　　　　　　　　　　　　　　　　（百選 I 73，重判平16刑3）⇒各論*12*

【決定理由】　「1　第1審判決が被告人の所為につき殺人未遂罪に当たるとし，原判決

がそれを是認したところの事実関係の概要は，次のとおりである。

　被告人は，自己と偽装結婚させた女性（以下「被害者」という。）を被保険者とする5億9800万円の保険金を入手するために，かねてから被告人のことを極度に畏怖していた被害者に対し，事故死に見せ掛けた方法で自殺することを暴行，脅迫を交えて執ように迫っていたが，平成12年1月11日午前2時過ぎころ，愛知県知多半島の漁港において，被害者に対し，乗車した車ごと海に飛び込んで自殺することを命じ，被害者をして，自殺を決意するには至らせなかったものの，被告人の命令に従って車ごと海に飛び込んだ後に車から脱出して被告人の前から姿を隠す以外に助かる方法はないとの心境に至らせて，車ごと海に飛び込む決意をさせ，そのころ，普通乗用自動車を運転して岸壁上から下方の海中に車ごと転落させたが，被害者は水没する車から脱出して死亡を免れた。

　これに対し，弁護人の所論は，仮に被害者が車ごと海に飛び込んだとしても，それは被害者が自らの自由な意思に基づいてしたものであるから，そうするように指示した被告人の行為は，殺人罪の実行行為とはいえず，また，被告人は，被害者に対し，その自由な意思に基づいて自殺させようとの意思を有していたにすぎないから，殺人罪の故意があるとはいえないというものである。

　2　そこで検討すると，原判決及びその是認する第1審判決の認定並びに記録によれば，本件犯行に至る経緯及び犯行の状況は，以下のとおりであると認められる。

　(1)　被告人は，いわゆるホストクラブにおいてホストをしていたが，客であった被害者が数箇月間にたまった遊興費を支払うことができなかったことから，被害者に対し，激しい暴行，脅迫を加えて強い恐怖心を抱かせ，平成10年1月ころから，風俗店などで働くことを強いて，分割でこれを支払わせるようになった。

　(2)　しかし，被告人は，被害者の少ない収入から上記のようにしてわずかずつ支払を受けることに飽き足りなくなり，被害者に多額の生命保険を掛けた上で自殺させ，保険金を取得しようと企て，平成10年6月から平成11年8月までの間に，被害者を合計13件の生命保険に加入させた上，同月2日，婚姻意思がないのに被害者と偽装結婚して，保険金の受取人を自己に変更させるなどした。

　(3)　被告人は，自らの借金の返済のため平成12年1月末ころまでにまとまった資金を用意する必要に迫られたことから，生命保険契約の締結から1年を経過した後に被害者を自殺させることにより保険金を取得するという当初の計画を変更し，被害者に対し直ちに自殺を強いる一方，被害者の死亡が自動車の海中転落事故に起因するものであるように見せ掛けて，災害死亡時の金額が合計で5億9800万円となる保険金を早期に取得しようと企てるに至った。そこで被告人は，自己の言いなりになっていた被害者に対し，平成12年1月9日午前零時過ぎころ，まとまった金が用意できなければ，死んで保険金で払えと迫った上，被害者に車を運転させ，それを他の車を運転して追尾する形

で，同日午前 3 時ころ，本件犯行現場の漁港まで行かせたが，付近に人気があったため，当日は被害者を海に飛び込ませることを断念した。

(4)　被告人は，翌 10 日午前 1 時過ぎころ，被害者に対し，事故を装って車ごと海に飛び込むという自殺の方法を具体的に指示し，同日午前 1 時 30 分ころ，本件漁港において，被害者を運転席に乗車させて，車ごと海に飛び込むように命じた。被害者は，死の恐怖のため飛び込むことができず，金を用意してもらえるかもしれないので父親の所に連れて行ってほしいなどと話した。被告人は，父親には頼めないとしていた被害者が従前と異なる話を持ち出したことに激怒して，被害者の顔面を平手で殴り，その腕を手拳で殴打するなどの暴行を加え，海に飛び込むように更に迫った。被害者が『明日やるから。』などと言って哀願したところ，被告人は，被害者を助手席に座らせ，自ら運転席に乗車し，車を発進させて岸壁上から転落する直前で停止して見せ，自分の運転で海に飛び込む気勢を示した上，やはり 1 人で飛び込むようにと命じた。しかし，被害者がなお哀願を繰り返し，夜も明けてきたことから，被告人は，『絶対やれよ。やらなかったらおれがやってやる。』などと申し向けた上，翌日に実行を持ち越した。

(5)　被害者は，被告人の命令に応じて自殺する気持ちはなく，被告人を殺害して死を免れることも考えたが，それでは家族らに迷惑が掛かる，逃げてもまた探し出されるなどと思い悩み，車ごと海に飛び込んで生き残る可能性にかけ，死亡を装って被告人から身を隠そうと考えるに至った。

(6)　翌 11 日午前 2 時過ぎころ，被告人は，被害者を車に乗せて本件漁港に至り，運転席に乗車させた被害者に対し，『昨日言ったことを覚えているな。』などと申し向け，さらに，ドアをロックすること，窓を閉めること，シートベルトをすることなどを指示した上，車ごと海に飛び込むように命じた。被告人は，被害者の車から距離を置いて監視していたが，その場にいると，前日のように被害者から哀願される可能性があると考え，もはや実行する外ないことを被害者に示すため，現場を離れた。

(7)　それから間もなく，被害者は，脱出に備えて，シートベルトをせず，運転席ドアの窓ガラスを開けるなどした上，普通乗用自動車を運転して，本件漁港の岸壁上から海中に同車もろとも転落したが，車が水没する前に，運転席ドアの窓から脱出し，港内に停泊中の漁船に泳いでたどり着き，はい上がるなどして死亡を免れた。

(8)　本件現場の海は，当時，岸壁の上端から海面まで約 1.9 m，水深約 3.7 m，水温約 11 度という状況にあり，このような海に車ごと飛び込めば，脱出する意図が運転者にあった場合でも，飛び込んだ際の衝撃で負傷するなどして，車からの脱出に失敗する危険性は高く，また脱出に成功したとしても，冷水に触れて心臓まひを起こし，あるいは心臓や脳の機能障害，運動機能の低下を来して死亡する危険性は極めて高いものであった。

3　上記認定事実によれば，被告人は，事故を装い被害者を自殺させて多額

の保険金を取得する目的で，自殺させる方法を考案し，それに使用する車等を準備した上，被告人を極度に畏怖して服従していた被害者に対し，犯行前日に，漁港の現場で，暴行，脅迫を交えつつ，直ちに車ごと海中に転落して自殺することを執ように要求し，猶予を哀願する被害者に翌日に実行することを確約させるなどし，本件犯行当時，被害者をして，被告人の命令に応じて車ごと海中に飛び込む以外の行為を選択することができない精神状態に陥らせていたものということができる。

　被告人は，以上のような精神状態に陥っていた被害者に対して，本件当日，漁港の岸壁上から車ごと海中に転落するように命じ，被害者をして，自らを死亡させる現実的危険性の高い行為に及ばせたものであるから，被害者に命令して車ごと海に転落させた被告人の行為は，殺人罪の実行行為に当たるというべきである。

　また，前記2(5)のとおり，被害者には被告人の命令に応じて自殺する気持ちはなかったものであって，この点は被告人の予期したところに反していたが，被害者に対し死亡の現実的危険性の高い行為を強いたこと自体については，被告人において何ら認識に欠けるところはなかったのであるから，上記の点は，被告人につき殺人罪の故意を否定すべき事情にはならないというべきである。

　したがって，本件が殺人未遂罪に当たるとした原判決の結論は，正当である。」

[4]　結　　果

危険の概念

27　人民電車事件

最判昭和 36 年 12 月 1 日刑集 15 巻 11 号 1807 頁／判時 281・5

⇒各論 *479*

【事案】　被告人らは，国鉄の職員であったが，ストライキの一環として人民電車と書いた電車を京浜東北線において走らせた。京浜東北線には，これ以外の電車は走っていなかったが，山手線との線路の併用区間においては，山手線ダイヤに混乱を生じた。第1審は刑法 125 条電車往来危険罪の成立を否定，第2審は肯定した。各理由はつぎのと

おりである。

【第1審判決】「云うまでもなく運行する電車に原因して発生する電車往来危険の態様は，⑴運行する電車自体の脱線顛覆，破壊によって発生するもの，⑵運行する電車と他の電車との衝突又はこれを防止する為に発生する他電車の脱線顛覆，破壊，⑶運行する電車の為に生ずる他の電車相互間に於ける衝突とが考えられる。先づ本件電車の運行に関して⑴の点につき検討する。

本件6月10日に運行した電車（以下第1号電車と略称する），本件6月11日運行した電車（以下第2号電車と略称する）はいづれも6輌編成のものであって判示の如く東神奈川電車区所属の運転士が乗務して運転し，同車掌区所属の車掌が乗務して居り判示の如く運行されたものであり第1号電車については前面に赤羽行の方向板及び電車番号1850Bを示す番号札が掲げられており，同電車は国鉄所定の運行表にもとづき18時15分発東神奈川駅発赤羽行とせられ帰途は赤羽駅発1973Aの所定運行表にもとづき運転するように電車区分会斗争委員会被告人Xより指示されて運行したものであり，第2号電車は当日は平常なら第2仕業担当が所定であったので電車区分会斗争委員会被告人Yから所定の2ダイヤのすじで運転するよう指示されて運行したものである。ところで以上の第1，第2号各電車と通常の電車との相違については業務命令に反しておる電車と反していない電車と云うことの外に本件各号電車側面には白墨で人民電車と記載されてあり，又同電車には人民電車と記載された半紙大のポスターがはられてあり，第1号電車にはその先端に1本の赤旗が掲げられてあり且又運転士車掌は本件各号電車には罷業時であった為妨害乃至紛争を乗切る為により多数のこれ等の者が乗車して居ったに過ぎない。

而して右各号電車は特に故障の無視信号の不遵守各種注意義務の違反正規を超える異常スピード等を以て運転されたと云う様なことは少しも認められない。従って通常の電車に比較して⑴の点に関し特に危険があったと云うことは到底出来ないし，又本件各号電車を巨大な動力を有つ障礙物と見ることも勿論妥当でない。単に判示の様な業務命令に反したと云う一事を以てしては1に掲げた往来危険を認定することは出来ない。

次に⑵⑶の点につき検討する。第2号電車についてはその前後に全く電車が運行されて居らぬのでこのような危険は生じない。第1号電車については同電車の運行により上野駅，品川駅で通常の電車の運転整理をなされたことが認め

られ，又同電車の運行により山手線，京浜線（特に田端，田町間の両線の併用線区間）に於て第1号電車と他の電車との間の時隔乃至第1号電車運行に原因して生じた電車間の時隔が1分乃至2分（前記併用区間に於てさえ電車と電車との当時の通常時隔は4分）に短縮した場合の生じたことが認められる。それ故第1号電車の運行によって生じたこのような事態は電車の衝突顛覆脱線破壊等の実害を発生すべき虞のある状況を作為したと云えるかどうか。云う迄もなく現代に於ける高度に発達した交通機関の運行は迅速を以てその一大要素としておりこれあるが故にこそ吾人の社会生活に大きな寄与を齎すのであるが，此の迅速なるものはまた交通機関より生ずるあらゆる危険の根源であってしかも幾多の施設工夫，努力に拘らず厳密に云えば必然的に若干の危険を随伴することを免れないのでその総てを捉えて違法と見ることは到底交通機関に対する吾人の社会的要請を満す所以でない。」

【第2審判決】「そこで右人民電車の運行により，電車の往来に危険を生ぜしめたか否かを審究するに，刑法第125条の電車往来危険罪は，何らかの方法により，電車の衝突，脱線，顛覆等安全な電車の往来を妨げるおそれある状態を作為することによって成立するものであり，その事故発生が必然的，蓋然的たることを要せず，もとより実害を生ずることは必要としないものと解すべきところ，原判決は先ず，業務命令に反して電車を運行させても，事故防止に関する諸規則，慣行に従って運行している限り，たとえ危険が発生してもそれは違法の危険ではないとし，人民電車の場合は，正規の資格を有する運転士，車掌が乗車し，これらの者が業務上必要な注意を用いて，しかも国鉄所定のダイヤに基いて運行させたこと，6月10日の人民電車の運行により，他の電車の運転整理，時隔短縮，1閉塞区間2電車存在等の事態が生じたが，業務命令に従って運行する正規の電車の場合でも，事情により運転整理を行うことあり，また1閉塞区間2列車存在，又は時隔が1,2分に短縮される場合もあるのだから，これらの事態が生じたからといって6月10日の人民電車の運行が違法な危険を生ぜしめたとは認められない，6月11日の場合は前記同盟罷業により，人民電車の前後を運行する電車がなかったのであるから電車の往来に何等危険を生ぜしめた事実はないという判断，認定をしている。

原判決のいうところの違法の危険とは，その意義が明瞭でなく，真意を理解し難いのであるが，刑法第125条の罪の違法性は，電車の往来に危険を生ぜし

める行為に対する価値判断であるから，原判決が行為によって生じた危険を行為から切り離し，これを評価の対象とし，その危険の態様又は程度によって違法性を有する危険と然らざる危険とに区別し得るものとし，前者の危険を生ぜしめた場合に右の罪が成立すると解釈するのであれば，その解釈は誤といわなければならない。また原判決は前記のように，業務命令に反して電車を運行させる場合でも，正規の資格を有する運転士等が乗車し事故防止に関する諸規則，慣行に従い，且つ業務上の注意義務を尽して運行させた場合は，たとえ危険が生じてもその危険は違法ではないという趣旨の判断をしているので，原判決の見解は，あるいは右のような行為は，違法性がないという趣旨か，又は右のような行為によって生じた危険は刑法第215条の危険に該当しないという趣旨とも解される。しかし正規の資格，技能を有する者が事故防止に関する諸規則，慣行に従い業務上の注意義務を尽して電車を運行せしめる場合は，具体的のその場合に電車の顛覆，衝突等の事故発生の必然性，蓋然性が少ないことを考え得るに止まり，その行為が常に違法性を欠くと断定することはできない。右のような危険を生ぜしめた行為が違法性を有するや否やは事故発生の必然性，蓋然性の有無，強弱に関係なく，これを離れて行為全体が法秩序に反する性質を有するや否やによって決すべき事柄であるからである。また刑法第125条の危険とは，前記のように，電車の安全な往来を妨げるおそれある状態，即ち顛覆，衝突等の事故発生の可能性ある状態をいうのであって，その危険の態様，程度を問わないものと解すべきであるから，危険自体の態様，程度によって右法条に規定する危険に該当する危険と然らざる危険とに区別する見解は正当とはいえない。」

【判決理由】「原判決は刑法125条1項の電車往来危険罪における危険とは『電車の安全な往来を妨げるおそれある状態，すなわち顛覆，衝突等の事故発生の可能性ある状態をいう』とした上，被告人らが共謀して第1審判示の如くいわゆる人民電車を運行せしめ，もって電車の往来の危険を生ぜしめたことを認定し，刑法125条1項を適用処断しているのである。従って原判決は，被告人らが右の如き往来の危険を認識して，その犯行をしたものと認めた趣旨であること明白である。そして原判決のこの点の判断はすべて正当である。」

28 艦船覆没事件

最決昭和 55 年 12 月 9 日刑集 34 巻 7 号 513 頁／判時 989・130，判タ 431・59
（重判昭 56 刑 9）　⇒各論 *482*

【決定理由】「人の現在する本件漁船の船底部約 3 分の 1 を厳寒の千島列島ウ
ルップ島海岸の砂利原に乗り上げさせて坐礁させたうえ，同船機関室内の海水
取入れパイプのバルブを開放して同室内に約 19.4 トンの海水を取り入れ，自
力離礁を不可能ならしめて，同船の航行能力を失わせた等，本件の事実関係の
もとにおいては，船体自体に破損が生じていなくても，本件所為は刑法 126 条
2 項にいう艦船の『破壊』にあたると認めるのが相当である。」

　　団藤重光裁判官の補足意見　「艦船を坐礁させたうえ自力による離礁を不可能
ならしめることが，当然に艦船の『覆没』または『破壊』にあたるものと考え
ることはできない。沿革的には，ボワソナード刑法草案 462 条の 2 および明治
23 年刑法草案 250 条 1 項はこれを覆没と同じく論じるものと規定していたが，
これをもって当然の事理をあきらかにした解釈規定とみるのは困難であって，
多少とも創設的な意味をもつ規定と解するのが相当であろう（ちなみに，その
後の諸草案では，この種の規定は削られ，そのかわりに，行為として覆没のほ
かに破壊が加えられた。これが現行法につながっているのである。）。

　　しかし，坐礁させたうえ自力による離礁を不可能ならしめることは，艦船の
航行能力を失わせるものである。器物損壊罪（刑法 261 条）における『損壊』
が目的物の物理的・物質的損傷だけでなく効用の毀滅をも含むものとされてい
ることとの対比から考えれば，艦船の航行能力を失わせることは，それが船体
そのものの物理的・物質的損傷によるものでなくても，艦船の『破壊』にあた
るものといってよいであろう。ただ，器物損壊罪が個人の財産を保護法益とす
るものであるのに対して，艦船覆没罪は公共危険罪である。しかも，法が『人
の現在する艦船』を本罪の客体としているのは，覆没・破壊が艦船に現在する
人の生命・身体に対する危険の発生を伴うものであることを構成要件として予
想しているというべきである。通常の形態における覆没・破壊は当然にかよう
な危険の発生を伴うものと法がみているのであるが，自力離礁の不可能な坐礁
は，それが航行能力の喪失にあたるからといって，ただちに艦船の『破壊』に
あたるものと解するのは早計であり，それが艦船内に現在する人の生命・身体
に対する危険の発生を伴うようなものであるばあいに，はじめてこれにあたる

ものといわなければならない。本件の事実関係のもとでは，右のような要件が充たされているものと解されるので，そのような意味において艦船破壊罪の既遂の成立が肯定されるのである。」

谷口正孝裁判官の補足意見 「右刑法の罪はいわゆる抽象的危険犯とよばれるもので，法は艦船の覆没とか破壊の行為があれば，多数人の生命・身体に危険を生ぜしめたか否かを具体的に問わないで直ちに右の危険があるものとしている，と一般に解されている。行為の性質に着目して危険を抽象的に論定しているというわけである。あるいは，危険を擬制しているといってもよい。

しかし，私は抽象的危険犯をこのように考えることには疑問を感ずる。抽象的危険犯を右のように形式的にとらえる限り，およそ法益侵害を発生することのありえないことが明らかであるようなばあいにも，法所定の行為があれば直ちに抽象的危険があるものとして処罰されることになる。そうだとすると，法益侵害の危険のないばあいにまで犯罪の成立を認めることになり，犯罪の本質に反し不当であるとの非難を免れまい。私は，いわゆる抽象的危険犯と具体的危険犯とが異なるところは，後者では法益侵害の危険が現に生じたことを処罰の根拠とするのに対し，前者では行為当時の具体的事情を考えて法益侵害の危険の発生することが一般的に認められる行為がなされたばあいに限り，危険が具体化されることを問わずに処罰の理由が備わったものとする点にあると考える。特に，本件の如く破壊の語を規範的，目的論的に理解するばあい，行為じたいがすでに一義的に限定されないものであるから，拡張して用いられるおそれがあるので，抽象的危険犯の性格に即した考慮が一そう要求される。

本件のばあい，艦船の航行能力の全部又は一部を失わせたという点で破壊と価値的に同一視できるということだけで艦船破壊罪に当るとし，しかもそのような行為があれば直ちに抽象的危険犯としての同罪が成立するという考え方には賛成できないのである。私としては，先に述べたように，抽象的危険犯の実質に即して，本件についても，行為当時の具体的事情を考えて多数人の生命・身体に対する危険の発生することが一般的に認められる艦船の航行能力の全部又は一部の喪失行為があったばあいにはじめて，法にいう破壊に当る行為があったと考える。そして，そのように解することによって，破壊の語を拡張して解釈することを抑えることができるものと思う。

以上のような考え方に従って，被告人の本件所為を，危険に満ちた厳冬の北

洋海域におけるものであることなど行為当時の事情を考えて評価すれば，本決定の示すとおり，まさに艦船破壊罪に当たるものと考えられるのである。」

主観的違法要素

目的犯

29 営利目的の麻薬密輸入

最判昭和42年3月7日刑集21巻2号417頁／判時474・5，判タ204・144

（百選Ⅰ93）

【判決理由】「麻薬取締法64条1項は，同法12条1項の規定に違反して麻薬を輸入した者は1年以上の有期懲役に処する旨規定し，同法64条2項は，営利の目的で前項の違反行為をした者は無期若しくは3年以上の懲役に処し，又は情状により無期若しくは3年以上の懲役及び500万円以下の罰金に処する旨規定している。これによってみると，同条は，同じように同法12条1項の規定に違反して麻薬を輸入した者に対しても，犯人が営利の目的をもっていたか否かという犯人の特殊な状態の差異によって，各犯人に科すべき刑に軽重の区別をしているものであって，刑法65条2項にいう『身分に因り特に刑の軽重あるとき』に当るものと解するのが相当である。そうすると，営利の目的をもつ者ともたない者とが，共同して麻薬取締法12条1項の規定に違反して麻薬を輸入した場合には，刑法65条2項により，営利の目的をもつ者に対しては麻薬取締法64条2項の刑を，営利の目的をもたない者に対しては同条1項の刑を科すべきものといわなければならない。

しかるに原判決およびその是認する第1審判決は，共犯者であるKが営利の目的をもっているものであることを知っていただけで，みずからは営利の目的をもっていなかった被告人に対して，同条2項の罪の成立を認め，同条項の刑を科しているのであるから，右判決には同条および刑法65条2項の解釈適用を誤った違法があり，右違法は判決に影響を及ぼすものであって，これを破棄しなければ著しく正義に反するものと認められる。」

30 営利目的の覚せい剤密輸入

最決昭和57年6月28日刑集36巻5号681頁／判時1045・74，判タ473・143

【決定理由】「弁護人Aの上告趣意のうち，判例違反をいう点は，原判決の認

定によれば，被告人は共犯者 X らが香港から本邦へ覚せい剤を持ち込み密売することを目的とする組織の一員であることを熟知しながら，かつて同人に受けた恩義に報いるなどの気持から同人に協力して積極的に本件犯行に加担したというのであって，専ら同人らに財産上の利益を得させることを動機・目的としていたものと認められるところ，所論引用の判例（最高裁昭和 41 年(あ)第 1651 号同 42 年 3 月 7 日第三小法廷判決・刑集 21 巻 2 号 417 頁）は，麻薬の輸入に関し，共犯者が営利の目的をもっていることを知っていただけで，みずからは財産上の利益を得る動機・目的のないままに犯行に加担した場合について，麻薬取締法 64 条 2 項にいう『営利の目的』の存在を否定したにとどまり，本件のように自己以外の第三者に財産上の利益を得させることを犯行加担の動機とした場合について『営利の目的』を否定する趣旨までも含むものとは解されないから，所論は前提を欠き，その余は，単なる法令違反，事実誤認の主張であって，いずれも適法な上告理由にあたらない。

　なお，覚せい剤取締法 41 条の 2 第 2 項にいう『営利の目的』とは，犯人がみずから財産上の利益を得，又は第三者に得させることを動機・目的とする場合をいうと解すべきであるから，前記のような本件の事実関係のもとにおいて，被告人につき『営利の目的』を肯定した原判断は，結論において正当である。」

31　毒物及び劇物取締法 3 条の販売の目的

東京地判昭和 62 年 9 月 3 日判時 1276 号 143 頁／判タ 687・266

【判決理由】「弁護人は，被告人 X は A らに頼まれやむなく同人らが自室にトルエンを貯蔵するのを容認して貯蔵の場所を提供したにすぎず，自らこれを販売する目的も，主体的にこれを貯蔵した事実もなかったから従犯にとどまると主張する。

　なるほど，同被告人は，A らに頼まれ，同人らが業として販売する目的で本件トルエンを自室に貯蔵することを容認していたものであり，同被告人が自らこれを販売するという目的のなかったことは明らかである。しかしながら，毒物及び劇物取締法 3 条にいう販売の目的は，麻薬取締法 64 条 2 項，覚せい剤取締法 41 条 2 項等にいう営利の目的とは異なり，身分犯として要求されている主観的要素ではなく，刑法 155 条 1 項の公文書偽造罪等にいう行使の目的と同様，独立した犯罪成立要件として要求されている主観的要素であると解せ

られるから，共犯者が販売する目的であることを認識していたにとどまる場合にも販売の目的があったというほかはない。また，同被告人は，本件トルエンを処分し又は持ち出す権限を有しておらず，専らＡらがその権限を有していたことは明らかである。しかしながら，毒物及び劇物取締法3条3項にいう貯蔵は，一般観覧に供することなく継続して存置し所持する行為をいうと解せられるから（薬事法24条1項にいう貯蔵についての最高裁判所昭和41年10月27日決定・刑集20巻8号1027頁参照），本件トルエンを自室に隠匿することを容認し，これに対し事実上の管理支配を及ぼしていた以上，被告人は，本件トルエンの貯蔵の実行行為に及んだものというほかはない。そうすると，被告人は本件トルエン貯蔵罪の正犯の責任を負うべきであるから，所論は排斥を免れない。」

[参考]　**毒物及び劇物取締法3条3項**　「毒物又は劇物の販売業の登録を受けた者でなければ，毒物又は劇物を販売し，授与し，又は販売若しくは授与の目的で貯蔵し，運搬し，若しくは陳列してはならない。但し，毒物又は劇物の製造業者又は輸入業者が，その製造し，又は輸入した毒物又は劇物を，他の毒物又は劇物の製造業者，輸入業者又は販売業者（以下「毒物劇物営業者」という。）に販売し，授与し，又はこれらの目的で貯蔵し，運搬し，若しくは陳列するときは，この限りでない。」

32　虚偽告訴罪の目的

大判昭和8年2月14日刑集12巻114頁
⇒各論 *589*

【判決理由】「刑法第172条に所謂人をして刑事の処分を受けしむる目的を以て虚偽の申告を為すとは虚偽の申告を為すに当り之か為に他人か刑事の処分を受くることあるへしとの認識あるを以て足り其処分を希望するの意思あること又は処分なる結果の発生を要せさる趣旨なりと解すへきものとす而して申告せる虚偽の事実か刑事上の取調を誘発し得へき程度にある以上は刑事の処分を受くることあるへしとの認識ありと謂ふへく該申告か誣告罪を構成すること勿論なり原判決認定の事実は所論の如くにして其の証拠説示中第1審公判廷に於ける被告供述として自分はＡ妻と駈落せんと為したるもＡに追駈けられては目的を遂行するに困難なりと思ひ同人を放火の嫌疑者として警察へ引張らせるか得策と考へＢ所有の平家及Ｃ所有の小屋へ放火し帰宅後丸子警察署宛に本

日の放火事件に付 A を早く取調へ貰ひ度しと記載せし封書を郵便に出し尚電
話にて取調方を促したる旨及被告の第 1 回予審調書の自分等の駈落に付 A か
追掛け来るやも知れすと不安に思ひ同人を警察に引致せしめ追掛けること能は
さらしむる様に考へ急に何処か放火して之を A の所為にすると云ふ悪い考を
起し云々との供述記載に徴すれは被告の申告したる虚偽の事実は A に対する
刑事上の取調を誘発し得へき程度のものたると共に被告は同人か放火の被疑者
として警察官の取調を受け延て刑事の処分を受くるに至ることあるへしとの認
識の下に申告を為したること明白なれは前記法条に所謂刑事の処分を受けしむ
る目的を以て虚偽の申告を為したるものに該当すること言を俟たす」

表 現 犯

33 偽証罪

大判大正 3 年 4 月 29 日刑録 20 輯 654 頁
（百選 II 120）　⇒各論 *585*

【判決理由】「証言の内容たる事実か真実に一致し若くは少くとも其不実なる
ことを認むる能はさる場合と雖も苟くも証人か故らに其記憶に反したる陳述を
為すに於ては偽証罪を構成すへきは勿論にして即ち偽証罪は証言の不実なるこ
とを要件と為すものに非さるか故に裁判所は一面偽証の犯罪事実を認め他面証
言の内容か不実ならさることを認むるも 2 箇の認定は必すしも相抵触するもの
と謂ふ得す然らは原院か被告に於て K をして故意に其記憶に反せる供述を
為さしめんことを教唆したる事実を証憑充分と認むると同時に K の供述の不
実を前提として推定することを得へき被告か借用証書改竄の事実を証憑不充分
なりと認めたるか如きは決して不法に事実を確定したるものと謂ふへからす」

傾 向 犯

34 強制わいせつ罪　性的意図の要否（旧判例）

最判昭和 45 年 1 月 29 日刑集 24 巻 1 号 1 頁／判時 583・88, 判タ 244・230
⇒各論 *103*

【判決理由】「刑法 176 条前段のいわゆる強制わいせつ罪が成立するためには,

その行為が犯人の性欲を刺戟興奮させまたは満足させるという性的意図のもとに行なわれることを要し，婦女を脅迫し裸にして撮影する行為であっても，これが専らその婦女に報復し，または，これを侮辱し，虐待する目的に出たときは，強要罪その他の罪を構成するのは格別，強制わいせつの罪は成立しないものというべきである。」

35 強制わいせつ罪　性的意味の認識

東京地判昭和 62 年 9 月 16 日判時 1294 号 143 頁／判タ 670・254
⇒各論 *104*

【判決理由】「たしかに，本件犯行の際，被告人には，右 A を全裸にしその姿態を写真撮影することによって，同女を被告人が営む女性下着販売業の従業員として働かせようという目的があったことは一応肯認することができる。

　しかし一方，前掲『証拠の標目』挙示の各証拠を総合検討すれば，被告人が，右のように右 A を働かせるという目的とともに，同女に対する強制わいせつの意図をも有して本件犯行に及んだことも十分肯認できるというべきである。すなわち，右各証拠によれば，

　1　右 A からすれば，初めて訪れたマンションの一室において，見ず知らずの男性の前で全裸にされ，その写真を撮られることは，若い未婚の女性としてこの上ない性的羞恥心を覚えるものであること

　2　被告人は，右写真を自らの手で保管しておくときは，第三者に手渡し，その性的興味の対象として眺めさせることもでき，その意味で右 A の弱味を握った立場に立つことができること

　3　被告人は，右 A がそのような性的羞恥心を覚えるであろうことを十分認識していたのみならず，むしろそれを利用することによって，同女を被告人の意のままに従業員として働かせようと企んだものであること

　4　そのためには，逆に言えば，被告人は右 A をして被告人自身が男性の一人として性的に刺激，興奮するような状態，すなわち全裸のような状態にしなければならず（なお，被告人としても同女の裸につき性的な興味がないわけでなかった旨，捜査段階において自認している。），かつ，その撮影する写真も被告人自身が性的に興味を覚えるようなものでなければならなかったことなどが認められる。してみると右 A を全裸にしてその写真を撮る行為は，本件においては，同女を男性の性的興味の対象として扱い，同女に性的羞恥心を与える

⇒ *36*

という明らかに性的に意味のある行為，すなわちわいせつ行為であり，かつ，被告人は，そのようなわいせつ行為であることを認識しながら，換言すれば，自らを男性として性的に刺激，興奮させる性的意味を有した行為であることを認識しながら，あえてそのような行為をしようと企て，判示暴行に及んだものであることを優に認めることができる。

したがって，被告人の本件所為が強制わいせつ致傷罪に当たることは明らかである。」

36 強制わいせつ罪　性的意図の要否（新判例）

最大判平成 29 年 11 月 29 日刑集 71 巻 9 号 467 頁／判時 2383・115，判タ 1452・57
（百選 II 14）⇒各論 *105*

【判決理由】「1　弁護人 A，同 B の各上告趣意，同 C の上告趣意のうち最高裁昭和 43 年（あ）第 95 号同 45 年 1 月 29 日第一小法廷判決・刑集 24 巻 1 号 1 頁（以下「昭和 45 年判例」という。）を引用して判例違反，法令違反をいう点について

(1)　第 1 審判決判示第 1 の 1 の犯罪事実の要旨は，『被告人は，被害者が 13 歳未満の女子であることを知りながら，被害者に対し，被告人の陰茎を触らせ，口にくわえさせ，被害者の陰部を触るなどのわいせつな行為をした。』というものである。

原判決は，自己の性欲を刺激興奮させ，満足させる意図はなく，金銭目的であったという被告人の弁解が排斥できず，被告人に性的意図があったと認定するには合理的な疑いが残るとした第 1 審判決の事実認定を是認した上で，客観的に被害者の性的自由を侵害する行為がなされ，行為者がその旨認識していれば，強制わいせつ罪が成立し，行為者の性的意図の有無は同罪の成立に影響を及ぼすものではないとして，昭和 45 年判例を現時点において維持するのは相当でないと説示し，上記第 1 の 1 の犯罪事実を認定した第 1 審判決を是認した。

(2)　所論は，原判決が，平成 29 年法律第 72 号による改正前の刑法 176 条（以下単に「刑法 176 条」という。）の解釈適用を誤り，強制わいせつ罪が成立するためには，その行為が犯人の性欲を刺激興奮させ又は満足させるという性的意図のもとに行われることを要するとした昭和 45 年判例と相反する判断をしたと主張するので，この点について，検討する。

(3)　昭和 45 年判例は，被害者の裸体写真を撮って仕返しをしようとの考えで，脅迫により畏怖している被害者を裸体にさせて写真撮影をしたとの事実につき，平成 7 年法律第 91 号による改正前の刑法 176 条前段の強制わいせつ罪に当たるとした第 1 審判決を是認した原判決に対する上告事件において，『刑法 176 条前段のいわゆる強制わいせつ罪が成立するためには，その行為が犯人の性欲を刺戟興奮させまたは満足させるという性的意図のもとに行なわれることを要し，婦女を脅迫し裸にして撮影する行為であっ

ても，これが専らその婦女に報復し，または，これを侮辱し，虐待する目的に出たとき
は，強要罪その他の罪を構成するのは格別，強制わいせつの罪は成立しないものという
べきである』と判示し，『性欲を刺戟興奮させ，または満足させる等の性的意図がなく
ても強制わいせつ罪が成立するとした第1審判決および原判決は，ともに刑法176条の
解釈適用を誤ったものである』として，原判決を破棄したものである。

(4)　しかしながら，昭和45年判例の示した上記解釈は維持し難いというべきである。

ア　現行刑法が制定されてから現在に至るまで，法文上強制わいせつ罪の成立要件と
して性的意図といった故意以外の行為者の主観的事情を求める趣旨の文言が規定された
ことはなく，強制わいせつ罪について，行為者自身の性欲を刺激興奮させたか否かは何
ら同罪の成立に影響を及ぼすものではないとの有力な見解も従前から主張されていた。
これに対し，昭和45年判例は，強制わいせつ罪の成立に性的意図を要するとし，性的
意図がない場合には，強要罪等の成立があり得る旨判示しているところ，性的意図の有
無によって，強制わいせつ罪（当時の法定刑は6月以上7年以下の懲役）が成立するか，
法定刑の軽い強要罪（法定刑は3年以下の懲役）等が成立するにとどまるかの結論を異
にすべき理由を明らかにしていない。また，同判例は，強制わいせつ罪の加重類型と解
される強姦罪の成立には故意以外の行為者の主観的事情を要しないと一貫して解されて
きたこととの整合性に関する説明も特段付していない。

元来，性的な被害に係る犯罪規定あるいはその解釈には，社会の受け止め方を踏まえ
なければ，処罰対象を適切に決することができないという特質があると考えられる。諸
外国においても，昭和45年（1970年）以降，性的な被害に係る犯罪規定の改正が各国
の実情に応じて行われており，我が国の昭和45年当時の学説に影響を与えていたと指
摘されることがあるドイツにおいても，累次の法改正により，既に構成要件の基本部分
が改められるなどしている。こうした立法の動きは，性的な被害に係る犯罪規定がその
時代の各国における性的な被害の実態とそれに対する社会の意識の変化に対応している
ことを示すものといえる。

これらのことからすると，昭和45年判例は，その当時の社会の受け止め方などを考
慮しつつ，強制わいせつ罪の処罰範囲を画するものとして，同罪の成立要件として，行
為の性質及び内容にかかわらず，犯人の性欲を刺激興奮させ又は満足させるという性的
意図のもとに行われることを一律に求めたものと理解できるが，その解釈を確として揺
るぎないものとみることはできない。

イ　そして，『刑法等の一部を改正する法律』（平成16年法律第156号）は，性的な
被害に係る犯罪に対する国民の規範意識に合致させるため，強制わいせつ罪の法定刑を
6月以上7年以下の懲役から6月以上10年以下の懲役に引き上げ，強姦罪の法定刑を2
年以上の有期懲役から3年以上の有期懲役に引き上げるなどし，『刑法の一部を改正す
る法律』（平成29年法律第72号）は，性的な被害に係る犯罪の実情等に鑑み，事案の

実態に即した対処を可能とするため，それまで強制わいせつ罪による処罰対象とされてきた行為の一部を強姦罪とされてきた行為と併せ，男女いずれもが，その行為の客体あるいは主体となり得るとされる強制性交等罪を新設するとともに，その法定刑を5年以上の有期懲役に引き上げたほか，監護者わいせつ罪及び監護者性交等罪を新設するなどしている。これらの法改正が，性的な被害に係る犯罪やその被害の実態に対する社会の一般的な受け止め方の変化を反映したものであることは明らかである。

　ウ　以上を踏まえると，今日では，強制わいせつ罪の成立要件の解釈をするに当たっては，被害者の受けた性的な被害の有無やその内容，程度にこそ目を向けるべきであって，行為者の性的意図を同罪の成立要件とする昭和45年判例の解釈は，その正当性を支える実質的な根拠を見いだすことが一層難しくなっているといわざるを得ず，もはや維持し難い。

　(5)　もっとも，刑法176条にいうわいせつな行為と評価されるべき行為の中には，強姦罪に連なる行為のように，行為そのものが持つ性的性質が明確で，当該行為が行われた際の具体的状況等如何にかかわらず当然に性的な意味があると認められるため，直ちにわいせつな行為と評価できる行為がある一方，行為そのものが持つ性的性質が不明確で，当該行為が行われた際の具体的状況等をも考慮に入れなければ当該行為に性的な意味があるかどうかが評価し難いような行為もある。その上，同条の法定刑の重さに照らすと，性的な意味を帯びているとみられる行為の全てが同条にいうわいせつな行為として処罰に値すると評価すべきものではない。そして，いかなる行為に性的な意味があり，同条による処罰に値する行為とみるべきかは，規範的評価として，その時代の性的な被害に係る犯罪に対する社会の一般的な受け止め方を考慮しつつ客観的に判断されるべき事柄であると考えられる。

　そうすると，刑法176条にいうわいせつな行為に当たるか否かの判断を行うためには，行為そのものが持つ性的性質の有無及び程度を十分に踏まえた上で，事案によっては，当該行為が行われた際の具体的状況等の諸般の事情をも総合考慮し，社会通念に照らし，その行為に性的な意味があるといえるか否かや，その性的な意味合いの強さを個別事案に応じた具体的事実関係に基づいて判断せざるを得ないことになる。したがって，そのような個別具体的な事情の一つとして，行為者の目的等の主観的事情を判断要素として考慮すべき場合があり得ることは否定し難い。しかし，そのような場合があるとしても，故意以外の行為者の性的意図を一律に強制わいせつ罪の成立要件とすることは相当でなく，

昭和45年判例の解釈は変更されるべきである。

(6) そこで，本件についてみると，第1審判決判示第1の1の行為は，当該行為そのものが持つ性的性質が明確な行為であるから，その他の事情を考慮するまでもなく，性的な意味の強い行為として，客観的にわいせつな行為であることが明らかであり，強制わいせつ罪の成立を認めた第1審判決を是認した原判決の結論は相当である。

以上によれば，刑訴法410条2項により，昭和45年判例を当裁判所の上記見解に反する限度で変更し，原判決を維持するのを相当と認めるから，同判例違反をいう所論は，原判決破棄の理由にならない。なお，このように原判決を維持することは憲法31条等に違反するものではない。」

状態犯と継続犯

37 凶器準備集合罪の罪質

最決昭和45年12月3日刑集24巻13号1707頁／判時614・22，判夕255・96
（百選Ⅱ7，重判昭45刑3）⇒各論 *69, 73*

【事案】 被告人らは，都学連派の学生であった。昭和41年9月22日清水谷公園において開催された都学連の集会中，かねて対立抗争関係にあった全学連派の学生がその場に参集して対抗しようとしたため，都学連派の学生約50名が，この全学連派の学生を実力で排除するため相手の身体に共同して害を加える目的で，それぞれ角棒を携帯準備して集合した際，被告人らも同様の目的のもとに，長さ1メートル前後の角棒を所持して参加し，全学連派の学生との乱闘にも加わった。第1審判決は，次のように述べて凶器準備集合罪は成立しないとした。「2人以上の者が共同加害の目的をもって凶器を準備して集合した場合であっても，進んで加害行為実行の段階に至ったときは，そこに存在するのは先に目的とされた共同加害行為の実行そのものであって，集合体による行動はあっても既に刑法208条ノ2所定の構成要件的状況といわれる共同加害の目的をもって集合した状態ではなく，凶器についてはその行使であって，その準備ではないと解すべきである」（東京地判昭和43年4月13日判時519号96頁）。これに対して，原審は，第1審判決を破棄して凶器準備集合罪の成立を認めた。

【決定理由】 「刑法208条ノ2にいう『集合』とは，通常は，2人以上の者が他人の生命，身体または財産に対し共同して害を加える目的をもって兇器を準備し，またはその準備のあることを知って一定の場所に集まることをいうが，すでに，一定の場所に集まっている2人以上の者がその場で兇器を準備し，ま

たはその準備のあることを知ったうえ，他人の生命，身体または財産に対し共同して害を加える目的を有するに至った場合も，『集合』にあたると解するのが相当である。また，兇器準備集合罪は，個人の生命，身体または財産ばかりでなく，公共的な社会生活の平穏をも保護法益とするものと解すべきであるから，右『集合』の状態が継続するかぎり，同罪は継続して成立しているものと解するのが相当である。」

38 犯罪の終了時期

最決平成 18 年 12 月 13 日刑集 60 巻 10 号 857 頁／判時 1957・164，判タ 1230・96

【決定理由】 「1　原判決の認定及び記録によれば，上記第 1 審判示第 7 の 1 の事実に関する事実関係は，次のとおりである。

(1)　被告人 X は，A 株式会社（平成 7 年 11 月 24 日の商号変更により株式会社 B となる。以下「本件会社」という。）の代表取締役であるとともに，同社関連会社である株式会社 C の実質的経営者として両社の業務全般を統括しているもの，被告人 Y は本件会社の財務部長，被告人 Z は C の代表取締役であったものであるが，被告人 3 名は，共謀の上，平成 7 年 10 月 31 日付けで東京地方裁判所裁判官により競売開始決定がされた本件会社所有に係る土地・建物（以下「本件土地・建物」という。）につき，その売却の公正な実施を阻止しようと企てた。

(2)　そこで，上記競売開始決定に基づき，同年 12 月 5 日，同裁判所執行官が現況調査のため，本件土地・建物に関する登記内容，占有状況等について説明を求めた際，被告人 Y において，同執行官に対し，本件会社が同建物を別会社に賃貸して引き渡し，同社から C に借主の地位を譲渡した旨の虚偽の事実を申し向けるとともに，これに沿った内容虚偽の契約書類を提出して，同執行官をしてその旨誤信させ，現況調査報告書にその旨内容虚偽の事実を記載させた上，同月 27 日，これを同裁判所裁判官に提出させた。

(3)　その後，同裁判所裁判官から本件土地・建物につき評価命令を受けた，情を知らない評価人は，上記内容虚偽の事実が記載された現況調査報告書等に基づき，不動産競売による売却により効力を失わない建物賃貸借の存在を前提とした不当に廉価な不動産評価額を記載した評価書を作成し，平成 8 年 6 月 5 日，同裁判所裁判官に提出した。これを受けて，情を知らない同裁判所裁判官は，同年 12 月 20 日ころ，本件土地・建物につき，上記建物賃借権の存在を前提とした不当に廉価な最低売却価額を決定し，情を知らない同裁判所職員において，平成 9 年 3 月 5 日，上記内容虚偽の事実が記載された本件土地・建物の現況調査報告書等の写しを入札参加希望者が閲覧できるように同裁判所に備え置いた。

2　被告人 3 名は，平成 12 年 1 月 28 日，本件土地・建物につき，偽計を用

いて公の入札の公正を害すべき行為をした旨の競売入札妨害の事実で起訴されたものであるが，所論は，競売入札妨害罪は，即成犯かつ具体的危険犯であるから，現況調査に際して執行官に対し虚偽の陳述をした時点で犯罪は終了しており，公訴時効が完成しているのに，その成立を否定した原判決には法令解釈適用の誤りがあるという。

　しかしながら，上記1の事実関係の下では，被告人Yにおいて，現況調査に訪れた執行官に対して虚偽の事実を申し向け，内容虚偽の契約書類を提出した行為は，刑法96条の3第1項の偽計を用いた『公の競売又は入札の公正を害すべき行為』に当たるが，その時点をもって刑訴法253条1項にいう『犯罪行為が終つた時』と解すべきものではなく，上記虚偽の事実の陳述等に基づく競売手続が進行する限り，上記『犯罪行為が終つた時』には至らないものと解するのが相当である。そうすると，上記競売入札妨害罪につき，3年の公訴時効が完成していないことは明らかであるから，同罪につき，公訴時効の成立を否定した原判決の結論は正当である。」

39　犯罪の終了時期

大阪高判平成16年4月22日判タ1169号316頁

【判決理由】「論旨は，Bは，平成13年10月4日頃，ホームページの掲示板に本件書き込みがなされている事実を知り，かつ，その時点で被告人が犯人であることを知ったにもかかわらず，それから6ヶ月以上経過した平成15年4月22日に告訴をしたものであるから，同女の告訴は不適法であるのに，原判決は，これを看過して不法に公訴を受理し，同女に対する名誉毀損の事実についても，被告人を有罪としたものであり，刑訴法378条2号に該当し，破棄を免れない，という。

　刑訴法235条1項にいう『犯人を知った日』とは，犯罪終了後において，告訴権者が犯人が誰であるかを知った日をいい，犯罪の継続中に告訴権者が犯人を知ったとしても，その日をもって告訴期間の起算日とされることはない。

　そこで検討するのに，名誉毀損罪は抽象的危険犯であるところ，関係証拠によると，原判示のとおり，被告人は，平成13年7月5日，C及びBの名誉を毀損する記事（以下，「本件記事」という。）をサーバーコンピュータに記憶・蔵置させ，不特定多数のインターネット利用者らに閲覧可能な状態を設定した

ものであり，これによって，両名の名誉に対する侵害の抽象的危険が発生し，本件名誉毀損罪は既遂に達したというべきであるが，その後，本件記事は，少なくとも平成15年6月末ころまで，サーバーコンピュータから削除されることなく，利用者の閲覧可能な状態に置かれたままであったもので，被害発生の抽象的危険が維持されていたといえるから，このような類型の名誉毀損罪においては，既遂に達した後も，未だ犯罪は終了せず，継続していると解される。

　もっとも，関係証拠によると，平成15年3月9日，大阪府泉佐野警察署警察官によって，本件名誉毀損事件を被疑事実として被告人方が捜索されたことなどがきっかけとなり，その2，3日後，被告人は，同警察署に電話し，自分の名前を名乗った上で，『自分が書き込んだ掲示板がまだ残っており，消したいが，パスワードを忘れてしまったので消せない。ホームページの管理人の電話を教えてほしい。』旨申し入れたところ，同警察署側において，被告人に対し，『こちらから管理人に連絡の上削除してもらうよう依頼する。』と返答した上，直ちに本件ホームページの管理者であるDに対して，『パスワードを忘れたので消せないと言ってきた。そちらで削除してやってほしい。』と申し入れ，同人もこれに異を唱えていなかった事実が認められるところ，この事実は，被告人が，自らの先行行為により惹起させた被害発生の抽象的危険を解消するために課せられていた義務を果たしたと評価できるから，爾後も本件記事が削除されずに残っていたとはいえ，被告人が上記申入れをした時点をもって，本件名誉毀損の犯罪は終了したと解するのが相当である。

　しかして，Bの本件告訴は，上記申入れの時点において犯罪が終了した後6ヶ月以内であることが明らかな平成15年4月22日になされているから，適法である。」

40　不作為による死体遺棄罪の終了時期

大阪地判平成29年3月3日 LEX/DB25545976
⇒各論 *545*

【事案】　被告人は，平成24年5月頃に死亡したAの父であるが，妻でAの母であるBと共謀の上，その頃から平成26年1月頃までの間は，自宅である○○において，転居した同年1月頃から平成28年5月12日までの間は，自宅である××において，Aの死体を土を詰めたプラスチック製ケース内に埋められた状態で放置し，もって死体を遺棄した，として，平成28年6月3日に公訴を提起された。

【判決理由】「(1)　法令や慣習等により葬祭をなすべき義務がある者が，死体の存する場所から立ち去るなどしてこれを放置したような場合には，不作為による『遺棄』が行われたものとして死体遺棄罪が成立すると解される。そして，作為にしろ不作為にしろ，一旦『遺棄』と評価される行為が行われた場合には，基本的にはその行為終了時点で犯罪が終了し，その後に死体が放置された状態が続いていたとしても，それのみで別途に死体遺棄罪が成立し続けるものではない。一方で，一旦遺棄行為が行われた後であっても，新たな『遺棄』と評価される行為が行われれば，当該行為につき死体遺棄罪が成立するものと解されるが，その行為は作為によるものに限らず，当初の遺棄行為後も死体を葬祭すべき作為義務が消滅せず，その義務違反行為が続いていると解されるような場合には，不作為による遺棄が継続して行われていると認めることができる。

(2)　これを本件についてみると，……被告人が，被告人かB以外には埋葬することができる者がいないAの死体を，自らが支配管理する場所に運び込んだことによって，Aの死体について社会的習俗に従った埋葬がなされるか否かが，被告人ないしこれと共同してAの死体の葬祭義務を有するBに，全面的に委ねられた状態になっている。このような場合には，Aの死体をプラスチック製ケースに入れて前記ガレージに一旦放置した後も，被告人によるAの死体の葬祭義務は消滅せず，その義務違反行為が続いていたとみるべきであって，不作為による継続的な遺棄行為が行われていたものと認めることができ，これに対するBの共謀も認められる……。

なお，××へのAの死体の移動は，このように作為義務を検討する際の状況の変化として考慮することはできるものの，死体自体の状況としては土を詰めたプラスチック製ケースに埋められたままの状態であり，かつ，被告人による管理自体には実質的な変化がないのであるから，当初の隠匿行為の結果が継続しているにすぎず，作為としての別途の遺棄とみることはできない。

以上より，本件死体遺棄罪の犯罪行為は，平成28年5月12日にAの死体が発見された時点まで続いていたと認めるのが相当であり，本件公訴提起時においては3年の公訴時効期間が経過していないことが明らかである。」

［5］ 因 果 関 係

結果回避可能性

41 京踏切事件

大判昭和 4 年 4 月 11 日新聞 3006 号 15 頁

【事案】 被告人は，列車の運転手であったが，東北本線急行列車を運転して岩沼駅を通過し，時速約 40 哩（マイル）で通称京踏切にさしかかった際，被害者である嬰児 A が踏切上に佇立していたのに，業務上必要な前方注視義務を怠り漫然進行を継続したため被害者を轢死させたとして，原審は業務上過失致死罪を認めた。

【判決理由】「被告人は岩沼駅を通過して京踏切に差掛る際前方注視の義務を怠りし為 A か該踏切線上に在りたるを現認せさりしものと認定するを相当とす仍て A の轢死は被告人の前方注視懈怠の結果なりや否を案するに京踏切を距る北方 99 間 1 尺の地点に於て該踏切に何物か障害物の存在することを認め得ることは前叙の如しと雖本件列車か右地点に達したる際 A か京踏切上に在りたることを処定し得へき確証なきか故に被告人か同所に於て何等の措置を執らす其の儘進行を続けたるを以て失当と為すを得す然るに更に進て列車か京踏切を距る北方 61 間 4 尺に達したる当時 A か該踏切上に在りたることは前叙の如くなるのみならす該踏切を距る北方 60 間 4 尺（原審検証調書ヌ点）に達すれは小児の存在を認識し得るか故に若被告人に於て前方注視の義務を怠らさりしとせは右ヌ点に達したる際 A か該踏切上に在りたるを認識し得へかりしこと明白なりとす然れとも其の際被告人か直に警笛を吹鳴し非常制動の措置を執りたりとするも原審鑑定人 B の鑑定書に依れは時速 40 哩而も本件列車の如く機関車には空気制動機客車には真空制動機を有するもの（第 1 審鑑定人 S の供述に依り之を認む）に在りては非常制動を執行したる後 151 間 5 尺 5 寸を走行して停車すへく従て右踏切に達するも仍は停車せす且非常制動を為し踏切まて 60 間 4 尺を進行するに要する時間は僅に 9 秒 93 なるのみならす当審鑑定人 C の鑑定書中本問題の嬰児（生後満 1 年 9 月の男児）か警笛を聴き進行し来る列車を見て先つ驚愕を惑し更に恐怖の念を生したりとて成人に見る如く危険なき地点に逃避すへしとは予断し難き旨及本問題の嬰児か踏切軌間より安全地点に出るまての時間を推算すれは約 6 秒を要する旨の記載に依れは A の如き生

後 1 年 9 月の嬰児（記録中死体検案書に依り之を認む）に在りては右列車の警笛を聴き其の進行し来るを見れは必す右 9 秒 93 の時間内に該踏切より自ら逃避し得たるものと推断し難きか故に結局何人か A を該踏切より脱出せしめさる限り未た以て A をして危害を免れしむること能はさりしものと推認さるへからす然るに当時 A の危難を救はんとして最先に D（A の祖母）続て E（A の母）稍々遅れて F か同一方向を京踏切付近まて駈付けたることは原審証人訊問調書中右 3 名の其の旨の供述記載に依り之を認め得るも他に何人か其の付近に在りたることを認め得へき確証なく且前に云へる如く D か列車の先端を認めたるは機関車か京踏切を距る北方 61 間 4 尺の地点を進行せる時なるか故に被告人か前記ヌ点に於て警笛を吹鳴したりと仮定するも A をして D 其の他の者の救助に因り危害を免れしむるに足らさること明白なるのみならす仮に被告人か右ヌ点に於て警笛の吹鳴と共に非常制動の措置に出てたる場合に付稽ふるも右 B 鑑定人の鑑定に依れは本件列車か非常制動後 60 間 4 尺を走行して京踏切に達する時間は 9 秒 93 にして同一距離を制動せすして走行するに要する 6 秒 2 より遅るること 3 秒 73 なる処此の間に D は前記と点より更に踏切に向て走行するを得へく而してと点より京踏切西側の軌条まて 6 間 5 寸（原審検証調書及同付図に依り之を認む）にして D か此の距離を走行するに要する時間に付ては同人か前記ホ点より卜点まて走行する間に列車は 57 間 1 尺を進行したること及列車か 57 間 1 尺を進行するに要する時間か B 鑑定人の鑑定を参酌計算すれは 5 秒 84 なること等の割合に依り計算するときは約 1 秒 64 となり結局被告人か前記ぬ点に於て非常制動を為したりとせは列車の京踏切に達するより大凡 2 秒前 D か同踏切に達する状況に在るも同踏切に達して軌道内より嬰児を救出するに付ては幾許かの時間を要すへく且右ヌ点に於て非常制動を為すも京踏切通過の際は速度未た著しく減退せさることは右 B 鑑定人の鑑定に依り之を認め得るか故に此等の事情を参酌すれは右の如き瞬時の間に果して良く A を軌道内より避難せしめ得へきか之を肯認すること至難とす然らは右ヌ点に於て警笛と共に非常制動を為すも仍ほ A の危害を未前に防止し得たりと為すに足らさるか故に其の措置に出てさりしことも亦 A 轢死の原因と為すに由なし」

42 衝突の回避可能性

最判平成 15 年 1 月 24 日判時 1806 号 157 頁／判タ 1110・134
（百選 I 7）

【判決理由】「左右の見通しが利かない交差点に進入するに当たり，何ら徐行することなく，時速約 30 ないし 40 キロメートルの速度で進行を続けた被告人の行為は，道路交通法 42 条 1 号所定の徐行義務を怠ったものといわざるを得ず，また，業務上過失致死傷罪の観点からも危険な走行であったとみられるのであって，取り分けタクシーの運転手として乗客の安全を確保すべき立場にある被告人が，上記のような態様で走行した点は，それ自体，非難に値するといわなければならない。

　しかしながら，他方，本件は，被告人車の左後側部に A 車の前部が突っ込む形で衝突した事故であり，本件事故の発生については，A 車の特異な走行状況に留意する必要がある。すなわち，1，2 審判決の認定及び記録によると，A は，酒気を帯び，指定最高速度である時速 30 キロメートルを大幅に超える時速約 70 キロメートルで，足元に落とした携帯電話を拾うため前方を注視せずに走行し，対面信号機が赤色灯火の点滅を表示しているにもかかわらず，そのまま交差点に進入してきたことが認められるのである。このような A 車の走行状況にかんがみると，被告人において，本件事故を回避することが可能であったか否かについては，慎重な検討が必要である。」

　「対面信号機が黄色灯火の点滅を表示している際，交差道路から，一時停止も徐行もせず，時速約 70 キロメートルという高速で進入してくる車両があり得るとは，通常想定し難いものというべきである。しかも，当時は夜間であったから，たとえ相手方車両を視認したとしても，その速度を一瞬のうちに把握するのは困難であったと考えられる。こうした諸点にかんがみると，被告人車が A 車を視認可能な地点に達したとしても，被告人において，現実に A 車の存在を確認した上，衝突の危険を察知するまでには，若干の時間を要すると考えられるのであって，急制動の措置を講ずるのが遅れる可能性があることは，否定し難い。そうすると，上記②あるいは③の場合のように，被告人が時速 10 ないし 15 キロメートルに減速して交差点内に進入していたとしても，上記の急制動の措置を講ずるまでの時間を考えると，被告人車が衝突地点の手前で停止することができ，衝突を回避することができたものと断定することは，困

難であるといわざるを得ない。そして，他に特段の証拠がない本件においては，被告人車が本件交差点手前で時速10ないし15キロメートルに減速して交差道路の安全を確認していれば，A車との衝突を回避することが可能であったという事実については，合理的な疑いを容れる余地があるというべきである。

　以上のとおり，本件においては，公訴事実の証明が十分でないといわざるを得ず，業務上過失致死傷罪の成立を認めて被告人を罰金40万円に処した第1審判決及びこれを維持した原判決は，事実を誤認して法令の解釈適用を誤ったものとして，いずれも破棄を免れない。

　よって，刑訴法411条1号，3号により原判決及び第1審判決を破棄し，本件事案の内容及びその証拠関係等にかんがみ，この際，当審において自判するのを相当と認め，同法413条ただし書，414条，404条，336条により被告人に対し無罪の言渡しをすることとし，裁判官全員一致の意見で，主文のとおり判決する。」

条件説・相当因果関係説

被害者の特殊事情

43　脳梅毒事件

最判昭和25年3月31日刑集4巻3号469頁

【判決理由】「原判決の確定した事実によると被告人Xは被害者Aの左眼の部分を右足で蹴付けたのである。そして原審が証拠として採用した鑑定人Bの鑑定書中亡Aの屍体の外傷として左側上下眼瞼は直径約5糎の部分が腫脹し暗紫色を呈し左眼の瞳孔の左方角膜に直径0,5糎の鮮紅色の溢血があると記載されているからその左眼の傷が被告人Xの足蹴によったものであることは明らかである。ところで被告人の暴行もその与えた傷創もそのものだけは致命的なものではないが（C医師は傷は10日位で癒るものだと述べている）被害者Aは予て脳梅毒にかかって居り脳に高度の病的変化があったので顔面に激しい外傷を受けたため脳の組織を一定度崩壊せしめその結果死亡するに至ったものであることは原判決挙示の証拠即ち鑑定人B，Dの各鑑定書の記載から十分に認められるのである。論旨は右鑑定人の鑑定によっては被告人Xの行

⇒ **44**

為によって脳組織の崩壊を來したものであるという因果関係を断定することが経験則にてらして不可能であり又他の証拠を綜合して考えて見ても被告人の行為と被害者の死亡との因果関係を認めることはできないと主張する。しかし右鑑定人の鑑定により被告人の行為によって脳組織の崩壊を來したものであること従って被告人の行為と被害者の死亡との間に因果関係を認めることができるのであってかかる判断は毫も経験則に反するものではない。又被告人の行為が被害者の脳梅毒による脳の高度の病的変化という特殊の事情さえなかったならば致死の結果を生じなかったであろうと認められる場合で被告人が行為当時その特殊事情のあることを知らずまた予測もできなかったとしてもその行為がその特殊事情と相まって致死の結果を生ぜしめたときはその行為と結果との間に因果関係を認めることができるのである。」

44 老女布団むし事件

最判昭和 46 年 6 月 17 日刑集 25 巻 4 号 567 頁／判時 636・91, 判タ 265・206

（百選 I 8）

【判決理由】「第 1 審は，右 A の死因につき，『右暴行により，同女に急性心臓死を惹起せしめて，即時その場で同女を死亡するにいたらしめた』旨認定したほか，ほぼ右公訴事実にそう事実を認定し，強盗致死罪の成立を認めたところ，原審は，被告人の本件暴行と被害者 A の死亡との間に因果関係があるとした第 1 審判決は事実を誤認したものであるとして，同判決を破棄したうえ，被告人は，同女に対し，第 1 審判決判示の暴行を加えて，その反抗を抑圧したが，『たまたま同女が急性心臓死により死亡したので』，同判示預金通帳および現金を強取したとの事実を認定し，被告人の右所為は刑法 236 条の強盗罪に該当するものとした。そして，その理由とするところは，『被害者は，被告人の右暴行がなされている時に急性心臓死をしたものであり，被害者の死因は，被告人の暴行によって誘発された急性心臓死であることは否定できないけれども，本件において因果関係の有無を考えるに当たっては，被告人の加害行為と被害者の死亡との間には，加害行為から死亡の結果の発生することが，経験上通常生ずるものと認められる関係にあることを要するものと解すべきであり，その際，この相当因果関係は，行為時および行為後の事情を通じて，行為の当時，平均的注意深さをもつ通常人が知りまたは予見することができたであろう一般的事情，および通常人には知り得なかった事情でも，行為者が現に知りまたは

予見していた特別事情を基礎として，これを考えるべきものである』との見解を前提とし，相当因果関係の有無を判断すべき基礎となる事情として，第1審判決判示の被告人の暴行の態様，程度のほか，被害者の心臓の病的素因，すなわち被害者の心臓および循環系統には相当高度の変化が存し，そのために被害者は，極めて軽微な外因によって，突然心臓機能の障害を起して心臓死にいたるような心臓疾患の症状にあったこと，および被害者の夫その他の近親者も，かかりつけの医師も，恐らくは被害者自身も，これを知らなかったものと認められ，被告人においてこれを知りうべき筋合いではないことなどを考察し，かかる具体的事情のもとにおいては，被告人の暴行と被害者の死亡との間に必ずしも相当因果関係があるということができない，というのである。

　しかし，原判決の認定した事実によれば，被害者 A の死因は，被告人の同判決判示の暴行によって誘発された急性心臓死であるというのであり，右の認定は，同判決挙示の関係証拠および原審鑑定人 B 作成の鑑定書，原審証人 B の供述等に徴し，正当と認められるところ，致死の原因たる暴行は，必ずしもそれが死亡の唯一の原因または直接の原因であることを要するものではなく，たまたま被害者の身体に高度の病変があったため，これとあいまって死亡の結果を生じた場合であっても，右暴行により致死の罪の成立を妨げないと解すべきことは所論引用の当裁判所判例（昭和 22 年㈣第 22 号同年 11 月 14 日第三小法廷判決，刑集 1 巻 6 頁。昭和 24 年㈣第 2831 号同 25 年 3 月 31 日第二小法廷判決，刑集 4 巻 3 号 469 頁。昭和 31 年㈎第 2778 号同 32 年 3 月 14 日第一小法廷決定，刑集 11 巻 3 号 1075 頁。昭和 35 年㈎第 2042 号同 36 年 11 月 21 日第三小法廷決定，刑集 15 巻 10 号 1731 頁。）の示すところであるから，たとい，原判示のように，被告人の本件暴行が，被害者の重篤な心臓疾患という特殊の事情さえなかったならば致死の結果を生じなかったであろうと認められ，しかも，被告人が行為当時その特殊事情のあることを知らず，また，致死の結果を予見することもできなかったものとしても，その暴行がその特殊事情とあいまって致死の結果を生ぜしめたものと認められる以上，その暴行と致死の結果との間に因果関係を認める余地があるといわなければならない。したがって，被害者 A の死因が被告人の暴行によって誘発された急性心臓死であることを是認しながら，両者の間に因果関係がないとして，強盗致死罪の成立を否定した原判決は，因果関係の解釈を誤り，所論引用の前示判例と相反する判断をした

⇒ *45*

ものといわなければならず，論旨は理由がある。」

45 未知の結核病巣

最決昭和 49 年 7 月 5 日刑集 28 巻 5 号 194 頁／判時 754・105，判タ 312・271

【事案】 被告人は A に暴行を加え，このため A は X 病院に入院し医師 B の治療をうけたが，血胸に基づく心不全のため死亡した。第 1 審判決は「刑法上の因果関係があるというためには，特定の行為によって特定の結果が発生する虞のあることが，一般的に観察して，経験上，普通，予想しえられる関係にあることを要するものと解すべきであるところ，被害者の左肺胸膜，胸膜下組織，左肺上葉に乾酪化した結核性の病巣があったことは，被告人はもとより，被害者の治療に当った，医学上の専門的知識を有する医師らも予想することができなかった具体的事情のもとにおいては，血胸の治療のためのステロイド剤の使用が循環障害を惹き起こし，そのため被害者が心機能不全に陥って死亡するに至るであろうことは経験上，普通，予想しえられるところであるとは到底いえないから，被告人の暴行と被害者の死亡との間に相当因果関係はないものといわざるをえない，というのである。」として致死の結果との因果関係を否定したが，原審は次のように述べてこれを破棄した。

「被告人は，A が当時 81 歳の高令であることを知悉しながら，原判示第一の A に対する傷害行為の 20 日後に引き続き再び A に対し暴行を加えた結果，同人は左胸部に血胸を生じたが，医師としてはこれを放置すると同人の身体に重大な影響を与えるので，相当の注意を払ってステロイド剤を投与したこと，しかし被害者には生体のままでは確知することができなかった結核性の病巣があったためステロイド剤の作用によって右病巣が悪化し，ひいて循環障害を起こし，遂に心機能不全となって死亡したことが明らかである。すなわち，被告人の暴行により被害者の身体に加えた影響結果が，第三者による医療過誤などの行為によって死亡の結果を生じさせたとの形跡はないのであり，従って被告人の暴行と被害者の死亡との間に，他人の行為の介入はなかったというべきである。

ところで，致死の原因たる暴行は，必ずしもそれが死亡の唯一の原因または直接の原因であることを要するものではなく，たまたま被害者の身体に特別な病変，体質ないし宿痾があったため，これと相まって死亡の結果を生じた場合であっても，右暴行による致死罪の成立を妨げないものと解すべきことは，検察官において引用する最高裁判所判例（第三小法廷昭和 22 年 11 月 14 日判決，刑集 1 巻 6 頁。第二小法廷昭和 25 年 3 月 31 日判決，刑集 4 巻 3 号 469 頁。第一小法廷昭和 32 年 3 月 14 日決定，刑集 11 巻 3 号 1075 頁，第三小法廷昭和 36 年 11 月 21 日決定，刑集 15 巻 10 号 1731 頁。第一小法廷昭和 46 年 6 月 17 日判決，刑集 25 巻 4 号 567 頁。）の示すところである。

従って，たとい，原判決が因果関係の有無を判断する前提として認定した 2 個の事実，すなわち被告人の本件暴行が，被害者の前示結核性疾患という特殊の事情さえなかった

ならば致死の結果を生じなかったこと（もっとも暴行に基づき生じた血胸を放置すると，高令の被害者の生命に影響のあることは，前掲のとおりである。），さらに被告人が行為当時右疾患に関する特殊事情のあることを知らず，また，致死の結果を予見することができなかったこと（しかし被告人としては，暴行の相手方に特定の病変のあることを知らなかったとしても，同人が81歳の高令者である以上は，外面上は健康体に見えても少くとも一旦受傷するとなんらかの余病を併発する虞のあることは普通，予見しえられる場合に該当するといえる）が真実としても，被告人の暴行に基づく結果が，被害者の他の特別な病変とあいまって致死の結果を生ぜしめたものと解される以上，当該暴行と致死の結果との間に因果関係を認めることができるといわなければならない。従って，原判決が被告人の加えた暴行に起因して被害者の死亡という結果が発生したものであることを是認しながら，両者の間に刑法上の因果関係がないと解して，傷害致死罪の成立を否定したのは，刑法205条1項に関する法令の解釈適用を誤った違法があり，その誤りは判決に影響を及ぼすことが明らかであるから，論旨は理由がある。」

【決定理由】「原判示の事実関係によれば，被告人の暴行とAの死亡との間に因果関係を認めた原判決の判断は正当である。」

被害者の行為の介入

46 神水塗布事件

大判大正 12 年 7 月 14 日刑集 2 巻 658 頁

【事案】 被告人は，被害者 A に全治約 2 週間の傷害を負わせたが，A はある宗教の信者であり，このため傷口に神水を塗布したため丹毒症を併発し，全治約 4 週間の傷害を負わせる結果となった。

【判決理由】「原判示に依れは被告は棍棒を以て A の頭部を殴打し其の左耳朶に断裂傷を負はしめ因て同人をして丹毒症に罹らしめたるものにして被害者の丹毒症に罹りたるは被告の所為に因るものなること明なりとす而して所論諸証拠は原判決の引用せさる所なりと雖仮に被害者に於て治療の方法の誤りたる事実ありとするも苟も被告の所為に因りて生したる創口より病菌の侵入したる為丹毒症を起したる以上は其の所為亦同症の一因を成したること明白なれは両者の間に因果関係の存在を認むへきは当然にして之か中断を認むるは正当に非す」

⇒ *47・48・49*

47 火傷を負った被害者の水中への飛び込み

大判昭和 2 年 9 月 9 日刑集 6 巻 343 頁

【判決理由】「本件被害者 A の死亡か被告人等か同人に加へたる高度の火傷に基く心臓麻痺に因ることは原判決に援用せる鑑定に徴し明確にして他に溺死其の他の死因に関する疑存せさる以上は右事実の認定は相当なりと謂はさるへからす故に所論の如く被害者 A か火傷を受けたる後其の苦痛に勝へす若くは新なる暴行を避けんとして自ら水中に投し之か為に急速なる体温の逸出を來し心臓機能の衰弱又は其の麻痺の程度を加へたる事実なりとするも右被害者 A の行為の介入は被告人等か同人に加へたる火傷と被害者の心臓麻痺に因る死亡との間に於ける因果関係を中断するものに非す何となれは被告人等の加へたる高度の火傷にして無かりせは被害者 A は水中に投するも決して急速なる体温の逸出に因り心臓麻痺を來すことなかるへけれはなり然らは原判決に於て判示諸般の証拠に依り被告人等の加へたる傷害に因り被害者 A を死に致したる事実を認定し之を刑法第 205 条の傷害致死罪に問擬処断したるは相当なり本論旨は理由なし」

48 逃走中の被害者の転倒

最決昭和 59 年 7 月 6 日刑集 38 巻 8 号 2793 頁／判時 1128・149, 判タ 537・134

【事案】 被告人らは，被害者 A に暴行を加え，頭部擦過打撲傷に基づくくも膜下出血により死亡させたが，当該打撲傷は被害者が逃走中に池に落ち込んだ際に生じた可能性があった。

【決定理由】「本件被害者の死因となったくも膜下出血の原因である頭部擦過打撲傷が，たとえ，被告人及び共犯者 2 名による足蹴り等の暴行に耐えかねた被害者が逃走しようとして池に落ち込み，露出した岩石に頭部を打ちつけたため生じたものであるとしても，被告人ら 3 名の右暴行と被害者の右受傷に基づく死亡との間に因果関係を認めるのを相当とした原判決の判断は，正当である。」

49 誤った治療法の指示

最決昭和 63 年 5 月 11 日刑集 42 巻 5 号 807 頁／判時 1277・159, 判タ 668・134

(重判昭 63 刑 1)

【事案】 被告人は，柔道整復師であったが，風邪気味の被害者から施療を頼まれた際，誤った治療法を指示したため肺炎を併発して死亡するに至った。被告人は，業務上過失致死罪で起訴されたが，第 1 審は，「検察官は，医師の診療を受けるよう指示するべき

であったというけれども，しかしながら，被告人も知っていたとおり，Aは，高等教育を受けた2級建築士であって，また，父B，母C及び妻のDと同居し，その看護を受けており，加えて，Dは，臨床検査技師とはいえ，専門教育を受けて，N胃腸科内科医院に勤務し，医療に携わる者であって，Aの容体及び被告人の施術ないし介護のほぼ全般を知っていたのであるから，これらの事情を併せ考えると，被告人において医師の診療を受けているか否かを確認せず，また，改めて医師の診療を受けるよう告げなかったからといって，この点で，その義務に違反した落度があるということは難しい。」として無罪とした。これに対し，控訴審は「なるほど，CやDがAに医師の診療を受けさせ，Aに対し水分や栄養を十分に補給し，解熱剤を投与するなどの措置を講じ，またA自身これらの措置を求めていたならば，Aの死亡という結果を回避できたと推測され，この点においてCやDらにもAに対し適切な看護，療養を怠った落度のあることは否定できない。しかしながら，原判示の『Dらのはなはだ突飛な療養，看護』は，先に認定したとおり，ほかならぬ被告人自身の誤った指示に基づいてなされたものであって，たとえCらに落度があったにしても，被告人自身にAの治療等につき前叙の過失がある以上，被告人の過失責任が否定されるいわれは全くないのである。要するに，原判決は，信ずべからざる被告人の原審公判廷における供述を過信し，C，Dらの捜査段階及び原審公判廷における供述等を故なく排斥して被告人の過失を否定し，かつCらの落度がAの死因の一因をなしたことを過大に評価した上，これを理由に被告人の誤った治療及び指示とAの死亡との因果関係を否定したものにほかならず，原判決には事実の誤認があり，これが判決に影響を及ぼすことが明らかであるから，原判決は破棄を免れない。」として有罪とした。弁護人は，上告して，因果関係がないと主張した。

【決定理由】「なお，原判決の認定によれば，被告人は，県知事の免許を受けて柔道整復業を営む一方，風邪等の症状を訴える患者に対しては，医師の資格がないにもかかわらず反復継続して治療としての施術等を行っていたものであるが，本件被害者から風邪ぎみであるとして診察治療を依頼されるや，これを承諾し，熱が上がれば体温により雑菌を殺す効果があって風邪は治るとの誤った考えから，熱を上げること，水分や食事を控えること，閉め切った部屋で布団をしっかり掛け汗を出すことなどを指示し，その後被害者の病状が次第に悪化しても，格別医師の診察治療を受けるよう勧めもしないまま，再三往診するなどして引き続き前同様の指示を繰り返していたところ，被害者は，これに忠実に従ったためその病状が悪化の一途をたどり，当初37度前後だった体温が5日目には42度にも昇ってけいれんを起こすなどし，その時点で初めて医師の手当てを受けたものの，既に脱水症状に陥って危篤状態にあり，まもなく気

管支肺炎に起因する心不全により死亡するに至ったというのである。右事実関係のもとにおいては，被告人の行為は，それ自体が被害者の病状を悪化させ，ひいては死亡の結果をも引き起こしかねない危険性を有していたものであるから，医師の診察治療を受けることなく被告人だけに依存した被害者側にも落度があったことは否定できないとしても，被告人の行為と被害者の死亡との間には因果関係があるというべきであり，これと同旨の見解のもとに，被告人につき業務上過失致死罪の成立を肯定した原判断は，正当である。」

50 潜水受講生の不適切な行動

最決平成 4 年 12 月 17 日刑集 46 巻 9 号 683 頁／判時 1451・160，判タ 814・128
（百選 I 12，重判平 5 刑 1）

【決定理由】 「一 本件の事実関係は，原判決及びその是認する第 1 審判決の認定によると，次のとおりである。

1 被告人は，スキューバダイビングの資格認定団体から認定を受けた潜水指導者として，潜水講習の受講生に対する潜水技術の指導業務に従事していた者であるが，昭和63 年 5 月 4 日午後 9 時ころ，和歌山県串本町の海岸近くの海中において，指導補助者 3 名を指揮しながら，本件被害者を含む 6 名の受講生に対して圧縮空気タンクなどのアクアラング機材を使用して行う夜間潜水の講習指導を実施した。当時海中は夜間であることやそれまでの降雨のため視界が悪く，海上では風速 4 メートル前後の風が吹き続けていた。被告人は，受講生 2 名ごとに指導補助者 1 名を配して各担当の受講生を監視するように指示した上，一団となって潜水を開始し，100 メートル余り前進した地点で魚を捕えて受講生らに見せた後，再び移動を開始したが，その際，受講生らがそのまま自分についてくるものと考え，指導補助者らにも特別の指示を与えることなく，後方を確認しないまま前進し，後ろを振り返ったところ，指導補助者 2 名しか追従していないことに気付き，移動開始地点に戻った。この間，他の指導補助者 1 名と受講生 6 名は，逃げた魚に気をとられていたため被告人の移動に気付かずにその場に取り残され，海中のうねりのような流れにより沖の方に流された上，右指導補助者が被告人を探し求めて沖に向かって水中移動を行い，受講生らもこれに追随したことから，移動開始地点に引き返した被告人は，受講生らの姿を発見できず，これを見失うに至った。右指導補助者は，受講生らと共に沖へ数十メートル水中移動を行い，被害者の圧縮空気タンク内の空気残圧量が少なくなっていることを確認して，いったん海上に浮上したものの，風波のため水面移動が困難であるとして，受講生らに再び水中移動を指示し，これに従った被害者は，水中移動中に空気を使い果たして恐慌状態に陥り，自ら適切な措置を採ることができないままに，でき死するに至った。

2 右受講生 6 名は，いずれも前記資格認定団体における 4 回程度の潜水訓練と講義

を受けることによって取得できる資格を有していて，潜水中圧縮空気タンク内の空気残圧量を頻繁に確認し，空気残圧量が少なくなったときは海上に浮上すべきこと等の注意事項は一応教えられてはいたが，まだ初心者の域にあって，潜水の知識，技術を常に生かせるとは限らず，ことに夜間潜水は，視界が悪く，不安感や恐怖感が助長されるため，圧縮空気タンク内の空気を通常より多量に消費し，指導者からの適切な指示，誘導がなければ，漫然と空気を消費してしまい，空気残圧がなくなった際に，単独では適切な措置を講ぜられないおそれがあった。特に被害者は，受講生らの中でも，潜水経験に乏しく技術が未熟であって，夜間潜水も初めてである上，潜水中の空気消費量が他の受講生より多く，このことは，被告人もそれまでの講習指導を通じて認識していた。また，指導補助者らも，いずれもスキューバダイビングにおける上級者の資格を有するものの，更に上位の資格を取得するために本件講習に参加していたもので，指導補助者としての経験は極めて浅く，潜水指導の技術を十分習得しておらず，夜間潜水の経験も2，3回しかない上，被告人からは，受講生と共に，海中ではぐれた場合には海上に浮上して待機するようにとの一般的注意を受けていた以外には，各担当の受講生2名を監視することを指示されていたのみで，それ以上に具体的な指示は与えられていなかった。

　二　右事実関係の下においては，被告人が，夜間潜水の講習指導中，受講生らの動向に注意することなく不用意に移動して受講生らのそばから離れ，同人らを見失うに至った行為は，それ自体が，指導者からの適切な指示，誘導がなければ事態に適応した措置を講ずることができないおそれがあった被害者をして，海中で空気を使い果たし，ひいては適切な措置を講ずることもできないままに，でき死させる結果を引き起こしかねない危険性を持つものであり，被告人を見失った後の指導補助者及び被害者に適切を欠く行動があったことは否定できないが，それは被告人の右行為から誘発されたものであって，被告人の行為と被害者の死亡との間の因果関係を肯定するに妨げないというべきである。右因果関係を肯定し，被告人につき業務上過失致死罪の成立を認めた原判断は，正当として是認することができる。」

51　被害者による高速道路への進入

最決平成15年7月16日刑集57巻7号950頁／判時1837・159，判タ1134・183
（百選Ⅰ13，重判平15刑1）

【決定理由】　「一　原判決の認定によると，本件の事実関係は，次のとおりである。

　(1)　被告人4名は，他の2名と共謀の上，被害者に対し，公園において，深夜約2時間10分にわたり，間断なく極めて激しい暴行を繰り返し，引き続き，マンション居室において，約45分間，断続的に同様の暴行を加えた。

⇒ *52*

(2) 被害者は，すきをみて，上記マンション居室から靴下履きのまま逃走したが，被告人らに対し極度の恐怖感を抱き，逃走を開始してから約10分後，被告人らによる追跡から逃れるため，上記マンションから約763mないし約810m離れた高速道路に進入し，疾走してきた自動車に衝突され，後続の自動車にれき過されて，死亡した。

二 以上の事実関係の下においては，被害者が逃走しようとして高速道路に進入したことは，それ自体極めて危険な行為であるというほかないが，被害者は，被告人らから長時間激しくかつ執ような暴行を受け，被告人らに対し極度の恐怖感を抱き，必死に逃走を図る過程で，とっさにそのような行動を選択したものと認められ，その行動が，被告人らの暴行から逃れる方法として，著しく不自然，不相当であったとはいえない。そうすると，被害者が高速道路に進入して死亡したのは，被告人らの暴行に起因するものと評価することができるから，被告人らの暴行と被害者の死亡との間の因果関係を肯定した原判決は，正当として是認することができる。」

52 被害者の不適切な行動

最決平成16年2月17日刑集58巻2号169頁／判時1854・158，判タ1148・188
（重判平16刑1）

【決定理由】 「1 原判決の認定及び記録によると，本件傷害致死事件の事実関係等は，次のとおりである。

(1) 被告人は，外数名と共謀の上，深夜，飲食店街の路上で，被害者に対し，その頭部をビール瓶で殴打したり，足蹴にしたりするなどの暴行を加えた上，共犯者の1名が底の割れたビール瓶で被害者の後頸部等を突き刺すなどし，同人に左後頸部刺創による左後頸部血管損傷等の傷害を負わせた。被害者の負った左後頸部刺創は，頸椎左後方に達し，深頸静脈，外椎骨静脈沿叢などを損傷し，多量の出血を来すものであった。

(2) 被害者は，受傷後直ちに知人の運転する車で病院に赴いて受診し，翌日未明までに止血のための緊急手術を受け，術後，いったんは容体が安定し，担当医は，加療期間について，良好に経過すれば，約3週間との見通しを持った。

(3) しかし，その日のうちに，被害者の容体が急変し，他の病院に転院したが，事件の5日後に上記左後頸部刺創に基づく頭部循環障害による脳機能障害により死亡した。

(4) 被告人は，原審公判廷において，上記容体急変の直前，被害者が無断退院しようとして，体から治療用の管を抜くなどして暴れ，それが原因で容体が悪化したと聞いている旨述べているところ，被害者が医師の指示に従わず安静に努めなかったことが治療の効果を減殺した可能性があることは，記録上否定することができない。

2 以上のような事実関係等によれば，被告人らの行為により被害者の受け

た前記の傷害は，それ自体死亡の結果をもたらし得る身体の損傷であって，仮に被害者の死亡の結果発生までの間に，上記のように被害者が医師の指示に従わず安静に努めなかったために治療の効果が上がらなかったという事情が介在していたとしても，被告人らの暴行による傷害と被害者の死亡との間には因果関係があるというべきであり，本件において傷害致死罪の成立を認めた原判断は，正当である。」

行為者の行為の介入

53　死亡したと誤信して砂浜に放置した事例

大判大正 12 年 4 月 30 日刑集 2 巻 378 頁
（百選 I 15）

【判決理由】「原判決の認定したる事実に依れは被告は A を殺害する決意を為し細麻縄約 8，9 尺のものを以て熟睡中なる A の頸部を絞扼し A は身動せさるに至りしより被告は A は既に死亡したるものと思惟し其の犯行の発覚を防く目的を以て頸部の麻縄をも解かすして A を背負ひ十数町を距てたる海岸砂上に運ひ之を放置し帰宅したる為 A は砂末を吸引し遂に同人をして頸部絞扼と砂末吸引とに因り死亡するに至らしめ殺害の目的を遂けたるものとす故に被告の殺害の目的を以て為したる行為の後被告か A を既に死せるものと思惟して犯行発覚を防く目的を以て海岸に運ひ去り砂上に放置したる行為ありたるものにして此の行為なきに於ては砂末吸引を惹起すことなきは勿論なれとも本来前示の如き殺人の目的を以て為したる行為なきに於ては犯行発覚を防く目的を以てする砂上の放置行為も亦発生せさりしことは勿論にして之を社会生活上の普通観念に照し被告の殺害の目的を以て為したる行為と A の死との間に原因結果の関係あることを認むるを正当とすへく被告の誤認に因り死体遺棄の目的に出てたる行為は毫も前記の因果関係を遮断するものに非さるを以て被告の行為は刑法第 199 条の殺人罪を構成するものと謂ふへく此の場合には殺人未遂罪と過失致死罪の併存を認むへきものに非す」

⇒ *54・55*

54 熊うち事件

最決昭和 53 年 3 月 22 日刑集 32 巻 2 号 381 頁／判時 885・172, 判タ 362・216

(百選 I 14) ⇒*405*

【事案】 被告人は，A を熊と誤認して猟銃を発射し瀕死の重傷を負わせた。被告人は，A の苦悶の状況から同人を殺害して早く楽にさせたうえ逃走しようと決意し，さらに 1 発を発射し A を即死させた。検察官は，業務上過失致死罪と殺人罪の成立を主張したが，第 1 審は「医師 B 作成の鑑定書および第 3 回公判調書中の同鑑定証人の供述部分によると，被告人の判示第 1 の所為により被害者はもはや回復が不可能で数分ないし十数分以内に必ず死亡するに至るような傷害を受けたことが認められるが，判示のとおり，被害者は未だ右傷害によって死亡するに至る以前に，被告人の殺意に基づく判示第 2 の所為によって死亡させられたものであるから，第 1 の所為による因果の進行はこれにより断絶したものと評価せざるを得ず，結局被告人の判示第 1 の所為は業務上過失致傷を構成するにとどまるものと思料する。」として，業務上過失致傷罪と殺人罪の成立を認めた。控訴審において，弁護人は，第 2 の発砲行為の時点において，被害者は死亡することが確実な状態にあったから殺人罪は成立せず，業務上過失致死罪にのみ問擬すべきであると主張した。

【決定理由】 「本件業務上過失傷害罪と殺人罪とは責任条件を異にする関係上併合罪の関係にあるものと解すべきである，とした原審の罪数判断は，その理由に首肯しえないところがあるが，結論においては正当である。」

55 事故を惹起した行為者による運転の続行

東京高判昭和 63 年 5 月 31 日判時 1277 号 166 頁

【事案】 被告人は，自動車の運転を開始するに際し，酩酊して路上に横臥していた A を巻き込み重傷を負わせたが，これに気がついた後，まだ生存していた A を認めたのに運転を続行し死亡させた。A の死因となった傷害が，いずれの時点の行為から生じたかは確定できなかった。検察官は，業務上過失致死罪で起訴，原審もこれを認めた。東京高裁は，これを破棄して，改めて業務上過失致傷罪を認定した（傷害の点は訴因とされていなかった）。

【判決理由】 「右の事実関係によると，被告人の最初の発進時からバス停留所到着時までの間の行為は，業務上過失傷害罪を，同所の発進時から振り落とし行為終了時までの間の行為は傷害罪をそれぞれ構成し，両罪は併合罪の関係にあるものというべきであるから，原判決が両者をひっくるめて一個の業務上過失致死罪としたのは，事実を誤認したか，法令の解釈を誤りひいて事実を誤認したものというほかはなく，右誤りは判決に影響を及ぼすことが明らかであ

る。」

56 事故を惹起した行為者による運転の続行

大阪地判平成 3 年 5 月 21 日判タ 773 号 265 頁

【判決理由】 「一 前掲各証拠によると，被告人は，普通貨物自動車を運転中，前方不注視のまま進行した過失により（なお検察官は，制限速度を 10 キロメートル超過する速度で進行した点をも過失と主張するが，この速度超過が本件事故発生の原因になっているとも，それによって結果がより重大になっているとも認められないから，これをも過失内容に含ませる必要はない。），車道上にうずくまっていた被害者の頭部等に自車前部を衝突転倒させて，自車車体下部に被害者を巻き込んで引きずった上，いったん停止して下車し車体の下を見たところ，自車車体下部に被害者がいるのを認めて怖くなり，その場から逃走するため，被害者を轢過しないように思いながら再発進した（この再発進行為が被害者に対する殺人や傷害の未必的故意によるものとは認められない。なお，検察官も同様の主張である旨釈明している。）ものの，更に被害者を自車左後輪で轢過したこと，被害者は頭部・顔面挫蹉により脳挫滅の傷害を負い，これが直接死因となって即死したが，他にも頸椎骨骨折，右肺臓挫裂，左右肋骨多発骨折等，全身に多数の傷害を負っていたことは間違いのない事実として認められるけれども，右各傷害のうちどれがいったん停止までの衝突等によって生じたのか，あるいは再発進後の轢過によって生じたのかは，必ずしも明らかでなく，殊に直接死因となった脳挫滅の傷害は，再発進後の轢過によって生じた可能性が高いものの，いったん停止するまでの頭部への衝突等によって生じた（この段階で頭部外傷が生じていたことは間違いない。）可能性も全くは否定できない。

二 当裁判所は，右のような事実関係のもとで，被告人に前方不注視の過失により自車を被害者に衝突等させた行為による業務上過失致死の罪責を問いうると判断したので，その理由について付言する。

被告人が前方不注視の過失により自車を被害者に衝突等させた行為と，いったん停止し自車車体下部に被害者がいるのを認めてから再発進させて被害者を轢過した行為とは，『自然的観察』のもとでは別個の行為とみるべきである（本来後者の行為は前者の行為と併合罪関係に立つ別罪を構成する。）から，当初の前方不注視の過失により自車を被害者に衝突等させた行為に，再発進後の轢過によって生じた可能性の高い脳挫滅の傷害による死亡の結果についての責任を問うためには，それにもかかわらず両者の間に因果関係のあることが肯定されなければならない。

当初の衝突等がなければ再発進後の轢過もなく死亡の結果も発生しなかった

のであるから，当初の衝突等の行為と死亡の結果との間に条件関係のあること
は明らかである。しかし，当初の衝突等の行為の後に再発進して轢過する行為
が，経験則上，通常予測しうるようなものでないとすれば，当初の衝突等の行
為と再発進後の轢過によって生じた可能性の高い死亡の結果との間の法律上の
因果関係は否定されるべきである。当初の衝突等の行為の後，殺人や傷害の故
意を生じ再発進して轢過したとすれば，それは当初の衝突等の行為からは，経
験則上，通常予測しうるようなものではないというべきであり，当初の衝突等
の行為と轢過によって生じた結果との因果関係は否定すべきであろう（最高裁
判所第一小法廷昭和53年3月22日決定・刑集32巻2号381頁，東京高等裁
判所昭和63年5月31日判決・判例時報1277号166頁等参照）。これに対し，
その場から逃走しようと再発進した際に，不注意により再び轢過することは決
して何人も予測しえないような偶発希有な事例ではなく，事故直後の運転者の
心理状態に照らしても，経験則上，通常予測しうるところであるから，当初の
衝突等の行為と轢過によって生じた結果との因果関係は肯定することができる
というべきである。

　してみると，直接死因となった脳挫滅の傷害が，当初の衝突等によってでな
く，再発進後の轢過によって生じた可能性が高いとしても，被告人は当初の衝
突等の行為による業務上過失致死の罪責を免れない。」

第三者の行為の介入

57　殴打の被害者の川への投げ込み

大判昭和5年10月25日刑集9巻761頁

【事案】　被告人Xは，人夫請負業であったが，被害者Aを仕事を怠けたとの理由で懲
戒し，簿記用丸棒でAの頭部を殴打して傷害を負わせたうえ川に押し入れた。Aは，
ようやく川を渡って岸に上り，約1丁離れた所まできたところで，Xの配下で人夫を
監督しているYとZにより再度川へ投げ込まれ死亡するに至った。

【判決理由】　「弁護人はAの頭部に於ける創傷と同人の溺死との間に因果関係
なく仮に其の関係ありとするも第1審相被告人Y及Zの行為に因り中断され
たるものなりと弁疏すれとも按するに苟も犯人か他人を傷害し依て早晩脳震蕩
に陥るへき原因を与へたるときは縦令其の脳震蕩か未た死の直接の原因とは為

らさりしとするも更に事後に於て第三者の其の被害者に与へたる暴行に因る致死の結果の発生を助成する関係ありたる以上は犯人は当然傷害致死の罪責を負はさるへからさるものとす何となれは此の如き関係ある場合に在りては犯人の傷害行為は被害者の死亡の単独の原因にあらさりしと同時に其の効果は第三者の傷害行為の介入に依りて中断せられたるものと謂ふへきにはあらすして究竟致死なる結果の共同原因の一に外ならされはなり而して本件 A 死亡の結果は唯独り Y 外 1 名か同人を江川に投入れたる行為のみに基くものに非すして前掲証拠に依り判示したるか如く被告人 X か簿記用丸棒を以て A の頭部に創傷を加へたる為同人をして重症脳震盪症を起し反射機能を喪失せしめたることと偶々其の後に介入せる右 Y 外 1 名の江川に投入したる行為と相竢て A をして深さ 8 寸内外の水中より全然首を上くる力なく泥水を飲み溺死するに至らしめたる案件なりとす従て敍上 Y 外 1 名の介入行為は被告人 X の本件行為と A の溺死との間に於ける因果関係を中断せさるものと解するを妥当とす」

58 米兵轢き逃げ事件

最決昭和 42 年 10 月 24 日刑集 21 巻 8 号 1116 頁／判時 501・104, 判タ 214・198

(百選Ⅰ9)

【決定理由】「原判決の判示するところによれば, 被告人は, 普通乗用自動車を運転中, 過失により, 被害者が運転していた自転車に自車を衝突させて被害者をはね飛ばし, 同人は, 被告人の運転する自動車の屋根にはね上げられ, 意識を喪失するに至ったが, 被告人は被害者を屋上に乗せていることに気づかず, そのまま自動車の運転を続けて疾走するうち, 前記衝突地点から 4 粁余をへだてた地点で, 右自動車に同乗していた A がこれに気づき, 時速約 10 粁で走っている右自動車の屋上から被害者の身体をさかさまに引きずり降ろし, アスファルト舗装道路上に転落させ, 被害者は, 右被告人の自動車車体との激突および舗装道路面または路上の物体との衝突によって, 顔面, 頭部の創傷, 肋骨骨折その他全身にわたる多数の打撲傷等を負い, 右頭部の打撲に基づく脳クモ膜下出血および脳実質内出血によって死亡したというのである。この事実につき, 原判決は, 『被告人の自動車の衝突による叙上の如き衝撃が被害者の死を招来することあるべきは経験則上当然予想し得られるところであるから, 同乗者 A の行為の介入により死の結果の発生が助長されたからといって, 被告人は被害者致死の責を免るべき限りではない。』との判断を示している。しかし,

⇒ *59*

右のように同乗者が進行中の自動車の屋根の上から被害者をさかさまに引きず
り降ろし，アスファルト舗装道路上に転落させるというがごときことは，経験
上，普通，予想しえられるところではなく，ことに，本件においては，被害者
の死因となった頭部の傷害が最初の被告人の自動車との衝突の際に生じたもの
か，同乗者が被害者を自動車の屋根から引きずり降ろし路上に転落させた際に
生じたものか確定しがたいというのであって，このような場合に被告人の前記
過失行為から被害者の前記死の結果の発生することが，われわれの経験則上当
然予想しえられるところであるとは到底いえない。したがって，原判決が右の
ような判断のもとに被告人の業務上過失致死の罪責を肯定したのは，刑法上の
因果関係の判断をあやまった結果，法令の適用をあやまったものというべきで
ある。」

59 第三者の暴行（大阪南港事件）

最決平成 2 年 11 月 20 日刑集 44 巻 8 号 837 頁／判時 1368・153，判タ 744・84
（百選 I 10，重判平 2 刑 1）

【決定理由】「原判決及びその是認する第 1 審判決の認定によると，本件の事
実関係は，以下のとおりである。すなわち，被告人は，昭和 56 年 1 月 15 日午
後 8 時ころから午後 9 時ころまでの間，自己の営む三重県阿山郡伊賀町大字柘
植町所在の飯場において，洗面器の底や皮バンドで本件被害者の頭部等を多数
回殴打するなどの暴行を加えた結果，恐怖心による心理的圧迫等によって，被
害者の血圧を上昇させ，内因性高血圧性橋脳出血を発生させて意識消失状態に
陥らせた後，同人を大阪市住之江区南港所在の建材会社の資材置場まで自動車
で運搬し，右同日午後 10 時 40 分ころ，同所に放置して立ち去ったところ，被
害者は，翌 16 日未明，内因性高血圧性橋脳出血により死亡するに至った。と
ころで，右の資材置場においてうつ伏せの状態で倒れていた被害者は，その生
存中，何者かによって角材でその頭頂部を数回殴打されているが，その暴行は，
既に発生していた内因性高血圧性橋脳出血を拡大させ，幾分か死期を早める影
響を与えるものであった，というのである。

　このように，犯人の暴行により被害者の死因となった傷害が形成された場合
には，仮にその後第三者により加えられた暴行によって死期が早められたとし
ても，犯人の暴行と被害者の死亡との間の因果関係を肯定することができ，本
件において傷害致死罪の成立を認めた原判断は，正当である。」

60 第三者の行為の介入

大阪地判平成5年7月9日判時1473号156頁

【判決理由】「1　以上に検討してきたところからすると，被告人が右手げん骨で被害者の眉間部を殴打した行為により，被害者は，鼻骨骨折を伴う眉間部打撲傷の傷害を負い，その結果，びまん性脳損傷を起こして死亡したと認めることができるから，被告人の眉間部殴打行為と被害者の死亡との間に因果関係があることは明らかである。

　2　ところで，H鑑定，F鑑定，E証言，カルテ謄本，プロブレムリスト（写），看護記録（写），脳死判定報告書（B群）（写），Iの検察官調書によれば，被害者は，眉間部打撲によるびまん性脳損傷により脳死状態に陥り，9月3日午後7時に第1回目の脳死判定がなされ，次いで9月4日午後7時35分に第2回目の脳死判定がなされ，脳死が確定したこと，そして，被害者の妻であるIらは，E医師らから，被害者が脳死と判定されたこと等について説明を受けた上，9月5日午前9時ころ，被害者の人工呼吸器を取り外すことを承諾したこと，9月5日午後5時40分ころ，被害者の家族の立会いの下に，E医師により被害者の人工呼吸器が取り外され，9月5日午後6時ころ，被害者の心臓停止が確認されたことが認められる。

　そこで，弁護人は，被害者が心臓停止に至るにつき人工呼吸器の取り外し措置が介在しているところから，被告人の暴行と被害者の心臓死（「3徴候」による死，以下同じ。）との間に因果関係があるというにはなお疑問が残ると主張する。

　しかし，前記のとおり，被告人の眉間部打撲行為により，被害者は，びまん性脳損傷を惹起して脳死状態に陥り，2度にわたる脳死判定の結果脳死が確定されて，もはや脳機能を回復することは全く不可能であり，心臓死が確実に切迫してこれを回避することが全く不可能な状態に立ち至っているのであるから，人工呼吸器の取り外し措置によって被害者の心臓死の時期が多少なりとも早められたとしても，被告人の眉間部打撲と被害者の心臓死との間の因果関係を肯定することができるというべきである。

　3　よって，被告人には傷害致死罪が成立する。」

61 補助者の不適切な行動

最決平成 4 年 12 月 17 日刑集 46 巻 9 号 683 頁／判時 1451・160，判タ 814・128
(百選 I 12，重判平 5 刑 1) ⇒*50*

62 不適切な他人の行為の介在

最決平成 16 年 10 月 19 日刑集 58 巻 7 号 645 頁／判時 1879・150，判タ 1169・151
(重判平 16 刑 2)

【決定理由】　「一　原判決及びその是認する第 1 審判決によれば，本件の事実関係は，次のとおりである。

(1)　被告人は，平成 14 年 1 月 12 日午前 6 時少し前ころ，知人女性を助手席に乗せ，普通乗用自動車（以下「被告人車」という。）を運転して，高速自動車国道常磐自動車道下り線（片側 3 車線道路）を谷和原方面から水戸方面に向けて走行していたが，大型トレーラー（以下「A 車」という。）を運転し，同方向に進行していた A の運転態度に立腹し，A 車を停止させて A に文句を言い，自分や同乗女性に謝罪させようと考えた。

(2)　被告人は，パッシングをしたり，ウィンカーを点滅させたり，A 車と併走しながら幅寄せをしたり，窓から右手を出したり，A 車の前方に進入して速度を落としたりして，A に停止するよう求めた。これに対し，A は，当初は車線変更をするなどして被告人と争いになるのを避けようとしていたものの，被告人が執拗に停止を求めてくるので，相手から話を聞こうと考えるに至り，被告人車の減速に合わせて減速し，午前 6 時ころ，被告人が同道路三郷起点 28.8 キロポスト付近の第 3 通行帯に自車を停止させると，A も被告人車の後方約 5.5 m の地点に自車を停止させた。なお，当時は夜明け前で，現場付近は照明設備のない暗い場所であり，相応の交通量があった。

(3)　被告人は，降車して A 車まで歩いて行き，同車の運転席ドア付近で，『トレーラーの運転手のくせに。謝れ。』などと怒鳴った。A が，運転席ドアを少し開けたところ，被告人は，ドアを開けてステップに上がり，エンジンキーに手を伸ばしたり，ドアの内側に入って A の顔面を手けんで殴打したりしたため，A は，被告人にエンジンキーを取り上げられることを恐れ，これを自車のキーボックスから抜いて，ズボンのポケットに入れた。

(4)　それから，被告人は，『女に謝れ。』と言って，A を運転席から路上に引きずり降ろし，自車まで引っ張って行った。A が，被告人車の同乗女性に謝罪の言葉を言うと，被告人は，A の腰部等を足げりし，更に殴りかかってきたので，A は，被告人に対し，顔面に頭突きをしたり，鼻の上辺りを殴打したりするなどの反撃を加えた。

(5)　被告人が上記暴行を加えていた午前 6 時 7 分ころ，本件現場付近道路の第 3 通行帯を進行していた B 運転の普通乗用自動車（以下「B 車」という。）及び C 運転の普通乗用自動車（以下「C 車」という。）は，A 車を避けようとして第 2 通行帯に車線変更したが，C 車が B 車に追突したため，C 車は第 3 通行帯上の A 車の前方約 17.4 m の

地点に，B車はC車の前方約4.9mの地点に，それぞれ停止した。

　(6)　C車から同乗者のD及びE（以下「Dら」という。）が降車したので，被告人は，暴行をやめて携帯電話で友人に電話をかけ，Aは，自車に戻って携帯電話で被告人に殴られたこと等を110番通報した。

　(7)　それから，被告人は，Dらに近づいて声を掛け，A車の所に共に歩いて行ったが，Aは，Dらを被告人の仲間と思い，Dらから声を掛けられても無言で運転席に座っていた。

　(8)　被告人は，午前6時17，18分ころ，同乗女性に自車を運転させ，第2通行帯に車線変更して，本件現場から走り去った。

　(9)　Aは，自車を発車させようとしたものの，エンジンキーが見付からなかったため，暴行を受けた際に被告人に投棄されたものと勘違いして，再び110番通報したり，再度近付いてきたDらと共に付近を捜したりしたが，結局，それが自分のズボンのポケットに入っていたのを発見し，自車のエンジンを始動させた。

　(10)　ところが，Aは，前方にC車とB車が停止していたため，自車を第3通行帯で十分に加速し，安全に発進させることができないと判断し，C車とB車に進路を空けるよう依頼しようとして，再び自車から降車し，C車に向かって歩き始めた午前6時25分ころ，停止中のA車後部に，同通行帯を谷和原方面から水戸方面に向け進行してきた普通乗用自動車が衝突し，同車の運転者及び同乗者3名が死亡し，同乗者1名が全治約3か月の重傷を負うという本件事故が発生した。

　二　以上によれば，Aに文句を言い謝罪させるため，夜明け前の暗い高速道路の第3通行帯上に自車及びA車を停止させたという被告人の本件過失行為は，それ自体において後続車の追突等による人身事故につながる重大な危険性を有していたというべきである。そして，本件事故は，被告人の上記過失行為の後，Aが，自らエンジンキーをズボンのポケットに入れたことを失念し周囲を捜すなどして，被告人車が本件現場を走り去ってから7，8分後まで，危険な本件現場に自車を停止させ続けたことなど，少なからぬ他人の行動等が介在して発生したものであるが，それらは被告人の上記過失行為及びこれと密接に関連してされた一連の暴行等に誘発されたものであったといえる。そうすると，被告人の過失行為と被害者らの死傷との間には因果関係があるというべきであるから，これと同旨の原判断は正当である。」

63　第三者の甚だしい過失行為の介入

最決平成 18 年 3 月 27 日刑集 60 巻 3 号 382 頁／判時 1930・172，判タ 1209・98

（百選 I 11）

【決定理由】　「1　原判決及びその是認する第 1 審判決の認定によれば，本件の事実関係は，次のとおりである。

　⑴　被告人は，2 名と共謀の上，平成 16 年 3 月 6 日午前 3 時 40 分ころ，普通乗用自動車後部のトランク内に被害者を押し込み，トランクカバーを閉めて脱出不能にし同車を発進走行させた後，呼び出した知人らと合流するため，大阪府岸和田市内の路上で停車した。その停車した地点は，車道の幅員が約 7.5 m の片側 1 車線のほぼ直線の見通しのよい道路上であった。

　⑵　上記車両が停車して数分後の同日午前 3 時 50 分ころ，後方から普通乗用自動車が走行してきたが，その運転者は前方不注意のために，停車中の上記車両に至近距離に至るまで気付かず，同車のほぼ真後ろから時速約 60 km でその後部に追突した。これによって同車後部のトランクは，その中央部がへこみ，トランク内に押し込まれていた被害者は，第 2・第 3 頸髄挫傷の傷害を負って，間もなく同傷害により死亡した。

　2　以上の事実関係の下においては，被害者の死亡原因が直接的には追突事故を起こした第三者の甚だしい過失行為にあるとしても，道路上で停車中の普通乗用自動車後部のトランク内に被害者を監禁した本件監禁行為と被害者の死亡との間の因果関係を肯定することができる。したがって，本件において逮捕監禁致死罪の成立を認めた原判断は，正当である。」

64　第三者の行為の介在（日航機ニアミス事件）

最決平成 22 年 10 月 26 日刑集 64 巻 7 号 1019 頁／判時 2105・141，判タ 1340・96

（重判平 22 刑 2）

【決定理由】　「1　本件の事実関係

　原判決の認定及び記録によれば，本件の事実関係は，次のとおりである。

　⑴　被告人両名の地位，職責

　ア　被告人両名は，本件当時，国土交通省東京航空交通管制部所属の航空管制官であり，被告人 A は，同管制部において，被告人 B の指導監督を受けながら，南関東空域においてレーダーを用いる航空路管制業務を行うために必要とされる技能証明を取得するための実地訓練として，自ら管制卓に着き，担当空域である上記空域の航空交通の安全確保のため，航行中の航空機に対し飛行の方法について必要な指示を与えるなどの航空路管制業務に従事し，被告人 B は，被告人 A が上記実地訓練を行うに当たり，その訓練監督者として同被告人の指導監督を行い，担当空域である上記空域の航空交通の安全確保のため，航行中の航空機に対し飛行の方法について必要な指示を与えるなどの航

空路管制業務に従事していた。

　イ　航空管制官が管制業務を遂行するに当たり準拠すべきものとされている航空保安業務処理規程によれば，管制間隔とは，『航空交通の安全かつ秩序ある流れを促進するため航空管制官が確保すべき最小の航空機間の空間をいう。』と定義された上で，『業務の優先順位は，管制間隔の設定を第一順位とし，その他の業務は次順位とする。』と定められ，本件当時，2万9000フィートを超える高度の空域において，管制官が確保すべき管制間隔は，2000フィート（約610 m）の垂直間隔又は5海里（約9260 m）の水平間隔とされていた。

　(2)　航空機衝突防止装置の機能及び被告人両名の知識

　ア　航空機衝突防止装置（以下「TCAS」という。）は，相手機との電波の送受信による情報を基に，航空機双方の方位，相対速度，高度及び距離を自動的に算出して衝突の可能性の有無を計算し，衝突するおそれがある双方の航空機の機長ら乗組員に対して，上下に相反する回避措置を採るようそれぞれ音声により指示する機能などを有する装置である（以下，TCASが発する回避措置の指示を「RA」という。）。

　イ　被告人両名は，本件当時，TCASの機能の概要や，ボーイング747-400D型旅客機及びダグラスDC10-40型旅客機を含む一定以上の規格の航空機にTCASが装備されていることについての知識を有していた。

　(3)　RAと管制官の指示との関係

　本件当時，航空機の運航のため必要な情報を航空機乗組員に対し提供するものとして航空法に基づき国土交通省航空局が発行していた航空情報サーキュラーは，『RAにより管制指示高度からの逸脱を行う場合，パイロットは航空法96条1項の違反には問われない。』と規定するのみで，RAと管制指示が相反した場合の優先順位について規定していなかった。また，日本航空株式会社の運航規定であるオペレーションズ・マニュアル・サプルメントでは，『RAが発生した場合は，機長がRAに従って操作を行うことが危険と判断した場合を除き，RAに直ちに従うこと』と規定されていた。

　(4)　本件の発生状況

　ア　平成13年1月31日午後3時54分15秒ころ，静岡県焼津市付近上空において，東方から西方に向かい高度約3万6800フィート（管制卓レーダー画面上は3万6700フィートと表示）を高度約3万9000フィートに向け上昇していた日本航空株式会社所属のボーイング747-400D型旅客機日本航空907便（以下「907便」という。）が，その飛行計画経路に従って左旋回を開始したことにより，折から飛行計画経路に従ってその南方を西方から東方に向かい巡航高度約3万7000フィートで航行していた同社所属のダグラスDC10-40型旅客機日本航空958便（以下「958便」という。）に急接近したため，管制卓レーダー画面上に両機間の管制間隔が欠如するに至ることを警告する異常接近警報が作動し，両機がそのまま飛行を継続すれば，両機間の管制間隔が欠如してほ

⇒ *64*

ぼ同高度で交差して接触，衝突するなどのおそれが生じた。

　イ　このような場面においては，上昇中の907便よりも早く降下に移ることができる巡航中の958便に対して降下指示を直ちに行うことが最も適切な管制指示であったところ，被告人Aは，上記異常接近警報を認知し，958便を高度約3万5000フィートまで降下させる指示を出すことを意図したが，便名を907便と言い間違えて，同日午後3時54分27秒ころから32秒ころにかけて，約3万7000フィートを巡航している958便とほぼ同高度を上昇中の907便に対し高度3万5000フィートまで降下するよう指示した（以下「本件降下指示」ということがある。）。なお，907便の副操縦士が，英語で『日本航空907便，3万5000フィートに降下します。関連機を視認しています。』という意味の応答をして，被告人Aの指示を復唱したものの，被告人Aは，便名の言い間違いに気付かなかった。被告人Bも，これらのやり取りを聞いていたが，被告人Aが958便に対し降下指示をしたものと軽信し，便名の言い間違いに気付かなかった。

　ウ　907便の機長であったC（以下「C機長」という。）は，上記復唱のころに，907便を降下させるための操作を開始したところ，同日午後3時54分35秒ころ，907便に装備されていたTCASが，上方向への回避措置の指示（以下「上昇RA」という。）を発した。

　エ　C機長は，上昇RAが発せられていることを認識したが，①958便を視認しており，目視による回避操作が可能と考えたこと，②907便は既に降下の体勢に入っていたこと，③958便の上を十分高い高度で回避することが必要であるところ，上昇のためには，エンジンを加速し，その加速を待って機首を上げる操作をしなければならないが，降下の操作によりエンジンをアイドルに絞っていたため，エンジンの加速に時間が掛かると思ったこと，④空気が薄い高々度において，不十分な推力のまま不用意に機首上げ操作を行うと，速度がどんどん減ってしまい，場合によっては失速に至ってしまうという事態が考えられたこと，⑤被告人Aによる降下指示があり，管制官は907便を下に行かせて間隔設定をしようとしていると考えたこと，⑥958便がTCASを搭載しているか否か，それが作動しているか否か分からず，958便が必ずしも降下するとは考えなかったことを根拠に降下の操作を継続した。

　なお，C機長が，上記の上昇RAに従った操作をしても，客観的には907便の航空性能からすると失速のおそれはなかったが，本件当時，航空性能に関する技術情報は，機長ら乗組員に対して十分に周知する措置が採られていなかったため，C機長は失速のおそれがないとの考えには至らなかった。

　オ　他方，同日午後3時54分34秒ころ，958便に装備されていたTCASが下方向への回避措置の指示（以下「降下RA」という。）を発し，同便の機長は，同指示に従って降下の操作を行った。

　カ　本件降下指示に従った907便と降下RAに従った958便は共に降下をしながら

水平間隔を縮めて著しく接近し，同日午後 3 時 55 分 6 秒ころ，C 機長は，両機の衝突を避けるために，急降下の操作を余儀なくされ，そのため，907 便に搭乗中の乗客らが跳ね上げられて落下し，57 名が負傷した（以下，乗客らの負傷の事実も含めて「本件ニアミス」という。）。

　キ　同日午後 3 時 55 分 11 秒ころ，907 便は，958 便の下側約 10 m を通過してすれ違った。

2　当裁判所の判断

　(1)　所論は，言い間違いによる本件降下指示は危険なものではなく過失行為に当たらず，本件ニアミスは，上昇 RA に反した 907 便の降下という本件降下指示後に生じた異常な事態によって引き起こされたものであるから，本件降下指示と本件ニアミスとの間には因果関係がない上に，被告人両名において，907 便と 958 便が共に降下して接近する事態が生じることを予見できなかったのであるから，被告人両名に対して業務上過失傷害罪が成立しない旨主張する。

　(2)　そこで検討すると，上記 1(1)のとおり，被告人 A が航空管制官として担当空域の航空交通の安全を確保する職責を有していたことに加え，本件時，異常接近警報が発せられ上昇中の 907 便と巡航中の 958 便の管制間隔が欠如し接触，衝突するなどのおそれが生じたこと，このような場面においては，巡航中の 958 便に対して降下指示を直ちに行うことが最も適切な管制指示であったことを考え合わせると，被告人 A は本来意図した 958 便に対する降下指示を的確に出すことが特に要請されていたというべきであり，同人において 958 便を 907 便と便名を言い間違えた降下指示を出したことが航空管制官としての職務上の義務に違反する不適切な行為であったことは明らかである。そして，この時点において，上記 1(2)アのとおりの TCAS の機能，同(4)アのとおりの本件降下指示が出されたころの両機の航行方向及び位置関係に照らせば，958 便に対し降下 RA が発出される可能性が高い状況にあったということができる。このような状況の下で，被告人 A が言い間違いによって 907 便に降下指示を出したことは，ほぼ同じ高度から，907 便が同指示に従って降下すると同時に，958 便も降下 RA に従って降下し，その結果両機が接触，衝突するなどの事態を引き起こす高度の危険性を有していたというべきであって，業務上過失傷害罪の観点からも結果発生の危険性を有する行為として過失行為に当たると解される。被告人 A の実地訓練の指導監督者という立場にあった被告人 B が言い

⇒ 65

間違いによる本件降下指示に気付かず是正しなかったことも，同様に結果発生の危険性を有する過失行為に当たるというべきである。

　また，因果関係の点についてみると，907 便の C 機長が上昇 RA に従うことなく降下操作を継続したという事情が介在したことは認められるものの，上記 1(3)のとおりの管制指示と RA が相反した場合に関する規定内容や同(4)エのとおりの降下操作継続の理由にかんがみると，同機長が上昇 RA に従わなかったことが異常な操作などとはいえず，むしろ同機長が降下操作を継続したのは，被告人 A から本件降下指示を受けたことに大きく影響されたものであったといえるから，同機長が上昇 RA に従うことなく 907 便の降下を継続したことが本件降下指示と本件ニアミスとの間の因果関係を否定する事情になるとは解されない。そうすると，本件ニアミスは，言い間違いによる本件降下指示の危険性が現実化したものであり，同指示と本件ニアミスとの間には因果関係があるというべきである。」

65　治療行為の介在

東京高判平成 30 年 9 月 12 日東高刑時報 69 巻 1〜12 号 89 頁

【事案】　被告人は，平成 29 年 1 月 31 日，公園において，被害者（当時 82 歳）に対し，顔面等を拳で数回殴る暴行を加え，後方に転倒させて後頭部を木の幹に打ち付けさせ，頸椎骨折等の傷害を負わせた。被害者は，同年 2 月 9 日，上記傷害に基づく脊髄損傷に起因する誤嚥性肺炎により，呼吸不全で死亡した。

【判決理由】　「原審証拠によれば，本件暴行は，被害者の左目付近や左あご付近に広範囲の青あざを生じさせるとともに，被害者を転倒させて後頭部を木の幹に打ち付けさせて挫創まで負わせるほど強いものである……。(3)　被告人の本件暴行と被害者の死亡との間の因果関係について見ると，本件暴行の態様は，上記のとおりの強いものであり，その結果，被害者に第 7 頸椎骨折と頸髄損傷を負わせており，この傷害は，被害者を長期間寝たままの状態にして感染症を引き起こさせ死亡させかねないものであるから，本件暴行自体，被害者を死亡させる危険性を内包するものであったといえる。

　被害者が本件暴行を受けて死亡するに至るまでの間には，本件当日，甲病院において，被害者が第 7 頸椎を骨折し頸髄損傷を負っていると診断されず，自宅で療養して経過を見ることになったこと，乙病院での手術時の措置により麻痺が進行し呼吸状態も悪化したことという事情が介在しているが，原審証拠に

よれば，甲病院での診断は，被害者が強直性脊椎炎を患っていることを把握していない専門外の医師によるものであり，救急搬送されてきた患者に対する診断としてやむを得ないものであり，また，乙病院での手術時の措置も，治療方法の選択として合理的なものであったと認められ，これらの介在事情は異常なものではない。

被害者が強直性脊椎炎等の持病により通常人より骨折しやすい状態にあったことについても，上記のとおり，日常生活上の振動や衝撃で頸椎が骨折してしまうというような状態であった訳ではなく，本件暴行の危険性が低いことを示すものではない。

以上のことからすると，……被告人の本件暴行と被害者の死亡との間には因果関係が認められるのであって，同趣旨の判断をして本件傷害致死を認定した原判決に事実の誤認はない。」

66 東名高速あおり運転事件差戻第 1 審

横浜地判令和 4 年 6 月 6 日 LEX/DB 25592990

【事案】 被告人 X は，平成 29 年 6 月 5 日午後 9 時 33 分頃，普通乗用自動車（以下「X 車両」という。）を運転し，東名高速道路を進行中，パーキングエリアにおいて A から駐車方法を非難されたことに憤慨し，同人が乗車する B 運転の普通乗用自動車（以下「A 車両」という。）を停止させようと企て，A 車両の通行を妨害する目的で，①第 2 車両通行帯を走行する A 車両を重大な交通の危険を生じさせる速度である時速約 100 km の速度で左側から追い越して A 車両直前の同車両通行帯上に車線変更した上，減速して自車を A 車両に著しく接近させ，②自車との衝突を避けるために第 3 車両通行帯に車線変更した A 車両直前の同車両通行帯上に重大な交通の危険を生じさせる速度である時速約 118 km で車線変更した上，減速して自車を A 車両に著しく接近させ，③自車との衝突を避けるために第 2 車両通行帯に車線変更した A 車両直前の同車両通行帯上に重大な交通の危険を生じさせる速度である時速約 100 km で車線変更した上，減速して自車を A 車両に著しく接近させ，さらに，④自車との衝突を避けるために第 3 車両通行帯に車線変更した A 車両直前の同車両通行帯上に重大な交通の危険を生じさせる速度である時速約 63 km の速度で車線変更した上，減速して自車を A 車両に著しく接近させたことにより，同日午後 9 時 34 分頃，B をして，道路に A 車両を停止することを余儀なくさせた。被告人は，A に文句を言うために X 車両を停止させると直ぐに降車して後方の A 車両左側へ向かい，車内の A に対して「けんか売りよんか。」などと言うなどし，その胸ぐらをつかむなどの暴行を加えたが，傍にいた M から「子供がおるけん，やめとき。」などと言われて制止されたため，午後 9 時 36 分 5 秒頃，

⇒ **66**

A に謝罪して X 車両の方に向かって歩き出した。その時点で，B は，自ら A 車両の運転席から降車して同車両助手席側のスライドドア付近におり，A も車外に出ていた。午後 9 時 36 分 7 秒頃，E 運転の大型貨物自動車が，同所の第 3 通行帯上に停止していた A 車両後部，X 車両後部に順次衝突し，いずれかの車両が，A 及び B に衝突する事故（以下「本件事故」という。）が発生した。本件事故により，車外にいた A 及び B は死亡し，A 車両内にいた C 及び D が受傷した。裁判では，被告人の危険運転行為と被害者の死傷結果との間の因果関係が争点となり，本判決は，以下のように判示して，危険運転致死傷罪（自動車の運転により人を死傷させる行為等の処罰に関する法律 2 条 4 号）の成立を認めた。

【判決理由】「(1)　本件妨害運転の危険性について

　本件妨害運転と A らの死傷結果との間の因果関係については，A らの死傷結果が本件妨害運転の危険性が現実化したものといえればこれを認定することができる。

　本件において，A らの死傷結果を直接惹起したのは〔1〕E 車両の追突による本件事故であり，その直接の原因となったのは〔2〕B が A 車両を第 3 通行帯上に停止させたことである。そこで，この点を前提に，本件妨害運転の危険性がどのようなものであったかを検討する。

　既に認定したとおり，本件妨害運転は，夜間，相応の交通量のある高速道路上において，X 車両を重大な交通の危険を生じさせる速度である時速約 63 km ないし約 118 km で，4 回にわたり A 車両の直前に進入させ，急な減速をして A 車両に接近させる行為を繰り返したというものである。このような運転態様に照らすと，本件妨害運転は，それ自体，A 車両と，先行する X 車両のみならず後続車両との衝突等による重大な交通事故を招く客観的な危険性を有していたといえる。

　さらに，上記運転態様によれば，本件妨害運転は，A 車両の運転者に対して，停止を求める被告人の強い意思を示すとともに大きな恐怖感を抱かせ，焦りや狼狽等により冷静な判断を困難にさせるものであり，そのような心理状態に陥った A 車両の運転者をして，本件妨害運転から回避し，あるいはその継続を断ち切るために，高速道路上に自車を停止させるという極めて危険な行為を選択させ，さらには，停止した A 車両に後続車両が追突するという重大な事故を招く高い危険性を有するものであったということができる。

　以上を前提として，B による A 車両の第 3 通行帯上での停止（上記〔2〕），

その後のＥ車両の追突による本件事故（上記〔1〕）及びこれによるＡらの死傷という主たる事実経過に着目すると（なお，本件妨害運転からＥ車両の追突まで約2分30秒しか経過していない。），Ａらの死傷結果は，本件妨害運転の危険性が現実化したものと見ることができる……。

　しかしながら，本件妨害運転とＡらの死傷結果との間には，上記〔1〕〔2〕に加えて複数の介在事情が存在している。すなわち，関係証拠によれば，本件妨害運転の後に，〔3〕Ｘ車両の停止と相前後してＡ車両が第3通行帯上に停止した後，〔4〕被告人が，後方のＡ車両に向かい，車内のＡに対して前記暴行を加えるなどし，〔5〕Ｂ及びＡがＡ車両から降車したところ，Ｅ車両が追突事故を起こしたことによって，Ａらの死傷結果が生じたことが認められる。そこで，以上の各事情について，本件の因果関係が否定されるような異常な介在事情といえるかを検討する。

　(2)　Ａ車両及びＸ車両の各停止行為について

ア　関係証拠によれば，被告人は，本件妨害運転の後に（すなわち，実行行為終了後に），徐々に減速して第3通行帯上に停止し，これと相前後してＡ車両もＸ車両の後方2.2ｍの地点に停止したことが認められる。

　各車両のいずれが先に停止したかについては証拠上確定できないが，Ａ車両が先に停止した場合はもとより，Ｘ車両が先に停止した後これに引き続きＡ車両が停止した場合であっても，このＸ車両の停止行為は，本件の因果関係が否定されるような異常な介在事情には当たらない。補足して説明すると，まず，Ｂが，相応の交通量のある高速道路の第3通行帯上でＡ車両を停止させるという危険極まりない行為に敢えて及んだ理由としては，前記(1)の本件妨害運転の影響により冷静な判断ができず，もはや被告人の求めに応じて停止するほかないとの判断に追い込まれたとの経緯以外想定できず，弁護人が主張するように，ＡがＡ車両内で自分が被告人と話をつけるなどと言ったことから，Ｂが自らの意思でＡ車両を停止させたとは到底考えられない。そうすると，ＢによるＡ車両の停止行為は，Ｂに上記のような影響を与えた本件妨害運転自体によって直接引き起こされたものということができる。

　次に，被告人によるＸ車両の停止行為自体は，Ａに対して文句を言うためにＡ車両に対して停止を求める被告人の強い意思を示す本件妨害運転（前記(1)）に引き続いて生じる事態としてはごく自然なものといえる。

⇒ **66**

　これらのことからすれば，上記の X 車両の停止行為は，本件の因果関係が否定されるような異常な介在事情には当たらない。

　……（中略）……

　(3)　被告人の A に対する暴行行為について

　本件では，A 車両の停止後，被告人が A に対して暴行に及んだことから A 車両の停止状態が約 2 分間継続し，本件妨害運転が有する後続車による追突の危険性を継続，増強させた結果，本件事故が発生したといえるから，上記暴行は本件事故を招いた一事情とはいえる。しかしながら，被告人は，A に文句を言うために A 車両に対して停止を求める被告人の強い意思を示す本件妨害運転（前記(1)）を行ったものであり，そのような被告人が本件妨害運転を受けて停止した A 車両内の A に暴行を加えることは，本件妨害運転に引き続いて生じる事態としてはごく自然なものといえる。

　したがって，被告人の暴行行為は，本件の因果関係が否定されるような異常な介在事情には当たらない。

　(4)　B 及び A が A 車両から降車した行為について

　B 及び A は自ら A 車両から降車した直後に E 車両が追突したため死亡していることから，この降車行為（以下「本件降車行為」ということがある。）は本件の結果を招いた一因であるといえる。しかしながら，本件降車行為は，B が，既に説明した経緯で，本件妨害運転の影響により冷静な判断が困難な状態に追い込まれて A 車両を停止し，そのような状況で被告人の A に対する前記暴行がされたことと関連して行われたものであることは明らかである。そうすると，本件降車行為は，本件妨害運転及びこれに引き続く前記暴行（前記(3)のとおり異常な介在事情には当たらない。）の心理的な影響によるものといえるから，本件の因果関係が否定されるような異常な介在事情には当たらない。

　(5)　E による過失行為について

　……E は，先行するキャリアカーとの車間距離を約 20 m から約 24 m 程度しかとらずに時速約 91 km で走行していたため，A 車両を発見した時点では，同車両との車間距離が停止可能な距離を既に割り込んでおり，急制動の措置を講じても衝突を回避することが不可能な状況であり，本件事故について，E には車間保持義務違反の過失があったことが認められる。また，E には，通行帯違反，速度違反があったことも明らかである。

　しかしながら，高速道路の通行帯上，ましてや追越車線である第3通行帯上に停止している車両はないものと考えて走行することは，運転行為としてごく一般的であると考えられるところ，本件事故は，夜間，高速道路の第3通行帯上にX車両及びA車両がハザードランプも付けずに停止しているという通常では想定し難い状況下で発生している。さらに，E車両のように，先行車両と約20mから約24m程度の車間距離で高速走行している車両は，高速道路上では比較的よく見られる。

　そうすると，前記(1)で検討したとおり，本件妨害運転が，A車両の停止により後続車両との追突を生じさせる危険性は相当に高いものであったということができるのに対し，Eの車間保持義務違反は，高速道路上の運転行為として異常あるいは重大なものであったとまでは認められない。また，その他の各義務違反についても，車間保持義務違反とは異なり，本件事故を招いた直接的な過失とは法律上評価できない上，いずれについても，高速道路でよく見られる走行態様の域を出ず，異常あるいは重大な過失であったと見ることはできない。

　したがって，Eの過失行為は，本件の因果関係が否定されるような異常な介在事情には当たらない。

　(6)　まとめ

　以上から，本件妨害運転は，対象となるA車両を高速道路の第3通行帯上に停止させて，後続車両による追突事故を招く危険性が高いものであったところ，本件妨害運転によってA車両が停止し，その後，E車両が追突したためAらの死傷結果が生じたものであって，このような主要な事実経過に着目すれば，Aらの死傷結果は，本件妨害運転の危険が現実化したものと見ることができる。加えて，前記のとおり，この間に生じた各事情を併せて検討しても，本件の因果関係が否定されるような異常な介在事情は認められないから，結論は変わらない。

　したがって，本件妨害運転とAらの死傷結果との間には因果関係を認めることができる。」

[6] 不作為犯

不作為の因果関係

67 覚せい剤注射事件

最決平成元年 12 月 15 日刑集 43 巻 13 号 879 頁／判時 1337・149，判タ 718・77
（百選 I 4，重判平 2 刑 2）　⇒各論 *33*

【事案】　被告人は，A女（当時 13 歳）と 2 人でホテルの部屋に入り，A に覚せい剤を含有する水溶液を注射したところ，A が覚せい剤による錯乱状態に陥り，正常な起居の動作ができない程に重篤な心身の状態に陥ったが，A を放置してホテルを立ち去った。A は，覚せい剤による急性心不全により死亡した。

【決定理由】　「なお，保護者遺棄致死の点につき職権により検討する。原判決の認定によれば，被害者の女性が被告人らによって注射された覚せい剤により錯乱状態に陥った午前零時半ころの時点において，直ちに被告人が救急医療を要請していれば，同女が年若く（当時 13 年），生命力が旺盛で，特段の疾病がなかったことなどから，十中八九同女の救命が可能であったというのである。そうすると，同女の救命は合理的な疑いを超える程度に確実であったと認められるから，被告人がこのような措置をとることなく漫然同女をホテル客室に放置した行為と午前 2 時 15 分ころから午前 4 時ころまでの間に同女が同室で覚せい剤による急性心不全のため死亡した結果との間には，刑法上の因果関係があると認めるのが相当である。したがって，原判決がこれと同旨の判断に立ち，保護者遺棄致死罪の成立を認めたのは，正当である。」

68 救護の可能性の認識欠如

盛岡地判昭和 44 年 4 月 16 日判時 582 号 110 頁

【事案】　被告人 X は，過失による交通事故により被害者に重傷を負わせたが，犯行の発覚を恐れて被害者を遺棄しようと決意し，自動車に乗せて走行中死亡させたとして，殺人罪で起訴された。

【判決理由】　「本件はいわゆる不作為による殺人罪として起訴されたものと解されるが，講学上不真正不作為犯は行為者に結果発生を防止すべき法律上の作為義務があり，結果発生を防止することが可能であるのに，その防止のため相当な行為をなさなかったことによって，ある作為犯の構成要件が実現された場合に認められるものと解すべきところ，弁護人は事故後直ちに救護措置をとっ

ても，被害者 A（以下被害者と略称する）の死の結果を防止することはできなかった旨主張するので，まず本件における被害者の救護可能性につき検討する。《証拠略》を総合すれば，本件事故発生直後被害者は頭部にかなり重大な損傷を受け，意識がなく，呻き声も出さないままであったこと，死因は脳損傷または外傷性ショックと考えられるが，そのいずれにしても，肝破裂の程度と腹腔内出血の量とを勘案し，受傷後長時間，たとえば数時間も生存していたものとは思われず，短かくて数分，長くても数時間後に絶命したと認められ，右事実に照らせば，仮に被告人 X が被害者を事故後直ちに最寄りの病院に搬送して救護措置を受けたとしても，死の結果を回避することができたとは認め難く（病院へ搬送しないという不作為と被害者の死の結果との間に因果関係が認められないことになる），加えて前掲各証拠によって当時の被告人 X の被害者の容態に対する認識内容について検討してみても，同被告人が当時，被害者を直ちに最寄りの病院に搬送すれば救護可能であると考えていたとは認め難く（検察官はこの点に関し，仮に本件不作為と被害者の死の結果との間に因果関係が認められないとしても，救護義務者たる被告人 X が被害者の死の結果を認容しながら，敢えて未だ生存している被害者を病院に搬送しないという不作為に出ることにより被告人 X に殺人未遂罪が成立すると主張する。しかしながら本件において殺人未遂罪が成立するためには，被告人 X において，被害者を病院へ搬送して治療を受ければ救護可能であると考えていながら，敢えてその意思を放棄し，病院に搬送しないという不作為に出ることを要するものと解されるので，検察官の右主張は採ることができない），結局本件殺人の訴因については，因果関係，および故意につき証明がなく，これを積極に認定することができない。」

作 為 義 務

69 死体遺棄事件

大判大正 13 年 3 月 14 日刑集 3 巻 285 頁

【判決理由】「死体遺棄罪は埋葬に関する良俗に反する行為を罰するに在るを以て死体を其の現在せる場所より他に移して之を放棄する場合は勿論法令又は

慣習に依り葬祭を為すへき責務ある者若は死体を監護すへき責務ある者か擅に死体を放置し其の所在の場所より離去するか如きも亦死体遺棄罪を構成するものとす而して積極的に死体を他に移して之を放棄する場合には犯人か其の葬祭義務者又は監護義務者なると否とを論せす均しく本罪成立すと雖消極的単に死体を放置するに止る場合に在ては法令又は慣習に依り葬祭を為すへき責務を有するか若は死体を監督すへき責務を有するときにのみ本罪を構成するものと謂はさるへからす何となれは前者の場合には直ちに第190条の規定に該当するを以て其の葬祭義務者又は監護義務者たると否とを別たす死体遺棄罪の主体たることを得るや勿論なりと雖後者の如く不作為に因る犯罪は原則として法規の命する所に違反するか又は法規の禁止に違反する場合に非されは成立することなけれはなり原判決の判示する事実を査するに被告は判示御料林内に炭焼竈を所有し木炭を製造する者にして大正12年6月13日傭人Aか其の竈内の木材に点火し木炭製造に着手したる処同月15日午後3時半頃被告は其の見廻りの為同所に至りたる際Bなる当10歳の少年か該竈の鉢上より誤て燃焼せし竈中に陥没して焼死を遂けたることを覚知したるに拘らす同人の死体を即時搬出せんには右竈を破壊し製造中の木炭を烏有に帰せしむへきを憂ひ何等搬出の手段を講せす却て其の附近に在りたる鉄板を以て同人の陥没せし穴を塞き其の上に土砂を積載し右死体を該竈中に放置して火勢に委し以て遺棄したりと云ふに在りて該事実に依れは被告はBと親族法上身分関係なきは勿論雇傭其の他何等監護の責務関係ある者に非すして偶偶被告所有の炭焼竈に於て木炭製造中右Bか誤て其の燃焼せる竈中に陥りて焼死を遂けたることを知て之を搬出せす同人の陥没せし穴を塞き依然其の燃焼作用を継続せしめたるに過きさるものなれは被告は此の場合に於て焼死せる前記Bの死体を埋葬し若は監護すへき法令又は慣習上の責務を有するものと謂ふを得さるに依り其の死体を竈中に放置し其の焼くるに委せし如きは道義上より論すれは固より非議すへきものなりと雖法律上該死体を竈中より搬出し葬祭を行ふに適すへき状態に置くへき責務を有するものに非すと謂はさるへからさるを以て本件被告の所為は死体遺棄罪を構成せさるものと論断せさるを得す」

放　火

70　養父殺害事件

大判大正 7 年 12 月 18 日刑録 24 輯 1558 頁

【判決理由】「放火罪は故意に積極的手段を用ひて刑法第 108 条以下に記載する物件に火を放ち之を焼燬するに因り成立すること普通の事例なりと雖も自己の故意行為に帰すへからさる原因に由り既に叙上物件に発火したる場合に於て之を消止むへき法律上の義務を有し且容易に之を消止め得る地位に在る者か其既発の火力を利用する意思を以て鎮火に必要なる手段を執らさるときは此不作為も亦法律に所謂火を放つの行為に該当するものと解するを至当なりとす然り而して叙上物件の占有者又は所有者か自己の故意行為に帰すへからさる原因に由り其の物件に発火し為めに公共に対し危害の発生する虞あるに際り之を防止し得るに拘はらす故意に之を放任して顧みさるか如きは実に公の秩序を無視するものにして秩序の維持を以て任務とする法律の精神に牴触するや明なるか故に斯の如き場合に於て此等の者か其発火を消止め以て公共の危険の発生を防止するは其法律上の義務に属するものと認むるを正当なりとす蓋し此法理は民法第 717 条等の規定の精神より推究するも其一端を窺ふに難からさるなり之を原判決に徴するに其認定したる事実は被告は其養父の隠居に因り戸主と為り住宅其他の財産を相続したる処養父との間に不和を生し終に争闘を為したる末寧ろ之を殺害して煩累を除くに如かすと決意し被告所有の押切庖丁を以て養父の頸部等に斬付け之を殺害し其屍体の始末に付き考案中偶養父か争闘の際投付けたる燃木尻の火か住宅内庭に積みありたる藁に飛散し其場所より燃上りたるを認めたるも寧ろ住宅と共に屍体及証拠物件と為るへき物を焼燬し以て罪跡を掩はんと欲し当時容易に消止め得へかりしに拘はらす故らに之を放置し因て被告以外に人の現在せさる右住宅を焼燬し且隣家の物置 1 棟を類焼するに至らしめたりと云ふに在るを以て上文説示せる理論に照し被告の所為は法律上の義務に違背せる故意の不作為に依り火を放て刑法第 109 条第 1 項に記載する自己所有の建造物を焼燬し因て公共の危険を生せしめたるものに該当し同条第 2 項の罪を構成するものと断定せさるへからす」

71 神棚事件

大判昭和 13 年 3 月 11 日刑集 17 巻 237 頁

【判決理由】「放火罪は故意に積極手段に依り行はるるを普通とすと雖自己の故意に帰すへからさる原因に依り火か自己の家屋に燃焼することあるへき危険ある場合其の危険の発生を防止すること可能なるに拘らす其の危険を利用する意思を以て消火に必要なる措置を執らす因て家屋に延焼せしめたるときも亦法律に所謂火を放つの行為を為したるものに該当するものとす故に自己の所有にして火災保険に付され而も自己以外の人の住居せさる家屋の神棚に多数の神符存在し其の前に供せる燭台の蠟受か不完全にして之に点火して立てたる蠟燭か神符の方へ傾斜せるを認識しなから危険防止の措置を為さす却て該状態を利用し若し火災起らは保険金を獲得するを得へしと思料して外出したる為右燈火より神符に点火し更に家屋に延焼するに至らしめたるときは刑法第 109 条第 1 項の犯罪を構成するものとす蓋し自己の家屋か燃焼の虞ある場合に之か防止の措置を執らす却て既発の危険を利用する意思にて外出するか如きは観念上作為を以て放火すると同一にして同条に所謂火を放つの行為に該当すれはなり唯右の如く不作為に依り犯罪の責を問はるるか為には其の者か其の之を為ささるに付義務違反の責に任すへき場合なることを要するは本院判例の趣旨とするところなるを以て果して右の場合義務違反を認め得へきやに付考ふるに凡そ不作為犯成立の条件を成す義務違反は必しも各箇の法規上に明に規定せられたる義務に反する場合のみに限らす具体的場合に於て公の秩序善良の風俗に照らし社会通念上当然一定の措置に出てさるへからすと認めらるる場合敢て其の措置に出てさることも亦右に所謂義務違反を以て論すへきものとす」

72 火鉢事件

最判昭和 33 年 9 月 9 日刑集 12 巻 13 号 2882 頁
（百選 I 5）

【判決理由】「原判決が是認した第 1 審判決の認定事実のうち，被告人が判示日時判示営業所事務室内自席の判示木机 1 個の下に，右机と判示原符 3 万 7000 枚位をつめたボール箱 3 個との距離が判示のとおり接近している位置に，大量の炭火がよくおこっている判示木製火鉢をおき，そのまま放任すれば右炭火の過熱により周囲の可燃物に引火する危険が多分にある状態であることを容易に予見しえたにかかわらず，何等これを顧慮せず，右炭火を机の外の安全場

所に移すとか，炭火を減弱させる等その他容易に採りうる引火防止処置を採らず，そのまま他に誰も居合わさない同所を離れ同営業所内工務室において休憩仮眠した結果，右炭火の過熱から前記ボール箱入原符に引火し更に右木机に延焼発燃したという事実は，被告人の重大な過失によって右原符と木机との延焼という結果が発生したものというべきである。この場合，被告人は自己の過失行為により右物件を燃焼させた者（また，残業職員）として，これを消火するのは勿論，右物件の燃焼をそのまま放置すればその火勢が右物件の存する右建物にも燃え移りこれを燃燬するに至るべきことを認めた場合には建物に燃え移らないようこれを消火すべき義務あるものといわなければならない。

　第1審判決認定事実によれば，被告人はふと右仮睡から醒め右事務室に入り来って右炭火からボール箱入原符に引火し木机に延焼しているのを発見したところ，その際被告人が自ら消火に当りあるいは判示宿直員3名を呼び起こしその協力をえるなら火勢，消火設備の関係から容易に消火しうる状態であったのに，そのまま放置すれば火勢は拡大して判示営業所建物に延焼しこれを焼燬するに至るべきことを認識しながら自己の失策の発覚のおそれなどのため，あるいは右建物が焼燬すべきことを認容しつつそのまま同営業所玄関より表に出で何等建物への延焼防止処置をなさず同所を立ち去った結果，右発燃火は燃え拡がって右宿直員らの現在する営業所建物1棟ほか現住家屋6棟等を焼燬した，というのである。すなわち，被告人は自己の過失により右原符，木机等の物件が焼燬されつつあるのを現場において目撃しながら，その既発の火力により右建物が焼燬せられるべきことを認容する意思をもってあえて被告人の義務である必要かつ容易な消火措置をとらない不作為により建物についての放火行為をなし，よってこれを焼燬したものであるということができる。」

73　天井裏事件

大阪地判昭和43年2月21日下刑集10巻2号140頁

【判決理由】「被告人は……自宅6畳の間を掃除していた際，天井裏を走るねずみの足音を聞き，かねて新聞紙上に掲載されていたねずみが乳児をかみ殺したとの記事を思い出し，長男Aがねずみにかまれるのではないかと不安を感じてこれを防ぐため，まず天井裏の構造を見ようと考え，3畳の間の水屋の中から蠟燭（長さ約10糎，太さ直径約8ミリ）を取り出し，これに火を点じて

左手に持ち，右手にガス管を握り体の平衡をとりながら自宅炊事場流し台の上においていたガス炊飯器（高さ29糎，幅35糎，奥行30糎）の上にのぼり，流し台の上の天井板（厚さ約3ミリ，広さ約40糎のベニヤ板）をずらして該場所から右蠟燭を差入れて天井裏をのぞきこみながら体の方向を変えようとしたとき，左手首が天井裏の根太に当り，その衝撃で右蠟燭が手から離れて90糎位南よりの天井裏に転げ落ちたが，その火は消えたものと軽信し，そのまま右炊事場に接する3畳の間に戻り，右Aの着替をさしていたところ，同日午前11時40分頃，前記流し台の上の天井附近から白煙がでているのを発見したので，前記要領で再び前記ガス炊飯器の上にのぼり，天井裏をのぞき見たところ，天井板が幅約30糎位とその附近の根太が燃えているのを発見した。その際被告人が近隣に出火を知らせ，その協力を得れば火勢からみて容易に消火し得る状態にあったのに右の所為にでれば自宅から火を発したことが明かになり，その結果近隣の者から非難を受け，到底同所に居住できなくなることをおそれ，又たとえ右建物を焼燬しても自己の家財には火災保険をかけているためその保険金により損害を填補できるから，右自室のほか，Bら17世帯が居住する右S荘第6文化住宅1棟（木造モルタル張2階建々坪201平方米）を焼燬するも止むを得ないと考え，近隣に出火を知らせてその協力を求める行為をしないで，そのままこれを放置して外出し，よって同日午前11時55分頃，現に人の住居に使用する前記建物のうちC，Dの2世帯を除きその屋根，天井板及び床板等約169平方米を焼失させてこれを焼燬したものである。」

74 泥棒事件

広島高岡山支判昭和48年9月6日判時743号112頁

【事案】 被告人は，他人の住居に侵入し，机の引き出しから現金を窃取する際，硬貨が床に落ちたため，紙切れを丸めて火をつけて硬貨を拾い集めた。その際，この紙たいまつの火が机上の紙切れに引火して燃え上がったが，これを放置したまま逃走した。

【判決理由】 「逃走する際の心理状態について被告人が述べているところは既に摘示したとおり，硬貨を落した物音に気づかれるのではないか，また，消火しようとすればその物音で発見されるのではないか，という自己の犯行の発覚をおそれるあまり，あえて既発の火勢を消し止めることなくその場を立ち去ったものであるところ，当時机上には延焼しやすい紙類が乱雑に放置されていたこと前記のとおりであるから，当然これらに燃え移り，よって原判示建物を焼

燬するかもしれないことは被告人が逃走前において十分認識しえた事態であり，《証拠略》によれば，被告人にはその認識があったと認められるのである。そうだとすれば，自己の犯行の発覚をおそれる余りあえて消火することなくその場を立ち去った被告人の心意は，既発の火力による延焼の結果発生を容認したものであると解するに妨げなく，被告人がその消火義務に違背した不作為にもとづく焼燬につき放火罪の刑責を負うべきものであること言うまでもない。」

殺　人

75　食物の不給付

大判大正 4 年 2 月 10 日刑録 21 輯 90 頁
⇒各論 *36*

【事案】　被告人は，契約により，6 か月未満の嬰児を預かったが，食事を与えず死亡させた。

【判決理由】　「法律に因ると将契約に因るとを問はす養育の義務を負ふ者か殺害意思を以て故らに被養育者の生存に必要なる食物を給与せすして之を死に致したるときは殺人犯にして刑法第 199 条に該当し単に其義務に違背して食物を給与せす因て之を死に致したるときは生存に必要なる保護を為ささるものにして刑法第 218 条第 219 条に該当す要は殺意の有無に依り之を区別すへきものとす原判決は被告と被害者との間に養子縁組を認めたるにあらす被告は契約に因り被害者養育の義務を負ふものと認めたるものにして殺害の意思を以て故らに生存に必要なる食物を給与せす遂に死に致したるものなれは殺人犯なること論を竢たす」

76　食物の不給付

名古屋地岡崎支判昭和 43 年 5 月 30 日下刑集 10 巻 5 号 580 頁

【判決理由】　「被告人は妻 A（19 才）及び長男 B（昭和 42 年 7 月 10 日生）と愛知県豊田市前山町……，N 荘 2 階 10 号室に居住し，従業員数名を使用して『T プロモート』の名称で自動車部品鈑金加工の下請業を営んでいたが，昭和 42 年 11 月上旬従業員と衝突しその全員が退職して事業に頓挫を来したことに精神的打撃を受け，その頃から右 A に対し些細なことで暴行するなど邪険な態度をとるようになり，A も時に実家に逃げ帰ったりしていたところ，昭和

⇒ *77*

43年3月8日夜も被告人がAの買物に難癖をつけ同女を殴打したため，翌9日同女がBを知人に預けたまま家出したので，同日午後9時半頃被告人が右知人からBを受取り，同夜から翌10日朝にかけてミルク約240cc を飲ませ，同日夕方にはビスケット1枚を食べさせたものの，依然Aが帰宅しないため自暴自棄となり断食を決意し，乳児であるBに飲食物を与えなければ死亡するに至ることを知りながらもしこのままAが帰宅せず他に救助する者もなければBが餓死する結果となってもやむを得ないと考え，以来同月14日朝に至るまで自ら飲食せずに前記被告人の居室に引きこもり，Bにも何等飲食物を与えずに同室内に放置し，よって同日午前8時頃同所において右Bを急性饑餓死せしめて殺害したものである。」

77 仮死状態の嬰児の放置

東京高判昭和35年2月17日下刑集2巻2号133頁

【判決理由】「この点について所論は，前記のとおり本件嬰児は仮死状態で出産したもので直ちに蘇生術を施されず放置されたがため，出生後15分ないし30分程度以内に自然に死亡するに至ったものであると主張しているが，本件嬰児の死亡の時期が所論の如く分娩後15分ないし30分後であることは前記鑑定の結果に徴しても確認し難いところであるのみならず，仮に嬰児が右主張の時間内に死亡するに至ったものであるとしても，それは必ずしも被告人に何ら死亡に関する責任がないことを意味するものではないのである。

その理由は，被告人は前段認定のとおり，嬰児が生きて産れたことを認識していたのであるから，母親として，直ちに嬰児の生存のため必要，適切な保護をなすべき義務があった筈であり，故意にこの義務を履行せず，よって嬰児の死亡の結果を招来したときは，その責任を負わなければならぬことは当然であるというべきであり，換言すれば，本件嬰児は仮死状態であったとはいえ，前段説示4の如き手段をとるときは十分蘇生の機会があるわけであるから，通常の母親であれば，当然嬰児の生命保持のため適当の措置をとったに違いないが，被告人は従来からの供述によっても明らかなとおり，妊娠していることさえ家人に秘していた位であって，本件嬰児もひそかに闇から闇に葬ってしまうという考であったから，何人が考えても必要だと考えるに違いない保温の措置すら故意にとらず，嬰児を分娩したままの状態で便所の板敷の上に放置し，且つ新

聞紙や風呂敷につつんでこれを水中に投げ込んだものであるから，結局被告人は殺意をもって生命のある嬰児の生存に必要な保護をなさず，よって嬰児が仮死の状態から蘇生すべき機会を奪い，よってその死亡の結果を招来させたものといわざるを得ない次第である。これに反し分娩直後，何らの保護手段を施すいとまもないうちに嬰児が死亡したので，被告人もまたこれを確認した上，単に死体遺棄の犯意に基いて，前記所為に及んだものであるというような事実は到底これを認めるに足りない。

　すなわち，以上のように観察するときは，仮に嬰児が自然に放置されるときは分娩後 15 分ないし 30 分間に死亡すべかりしものとしても，被告人は嬰児の母親として保護責任を全うすることにより，これが蘇生をなさしめるべき十分の機会をもっていたに拘らず，嬰児の生命を絶つ意思をもって，故意に何らの保護をも与えず嬰児を分娩された状態のまま放置したのみか，新聞紙，風呂敷包につつんで川の中に投入するというような所為を敢てしたのであって，これらの所為が嬰児から蘇生の機会を奪い，その死因に寄与したものであることは否定し難いから，所詮，被告人は本件嬰児殺害の責任を免れることはできないといわなければならない。」

78　医療不給付

東京地八王子支判昭和 57 年 12 月 22 日判タ 494 号 142 頁

【事案】　被告人 X，Y は，自宅に住まわせていた従業員に暴行をくわえて骨折等の傷害を負わせたが，犯行の発覚を恐れて治療を受けさせず，化膿止めの薬品を投与する等に止まっため，同人を死亡するに至らしめた。

【判決理由】「弁護人は，不真正不作為犯たる殺人罪が成立するためには，当該不作為が作為犯たる殺人罪における定型的実行行為と同価値であること，すなわち，生命維持に必要な行為を積極的に放棄ないし阻止していることを要するが，被告人両名は，A に対し，同女の生命維持に必要な基本的行為たる飲食物の供与のほか，化膿止めの錠剤，解熱剤及び栄養剤を投与し，氷枕をあてがうなどの被告人らにとって最善と思われる治療をなしていたのであるから，殺人罪の実行行為と同価値の不作為には該当しない旨主張する。

　しかしながら，前掲の関係各証拠によれば，1，当時，A が必要としていた処置は，創傷の消毒・縫合，症状に即応した抗生物質の投与，持続点滴などであったこと，2，被告人らがなした右のような薬品の投与は，しないよりまし，

といった程度のものであり，被告人らも，Aの病状に鑑み，医師による適切な医療的処置を必要としていることを認識しながら自己の犯罪発覚を恐れ，単なる気休め程度の考えで，そのような行為をするにとどめていたこと，3，被告人らが，同女をして，右1記載の処置を受けさせることは容易であったこと，が認められる。これらを総合すれば，前認定のとおり，被告人らに課せられた作為義務の内容は，自ら与えた創傷の悪化を防止すべく，医師による適切な治療を受けさせること，というものであり，本項冒頭記載のような行為を被告人らがしていたことのみをもって，右作為義務を果たしたとは到底認められないばかりか，前認定のような被告人らとAとの関係，被告人らが7月13日以後同女を支配内においていたことも考え合わせると，病状が悪化していくにもかかわらず適切な医療措置を講じさせないという不作為は，不作為による殺人の実行行為と評価できる。」

79 医療措置の懈怠（シャクティパット事件）

最決平成17年7月4日刑集59巻6号403頁／判時1906・174，判タ1188・239
（百選Ⅰ6）⇒各論 *38*

【決定理由】「1　原判決の認定によれば，本件の事実関係は，以下のとおりである。

(1)　被告人は，手の平で患者の患部をたたいてエネルギーを患者に通すことにより自己治癒力を高めるという『シャクティパット』と称する独自の治療（以下「シャクティ治療」という。）を施す特別の能力を持つなどとして信奉者を集めていた。

(2)　Aは，被告人の信奉者であったが，脳内出血で倒れて兵庫県内の病院に入院し，意識障害のため痰の除去や水分の点滴等を要する状態にあり，生命に危険はないものの，数週間の治療を要し，回復後も後遺症が見込まれた。Aの息子Bは，やはり被告人の信奉者であったが，後遺症を残さずに回復できることを期待して，Aに対するシャクティ治療を被告人に依頼した。

(3)　被告人は，脳内出血等の重篤な患者につきシャクティ治療を施したことはなかったが，Bの依頼を受け，滞在中の千葉県内のホテルで同治療を行うとして，Aを退院させることはしばらく無理であるとする主治医の警告や，その許可を得てからAを被告人の下に運ぼうとするBら家族の意図を知りながら，『点滴治療は危険である。今日，明日が山場である。明日中にAを連れてくるように。』などとBらに指示して，なお点滴等の医療措置が必要な状態にあるAを入院中の病院から運び出させ，その生命に具体的な危険を生じさせた。

(4)　被告人は，前記ホテルまで運び込まれたAに対するシャクティ治療をBらからゆだねられ，Aの容態を見て，そのままでは死亡する危険があることを認識したが，

上記(3)の指示の誤りが露呈することを避ける必要などから，シャクティ治療をAに施すにとどまり，未必的な殺意をもって，痰の除去や水分の点滴等Aの生命維持のために必要な医療措置を受けさせないままAを約1日の間放置し，痰による気道閉塞に基づく窒息によりAを死亡させた。

2 以上の事実関係によれば，被告人は，自己の責めに帰すべき事由により患者の生命に具体的な危険を生じさせた上，患者が運び込まれたホテルにおいて，被告人を信奉する患者の親族から，重篤な患者に対する手当てを全面的にゆだねられた立場にあったものと認められる。その際，被告人は，患者の重篤な状態を認識し，これを自らが救命できるとする根拠はなかったのであるから，直ちに患者の生命を維持するために必要な医療措置を受けさせる義務を負っていたものというべきである。それにもかかわらず，未必的な殺意をもって，上記医療措置を受けさせないまま放置して患者を死亡させた被告人には，不作為による殺人罪が成立し，殺意のない患者の親族との間では保護責任者遺棄致死罪の限度で共同正犯となると解するのが相当である。」

80 山中への置き去り

前橋地高崎支判昭和46年9月17日判時646号105頁

【事案】 被告人Xは，小児麻痺のため歩行困難なAをだまして所持金を奪おうと企て，AをYとともに自動車で厳寒期に深夜人気のない山中に連行した。そこで，XはYに事情をうちあけその協力のもとにAから現金を奪い，Aを置き去りにして立ち去った。Aは一晩中付近を這いずり回り，山小屋にたどり着き救助された。

【判決理由】 「同被告人は，判示のように，仏像を買える旨被害者を欺罔してその住居から連れ出し，自らの運転する自動車に同乗させて，被害者の生命に切迫した危険のある場所へ連れて来たのであるから，まさに自らの先行行為によって被害者の生命に危険を生じさせたものであって，当然同被告人には，その場所において被害者の生命の危険を除去しまたは被害者を安全な場所まで連れ帰るべき法的義務（作為義務）がある。したがって，同被告人の前記不作為は右作為義務に違反する不作為である。そして，同被告人が右作為義務を果たすことが可能であったことは明らかである。

ところで，殺人（未遂）罪の構成要件は『人を殺す』という作為の形式で規定されているのであるが，自らが生命に切迫した危険のある場所まで連行した被害者をその場所に放置するという不作為の行為は，その場所に放置しないこ

⇒ *81・82*

と（作為義務を果たすこと）が可能であった以上は，作為によって人を殺す（又はその未遂）行為と構成要件的に同価値と評価し得るから，同被告人の前記の不作為は，殺人（未遂）の実行行為としての定型性を具備していると認定すべきである。したがって，同被告人の判示第一の㈢の⑵の所為は，不作為による殺人未遂であって，いわゆる不真正不作為犯に該当するものである。」

81 轢き逃げ

東京地判昭和 40 年 9 月 30 日下刑集 7 巻 9 号 1828 頁／判時 429・13, 判タ 185・189
⇒各論 *37*

【事案】 被告人は，過失による自動車事故により被害者に重傷を負わせたため，当初これを最寄りの病院へ搬送すべく，自ら自動車の助手席に乗せ出発したが，途中で翻意してそのまま病院に搬送することなく走り続けたため，被害者は死亡するに至った。

【判決理由】 「同日午前 11 時頃，右傷害を負った A を救護するため最寄りの病院へ搬送すべく，意識不明に陥っている同人を自己の手によって前記自動車助手席に同乗させて右同所を出発したところ，当時，右 A の容態は，直ちに最寄りの病院に搬送することにより救護すれば死の結果を防止することが充分に可能であり，かつ，被告人には，右 A を直ちに最寄りの病院に搬送して救護し，もってその生存を維持すべき義務があるにもかかわらず，同都新宿区四谷 3 丁目都電停留所附近にさしかかった際，同人を搬送することによって，自己が前記第二の犯人であることが発覚し，刑事責任を問われることをおそれるの余り，右搬送の意図を放擲し，同人を都内の適当な場所に遺棄するなどして逃走しようと企てると同時に，右 A は当時重態であって病院に搬送して即時救護の措置を加えなければ，同人が死亡するかもしれないことを充分予見しながら，それもやむを得ないと決意し，このような決意のもとに，同所から千葉県市川市国分町……所在の山林まで，約 29 キロメートルの間，何らの救護措置もとらずに走行したため，その間走行中の同車内において，同人を骨盤骨複雑骨折による出血および右傷害に基づく外傷性ショックにより死亡させ，もって同人を殺害し……たものである。」

82 轢き逃げ

東京高判昭和 46 年 3 月 4 日高刑集 24 巻 1 号 168 頁／判タ 265・220

【判決理由】 「所論は原判示第二事実につき，被告人は原判示のとおり自己の運転する軽乗用自動車を被害者に衝突させて重傷を負わせ，同人を自車に乗せ

て原判示場所に運び，その場に降したまま放置して救護の措置をとらなかった
ものではあるが，被害者は放置されたことにより死亡する可能性はなかったの
であるから，被告人が，被害者の死亡するかもしれないことを認識しつつこれ
を認容した趣旨の供述をしても，原判決が未必的故意による殺人未遂の事実を
認定したことは事実の誤認であると主張する。しかし記録を精査すれば原判決
の挙示する証拠に基き十分原判示事実を認定し得る。本件衝突事故による被害
者の受傷程度は，受傷の 2 時間余り後に診断に当った医師をして加療 10 ヶ月
を予想させた左大腿骨複雑骨折，頭部外傷，右下腿打撲傷等の重傷であり，被
害者が放棄された日時は昭和 45 年 1 月 11 日午後 11 時 30 分頃の深夜の気温は
熊谷地方気象台の記録によれば，12 日午前 0 時に 2.6 度，同 3 時に 0.8 度，
同 6 時に 0.2 度を示し，その場所は旧中仙道より約 1,000 メートル横道にそ
れた陸田の端で，少くも朝まで人の通行を期待し得ない地点である。これらの
厳しい条件下に放棄された被害者は衝突事故により道路の側溝内に転倒したた
め，背広服上下着用の左半身が濡れていたうえ，意識を失って自ら救助を求め
る手段を断たれた状態にあったことを思えば，衝突による身体内部の傷害情況
を詳細に知り得ない者にとっても，被害者死亡の懸念を懐くことが常識であり，
被告人が，被害者が死亡するかも知れないと認識したものと認められる。況や
傷害の実情は，A 医師の証言によれば，左大腿の複雑骨折に伴う広範に亘る多
量の内出血による全身衰弱，受傷によるショックのため翌朝まで前示の如き情況
下に放置された場合，殆ど生存を期待し難い状態にあったのである。被害者死
亡の可能性はなかったという所論は根拠のない独自の見解で採るに足りない。」

⇒**参考　保護責任者遺棄**（最判昭和 34 年 7 月 24 日刑集 13 巻 8 号 1163 頁）
【判決理由】「自動車の操縦中過失に因り通行人に自動車を接触させて同人を
路上に顛倒せしめ，約 3 箇月の入院加療を要する顔面打撲擦傷及び左下腿開放
性骨折の重傷を負わせ歩行不能に至らしめたときは，かかる自動車操縦者は法
令により『病者を保護す可き責任ある者』に該当する。」

「刑法 218 条にいう遺棄には単なる置去りをも包含すと解すべく，本件の如
く，自動車の操縦者が過失に因り通行人に前示のような歩行不能の重傷を負わ
しめながら道路交通取締法，同法施行令に定むる救護その他必要な措置を講ず
ることなく，被害者を自動車に乗せて事故現場を離れ，折柄降雪中の薄暗い車
道上まで運び，医者を呼んで来てやる旨欺いて被害者を自動車から下ろし，同

⇒ *82*

人を同所に放置したまま自動車の操縦を継続して同所を立去ったときは，正に『病者を遺棄したるとき』に該当する。」

⇒**参考　保護責任者遺棄致死**（最決昭和 63 年 1 月 19 日刑集 42 巻 1 号 1 頁）

【決定理由】「被告人は，産婦人科医師として，妊婦の依頼を受け，自ら開業する医院で妊娠第 26 週に入った胎児の堕胎を行ったものであるところ，右堕胎により出生した未熟児（推定体重 1000 グラム弱）に保育器等の未熟児医療設備の整った病院の医療を受けさせれば，同児が短期間内に死亡することはなく，むしろ生育する可能性のあることを認識し，かつ，右の医療を受けさせるための措置をとることが迅速容易にできたにもかかわらず，同児を保育器もない自己の医院内に放置したまま，生存に必要な処置を何らとらなかった結果，出生の約 54 時間後に同児を死亡するに至らしめたというのであり，右の事実関係のもとにおいて，被告人に対し業務上堕胎罪に併せて保護者遺棄致死罪の成立を認めた原判断は，正当としてこれを肯認することができる。」

III 違 法 性

[1] 実質的違法阻却

法 令 行 為

現行犯逮捕

83 私人による現行犯逮捕

最判昭和 50 年 4 月 3 日刑集 29 巻 4 号 132 頁／判時 779・127，判タ 323・273
（重判昭 50 刑 2）

【事案】 漁業監視船しおかぜ丸は，あわびの密漁船と思慮される漁船大平丸を発見し，密漁犯人を現行犯逮捕するためこれを追跡したが，船足が遅く追跡が困難であったため，付近にいた第一清福丸に事情を告げて追跡を依頼した。依頼を受けた第一清福丸は，大平丸を約 3 時間にわたり追跡し，同船に停船するよう呼びかけたが，同船は，これに応じないばかりでなく，3 回にわたり第一清福丸の船腹に突込んで衝突させたり，ロープを流し同船のスクリューに絡ませて追跡を妨害しようとしたので，第一清福丸の乗組員は，大平丸に対して瓶やボルトを投げつけるなどして逃走を防止しようとし，第一清福丸の乗組員の 1 人である本件被告人は，密漁船を操舵中の A の手足を竹竿で叩き突くなどして，大平丸の乗組員である A に対し全治約 1 週間を要する傷害を負わせた。

【判決理由】 「漁業監視船しおかぜ丸は，大平丸の乗組員を現に右の罪を犯した現行犯人と認めて現行犯逮捕をするため追跡し，第一清福丸も，しおかぜ丸の依頼に応じ，これらの者を現行犯逮捕するため追跡を継続したものであるから，いずれも刑訴法 213 条に基づく適法な現行犯逮捕の行為であると認めることができる。

右のように，現行犯逮捕をしようとする場合において，現行犯人から抵抗を受けたときは，逮捕をしようとする者は，警察官であると私人であるとをとわず，その際の状況からみて社会通念上逮捕のために必要かつ相当であると認められる限度内の実力を行使することが許され，たとえその実力の行使が刑罰法令に触れることがあるとしても，刑法 35 条により罰せられないものと解すべきである。これを本件についてみるに，前記の経過によると，被告人は，A

⇒ *84・85*

らを現行犯逮捕しようとし，同人らから抵抗を受けたため，これを排除しよう
として前記の行為に及んだことが明らかであり，かつ，右の行為は，社会通念
上逮捕をするために必要かつ相当な限度内にとどまるものと認められるから，
被告人の行為は，刑法 35 条により罰せられないものというべきである。」

懲 戒 行 為

84 教師の懲戒行為が正当行為に当たらないとした事例

最判昭和 33 年 4 月 3 日裁判集刑 124 号 31 頁

【事案】 教師である被告人両名は生徒 A の頭部を手で殴打した。原判決（大阪高判昭
和 30 年 5 月 16 日高刑集 8 巻 4 号 545 頁）は，「所論は，右は教員たる各被告人が学校
教育上の必要に基ずいて生徒に対してした懲戒行為であるから，刑法の右法条を適用す
べきではないと主張するけれども，学校教育法第 11 条は『校長及び教員は教育上必要
があると認めるときは，監督官庁の定めるところにより，学生，生徒及び児童に懲戒を
加えることができる。但し，体罰を加えることはできない。』と規定しており，これを，
基本的人権尊重を基調とし暴力を否定する日本国憲法の趣旨及び右趣旨に則り刑法暴行
罪の規定を特に改めて刑を加重すると共にこれを非親告罪として被害者の私的処分に任
さないものとしたことなどに鑑みるときは，殴打のような暴行行為は，たとえ教育上必
要があるとする懲戒行為としてでも，その理由によって犯罪の成立上違法性を阻却せし
めるというような法意であるとは，とうてい解されないのである。」と判示して，暴行
罪の成立を認めた第 1 審判決を是認した。

【判決理由】 「原判決が殴打のような暴行行為はたとえ教育上必要な懲戒行為
としてでも犯罪の成立上違法性を阻却せしめるとは解されないとしたこと，並
びに，所論学校教育法 11 条違反行為が他面において刑罰法規に触れることある
ものとしたことは，いずれも，正当として是認することができるから，本件
起訴が果たして妥当であるか否かは格別被告人両名の本件行為をもって刑罰法
令の対象とならないものということはできない。」

85 教師の懲戒行為が正当行為に当たるとした事例

東京高判昭和 56 年 4 月 1 日刑月 13 巻 4 = 5 号 341 頁／判時 1007・133，判タ 442・163

【事案】 中学校教師である被告人は，生徒 A の軽はずみな言動をたしなめるため，
「もっとしゃきっとしなければいけない」等と言葉で注意を与えながら，同人の前額部
付近を平手で 1 回押すようにたたいたほか，右手の拳を軽く握り，手の甲を上にし，も

しくは小指側を下にして自分の肩あたりまで水平に上げ，そのまま拳を降り下ろして同人の頭部をこつこつと数回たたいた（A はその 8 日後に脳内出血で死亡したが，被告人の本件行為との因果関係は認定されていない。）。

【判決理由】「事実行為としての懲戒はその方法・態様が多岐にわたり，一義的にその許容限度を律することは困難であるが，一般的・抽象的にいえば，学校教育法の禁止する体罰とは要するに，懲戒権の行使として相当と認められる範囲を越えて有形力を行使して生徒の身体を侵害し，あるいは生徒に対して肉体的苦痛を与えることをいうものと解すべきであって，有形力の内容，程度が体罰の範ちゅうに入るまでに至った場合，それが法的に許されないことはいうまでもないところであるから，教師としては懲戒を加えるにあたって，生徒の心身の発達に応ずる等，相当性の限界を越えないように教育上必要な配慮をしなければならないことは当然である。そして裁判所が教師の生徒に対する有形力の行使が懲戒権の行使として相当と認められる範囲内のものであるかどうかを判断するにあたっては，教育基本法，学校教育法その他の関係諸法令にうかがわれる基本的な教育原理と教育指針を念頭に置き，更に生徒の年齢，性別，性格，成長過程，身体的状況，非行等の内容，懲戒の趣旨，有形力行使の態様・程度，教育的効果，身体的侵害の大小・結果等を総合して，社会通念に則り，結局は各事例ごとに相当性の有無を具体的・個別的に判定するほかはないものといわざるをえない。

　そこで本件についてこれをみると，先に認定説示したとおり，本件行為の動機・目的は，A の軽率な言動に対してその非を指摘して注意すると同時に同人の今後の自覚を促すことにその主眼があったものとみられ，また，その態様・程度も平手及び軽く握った右手の拳で同人の頭部を数回軽くたたいたという軽度のものにすぎない。そして，これに同人の年令，健康状態及び行った言動の内容等をも併せて考察すると，被告人の本件行為は，その有形力の行使にあたっていたずらに個人的感情に走らないようその抑制に配慮を巡らし，かつ，その行動の態様自体も教育的活動としての節度を失わず，また，行為の程度もいわば身体的説諭・訓戒・叱責として，口頭によるそれと同一視してよい程度の軽微な身体的侵害にとどまっているものと認められるのであるから，懲戒権の行使としての相当性の範囲を逸脱して A の身体に不当・不必要な害悪を加え，又は同人に肉体的苦痛を与え，体罰といえる程度にまで達していたとはい

⇒ *86*

えず，同人としても受忍すべき限度内の侵害行為であったといわなければならない。……結局，被告人の本件行為は，前述のように，外形的にはＡの身体に対する有形力の行使ではあるけれども，学校教育法11条，同法施行規則13条により教師に認められた正当な懲戒権の行使として許容された限度内の行為と解するのが相当である。」

正当業務行為

医 療 行 為

86 ブルーボーイ事件

東京高判昭和45年11月11日高刑集23巻4号759頁／判時639・107，判タ259・202

【事案】 産婦人科医である被告人は，男娼から性転換手術を求められ，法定の除外事由がないのに故なく生殖を不能にすることを目的として，睾丸全摘出手術を行った，として優生保護法28条，34条違反で有罪となった。

【判決理由】「被告人は，産婦人科専門医師に過ぎず，本件手術当時においては，いわゆる性転向症者に対する治療行為，特に本件のような手術の必要性（医学的適応性）及び方法の医学的承認（医術的正当性）について，深い学識，考慮及び経験があったとは認めがたい上，原判示のように，本件手術前被手術者等に対し，自ら及び精神科医等に協力を求めて，精神医学乃至心理学的な検査，一定期間の観察及び問診等による家族関係，生活史等の調査，確認をすることもなく，又正規の診療録の作成及び被手術者等の同意書の徴収をもしておらず，又性転向症者に対する性転換手術を医療行為として肯定しない医学上の諸見解があることが認められ，これ等の事実とその他被告人の捜査官に対する供述調書等諸般の関係証拠とを総合考察すると，被告人が技術的に性転換手術を施行する能力のある医師であり，一応性転向症者であると推認しうる被手術者等の積極的な依頼に基き，性転換手術の一段階として本件手術をしたものであり，性転向症者に対する性転換手術が次第に医学的にも治療行為としての意義を認められつつあるのであって，本件手術が表見的には治療行為としての形態を備えていることを否定できない旨の原判示は，これを概ね肯認できること及び所論の縷説するところを考慮しても，被告人に被手術者等に対する性転向症治療の目的があり，被手術者等に真に本件手術を右治療のため行う必要があ

って，且本件手術が右治療の方法として医学上一般に承認されているといいうるかについては，甚だ疑問の存するところであり，未だ本件手術を正当な医療行為と断定するに足らない。」

87 医師免許を有しない者による豊胸手術

東京高判平成 9 年 8 月 4 日高刑集 50 巻 2 号 130 頁／判時 1629・151，判タ 960・287

【事案】 被告人は，医師免許を有しないのに，A に対して，美容整形手術と称して医行為である豊胸手術を行い，手術侵襲及び麻酔薬注入に基づくアレルギー反応によりショック死させた。

【判決理由】「論旨は，要するに，本件においては，右手術を行うことにつき，被害者 A の承諾が存在したのであるから，被告人の本件行為は違法性が阻却されるものであるのに，右の点を看過し，被告人に対して傷害致死罪の成立を認め，刑法 205 条を適用した原判決には，判決に影響を及ぼすことが明らかな法令の適用の誤りがある，というのである。

　そこで，原審記録を調査し，当審における事実調べの結果を併せて検討するに，被害者が身体侵害を承諾した場合に，傷害罪が成立するか否かは，単に承諾が存在するという事実だけでなく，右承諾を得た動機，目的，身体傷害の手段・方法，損傷の部位，程度など諸般の事情を総合して判断すべきところ（最決昭 55 年 11 月 13 日刑集 34 巻 6 号 396 頁参照），関係証拠によれば，(1)A は，本件豊胸手術を受けるに当たり，被告人がフィリピン共和国における医師免許を有していないのに，これを有しているものと受取って承諾したものであること，(2)一般的に，豊胸手術を行うに当たっては，①麻酔前に，血液・尿検査，生化学的検査，胸部レントゲン撮影，心電図等の全身的検査をし，問診によって，既往疾患・特異体質の有無の確認をすること，②手術中の循環動態や呼吸状態の変化に対応するために，予め，静脈ラインを確保し，人工呼吸器等を備えること，③手術は減菌管理下の医療設備のある場所で行うこと，④手術は，医師または看護婦の監視下で循環動態，呼吸状態をモニターでチェックしながら行うこと，⑤手術後は，鎮痛剤と雑菌による感染防止のための抗生物質を投与すること，などの措置をとることが必要とされているところ，被告人は，右①，②，④及び⑤の各措置を全くとっておらず，また，③の措置についても，減菌管理の全くないアパートの一室で手術等を行ったものであること，(3)被告人は，A の鼻部と左右乳房周囲に麻酔薬を注射し，メス等で鼻部及び右乳房

⇒ *88*

下部を皮切し，右各部位にシリコンを注入するという医行為を行ったものであること，などの事実が認められ，右各事実に徴すると，被告人がAに対して行った医行為は，身体に対する重大な損傷，さらには生命に対する危難を招来しかねない極めて無謀かつ危険な行為であって，社会的通念上許容される範囲・程度を超えて，社会的相当性を欠くものであり，たとえAの承諾があるとしても，もとより違法性を阻却しないことは明らかであるといわなければならないから，論旨は採用することができない。」

弁 護 活 動

88 丸正事件

最決昭和51年3月23日刑集30巻2号229頁／判時807・8，判タ335・146
⇒各論 *171*

【事案】 被告人らは，いずれも弁護士でありAに対する強盗殺人事件の弁護を行っていたが，真犯人はAではなく被害者の兄B，その妻C，弟Dら同居の親族であるとの見解を抱き，上告趣意補充書にその旨を記載するとともに，最高検察庁に対してその写しを提出し再捜査を申し入れた。被告人らは，新聞記者から最高検察庁では再捜査の意思がないことを聞いたため，このうえは世論を喚起し冤罪の証拠の収集に協力を求め，ひいては最高裁の職権発動による原判決破棄を促すことを企図し，最高裁判所内の司法記者クラブ室に各社の新聞記者を集めたうえ上告趣意補充書の内容を説明し，記者の質問に答え，被害者はB及びCまたはそのほか同夫婦と意思を通じた者が絞殺した旨発表した。その後，被告人らは，名誉毀損罪で告訴されたのでこれに対して防御する必要に迫られるとともに，Aに対する事件につき上告棄却の決定を受けたので，冤罪を証明する資料の収集につき世人の協力を求め再審請求の道を開くほかないとの結論に達し，B，C，Dが真犯人であるとする内容の『告発』と題する単行本を共同執筆し，約4000部を販売頒布した。

【決定理由】 「一 名誉毀損罪などの構成要件にあたる行為をした場合であっても，それが自己が弁護人となった刑事被告人の利益を擁護するためにした正当な弁護活動であると認められるときは，刑法35条の適用を受け，罰せられないことは，いうまでもない。しかしながら，刑法35条の適用を受けるためには，その行為が弁護活動のために行われたものであるだけでは足りず，行為の具体的状況その他諸般の事情を考慮して，それが法秩序全体の見地から許容

されるべきものと認められなければならないのであり，かつ，右の判断をするにあたっては，それが法令上の根拠をもつ職務活動であるかどうか，弁護目的の達成との間にどのような関連性をもつか，弁護を受ける刑事被告人自身がこれを行った場合に刑法上の違法性阻却を認めるべきかどうかという諸点を考慮に入れるのが相当である。

　二　これを本件についてみると，弁護人が弁護活動のために名誉毀損罪にあたる事実を公表することを許容している法令上の具体的な定めが存在しないことは，いうまでもない。

　また，原判決及びその是認する第1審判決の認定によると，被告人らは，Bら3名が真犯人であることを広く社会に報道して，世論を喚起し，Aら両名を無罪とするための証拠の収集につき協力を求め，かつ，最高裁判所の職権発動による原判決破棄ないしは再審請求の途をひらくため本件行為に出たものであって，Aらの無罪を得るために当該被告事件の訴訟手続内において行ったものではないから，訴訟活動の一環としてその正当性を基礎づける余地もない。すなわち，その行為は，訴訟外の救援活動に属するものであり，弁護目的との関連性も著しく間接的であり，正当な弁護活動の範囲を超えるものというほかはないのである。

　さらに，既に判示したとおり，被告人らの摘示した事実は，真実であるとは認められず，また，これを真実と誤信するに足りる確実な資料，根拠があるとも認められないから，たとえAら自身がこれを公表した場合であっても，名誉毀損罪にあたる違法な行為というほかはなく，同一の行為が弁護人によってなされたからといって，違法性の阻却を認めるべきいわれはない。」

取 材 活 動

89　外務省機密漏洩事件

最決昭和53年5月31日刑集32巻3号457頁／判時887・17，判タ363・96
（百選 I 18，重判昭53憲3・刑10）

【決定理由】「原判決が認定したところによると，被告人はP新聞社東京本社編集局政治部に勤務し，外務省担当記者であった者であるが，当時外務事務官として原判示職務を担当していたA女と原判示『ホテルQ』で肉体関係をも

った直後,『取材に困っている,助けると思ってB審議官のところに来る書類を見せてくれ。君や外務省には絶対に迷惑をかけない。特に沖縄関係の秘密文書を頼む。』という趣旨の依頼をして懇願し,一応同女の受諾を得たうえ,さらに,原判示C政策研究所事務所において,同女に対し『5月28日愛知外務大臣とマイヤー大使とが請求権問題で会談するので,その関係書類を持ち出してもらいたい。』旨申し向けたというのであるから,被告人の右行為は,国家公務員法111条,109条12号,100条1項の『そそのかし』にあたるものというべきである。

　ところで,報道機関の国政に関する報道は,民主主義社会において,国民が国政に関与するにつき,重要な判断の資料を提供し,いわゆる国民の知る権利に奉仕するものであるから,報道の自由は,憲法21条が保障する表現の自由のうちでも特に重要なものであり,また,このような報道が正しい内容をもつためには,報道のための取材の自由もまた,憲法21条の精神に照らし,十分尊重に値するものといわなければならない(最高裁昭和44年(し)第68号同年11月26日大法廷決定・刑集23巻11号1490頁)。そして,報道機関の国政に関する取材行為は,国家秘密の探知という点で公務員の守秘義務と対立拮抗するものであり,時としては誘導・唆誘的性質を伴うものであるから,報道機関が取材の目的で公務員に対し秘密を漏示するようにそそのかしたからといって,そのことだけで,直ちに当該行為の違法性が推定されるものと解するのは相当ではなく,報道機関が公務員に対し根気強く執拗に説得ないし要請を続けることは,それが真に報道の目的からでたものであり,その手段・方法が法秩序全体の精神に照らし相当なものとして社会観念上是認されるものである限りは,実質的に違法性を欠き正当な業務行為というべきである。しかしながら,報道機関といえども,取材に関し他人の権利・自由を不当に侵害することのできる特権を有するものでないことはいうまでもなく,取材の手段・方法が贈賄,脅迫,強要等の一般の刑罰法令に触れる行為を伴う場合は勿論,その手段・方法が一般の刑罰法令に触れないものであっても,取材対象者の個人としての人格の尊厳を著しく蹂躙する等法秩序全体の精神に照らし社会観念上是認することのできない態様のものである場合にも,正当な取材活動の範囲を逸脱し違法性を帯びるものといわなければならない。これを本件についてみると原判決及び記録によれば,被告人は,昭和46年5月18日頃,従前それほど親交のあった

わけでもなく，また愛情を寄せていたものでもない前記Aをはじめて誘って一夕の酒食を共にしたうえ，かなり強引に同女と肉体関係をもち，さらに，同月22日原判示『ホテルQ』に誘って再び肉体関係をもった直後に，前記のように秘密文書の持出しを依頼して懇願し，同女の一応の受諾を得，さらに，電話でその決断を促し，その後も同女との関係を継続して，同女が被告人との右関係のため，その依頼を拒み難い心理状態になったのに乗じ，以後十数回にわたり秘密文書の持出しをさせていたもので，本件そそのかし行為もその一環としてなされたものであるところ，同年6月17日いわゆる沖縄返還協定が締結され，もはや取材の必要がなくなり，同月28日被告人が渡米して8月上旬帰国した後は，同女に対する態度を急変して他人行儀となり，同女との関係も立消えとなり，加えて，被告人は，本件第1034号電信文案については，その情報源が外務省内部の特定の者にあることが容易に判明するようなその写を国会議員に交付していることなどが認められる。そのような被告人の一連の行為を通じてみるに，被告人は，当初から秘密文書を入手するための手段として利用する意図で右Aと肉体関係を持ち，同女が右関係のため被告人の依頼を拒み難い心理状態に陥ったことに乗じて秘密文書を持ち出させたが，同女を利用する必要がなくなるや，同女との右関係を消滅させてその後は同女を顧みなくったものであって，取材対象者であるAの個人としての人格の尊厳を著しく蹂躙したものといわざるをえず，このような被告人の取材行為は，その手段・方法において法秩序全体の精神に照らし社会観念上，到底是認することのできない不相当なものであるから，正当な取材活動の範囲を逸脱しているものというべきである。」

宗 教 活 動

90 牧師による犯人隠避行為

神戸簡判昭和50年2月20日刑月7巻2号104頁／判時768・3，判タ318・219
（重判昭50憲3・刑1）

【事案】 被告人は，日本キリスト教団G教会牧師であるが，県立H高等学校生徒であるA及びBが，同校において発生した建造物侵入，兇器準備集合，暴力行為等処罰に関する法律違反及び窃盗事件の犯人として警察が捜査中のものであることを知りながら，

⇒ 90

右両名を T 教会に同行し，同教会教育館に宿泊させてこれを隠避した。

【判決理由】「17歳前後の A，B の2少年が同年輩の他の数名の少年と共に学校封鎖を目的として前記建造物侵入等の過激な犯行を敢行しながらも学校封鎖に至ることができず，その直後の敗北と挫折感に打ちひしがれ，思いつめた心理状態にあり，特に A 少年にとって被告人は父親代りの立場にあったこともあって，両少年が被告人に何らかの救済を求めた（それが少年達にとっては，主に逃亡を志向したものであったにしても，幾分かの心の救いを求めるものであったことは間違いない。）のに対し，被告人は牧師としてこれに対処し，彼等が右犯罪行為（窃盗罪該当の事実を除く）をなした者であるとの認識を有したものの，彼等の人間としての救済に魂を凝結し，彼等の将来に思いをめぐらして，何よりも先ず彼等の不安定な心を静め，自己に対する反省と肉体的労働を通じて健全な人間性を取り戻させ，爾後自己の責任において対処せしめるのを最良の道と考え，そのためには彼等が手の届かない所へ逃亡することと他の過激なグループと接触することを予防しながら，労働せしめかつ礼拝への参加，教義の伝道等を通じて地道な自己省察をなさしめるため地元尼崎市から監督と指導に適当な T 教会に一時隔離することを緊急事とし，S 牧師と相談の上その処置を採ったものであり，その結果両少年は8日後には心の落着きを取戻し，自己の行為を反省して自主的に所轄警察署に出頭したものであった。

　従って，それは専ら被告人を頼って来た両少年の魂への配慮に出た行為というべく，被告人の採った右牧会活動は目的において相当な範囲にとどまったものである。

　又，牧会活動はその行為の性質上これをなす者と受ける者の心対心の問題であって，これをなす者が心底からそれを信じて行なうのでなければ魂の救済に役立たないのであるから，これを他人（国家も含む）に任せるということはありえない（尤も援助を求めることは別問題である。）。従ってこれをなす者がこれを受ける者の人間的信頼を得て始めて成功するもので，如何なる事情があっても，一旦約束した秘密を神以外に漏らしてはならない場合もあるであろうから，被告人が一時的に両少年の所在を人に告げなかったことを取立てて責めることは相当ではないし，他に被告人が教会牧師として遵守すべき道を違えたと認めることもできない。

　次に，両少年を取巻く前記諸般の事情を考え，彼等の将来に思いを致せば，

第三者的傍観者はいざ知らず，その渦中に身を投じ彼等と共に真摯に悩む神ならぬ通常人にとっては，被告人の採った右処置以外に適当な方途を見出すことは至難の業であったであろうし，それは正に緊急を要する事態でもあったのである。

　しかも，その間にあっても，右高校封鎖事犯の捜査は，他の少年達の出頭等によって取立てていう程の遅滞もなく進展していたし，両少年も8日後には牧会が効を奏し，自己の責任を反省し自ら責任をとるべく任意に警察に出頭したことではあるし，右程度の捜査の支障は，前述の憲法上の要請を考え，かつ，その後大きくは彼等が人間として救済されたこと，小さくは彼等の行動の正常化による捜査の容易化等の利益と比較衡量するとき，被告人の右牧会活動は，国民一般の法感情として社会的大局的に許容しうるものであると認めるのを相当とし，それが宗教行為の自由を明らかに逸脱したものとは到底解することができない。本件の場合，国家は信教の自由を保障した憲法の趣旨に照らし，右牧会活動の前に一歩踏み止まるべきものであったのである。

　これを要するに，被告人の本件牧会活動は手段方法においても相当であったのであり，むしろ両少年に対する宗教家としての献身は称賛されるべきものであった。

　以上を綜合して，被告人の本件所為を判断するとき，それは全体として法秩序の理念に反するところがなく，正当な業務行為として罪とならないものということができる。」

争 議 行 為

91　久留米駅事件

最大判昭和48年4月25日刑集27巻3号418頁／判時699・107, 判タ292・199

（百選Ⅰ16）

【事案】　国鉄労働組合門司地方本部は，年度末手当に関する要求実現のため，久留米駅において勤務時間内2時間の職場大会の実施を指令し，役員である被告人ら3名は，管理者たる久留米駅長の禁止を無視して信号所に立ち入ったとして建造物侵入罪で起訴され，第1審で有罪となった。これに対して，第2審判決は，争議行為が労働組合法1条1項の目的を達成するためのものであって，それが政治目的で行われたとか，暴力を伴う場合とか，社会通念に照らして不当に長期に及ぶときのように国民生活に重大な障

⇒ 92

害をもたらす場合のような不当性を伴わないかぎり，刑事制裁の対象とはならないとして，無罪を言い渡した。最高裁は，以下のように述べて，原判決を破棄した。

【判決理由】「ところで，勤労者の組織的集団行動としての争議行為に際して行なわれた犯罪構成要件該当行為について刑法上の違法性阻却事由の有無を判断するにあたっては，その行為が争議行為に際して行なわれたものであるという事実をも含めて，当該行為の具体的状況その他諸般の事情を考慮に入れ，それが法秩序全体の見地から許容されるべきものであるか否かを判定しなければならないのである。

　これを本件について見るに，信号所は，いうまでもなく，列車の正常かつ安全な運行を確保するうえで極めて重要な施設であるところ（それゆえ，国鉄の「安全の確保に関する規程」（昭和26年6月28日総裁達第307号。現在は昭和39年4月1日総裁達第151号）15条にも，従業員はみだりに信号所に他人を立ち入らせてはならない旨が明記されている。），原判決の判示するところによれば，被告人Xは，当局側の警告を無視し，勧誘，説得のためであるとはいえ，前記のような状況のもとに，かかる重要施設である久留米駅東てこ扱所2階の信号所の勤務員3名をして，寸時もおろそかにできないその勤務を放棄させ，勤務時間内の職場集会に参加させる意図をもって，あえて同駅長の禁止に反して同信号所に侵入したものであり，また，被告人Yおよび同Zは，労働組合員ら多数が同信号所を占拠し，同所に対する久留米駅長の管理を事実上排除した際に，これに加わり，それぞれ同所に侵入したものであって，このような被告人ら3名の各侵入行為は，いずれも刑法上違法性を欠くものでないことが明らかであり，また，このように解して被告人ら3名の刑事責任を問うことは，なんら憲法28条に違反するものではない。」

92 三友炭坑事件

最判昭和31年12月11日刑集10巻12号1605頁／判時96・1

【判決理由】「本件につき原判決の認定した事実によれば，三友炭坑労働組合は，原判示のような劣悪な労働条件のもとに待遇改善を要求して組合大会を開いた結果罷業に入ったところ，元組合長A外20数名の経営者側に縁故のある者が就業を開始したので，罷業派組合員である被告人は，罷業が組合員の共同目的達成のため已むなくなされたものであるのに，生産同志会は経営者側との不純な動機から同志を裏切り罷業を妨害するもので，もし同志会が就業を開始

すると罷業がその目的を達成し得ないこととなると考え，右同志会員の就業に対し極度に憤慨をしていたこと，被告人は被告人以外の多数の婦人組合員および2，3名の男子組合員らがガソリン車の前方線路上に立ち塞がり，あるいは横臥しもしくは坐り込んでその進行を阻止していたところへ参加して線路上に赴き，軌道から退去を求めるＢらに対し，他の婦人らとともに前示のごとく怒号したにすぎないことが窺われる。このような経過から考えてみると被告人の判示所為はいわば同組合内部の出来事であり，しかもすでに多数組合員が判示Ｂらの炭車運転行為を阻止している際，あとからこれに参加して炭車の前方線路上に赴き判示のように怒号し炭車の運転を妨害したというのに止まるのであるから，かかる情況のもとに行われた被告人の判示所為は，いまだ違法に刑法234条にいう威力を用いて人の業務を妨害したものというに足りず，それゆえ被告人の所為について罪責なしとして無罪の言渡をした原判決は，結局において正当であるから，論旨については特に判断を加えない。」

可罰的違法性

公務員の争議行為に関する判例の変遷

93 全逓東京中郵事件

最大判昭和41年10月26日刑集20巻8号901頁／判時460・10，判タ196・205
（重判昭41・42憲2）

【事案】 全逓信労働組合の役員である被告人らは，いわゆる春季闘争に際して同闘争を有利に展開するため，東京中央郵便局の多数の郵便物取扱い従業員等に対し，昭和33年3月20日の勤務時間内喰い込み職場集会に参加するよう説得して職場離脱による郵便物不取扱いを教唆し，よって右教唆により現に郵便業務に従事しているＡら38名の従業員に職場を離脱させ，郵便物の取扱いをなさしめなかった。第1審判決は，Ａらの行為が郵便法79条1項違反の構成要件に該当することは認めたが，それは争議行為としてなされたものであり，公労法17条1項に違反するものではあるが，争議目的を達成するためにした正当な行為と認められるから，労働組合法1条2項の適用があり，刑法上の違法性を欠くので，郵便法79条1項違反の罪を構成せず，従って被告人等についても教唆等の犯罪が成立することはない，として無罪を言い渡した。これに対して，第2審判決は，判例（最判昭和38年3月15日刑集17巻2号23頁）に従って，被告人らを有罪とした。最高裁は，以下のように判示して判例を変更し，原判決を破棄した。

⇒ *93*

【判決理由】「五　つぎに，公労法17条1項に違反して争議行為をした者に対する刑事制裁について見るに，さきに法制の沿革について述べたとおり，争議行為禁止の違反に対する制裁はしだいに緩和される方向をとり，現行の公労法は特別の罰則を設けていない。このことは，公労法そのものとしては，争議行為禁止の違反について，刑事制裁はこれを科さない趣旨であると解するのが相当である。公労法3条で，刑事免責に関する労組法1条2項の適用を排除することなく，これを争議行為にも適用することとしているのは，この趣旨を裏づけるものということができる。そのことは，憲法28条の保障する労働基本権尊重の根本精神にのっとり，争議行為の禁止違反に対する効果または制裁は必要最小限度にとどめるべきであるとの見地から，違法な争議行為に関しては，民事責任を負わせるだけで足り，刑事制裁をもって臨むべきではないとの基本的態度を示したものと解することができる。

　この点で参考になるのは，国家公務員法および地方公務員法の適用を受ける非現業の公務員の争議行為に対する刑事制裁との比較である。この制裁としては，争議行為を共謀し，そそのかし，もしくはあおり，またはこれらの行為を企てた者だけを罰することとしている（昭和40年法律第69号による改正前の国家公務員法98条5項，110条1項17号，地方公務員法37条1項，61条4号）。その趣旨は，一方で，これらの公務員の争議行為は公共の福祉の要請によって禁止されるけれども，他方で，これらの公務員も勤労者であり，憲法によって労働基本権を保障されているから，この要請と保障を適当に調整するために，単純に争議行為を行なった者に対しては，民事制裁を課するにとどめ，積極的に争議行為を指導した者にかぎって，さらに刑事制裁を科することにしたものと認められる。右の公務員と公労法の適用を受ける公共企業体等の現業職員とを比較すれば，右の公務員の職務の方が公共性の強いことは疑いをいれない。その公務員の争議行為に対してさえも，刑事法上の制裁は積極的に争議行為を指導した者だけに科せられ，単純に争議行為を行なった者には科せられない。そうしてみれば，公共企業体等の現業職員の争議行為には，それより軽い制裁を科するか，制裁を科さないのが当然である。ところで，公労法は刑事制裁に関して，なにも規定していないから，これを科さない趣旨であると解するのが相当である。

　このように見てくると，公労法3条が労組法1条2項の適用があるものとし

ているのは，争議行為が労組法1条1項の目的を達成するためのものであり，かつ，たんなる罷業または怠業等の不作為が存在するにとどまり，暴力の行使その他の不当性を伴わない場合には，刑事制裁の対象とはならないと解するのが相当である。それと同時に，争議行為が刑事制裁の対象とならないのは，右の限度においてであって，もし争議行為が労組法1条1項の目的のためでなくして政治的目的のために行なわれたような場合であるとか，暴力を伴う場合であるとか，社会の通念に照らして不当に長期に及ぶときのように国民生活に重大な障害をもたらす場合には，憲法28条に保障された争議行為としての正当性の限界をこえるもので，刑事制裁を免れないといわなければならない。これと異なり，公共企業体等の職員のする争議行為について労組法1条2項の適用を否定し，争議行為について正当性の限界のいかんを論ずる余地がないとした当裁判所の判例（昭和37年(あ)第1803号同38年3月15日第二小法廷判決，刑集17巻2号23頁）は，これを変更すべきものと認める。

　六　ところで，郵便法の関係について見るに，その79条1項は，郵便の業務に従事する者がことさらに郵便の取扱をせずまたはこれを遅延させたときは，1年以下の懲役または2万円以下の罰金に処すると規定している。……争議行為が労組法1条1項の目的のためであり，暴力の行使その他の不当性を伴わないときは，前に述べたように，正当な争議行為として刑事制裁を科せられないものであり，労組法1条2項が明らかにしているとおり，郵便法の罰則は適用されないこととなる。これを逆にいえば，争議行為が労組法1条1項の目的に副わず，または暴力の行使その他の不当性を伴う場合には，右の罰則が適用される。また，その違法な争議を教唆した者は，刑法の定めるところにより，共犯の責を免れない。」

94　都教組事件

最大判昭和44年4月2日刑集23巻5号305頁／判時550・21，判タ232・252
（重判昭44労1）

【判決理由】「地公法37条，61条4号の各規定が所論のように憲法に違反するものであるかどうかについてみると，地公法37条1項には，『職員は，地方公共団体の機関が代表する使用者としての住民に対して同盟罷業，怠業その他の争議行為をし，又は地方公共団体の機関の活動能力を低下させる怠業的行為をしてはならない。又，何人も，このような違法な行為を企て，又は遂行を共

謀し，そそのかし，若しくはあおってはならない。』と規定し，同法61条4号
には，『何人たるを問わず，第37条第1項前段に規定する違法な行為の遂行を
共謀し，そそのかし，若しくはあおり，又はこれらの行為を企てた者』は3年
以下の懲役または10万円以下の罰金に処すべき旨を規定している。これらの
規定が，文字どおりに，すべての地方公務員の一切の争議行為を禁止し，これ
らの争議行為の遂行を共謀し，そそのかし，あおる等の行為（以下，あおり行
為等という。）をすべて処罰する趣旨と解すべきものとすれば，それは，前叙
の公務員の労働基本権を保障した憲法の趣旨に反し，必要やむをえない限度を
こえて争議行為を禁止し，かつ，必要最小限度にとどめなければならないとの
要請を無視し，その限度をこえて刑罰の対象としているものとして，これらの
規定は，いずれも，違憲の疑を免れないであろう。

　しかし，法律の規定は，可能なかぎり，憲法の精神にそくし，これと調和し
うるよう，合理的に解釈されるべきものであって，この見地からすれば，これ
らの規定の表現にのみ拘泥して，直ちに違憲と断定する見解は採ることができ
ない。

　……（中略）……

　地方公務員の具体的な行為が禁止の対象たる争議行為に該当するかどうかは，
争議行為を禁止することによって保護しようとする法益と，労働基本権を尊重
し保障することによって実現しようとする法益との比較較量により，両者の要
請を適切に調整する見地から判断することが必要である。そして，その結果は，
地方公務員の行為が地公法37条1項に禁止する争議行為に該当し，しかも，
その違法性の強い場合も勿論あるであろうが，争議行為の態様からいって，違
法性の比較的弱い場合もあり，また，実質的には，右条項にいう争議行為に該
当しないと判断すべき場合もあるであろう。

　……（中略）……

　ところで，地公法61条4号は，争議行為をした地方公務員自体を処罰の対
象とすることなく，違法な争議行為のあおり行為等をした者にかぎって，これ
を処罰することにしているのであるが，このような処罰規定の定め方も，立法
政策としての当否は別として，一般的に許されないとは決していえない。ただ，
それは，争議行為自体が違法性の強いものであることを前提とし，そのような
違法な争議行為等のあおり行為等であってはじめて，刑事罰をもってのぞむ違

法性を認めようとする趣旨と解すべきであって，前叙のように，あおり行為等の対象となるべき違法な争議行為が存しない以上，地公法61条4号が適用される余地はないと解すべきである。

……（中略）……

　争議行為そのものに種々の態様があり，その違法性が認められる場合にも，その強弱に程度の差があるように，あおり行為等にもさまざまの態様があり，その違法性が認められる場合にも，その違法性の程度には強弱さまざまのものがありうる。それにもかかわらず，これらのニュアンスを一切否定して一律にあおり行為等を刑事罰をもってのぞむ違法性があるものと断定することは許されないというべきである。ことに，争議行為そのものを処罰の対象とすることなく，あおり行為等にかぎって処罰すべきものとしている地公法61条4号の趣旨からいっても，争議行為に通常随伴して行なわれる行為のごときは，処罰の対象とされるべきものではない。それは，争議行為禁止に違反する意味において違法な行為であるということができるとしても，争議行為の一環としての行為にほかならず，これらのあおり行為等をすべて安易に処罰すべきものとすれば，争議行為者不処罰の建前をとる前示地公法の原則に矛盾することにならざるをえないからである。したがって，職員団体の構成員たる職員のした行為が，たとえ，あおり行為的な要素をあわせもつとしても，それは，原則として，刑事罰をもってのぞむ違法性を有するものとはいえないというべきである。

　これを本件についてみるに，原審の確定したところによれば，文部省が企図した公立学校教職員に対する勤務評定の実施に反対する日教組の方針に則り，都教組も，その定例委員会において，休暇闘争を含む実力行使をもってこれに対応する方針をきめたが，都教育長は，昭和33年4月19日に，同月23日の都教育委員会に勤務評定規則案を上程する旨の告示をすると言明し，爾後の話合いを拒否するに至ったので，都教組は，同月21日に，『組合員は勤務評定を実施させない措置を地公法4条に基いて人事委員会に要求せよ。右手続は昭和33年4月23日午前8時から開催する全員集会で取りまとめて提出せよ。（右手続に必要な休暇請求は同日までに行う）』との指令を発し，右指令に基づいて，同月23日1日の一せい休暇闘争を行なったというのであり，原判決は，右は同盟罷業にあたるものとし，被告人らがしたその指令配布，趣旨伝達等の行為について，被告人らは地公法61条4号の争議行為の遂行をあおったもの

として，同条の刑責を免れないとしているのである。

　しかし，本件をさきに詳細に説示した当裁判所の考え方に従って判断すると，本件の一せい休暇闘争は，同盟罷業または怠業にあたり，その職務の停廃が次代の国民の教育上に障害をもたらすものとして，その違法性を否定することができないとしても，被告人らは，いずれも都教組の執行委員長その他幹部たる組合員の地位において右指令の配布または趣旨伝達等の行為をしたというのであって，これらの行為は，本件争議行為の一環として行なわれたものであるから，前示の組合員のする争議行為に通常随伴する行為にあたるものと解すべきであり，被告人らに対し，懲戒処分をし，また民事上の責任を追及するのはともかくとして，さきに説示した労働基本権尊重の憲法の精神に照らし，さらに，争議行為自体を処罰の対象としていない地公法61条4号の趣旨に徴し，これら被告人のした行為は，刑事罰をもってのぞむ違法性を欠くものといわざるをえない。したがって，被告人らは，あおり行為等についての刑責を免れないとした原判決の右判断は，法令の解釈適用を誤ったもので，その違法は判決に影響を及ぼすことが明らかであり，これを破棄しなければ著しく正義に反するものといわざるをえない。」

95　岩手県教組事件

最大判昭和51年5月21日刑集30巻5号1178頁／判時814・73，判タ336・161

(重判昭51憲6)

【事案】　被告人らは，岩手県教員組合の役員であるが，岩手県教育委員会がその管理する各市町村立中学校生徒に対する昭和36年度全国中学一せい学力調査を実施するにあたり，その実施に反対し，同組合参加組合員である市町村立中学校教員約4300名に対して，右調査の実施に関する職務の遂行を拒否しその調査の実施を阻止すべき旨を記載した指示書を発してその趣旨を伝達し，もって地方公務員である教職員に対し争議行為の遂行をあおった。第1審判決が，地方公務員法61条4号，37条1項違反の罪を認めたのに対し，第2審判決は，刑事制裁を科するもやむを得ないと認められる程度に強度の違法性を帯びる行為でなければ処罰されないと解して，地公法61条4号の罪は成立しない，とした。最高裁は，以下のように述べて，原判決を破棄した。

【判決理由】　「地公法61条4号の規定の解釈につき，争議行為に違法性の強いものと弱いものとを区別して，前者のみが同条同号にいう争議行為にあたるものとし，更にまた，右争議行為の遂行を共謀し，そそのかし，又はあおる等の行為についても，いわゆる争議行為に通常随伴する行為は単なる争議参加行為

と同じく可罰性を有しないものとして右規定の適用外に置かれるべきであると解しなければならない理由はなく，このような解釈を是認することはできないのである。いわゆる都教組事件についての当裁判所の判決（昭和41年㋐第401号同44年4月2日大法廷判決・刑集23巻5号305頁）は，上記判示と抵触する限度において，変更すべきものである。そうすると，原判決の上記見解は，憲法18条，28条及び地公法61条4号の解釈を誤ったものといわなければならない。」

96 名古屋中郵事件

最大判昭和52年5月4日刑集31巻3号182頁／判時848・21，判タ347・118
（重判昭52憲2・刑1）

【事案】 全逓信労働組合の役員である被告人ら4名は，名古屋中央郵便局地下第1食堂において同郵便局郵便集配課職員Aら9名に対し，昭和33年3月20日の勤務時間内喰込み職場集会に参加するよう説得して職場離脱による郵便物不取扱いを教唆し，よって右教唆によりAらの担当する郵便物の配達をさせず，被告人ら4名は，同郵便局郵便局長の管理する同郵便局地下第1食堂に侵入し，被告人のうち3名は，約40名のピケ員を指揮し，同局3階普通郵便課及び同2階小包郵便課作業室に侵入した，として起訴された。第1審判決は，Aらは被告人らから参加を呼びかけられた時点で既に職場集会への参加を決意していたとして，郵便法79条1項の罪の教唆に代えて幇助の罪の成立を認め，さらに，建造物侵入罪の成立を認めた。これに対し，第2審判決は，全逓東京中郵事件判決（⇒96）に従い，被告人らの行為は正当な争議行為であるとして，いずれも無罪を言い渡した。最高裁は，以下のように述べて，原判決を破棄した。

【判決理由】「(1) 初めに，憲法28条の趣旨からこの問題を考えてみると，既に説示した理由によって，公労法17条1項による争議行為の禁止が憲法28条に違反しておらず，その禁止違反の争議行為はもはや同法条による権利として保障されるものではないと解する以上，民事法又は刑事法が，正当性を有しない争議行為であると評価して，これに一定の不利益を課することとしても，その不利益が不合理なものでない限り同法条に抵触することはない，というべきである。

……（中略）……

(2) さらに，法律の趣旨に即して検討すると，まず，公労法3条1項に労組法1条2項の適用を除外する旨の積極的な明文の定めがないことを根拠として，公労法17条1項に違反する争議行為についてもなお労組法1条2項の適用が

⇒ 96

あるとみてその刑事法上の違法性阻却を肯定するのが公労法の趣旨に沿う解釈であるとする考えがある。しかしながら，同法3条1項が……労組法の規定を適用する場合を公労法に定めのない場合に限定しているところからみると，右の職員に関する労働関係のうち，団体交渉等については，公労法に定めのない場合にあたるので，労組法1条2項が適用されて，その正当なものは違法性が阻却されるけれども，争議行為については，公労法17条1項にいっさいの行為を禁止する定めがあって，これに違反することが明らかであるので，労組法1条2項を適用する余地はないと解される。

　……（中略）……

　(4)　また，刑罰を科するための違法性は，一般に行政処分や民事責任を課する程度のものでは足りず，一段と強度のものでなければならないとし，公労法17条1項違反の争議行為には右の強度の違法性がないことを前提に，労組法1条2項の適用があると解すべきである，とする見解がある。確かに，刑罰は国家が科する最も峻厳な制裁であるから，それにふさわしい違法性の存在が要求されることは当然であろう。しかし，その違法性の存否は，ここに繰り返すまでもなく，それぞれの罰則と行為に即して検討されるべきものであって，およそ争議行為として行われたときは公労法17条1項に違反する行為であっても刑事法上の違法性を帯びることがないと断定するのは，相当でない。特に，この条項は，前記のとおり，五現業及び三公社の職員に関する勤務条件の決定過程が歪められたり，国民が重大な生活上の支障を受けることを防止するために規定されたものであって，その禁止に違反する争議行為は，国民全体の共同利益を損なうおそれのあるものというほかないのであるから，これが罰則に触れる場合にその違法性の阻却を認めえないとすることは，決して不合理ではないのである。してみると，公労法において禁止された争議行為が合理的に定められた他の罰則の構成要件を充足している場合にその罰則を適用するにあたり，かかる争議行為とは無関係に行われた同種の違法行為を処罰する通常の場合に比して，より強度の違法性が存在することを要求するのは，当をえないものといわなければならない。なお，郵便法79条1項が公共性の強い郵便業務を保護するための罰則であって不合理なものといえないことは，東京中郵事件判決が説示するとおりである。

　㈡　以上の理由により，公労法17条1項違反の争議行為についても労組法

1条2項の適用があり，原則としてその刑事法上の違法性が阻却されるとした点において，東京中郵事件判決は，変更を免れないこととなるのである。」

「㈠　公労法17条1項に違反する争議行為が郵便法79条1項などの罰則の構成要件に該当する場合に労組法1条2項の適用がないことは，上述したとおりであるが，そのことから直ちに，原則としてその行為を処罰するのが法律秩序全体の趣旨であると結論づけるのは，早計に失する。すなわち，罰則の構成要件に該当し，違法性があり，責任もある行為は，これを処罰するのが刑事法上の原則であるが，公労法の制定に至る立法経過とそこに表れている立法意思を仔細に検討するならば，たとい同法17条1項違反の争議行為が他の法規の罰則の構成要件を充たすことがあっても，それが同盟罷業，怠業その他単なる労務不提供のような不作為を内容とする争議行為である場合には，それを違法としながらも後に判示するような限度で単純参加者についてはこれを刑罰から解放して指導的行為に出た者のみを処罰する趣旨のものであると解するのが，相当である。」

被害軽微事例

97　1厘事件

大判明治43年10月11日刑録16輯1620頁

【事案】　煙草耕作人である被告人は，葉煙草7分（価額金1厘）を国に納付することなく自ら消費したとして，原審において煙草専売法違反の罪で有罪となった。大審院は，以下のように述べて，原判決を破棄し無罪を言い渡した。

【判決理由】　「抑も刑罰法は共同生活の条件を規定したる法規にして国家の秩序を維持するを以て唯一の目的とす果して然らば之を解釈するに当りても亦主として其国に於て発現せる共同生活上の観念を照準とすへく単に物理学上の観念のみに依ることを得す而して零細なる反法行為は犯人に危険性ありと認むへき特殊の情況の下に決行せられたるものにあらさる限り共同生活上の観念に於て刑罰の制裁の下に法律の保護を要求すへき法益の侵害と認めさる以上は之に臨むに刑罰法を以てし刑罰の制裁を加ふるの必要なく立法の趣旨も亦此点に存するものと謂はさるを得す故に共同生活に危害を及ほささる零細なる不法行為を不問に付するは犯罪の検挙に関する問題にあらすして刑罰法の解釈に関する

問題に属し之を問はさるを以て立法の精神に適し解釈法の原理に合するものとす従て此種の反法行為は刑罰法条に規定する物的条件を具ふるも罪を構成せさるものと断定すへく其行為の零細にして而も危険性を有せさるか為め犯罪を構成せさるや否やは法律上の問題にして其分界は物理的に之を設くることを得す健全なる共同生活上の観念を標準として之を決する外なしとす而して原院の認めたる事実に依れは被告か政府に対して怠納したる葉煙草は僅僅7分に過きさる零細のものにして費用と手数とを顧みすして之を誅求するは却て税法の精神に背戻し寧ろ之を不問に付するの勝れるに如かさるのみならす被告の所為は零細なる葉煙草の納付を怠りたるの外特に之を危険視すへき何等の状況存せさりしことは原判文上明白なれは被告の所為は罪を構成せさるものなるに原院か之に対して刑を言渡したるは失当にして上告論旨は理由あり」

98 旅館たばこ買い置き事件

最判昭和32年3月28日刑集11巻3号1275頁／判時107・1

【判決理由】「原判決の判示並びに挙示の証拠によれば，被告人は，予てから旅館業を営み，宿泊客等から煙草の購入方を依頼されたときは，その都度自宅から5,600米離れた居村にただ1軒しかない煙草小売人A方に女中を遣わしていたのであるが，同小売店は，午後10時過以後は閉店することがあって，客の依頼に応じ得ないこともあり，且つ，多忙の場合には女中等の手数も少くないので，そのような不便を避けるために必要な限度内において客の依頼を予想して比較的需要の多い光10本入，ゴールデンバット20本入等取り混ぜ約20個づつを一括して予め右A方から定価で買入れ，これを帳場の押入内の硝子壜に入れて保管し置き，客の現実の依頼の都度その所用個数を取り出し客に交付し，即時又は宿泊料支払の際定価に相当する額の金銭だけを受取っていたものであることを窺知することができる。そして，原判示第一の㈠，㈡の事実も，前記小売人以外の者より入手し又は売店若しくは店頭に陳列して一般人に譲渡したものではなく，全く前記のごとき経緯の下に判示のごとき小量の煙草を判示宿泊客に交付したものであり，また，原判示第2の事実は，右のごとき目的で帳場の押入内の硝子壜に入れて置いたに過ぎないものであることを窺知するに充分である。されば，当裁判所は，右のごとき交付又は所持は，たばこ専売法制定の趣旨，目的に反するものではなく，社会共同生活の上において許

容さるべき行為であると考える。従って，同法29条2項にいわゆる販売又は同法71条5号後段にいわゆる販売の準備に当るものとは解することができない。それ故，原判決は，刑訴411条3号又は1号によりこれを破棄しなければ著しく正義に反するものと認める。」

99 マジックホン事件

最決昭和61年6月24日刑集40巻4号292頁
（百選Ⅰ17，重判昭61刑6）

【事案】　被告人は，会社設立に当たって世話になったことのあるAから，加入電話の回線に取り付けると，その電話を受信側とする相手方送信側の通話料金が徴収されない仕組みとなっているマジックホンと称する電気機器の購入をすすめられた。マジックホンは，回線電話（受信側）の自動交換装置からその通話先（送信側）の自動交換装置内度数計器を作動させるために発信されるべき応答信号を妨害する機能を有するものである。被告人は，そのような機器を使用することは法規に触れるのではないかと危惧したが，Aが弁護士に相談したが法的に問題ないとのことであったと説明したので，民事上の責任問題を生ずることはあると思ったが，Aが金に困っているようであり，迷惑をかけたこともあるので，その清算の意味もあり，同機器2台を1台あたり7万2000円で買い受けた。被告人は，マジックホンがAの説明した通りの性能を持つものか多少の疑念をもち，その性能を試してみようと考え，自己の経営する会社事務所に設置されている電話の回線にマジックホンを取り付け，従業員に命じて公衆電話から通話を試みさせたところ，事務所の電話との間で交信があったのに，公衆電話の方では10円硬貨が返戻されてきたことを知った。被告人は，マジックホンがAの説明したとおりの効果があることを確認したが，法律上問題がないか不安を覚え，顧問弁護士に使用の可否をただしたところ，使用しない方がよいとの教示があったので，直ちにこれを取り外し，他の未使用の1台と共に事務所のロッカーに蔵置し，その後この機器を使用したことはなかった。被告人は，マジックホンを使用して公社の通信を妨害するとともに通話料金の適正な計算課金業務を妨害したとして起訴された。第1審判決は，被告人の行為は外形的，形式的にみれば刑法の偽計業務妨害罪と特別法の有線電気通信法第21条に該当するとしても，①機能をテストする目的で1回使用しただけであること，②弁護士に相談し直ちに使用を中止して機器を取り外しており，その態度は遵法精神にかけるものではなく，むしろ一般人としては極めて慎重な態度と評価しうること，③電々公社に与えた実害はわずか10円に過ぎないこと，④有線電気通信法違反の罪に関しても，世上一般の通信の概念からみれば，応答信号への障害が取締の対象となるという認識はほとんどなく，法の不知は恕せずという考え方をとることは極めて酷としか言いようがないこと，等を理由として挙げて，本件被告人の行為は可罰的違法性を欠き無罪であると

した。これに対して，第2審判決は，有線電気通信法違反の罪及び偽計業務妨害罪はいずれもいわゆる危険犯であって，現実に有線電気通信又は業務が妨害されることは必要でないと解すべきであり，被告人がマジックホンを加入電話回線に取り付けたことが，応答信号の送出又は公社の課金業務の遂行を妨害するおそれのある行為に該当し，これにより犯罪が成立するから，被告人がその後弁護士に相談の上これを取り外したこと，実害が僅少であることなどは，犯罪後の情状に過ぎない，と判示して，両罪の成立を認めた。

【決定理由】「被告人がマジックホンと称する電気機器1台を加入電話の回線に取り付けた本件行為につき，たとえ被告人がただ1回通話を試みただけで同機器を取り外した等の事情があったにせよ，それ故に，行為の違法性が否定されるものではないとして，有線電気通信妨害罪，偽計業務妨害罪の成立を認めた原判決の判断は，相当として是認できる。」

100 パンフレット2通在中の封筒の財物性を否定した事例

東京高判昭和54年3月29日判時977号136頁

【事案】 被告人はパンフレット2通在中の封筒を窃取したが，原審は，窃盗未遂の成立を認めるにとどめた。

【判決理由】「被告人は原判示の日時場所において，買物客Aが左腕に提げていた手提袋内から，パンフレット2通在中の封筒を，その中に金員が入っていると思って抜き取ったが，居合わせた警察官に現認されその場で現行犯逮捕されたことが明らかであるところ，原判決説示のとおり，右パンフレット2通のうち1通は広告文言を印刷した1枚の紙片，他の1通は女性の洋装品類を広告する内容のカラー印刷の部分もある変型A4番4枚綴りのもので，これを3つ折りにして入れた封筒は縦約23.5センチメートル，横約12センチメートルの洋装店名の印刷してある白色紙製のものであって，それらは本件現場近くのミカド洋装店の店舗内に同種のものが多量に置かれてあり，傍らに『自由にお持ち下さい』と掲示してあったので，前記Aが後でちょっと見ようと思いそのうちの一部を取り自分の手提袋の中に入れて持っていたものであることも明白であるから，本件現場ではこれらは同女の所有に属し，無主物といえないことは明らかであるが，その財物性について考えると，これらはいわゆる広告用パンフレット類に属し，右洋装店に行けば誰でも自由に入手できるものであり，右Aもさほど価値を認めていなかったのであって，現に同人は本件後帰宅し

てこれをべっ見しただけで捨ててしまったことが認められるのであるから，これらについては客観的にも主観的にもその価値が微小であって，窃盗罪の客体である財物としてこれを保護するに値しないと解するのが相当であり，これと同趣旨の原判決の判断は正当として是認することができる。」

法益衡量事例

101　大阪学芸大学事件

最決昭和 48 年 3 月 20 日判時 701 号 25 頁／判タ 291・256

【事案】 P 大学学生である被告人 X と Y 及び Q 大学学生である被告人 Z は，道路上で大阪府天王寺警察署勤務の巡査 A に対し，同巡査が P 大学 R 分校の学生 B 子と交際を始めたことについて弁明を求めたいので同大学 S 分校まで同行されたい旨強く要請し，同巡査がこれを拒否したにもかかわらず，他の学生数名と共同して同巡査の胸倉を摑み，両腕を取り，肩を押す等の暴行を加えて同巡査の腕をひっぱりあるいはかかえ，あるいはその背中を押し，腰を後から押すようにして引きずるごとく約 100 メートル離れた P 大学 S 分校前まで連行した。第 1 審判決（大阪地判昭和 37 年 5 月 23 日）は，被告人らの行為は，暴力的行為等処罰に関する法律第 1 条の構成要件に該当するが，超法規的に違法性が阻却される，として無罪を言い渡した。その理由は，①A 巡査が P 大学学生自治会の活動に関する情報を秘密裡に収集する意図のもとに B 子に接近・接触した行為は，大学の自治に対する侵害行為にあたり，②被告人らの目的は，学問の自由，大学の自治を保全擁護しようとすることにあるから正当であると認められ，③A 巡査に対する暴行も学生達の動機目的に比し相当であって止むを得ない限度をこえておらず，④法益の侵害も行動の自由がわずかの距離と時間において制約され，精神的にはいささか不愉快と畏怖ないしは不安緊張の念を生じた程度に過ぎないものと認められ，かかる個人的具体的な法益に対する侵害の内容程度と，本件被告人らが保全擁護しようとした学問の自由に関する法益との大小を比較すると後者が優越することは多言を要せず，⑤学問の自由その他憲法上の自由及び権利に対する侵害の排除は常に要急のことであって急を要しない防衛ということは考える余地がない，というものである。検察官の控訴に対して，第 2 審判決（大阪高判昭和 41 年 5 月 19 日下刑集 8 巻 5 号 686 頁）は，A 巡査の情報収集活動は，自治会の政治的社会的活動が違法行為に発展する可能性を有しているのではないかとの疑いのもとに，それを探知する目的に出たもので，学外でなんら強制を伴わない方法によって行われたものであるから，学問の自由，自治を侵害したものとは認められないし，暴力を行使して約 100 メートル離れた P 大構内まで連行しようとするがごときは，許容される手段とは解しがたく，釈明要求の方法としては

⇒ *102*

相当性を欠くといわなければならないので，本件行為が超法規的に違法性を阻却されるとの原判決の判断は妥当を欠く，とした。しかし，同判決は，続けて，A 巡査の行為は隠微かつ不明朗で，学生の側からいえば，学問の自由，個人の尊厳を侵されると感ずることは無理からぬところがあり，その反感，憤激を容易に誘発し易い活動で，学生達が本件暴力に及んだのも当日の機運状況からいえばいわば自然の勢いであるといわねばならず，また，本件被告人らの有形力の行使は，極めて短時間かつ短距離の範囲で法益侵害の程度はきわめて軽微であるから，本件暴力行為は可罰的評価に値するほどのものとは認められない，と判示し，結論として控訴を棄却した。本決定は，検察官の上告を刑訴法 405 条の上告理由にあたらないとした上で，次のように判示し，上告を棄却した。

【決定理由】「なお，所論にかんがみ職権で調査するも，いまだ同法〔刑訴法〕411 条を適用すべきものとは認められない。」

超法規的違法性阻却

102 舞鶴事件

最決昭和 39 年 12 月 3 日刑集 18 巻 10 号 698 頁／判時 394・8，判タ 172・163

【事案】 昭和 28 年 5 月，舞鶴引揚援護局寮内で中国からの引揚者による帰国者大会が開かれた際，大会が非公開になった後も退場しないで傍聴していた援護局非常勤職員 A が発見され，そのポケットから大会のメモ等が見つかったため，帰国者たちは，A が政府当局の命を受けて大会に潜入し帰国者の思想や動静を探索していたと確信し，A の調査を被告人 X 及び Y を含む十数人が行うことを決定した。被告人 X 及び Y らは，A を隣の食堂に連れて行って取り囲み，午後 9 時過ぎから午前 1 時頃まで尋問を行い（第 1 行為），さらに，Y は A を援護寮内の室に連れ込んで監視し，午前 2 時頃 A を捜して同室に入ってきた援護局職員等が連れ帰るまで A を監禁した（第 2 行為）。第 1 審判決は，「行為の違法性はこれを実質的に理解し，社会共同生活の秩序と社会正義の理念に照し，その行為が法律秩序の精神に違反するかどうかの見地から評価決定すべきものであって若し右行為が健全な社会の通念に照し，その動機目的において正当であり，そのための手段方法として相当とされ，又その内容においても行為により保護しようとする法益と行為の結果侵害されるべき法益とを対比して均衡を失わない等相当と認められ，行為全体として社会共同生活の秩序と社会正義の理念に適応し法律秩序の精神に照して是認できる限りは，仮令正当防衛，緊急避難，ないし自救行為の要件を充さない場合であっても，なお超法規的に行為の形式的違法の推定を打破し犯罪の成立を阻却するものと解するのが相当である。」として，被告人 X と Y の第 1 行為は監禁罪の構成要

件に該当するが，違法性が阻却される（「その根拠は窮極するところ刑法第35条」）とした。また，Yの第2行為については，相当性を超えるとして過剰行為を認め，刑法第36条2項を準用して刑を免除した。これに対して，第2審判決は，「たとえその態様において正当防衛又は緊急避難に近似する場合においても，急迫の侵害又は現在の危難というが如き緊急性の要件を欠く場合に，これに対し実力行動によりなされた防衛的又は避難的行為につき違法性の阻却される場合を認め得るとしても，それは極めて特殊例外の場合であって濫りにこれを認め得ないことは勿論，そのための要件は正当防衛又は緊急避難の場合に比し，一層厳格なものを要するものと解すべきは当然であって，その行為の目的の正当性，法益権衡等の要件を具備する外特にその行為に出ることがその際における情況に照らし緊急を要する已を得ないものであり，他にこれに代る手段方法を見出すことが不可能若しくは著しく困難であることを要するものと解するのが相当である」と判示し，本件はこのような補充性の要件を充たさないとして，被告人X及びYについて監禁罪の成立を認めた。最高裁は，適法な上告理由に当らないとして上告を棄却した上で，以下のように判示した。

【決定理由】「原判決が，Aに対する前記援護局第2寮2階食堂及び階下6区室における各抑留は終極的には同一の目的遂行のために同一の客体に対して継続して行われた1個の監禁罪の各部分をなすものであって，これを分割して観察すべきものではないとして，包括的に全体として1個の監禁罪を構成するものと判断したこと，並びに被告人Xが本件犯行のすべてについて共謀した事実及びAが政府当局の命を受けて帰国者の思想ないし動静を探査していたいわゆる官憲のスパイではないという事実を認定したことは，いずれも相当であると認められる。されば，帰国者大会が非公開とせられた後も秘かに会場内に残留してこれを傍聴した原判決の如きAの行為が，仮に所論の如く帰国者等の集会，思想，表現等の自由を侵害し，憲法19条，21条等の規定に違反するものであるとしても，右法益に対してなされた侵害を回復し，かつ将来における同種の法益の侵害を予防しようとしてなされた原判示の如き被告人等の同女に対する行為は，本件における原判示の如き具体的事態の下において社会通念上許容される限度を超えるものであって，刑法35条の正当の行為として違法性が阻却されるものとは認め難い。」

⇒ *103・104*

自 救 行 為

103 自救行為が違法性阻却事由であることを認めた事例

最決昭和46年7月30日刑集25巻5号756頁／判時641・104, 判タ266・225

【事案】 被告人Xは，自己の所有する土地でAと共同で釣り堀を経営する契約を結び，Aは契約通り右土地に家屋を建築し，その屋根の下に水槽を設置してこれに鯉，鰻等を入れ，まもなく釣り堀営業を開店しようとするに至った。しかし，Xは，Aに対し，Aを共同経営者でなく雇人とする等の契約内容の変更を要求し，Aがこれを拒絶すると，暴力団員と目される被告人Yと語らい，両名共謀の上，突然人夫数十名を引率指揮して，Aが新築した建造物を目茶苦茶に打ち壊すとともに，水槽にいれてあったAと共有の鯉約150キロ，鰻約47キロを水槽の栓を抜いて水を流す等の方法をもって死滅させ，よって建造物並びに器物を損壊した。第1審判決は，建造物損壊罪及び器物損壊罪の成立を認め，原判決は，被告人の行為は自救行為として違法性が阻却されるという弁護人の主張を，刑事訴訟法第335条2項により判断を示すべき事項とは認められないと判示して，控訴を棄却した。

【決定理由】「自救行為は，正当防衛，正当業務行為などとともに，犯罪の違法性を阻却する事由であるから，この主張は，刑訴法335条2項の主張にあたるものと解すべきである。これに反する原判断は，法令の解釈を誤ったものであるが，記録によれば，本件は，自力救済を認めるべき場合でないことが明らかであるから，この誤りは，判決に影響を及ぼさない。」

104 自救行為に当たらないとした事例

最判昭和30年11月11日刑集9巻12号2438頁
（百選Ⅰ19）

【事案】 被告人は，Aの住居の玄関軒先が被告人の借地内に突き出して築造されているため，これを取り除くべきこと，もしこれに応じ難いなら，被告人においてこれを取り除くことにつき承諾を求めることを交渉していたが，Aが承諾しなかったので，情を知らないBに命じて当該玄関軒先を間口8尺奥行1尺に亘って切りとらせた。第1審判決は，自救行為の主張を否定して，建造物損壊罪の成立を認め，第2審判決も，次のように判示して，これを是認した。「被告人の切断した本件Aの玄関が被告人の借地内に突出していたことは本件記録により認め得られるが，仮にこれが所論のようにAの無許可の不法建築であっても，その侵害を排除するため法の救済によらずして自ら実力を用いることは法秩序を破壊し社会の平和を乱し，その弊害たるや甚しく現在の国家形態においては到底認容せらるべき権利保護の方法ではない。正当防衛又は緊急避難の要件を具備する場合は格別，漫りに明文のない自救行為の如きは許さるべきものでは

ないのである。そして，本件記録及び原裁判所で取調べた証拠によると，被告人は増築を設計する当初からA所有の建物の玄関庇が突出していることが判っているにかかわらず被告人の意のままに設計増築し原判示所為に出たるものでその被告人の所為が正当防衛又は緊急避難の要件を具備していないことが明かである。その増築は倒産の危機を突破するためやむなくしたものでありAの損害は僅少で増築による被告人の受ける利益は多大であるというが如きは未だ法の保護を求めるいとまがなく且即時にこれを為すに非ざれば請求権の実現を不可能若しくは著しく困難にする虞がある場合に該当するとは認めることができない。」

【判決理由】「所論自救行為に関する原判決の判断は正当である。」

105 自救行為による違法性阻却を認めた事例

福岡高判昭和45年2月14日高刑集23巻1号156頁／判時593・104，判タ251・278

【事案】 被告人は，A所有の店舗を期間の定めなく賃借し，Bと共に履物販売業を営んでいたが，賃借権設定前から店舗に設定されていた抵当権が実行され，所有権がAからCに移った。そこで，CがBに対して明渡請求の訴えを起こし勝訴したので，Bは右営業を廃止することに決めて，商品を運び出し，占有を放棄する意思で，店舗を空にしてシャッタードアの内外錠の鍵を壁に掛けたまま退去した。その後，Cは，この錠を使用してドアに施錠して店舗の占有を取得した。その4日後，被告人は，賃借権およびこれに基づく占有を確保するため，シャッタードアの内外錠を損壊してその取り替えをなし，自動車の格納をしたうえ新たに施錠して戸締まりし，もって本件店舗の占有を取得した。被告人は，器物損壊罪と不動産侵奪罪で起訴され，第1審判決は，Bが占有を放棄した時点で，被告人は店舗の占有を失いそれと同時に賃借権の対抗力も失った，として両罪の成立を認めた。これに対して，本判決は，Bの占有放棄後も，共同占有者である被告人の占有は継続していたとするとともに，以下のように判示して，被告人に無罪を言い渡した。

【判決理由】「被告人はCに対し，右占有の回収を得るための占有訴権を有することは多言を要しないところ，……Cは右占有取得前から被告人が前記賃借権にもとづく占有の存在およびその継続の意思を主張していることを知悉していたことが認められるうえに，被告人が本件店舗の前叙錠を取り替えるまでにはCの右占有取得後4日しか経過していないのであるから，結局，Cの本件建物に対する右占有は，被告人との関係において，被告人の右錠取り替えのときまでに，未だ安定した生活秩序として確立していなかったものと認めるのが相当である。

　そして，平和秩序維持のため物に対する事実的支配の外形を保護せんとする

占有制度の趣旨および作用からいって，占有侵奪者であるＣの占有が前叙のように未だ平静に帰して新しい事実秩序を形成する前である限り，被侵奪者である被告人の喪失した占有は未だ法の保護の対象となっているものと解すべく，従って，被告人はＣの右占有を実力によって排除ないしは駆逐して，自己の右占有を回収（奪回）することが法律上許容されるものと解される（いわゆる自救行為として）。

してみると，被告人の前叙シャッタードアーの内外錠の取り替えならびに自動車の格納は，……Ｃから本件店舗の占有を奪回する手段方法として為されたものであることは，原審において取り調べた各証拠により明らかであるとともに，その手段方法としても必ずしも不当とはいえないのであるから，被告人が右錠の取り替えの一環としてなした原判示第１の旧内外錠の損壊行為ならびに自動車の格納行為には違法性がないものというべきである。」

被害者の同意

社会的法益，国家的法益に対する罪

106 虚偽告訴に対する同意

大判大正元年 12 月 20 日刑録 18 輯 1566 頁
⇒各論 *567*

【判決理由】「誣告罪は一方所論の如く個人の権利を侵害すると同時に他の一方に於て公益上当該官憲の職務を誤らしむる危険あるか為め処罰するものなるか故に縦し本案は所論の如く被誣告者に於て承諾ありたる事実なりとするも本罪構成上何等影響を来すへき理由なきを以て本論旨は理由なし」

107 「陵虐行為」に対する同意

東京高判平成 15 年 1 月 29 日判時 1835 号 157 頁

【事案】　神奈川県警察官であった被告人は，同県泉警察署警務課管理係員として，法令により拘禁された者を看守する職務に従事していた際，同署留置場内において，殺人等の罪により起訴されて勾留中であったＢ子を 7 回にわたって姦淫した。原判決が特別公務員暴行陵虐罪の成立を認めたのに対して，弁護人は，被告人とＢ子は，お互いに恋愛感情を抱き，積極的に意欲して性交を重ねていたものであって，陵虐行為に当たらないと主張して控訴した。本判決は，以下のように述べて控訴を棄却した。

【判決理由】「特別公務員暴行陵虐罪は，刑法の中で汚職の罪（平成 7 年の改

正前の同法では「瀆職ノ罪」）の章に規定されており，その保護法益は，第一次的には，公務執行の適正とこれに対する国民の信頼であると解される。……したがって，本罪にいう『陵辱若しくは加虐の行為』の意味は，公務の適正とこれに対する国民の信頼を保護するという本罪の趣旨に照らして解釈されるべきである。

このような前提で検討すると，本罪の主体である『法令により拘禁された者を看守し又は護送する者』（以下「看守者等」という。）は，被拘禁者を実力的に支配する関係に立つものであって，その職務の性質上，被拘禁者に対して職務違反行為がなされるおそれがあることから，本罪は，このような看守者等の公務執行の適正を保持するため，看守者等が，一般的，類型的にみて，前記のような関係にある被拘禁者に対し，精神的又は肉体的苦痛を与えると考えられる行為（看守者等が被拘禁者を姦淫する行為［性交］がこれに含まれることは明らかである。）に及んだ場合を処罰する趣旨であって，現実にその相手方が承諾したか否か，精神的又は肉体的苦痛を被ったか否かを問わないものと解するのが相当である。すなわち，前記のような看守者等の立場に照らすと，看守者等が，その実力的支配下にある被拘禁者に対し，前記のような行為に及んだ場合には，当該具体的状況下において，相手方の被拘禁者がこれを承諾しており，精神的又は肉体的苦痛を被らなかったとしても，公務執行の適正とこれに対する国民の信頼を保護するという観点から見た場合には，本罪の陵虐行為に当たるということができるのであって，本罪の趣旨に照らしたこのような解釈が罪刑法定主義に反するものとはいえない。」

同意の有効要件

108 幼児の同意能力

大判昭和 9 年 8 月 27 日刑集 13 巻 1086 頁

【事案】 被告人は，長男 A ら子供 4 名を刺殺し，自らも自殺しようとしたがその目的を果たさなかった。原判決は，被告人を殺人罪で懲役 5 年の刑に処した。弁護人は，本件被告人は A に対し自分と共に死ぬことを懇願しその承諾を得ただけでなく，被害者 A が被告人に対し「早く死すべき」旨を催促したものであり，被告人の本件行為は嘱託若しくは承諾殺人に当たる，と主張して上告した。

⇒ *109・110*

【判決理由】「原判示に依れは本件被告人の犯罪当時 A は僅に 5 年 11 月の幼児に過きさること明白にして未た自殺の何たるかを理解するの能力を有せす従て自己を殺害することを嘱託し又は殺害を承諾するの適格なきものと認むへきを以て A に於て本件殺害行為を嘱託し又は之を承諾したるものとは到底之を認むるを得す此の点に於て所論の如く原判決に重大なる事実の誤認あることを疑ふに足るへき顕著なる事由なきを以て論旨は理由なし」

109 精神障害者の同意能力

最決昭和 27 年 2 月 21 日刑集 6 巻 2 号 275 頁
⇒各論 9

【事案】 被告人は，精神病者である A 女を加持祈禱によって治療すると称して，A 女の母親から金銭を受け取っていたが，治療の効果が生じないので，A 女を殺害して治療の責任を免れようと考え，A 女が通常の意思能力がなく，自殺の何たるかを理解せず，しかも被告人の命ずることは何でも服従するのを利用して，これに縊首の方法を教えて自ら縊死せしめた。

【決定理由】「第 1 審判決は，本件被害者が通常の意思能力もなく，自殺の何たるかを理解しない者であると認定したのであるから，判示事実に対し刑法 202 条を以て問擬しないで同法 199 条を適用したのは正当であって，所論の違法も認められない。」

110 同意の時期及び有無

東京高判昭和 58 年 8 月 10 日判時 1104 号 147 頁

【事案】 被告人は，夫 A に内緒でサラ金等から借金を重ねたため，一家心中を決意するに至り，包丁と催眠作用のある鎮静剤を準備して，子供たちに同剤を飲むようにすすめたが，長女 B 子はこれを断り，長男 C はこれを服用して就寝した。午後 11 時 30 分頃，被告人が一部始終を A に告白したところ，A は，「お金のことでは一家で死ぬより仕方がないんじゃないかなあ」「C は俺がやる，B 子はお前がやれ。お前は B 子と一緒に行け」と言い，「俺も少しずつ準備をしなくちゃ」と，自分の下着類を出して来て，被告人に捨てるように命じた。その際，A は，台所からステンレス製の包丁を持参し，無言で枕元に置いた。夫婦はその後 30 分くらい思い出話を交わしていたが，A が C の顔をじっと見つめて黙り込むようになったので，被告人は，A が C を殺すことを躊躇していると感じ，A に C を殺すような辛いことをさせないよう，催眠作用があることを秘して前記鎮静剤を A に服用させたため，午前 2 時頃，A は，「起こせよ。お前一人でやるなよ」といいながら眠り込んでしまった。その後，被告人は，何度も用意した包丁で A を突き刺そうとしたが果たせず，午前 5 時になり，早くしないと皆が起き出し

て来るという思いに急き立てられるまま，偶然手に触れたAのネクタイで就寝しているAとCを順次絞殺した。

【判決理由】「本来，刑法202条所定の被殺者の承諾は，事理弁識能力を有する被殺者の任意かつ真意に出たものであることを要するとともに，それが殺害の実行行為時に存することを必要とするところ，前示のとおり，本件の被殺者Aは，殺害の実行行為の時点においては，被告人に飲まされた鎮静薬の作用により熟睡中であって，右の承諾をなし得るような心神の状況にはなかったのである。

　……（中略）……

　一家心中の合意は，家族の中に自殺の意義を理解できず，あるいはその能力を有しない子女が含まれる場合には，親がこれを手にかけて殺害するということは含まれるにせよ，成人相互の間にあっては，基本的には，同時に自殺を決行することの合意である。もとより，その方法としては，成人の一方が他方を殺害した後に自殺を遂げるとか，刺し違えのように，相互に相手を殺害するという手段によることも可能であり，かかる手段が選択された場合には，被殺者の承諾があったものと考える余地は認められる。しかし，そのためには，当事者間において，そのような手段を選択し，一方が他方を，あるいは相互に相手を殺害することについての具体的な合意の存することが必要であるが，本件にあっては，かかる事実は何ら認めるに由ないところである。Aは，『Cは俺がやる。B子はお前がやれ。』と子女殺害の役割分担は指示しているが，夫妻の自殺する方法については，何らの指示もしていない。被告人に対し，『お前はB子と一緒に行け。』と言っているが，その趣旨は，B子の跡を追って自殺せよということか，Aが被告人を殺害するということか，判然としない。いずれにせよ，子女を手にかけた後，Aが被告人に殺害されることを承諾した趣旨と解されるような発言や挙動は一切認められないのである。

　しかも，Aは，それと知らずに飲まされた鎮静薬の作用で入眠するに際し，被告人に『起こせよ。一人でやるなよ。』と命じているのであるから，一家の首長として，一家心中の実行を自らの決断と指示にかからせる意思を表明したものと見られるのであって，睡眠中に被告人によって殺害されることは，Aの最も予想しない事態であったものと言わざるを得ない。

　叙上縷説のとおりであって，本件殺害行為の時点においてはもとより，就寝

⇒ *111・112*

直前の時点においても，Aに刑法202条所定の承諾があったものとは認められないから，これと同旨に出た原判決の事実認定に所論の誤認はなく，論旨は理由がない。」

111 錯誤による同意・偽装心中

最判昭和33年11月21日刑集12巻15号3519頁／判時169・28
（百選Ⅱ1）⇒各論 *6*

【事案】 第1審判決は，以下のように認定して，殺人罪の成立を認め，原判決もこれを是認した。「被告人は……，昭和28年9月頃から料理屋甲方接客婦リリーことA（当22年）と馴染となり遊興を重ねる中，同女との間に夫婦約束まで出来たが，他面右甲に対し十数万円，其他数ケ所からも数十万円の借財を負うに至り，両親からはAとの交際を絶つよう迫られ最近に至り自らもようやく同女を重荷に感じ始め，同女と関係を断ち過去の放縦な生活を一切清算しようと考えその機会の来るのを待っていたところ遂に同30年5月23日頃同女に対し別れ話を持ち掛けたが同女は之に応ぜず心中を申出でた為め困り果て同女の熱意に釣られて渋々心中の相談に乗ったものの同月26日頃には最早被告人の気が変り心中する気持がなくなっていたに拘らず同日午後3時頃同女を伴って……山中の……滝附近に赴いたが同女が自己を熱愛し追死してくれるものと信じているのを奇貨とし同女をのみ毒殺しようと企て真実は追死する意思がないのに追死するものの如く装い同女をして其旨誤信せしめ予め買求め携帯してきた青化ソーダ致死量を同女に与えて之を嚥下させよって同女をして即時同所に於て右青化ソーダの中毒により死亡せしめて殺害の目的を遂げ〔た〕。」

【判決理由】 「本件被害者は被告人の欺罔の結果被告人の追死を予期して死を決意したものであり，その決意は真意に添わない重大な瑕疵ある意思であることが明らかである。そしてこのように被告人に追死の意思がないに拘らず被害者を欺罔し被告人の追死を誤信させて自殺させた被告人の所為は通常の殺人罪に該当するものというべく，原判示は正当であって所論は理由がない。」

112 錯誤による同意・強盗目的での住居侵入

最大判昭和24年7月22日刑集3巻8号1363頁

【判決理由】 「強盗の意図を隠して『今晩は』と挨拶し，家人が『おはいり』と答えたのに応じて住居にはいった場合には，外見上家人の承諾があったように見えても，真実においてはその承諾を欠くものであることは，言うまでもないことである。されば，原判決が挙げている証拠中に論旨に摘録するような問答があるとしても，これらの証拠によれば原判決のような住居侵入の事実を肯

認することができるのである。」

113 錯誤による同意・強盗殺人

福岡高宮崎支判平成元年 3 月 24 日高刑集 42 巻 2 号 103 頁／判夕 718・226

⇒各論 *7*

【事案】　被告人は，A 女から欺罔的手段によって多額の金を借り，その発覚を防ぐため A 女をして自殺させることを企て，A 女に対し欺罔威迫を加えて自殺以外に現状を逃れる途はないと誤信させて死を決意させ，同女自ら農薬を飲ませて死亡させた。原判決は，強盗殺人罪の成立を認めた。

【判決理由】　「所論は，同女の殺害の点については，原判決の事実関係を前提としても，被告人の同女に対する強制は心理的強制にとどまり，同女を物理的に行き場のないところまで追い込む程の積極的な欺罔行為をしていないうえ，同女自身は正常な判断能力を有し，同女の自殺は真意に基づくものであるから，本件における被告人の一連の行為は殺人には当たらず，単に自殺教唆にとどまるものである，というものである。

　そこで検討するに，自殺とは自殺者の自由な意思決定に基づいて自己の死の結果を生ぜしめるものであり，自殺の教唆は自殺者をして自殺の決意を生ぜしめる一切の行為をいい，その方法は問わないと解されるものの，犯人によって自殺するに至らしめた場合，それが物理的強制によるものであるか心理的強制によるものであるかを問わず，それが自殺者の意思決定に重大な瑕疵を生ぜしめ，自殺者の自由な意思に基づくものと認められない場合には，もはや自殺教唆とはいえず，殺人に該当するものと解すべきである。これを本件についてみると，原判決挙示の関係証拠を総合すると，被告人は，当時 66 歳の独り暮らしをしていた被害者 A から，原判示のような経緯で盲信に等しい信頼を得て，短期間に合計 750 万円もの多額の金員を欺罔的手段で借受けたが，その返済のめどが立たなかったことから，いずれその事情を同女が察知して警察沙汰になることを恐れ，発覚を免れるため同女をして自殺するよう仕向けることを企て，昭和 60 年 5 月 29 日，同女が B に金員を貸していたことを種にして，それが出資法という法律に違反しており，まもなく警察が調べに来るが，罪となると 3 か月か 4 か月刑務所に入ることになるなどと虚構の事実を述べて脅迫し，不安と恐怖におののく同女を警察の追及から逃がすためという口実で連れ出して，17 日間にわたり，原判示のとおり鹿児島から福岡や出雲などの諸所を連れ回

ったり，自宅や空家に一人で潜ませ，その間体力も気力も弱った同女に，近所の人にみつかるとすぐ警察に捕まるとか，警察に逮捕されれば身内の者に迷惑がかかるなどと申し向けて，その知り合いや親戚との接触を断ち，もはやどこにも逃げ隠れする場がないという状況にあるとの錯誤に陥らせたうえ，身内に迷惑がかかるのを避けるためにも自殺する以外にとるべき道はない旨執拗に慫慂して同女を心理的に次第に追いつめ，犯行当日には，警察官がついに被告人方にまで事情聴取に来たなどと警察の追求が間近に迫っていることを告げてその恐怖心を煽る一方，唯一同女の頼るべき人として振る舞ってきた被告人にも警察の捜査が及んでおりもはやこれ以上庇護してやることはできない旨告げて突き放したうえ，同女が最後の隠れ家として一縷の望みを託していた大河原の小屋もないことを確認させたすえ，同女をしてもはやこれ以上逃れる方途はないと誤信させて自殺を決意させ，原判示のとおり，同女自らマラソン乳剤原液約 100 CC を嚥下させて死亡させたものであることが認められる。右の事実関係によれば，出資法違反の犯人として厳しい追及を受ける旨の被告人の作出した虚構の事実に基づく欺罔威迫の結果，被害者 A は，警察に追われているとの錯誤に陥り，更に，被告人によって諸所を連れ回られて長期間の逃避行をしたあげく，その間に被告人から執拗な自殺慫慂を受けるなどして，更に状況認識についての錯誤を重ねたすえ，もはやどこにも逃れる場所はなく，現状から逃れるためには自殺する以外途はないと誤信して，死を決したものであり，同女が自己の客観的状況について正しい認識を持つことができたならば，およそ自殺の決意をする事情にあったものとは認められないのであるから，その自殺の決意は真意に添わない重大な瑕疵のある意思であるというべきであって，それが同女の自由な意思に基づくものとは到底いえない。したがって，被害者を右のように誤信させて自殺させた被告人の本件所為は，単なる自殺教唆行為に過ぎないものということは到底できないのであって，被害者の行為を利用した殺人行為に該当するものである。」

同意による違法性阻却

114　性交中相手方の同意を得て首を絞め死亡させた事例

大阪高判昭和29年7月14日裁特1巻4号133頁

【判決理由】「婦女の首を絞めることはもとより暴行行為であるが，性交中その快感を増さんがため相手方の首を絞めるようなことが行われたとしても，相手方の要求もしくは同意を得ている以上，違法性を阻却するものとして暴行罪成立の余地なきものというべく，ただその場合相手が傷害を受けて死亡したとき，嘱託による殺人罪を構成するが如く，たとえ相手方の同意があってもこれを不問に附し得ないのであるが，本件のように被告人が屢々Aとの性交に際し同女の首を絞めたことがあり，いずれも同女が死亡するに到らなかった場合には致死につき不確定犯意又は未必の故意があったということはできず，単に危険の発生を防止すべき義務を尽さなかった点において過失致死罪に問擬すべきである。」

115　性交中相手方の同意を得て首を絞め死亡させた事例

大阪高判昭和40年6月7日下刑集7巻6号1166頁

【判決理由】「原判決が認定するように首を寝間着の紐で1回まわして交叉し両手で紐の両端を引っぱって締める行為でも，性交に際しての被絞首者の要求に応じたものであれば違法性を阻却し，暴行の故意犯が成立しないものであろうか。そもそも被害者の嘱託ないし承諾が行為の違法性を阻却するのは，被害者による法益の抛棄があって，しかもそれが社会通念上一般に許されるからであると解する。従って法益の公益的なもの或いは被害者の処分し得ない法益は行為の相手方たる個人の嘱託ないし承諾があっても違法性を阻却しない。又仮令個人の法益であっても行為の態様が善良の風俗に反するとか，社会通念上相当とする方法，手段，法益侵害の限度を越えた場合も亦被害者の嘱託ないし承諾は行為の違法性を阻却しないものと解する。殺人罪における刑法第202条の嘱託ないし承諾殺の規定は以上の考えの現われと解する。そこで本件に関連する暴行罪について相手方の嘱託ないし承諾があった場合は如何であろうか。暴行罪においては相手方の嘱託ないし承諾は通常，行為を違法ならしめないであろう。嘱託ないし承諾の下になされた行為はそもそも『暴行』という概念にあ

たらないとさえ解せられるのである。しかし暴行罪においても，矢張り，その態様如何によっては前記のとおり被害者の嘱託ないし承諾は違法性を阻却しない場合があるものと解する。そこで本件についてみるのに，原判決認定のとおり，被告人は性交に際し相手方である妻の求めに応じ，同女の首を自己の寝間着の紐で1回まわして交叉し両手で紐の両端を引っぱって同女の首をしめながら性交に及び，しかも前叙したとおり相当強く激しく締めている。そして遂に窒息死に致らしめているのである。この絞首が暴行であることはいうまでもなく，且つかかる方法よる暴行は仮令相手方の嘱託ないし承諾に基くものといっても社会通念上許される限度を越えたものと言うべく，従って違法性を阻却するものとは解せられない。おもうに，寝間着の紐で締めるとなると単に手で締める場合に比すると一段とその調節は困難であり，相手方の首に対する力の入り具合を知り難いものである。かつ，被害者が真に苦しくなった時，被告人に対し，その意思（ゆるめてくれという）を表示伝達する方法，手段が準備されておらず，かつ被告人側から見れば性交の激情の亢じた時紐に対する力を制禦する方法，手段が準備されていない。これは窒息死という生命に対する危険性を強度に含んでいるのである。してみると，被告人の本件絞首は違法性を阻却しない暴行というべく，それによって窒息死に致らしめたもので，被告人の所為は傷害致死罪に該るものと解する。」

116 保険金詐欺目的での傷害の同意

最決昭和55年11月13日刑集34巻6号396頁／判時991・53，判タ433・93
（百選I 22，重判昭56刑1）　⇒各論 *57*

【事案】　Xは，Y他3名と共謀して，保険金を騙取することを企て，Xが車を運転して信号のある交差点にさしかかった際，信号待ちのため一時停車していたA運転の車に過失による交通事故を装って故意に自車を追突させ，その結果，Aの車をその前に停車していたY運転の車に追突させ，よってA，Y及びYの車に同乗していた2名の者に傷害を負わせ，かつ，Yらの傷害が軽微で長期間加療の必要がないのにこれが必要なように装って長期間入院加療を受け，よって保険金を騙取した。Xが業務上過失傷害罪で有罪判決を受けこれが確定した後，右行為が発覚し，X及びYらは詐欺罪で有罪となった。そこでXは，Yらに対する業務上過失傷害罪は成立せず，また，Yらの傷害は軽微で同意があるから傷害罪も成立しない，として再審請求を申し立てた。原決定及び原々決定は，XにはAに対する傷害罪が成立するから，刑訴法435条6号にいう「有罪の言渡しを受けた者に対して無罪……を言い渡し，又は原判決において認め

た罪より軽い罪を認めるべき」場合に該当しない，と判示して，請求を棄却した。最高裁は，以下のように述べて，抗告を棄却した。

【決定理由】「被害者が身体傷害を承諾したばあいに傷害罪が成立するか否かは，単に承諾が存在するという事実だけでなく，右承諾を得た動機，目的，身体傷害の手段，方法，損傷の部位，程度など諸般の事情を照らし合せて決すべきものであるが，本件のように，過失による自動車衝突事故であるかのように装い保険金を騙取する目的をもって，被害者の承諾を得てその者に故意に自己の運転する自動車を衝突させて傷害を負わせたばあいには，右承諾は，保険金を騙取するという違法な目的に利用するために得られた違法なものであって，これによって当該傷害行為の違法性を阻却するものではないと解するのが相当である。」

117 同意に基づく指つめ

仙台地石巻支判昭和 62 年 2 月 18 日判時 1249 号 145 頁／判タ 632・254

【事案】 甲一家のAの身内であるKは，Aから不義理に対するケジメをつけるよう言われたため指をつめることを決意し，被告人にこれを依頼し，被告人は，Kの左小指の根元を釣り糸でしばって血止めしたうえ，風呂のあがり台の上にのせた小指の上に，出刃包丁を当て金づちで 2，3 回たたいて左小指の末節を切断した。

【判決理由】「右のようなKの承諾があったとしても，被告人の行為は，公序良俗に反するとしかいいようのない指つめにかかわるものであり，その方法も医学的な知識に裏付けされた消毒等適切な措置を講じたうえで行われたものではなく，全く野蛮で無残な方法であり，このような態様の行為が社会的に相当な行為として違法性が失われると解することはできない。」

118 空手の練習中に相手方を死亡させた事例

大阪地判昭和 62 年 4 月 21 日判時 1238 号 160 頁

【事案】 被告人は，A（当時 44 歳）と，練習として空手の技を掛け合っていた際，興奮のあまり，Aを一方的に数十回手拳で殴打して死亡させた。

【判決理由】「スポーツの練習中の加害行為が被害者の承諾に基づく行為としてその違法性が阻却されるには，特に『空手』という危険な格闘技においては，単に練習中であったというだけでは足りず，その危険性に鑑みて，練習の方法，程度が，社会的に相当であると是認するに足りる態様のものでなければならないのであるところ，前掲各証拠によると，被害者の主たる受傷は，頭部・顔

⇒ *119*

面・胸部・背部・左右上下肢の皮下出血及び表皮剝脱，胸背部筋肉内出血，多数肋骨骨折（前面右側 7 本，同左側 9 本，背面右側 7 本，同左側 2 本），左右胸腔内に約 700 ミリリットルの出血血液貯留，諸臓器乏血状であり，死因は右肋骨骨折による出血失血であること，被告人は，練習経験・実力の点からしても被害者を指導すべき立場にありながら，同人に対し，その胸部・腹部・背部等を皮製ブーツを着用した足で多数回足蹴りし，手拳で数十回にわたり殴打したこと，被告人らが空手をしていたのは，深夜人通りの少ない墓地脇の路上であることの各事実が認められ，これらの事実に徴すると，練習場所としては不相当な場所でなんら正規のルールに従うことなくかかる危険な方法，態様の練習をすることが右社会的相当行為の範囲内に含まれないことは明らかであって，被告人の本件行為は違法なものであるといわなければならない。」

安楽死・尊厳死

119　安楽死が認められる要件

名古屋高判昭和 37 年 12 月 22 日高刑集 15 巻 9 号 674 頁／判時 324・11，判タ 144・175

【事案】　被告人は，その父 A が脳溢血で倒れて全身不随となり，衰弱甚だしく，身体を動かすたびに襲われる激痛としゃくりの苦しみに堪えかね，「殺してくれ」「早く死にたい」などと叫ぶようになり，また，医師からももはや施す術もない旨を告げられたので，ついに A の依頼に応じて同人を殺害しようと決意し，有機燐殺虫剤を混入させた牛乳を A に飲ませて死亡させた。第 1 審判決が，A の言葉は真意に出たものではないとして，尊属殺人罪の成立を認めたのに対し，本判決は，A の言葉は自由な真意に出たものであるとしたが，以下のように述べて，安楽死による違法性阻却は否定し，被告人を嘱託殺人罪で懲役 1 年執行猶予 3 年に処した。

【判決理由】　「ところで所論のように行為の違法性を阻却すべき場合の一として，いわゆる安楽死を認めるべきか否かについては，論議の存するところであるが，それはなんといっても，人為的に至尊なるべき人命を絶つのであるから，つぎのような厳しい要件のもとにのみ，これを是認しうるにとどまるであろう。

　(1)　病者が現代医学の知識と技術からみて不治の病に冒され，しかもその死が目前に迫っていること，

　(2)　病者の苦痛が甚しく，何人も真にこれを見るに忍びない程度のものなる

こと，

(3)　もっぱら病者の死苦の緩和の目的でなされたこと，

(4)　病者の意識がなお明瞭であって意思を表明できる場合には，本人の真摯な嘱託又は承諾のあること，

(5)　医師の手によることを本則とし，これにより得ない場合には医師によりえないと首肯するに足る特別な事情があること，

(6)　その方法が倫理的にも妥当なものとして認容しうるものなること。

　これらの要件がすべて充されるのでなければ，安楽死としてその行為の違法性までも否定しうるものではないと解すべきであろう。

　本件についてこれをみるに，前にのべたように，被告人の父Ａは不治の病に冒され命脈すでに旦夕に迫っていたと認められること。Ａは身体を動かすたびに襲われる激痛と，しゃくりの発作で死にまさる苦しみに喘いでおり，真に見るに忍びないものであったこと。被告人の本件所為は父Ａをその苦しみからすくうためになされたことはすべて前記のとおりであるから，安楽死の右(1)ないし(3)の要件を充足していることは疑ないが，(4)の点はしばらくおくとしても，医師の手によることを得なかったなんら首肯するに足る特別の事情が認められないことと，その手段として採られたのが病人に飲ませる牛乳に有機燐殺虫剤を混入するというような，倫理的に認容しがたい方法なることの2点において，右の5，6の要件を欠如し，被告人の本件所為が安楽死として違法性を阻却するに足るものでないことは多言を要しない。」

120　安楽死が認められる要件

横浜地判平成7年3月28日判時1530号28頁／判タ877・148

(百選Ⅰ20，重判平7刑3)

【事案】　医師である被告人は，多発性骨髄腫で入院していた患者がすでに末期状態であり死が迫っていたところ，苦しそうな呼吸をしている様子を見た患者の長男から，苦しそうな状態から解放してやるためにすぐ息を引き取らせるようにしてほしいと強く要請され，その旨決意し，ワソラン，塩化カリウム製剤（KCL）を注射して，急性高カリウム血症に基づく心停止により患者を死亡させた。本判決は，以下のような安楽死の要件を述べた上で，本件注射行為について，意識のない患者に除去・緩和されるべき肉体的苦痛が存在しないこと，他の代替手段がないといえないこと，患者本人の意思表示が欠けていたことを理由に，積極的安楽死の要件が満たされていないとして，殺人罪の成立を肯定した（懲役2年執行猶予2年）。

⇒ *120*

【判決理由】「末期医療においては患者の苦痛の除去・緩和ということが大きな問題となり，前記のような治療行為の中止がなされつつも，あるいはそれがなされても患者に苦痛があるとき，その苦痛の除去・緩和のための措置が最も求められるところであるが，時としてそうした措置が患者の死に影響を及ぼすことがあり，あるいは苦痛から逃れるため死に致すことを望まれることがあるかもしれない。そこで，いわゆる安楽死の問題が生じるのであり，本件でも被告人は，治療行為を中止した後，家族からの『苦しそうなので，何とかして欲しい。』『早く楽にさせて欲しい。』との言葉を入れて，まずホリゾン及びセレネースを注射して，家族のいう苦痛の除去・緩和の措置を施し，さらにワソラン及び KCL を注射して，同じく家族のいう苦痛から逃れさせる措置として患者を死に致したのであって，外形的には安楽死に当たるとも見えるので，安楽死が許容されるための一般的要件について考察してみる。

　回復の見込みがなく死が避けられない状態にある末期患者が，なおも激しい苦痛に苦しむとき，その苦痛を除去・緩和するため死期に影響するような措置をし，さらにはその苦痛から免れさせるため積極的に死を迎えさせる措置を施すことが許されるかということであるが，これは，古くからいわゆる安楽死の問題として議論されてきたところである。しかし，現代医療をめぐる諸問題の中で，生命の質を問い，あるいは自然死，人間らしい尊厳ある死を求める意見が出され，生命及び死に対する国民一般の認識も変化しつつあり，安楽死に関しても新思潮が生まれるようにもうかがわれるのであって，こうした生命及び死に対する国民の認識の変化あるいは将来の状況を見通しつつ，確立された不変なものとして安楽死の一般的許容要件を示すことは，困難なところといわねばならない。そこでここでは，今日の段階において安楽死が許容されるための要件を考察することとする。

　一　まず，患者に耐えがたい激しい肉体的苦痛が存在することが必要である。

　患者を耐えがたい苦痛から解放しあるいはその苦痛を除去・緩和するという目的のためにこそ，死を迎えさせあるいは死に影響する手段をとるという，安楽死における目的と手段の関係からして，解放のあるいは除去・緩和の対象として，患者に耐えがたい苦痛が存在しなければならない。そして，この苦痛の存在ということは，現に存在するか，または生じることが確実に予想される場合も含まれると解される。

　この苦痛について弁護士は，安楽死によって免れることの許される対象としては，肉体的苦痛のみならず精神的苦痛をも考慮すべきであると主張する。なるほど，末期患者には症状としての肉体的苦痛以外に，不安，恐怖，絶望感等による精神的苦痛が存在し，この2つの苦痛は互いに関連し影響し合うということがいわれ，精神的苦痛が末期患者にとって大きな負担となり，それが高まって死を願望することもあり得ることは否定できないが，安楽死の対象となるのは，現段階においてはやはり症状として現れている肉体的苦痛に限られると解すべきであろう。苦痛については客観的な判定，評価は難しいといわれるが，精神的苦痛はなお一層，その有無，程度の評価が一方的な主観的訴えに頼らざるを得ず，客観的な症状として現れる肉体的苦痛に比して，生命の短縮の可否を考える前提とするのは，自殺の容認へとつながり，生命軽視の危険な坂道へと発展しかねないので，現段階では安楽死の対象からは除かれるべきであると解される。もちろん精神的苦痛は，前記の治療行為の中止に関連しては，患者がそれを望む動機として大きな比重を占めるであろうし，それを理由に治療行為の中止を拒む根拠にはならない。

　二　次に，患者について死が避けられず，かつ死期が迫っていることが必要である。

　苦痛を除去・緩和するための措置であるが，それが死に影響しあるいは死そのものをもたらすものであるため，苦痛の除去・緩和の利益と生命短縮の不利益との均衡からして，死が避けられず死期が切迫している状況ではじめて，苦痛を除去・緩和するため死をもたらす措置の許容性が問題となり得るといえるのである。

　ただ，この死期の切迫性の程度については，後述する安楽死の方法との関係である程度相対的なものといえよう。すなわち，直ちに死を迎えさせる積極的安楽死については，死期の切迫性は高度のものが要求されるが，間接的安楽死については，それよりも低いものでも足りるということがいえよう。

　三　さらに，患者の意思表示が必要である。

　末期状態にある患者が耐えがたい苦痛にさいなまれるとき，その苦痛に耐えながら生命の存続を望むか，生命の短縮があっても苦痛からの解放を望むか，その選択を患者自身に委ねるべきであるという患者の自己決定権の理論が，安楽死を許容する一つの根拠であるから，安楽死のためには患者の意思表示が必

⇒ *120*

要である。こうした安楽死のための患者の意思表示は，明示のものでなければ
ならないか，あるいは患者の推定的意思によるのでもよいかは，安楽死の方法
との関連で後に再度検討する。

　四　そこで，安楽死の方法としては，どのような方法が許されるかである。

　従来安楽死の方法といわれているものとしては，苦しむのを長引かせないた
め，延命治療を中止して死期を早める不作為型の消極的安楽死といわれるもの，
苦痛を除去・緩和するための措置を取るが，それが同時に死を早める可能性が
ある治療型の間接的安楽死といわれるもの，苦痛から免れさせるため意図的積
極的に死を招く措置をとる積極的安楽死といわれるものがある。このうち消極
的安楽死といわれる方法は，前記治療行為の中止の範疇に入る行為で，動機，
目的が肉体的苦痛から逃れることにある場合であると解されるので，治療行為
の中止としてその許容性を考えれば足りる。

　間接的安楽死といわれる方法は，死期の迫った患者がなお激しい肉体的苦痛
に苦しむとき，その苦痛の除去・緩和を目的とした行為を，副次的効果として
生命を短縮する可能性があるにもかかわらず行うという場合であるが，こうし
た行為は，主目的が苦痛の除去・緩和にある医学的適正性をもった治療行為の
範囲内の行為とみなし得ることと，たとえ生命の短縮の危険があったとしても
苦痛の除去を選択するという患者の自己決定権を根拠に，許容されるものと考
えられる。

　間接的安楽死の場合，前記要件としての患者の意思表示は，明示のものはも
とより，この間接的安楽死が客観的に医学的適正性をもった治療行為の範囲内
の行為として行われると考えられることから，治療行為の中止のところで述べ
た患者の推定的意思（家族の意思表示から推定される意思も含む。）でも足り
ると解される。

　積極的安楽死といわれる方法は，苦痛から解放してやるためとはいえ，直接
生命を絶つことを目的とするので，その許容性についてはなお慎重に検討を加
える。末期医療の実際において医師が苦痛か死かの積極的安楽死の選択を迫ら
れるような場面に直面することがあるとしても，そうした場面は唐突に訪れる
ということはまずなく，末期患者に対してはその苦痛の除去・緩和のために
種々な医療手段を講じ，時には間接的安楽死に当たる行為さえ試みるなど手段
を尽くすであろうし，そうした様々な手段を尽くしながらなお耐えがたい苦痛

を除くことができずに，最終的な方法として積極的安楽死の選択を迫られることになるものと考えられる。ところで，積極的安楽死が許容されるための要件を示したと解される名古屋高裁昭和37年12月22日判決・高刑集15巻9号674頁は，その要件の一つとして原則として医師の手によることを要求している。そこで，その趣旨を敷衍して，右のような末期医療の実際に合わせて考えると，一つには，前記の肉体的苦痛の存在や死期の切迫性の認定が医師により確実に行われなければならないということであり，さらにより重要なことは，積極的安楽死が行われるには，医師により苦痛の除去・緩和のため容認される医療上の他の手段が尽くされ，他に代替手段がない事態に至っていることが必要であるということである。そうすると，右の名古屋高裁判決の原則として医師の手によるとの要件は，苦痛の除去・緩和のため他に医療上の代替手段がないときという要件に変えられるべきであり，医師による末期患者に対する積極的安楽死が許容されるのは，苦痛の除去・緩和のため他の医療上の代替手段がないときであるといえる。そして，それは，苦痛から免れるため他に代替手段がなく生命を犠牲にすることの選択も許されてよいという緊急避難の法理と，その選択を患者の自己決定に委ねるという自己決定権の理論を根拠に，認められるものといえる。

　この積極的安楽死が許されるための患者の自己決定権の行使としての意思表示は，生命の短縮に直結する選択であるだけに，それを行う時点での明示の意思表示が要求され，間接的安楽死の場合と異なり，前記の推定的意思では足りないというべきである。

　なお，右の名古屋高裁判決は，医師の手によることを原則としつつ，もっぱら病者の死苦の緩和の目的でなされること，その方法が倫理的にも妥当なものとして認容しうるものであることを，それぞれ要件として挙げているが，末期医療において医師により積極的安楽死が行われる限りでは，もっぱら苦痛除去の目的で，外形的にも治療行為の形態で行われ，方法も，例えばより苦痛の少ないといった，目的に相応しい方法が選択されるのが当然であろうから，特に右の2つを要件として要求する必要はないと解される。

　したがって，本件で起訴の対象となっているような医師による末期患者に対する致死行為が，積極的安楽死として許容されるための要件をまとめてみると，①患者が耐えがたい肉体的苦痛に苦しんでいること，②患者は死が避けられず，

⇒ *121*

その死期が迫っていること，③患者の肉体的苦痛を除去・緩和するために方法を尽くし他に代替手段がないこと，④生命の短縮を承諾する患者の明示の意思表示があること，ということになる。」

121 治療中止が認められる要件（川崎協同病院事件）

最決平成 21 年 12 月 7 日刑集 63 巻 11 号 1899 頁／判時 2066・159，判タ 1316・147
（百選 I 21，重判平 22 刑 4）

【決定理由】 「1 原判決の認定した事実及び記録によれば，気管内チューブの抜管に至る経過等は以下のとおりである。

(1) 本件患者（当時 58 歳。以下「被害者」という。）は，平成 10 年 11 月 2 日（以下「平成 10 年」の表記を省略する。），仕事帰りの自動車内で気管支ぜん息の重積発作を起こし，同日午後 7 時ころ，心肺停止状態で A 病院に運び込まれた。同人は，救命措置により心肺は蘇生したが，意識は戻らず，人工呼吸器が装着されたまま，集中治療室（ICU）で治療を受けることとなった。被害者は，心肺停止時の低酸素血症により，大脳機能のみならず脳幹機能にも重い後遺症が残り，死亡する同月 16 日までこん睡状態が続いた。

(2) 被告人は，同病院の医師で，呼吸器内科部長であったものであり，11 月 4 日から被害者の治療の指揮を執った。被害者の血圧，心拍等は安定していたが，気道は炎症を起こし，喀痰からは黄色ブドウ球菌，腸球菌が検出された。被告人は，同日，被害者の妻や子らと会い，同人らから病院搬送に至る経緯について説明を受け，その際，同人らに対し，被害者の意識の回復は難しく植物状態となる可能性が高いことなど，その病状を説明した。

(3) その後，被害者に自発呼吸が見られたため，11 月 6 日，人工呼吸器が取り外されたが，舌根沈下を防止し，痰を吸引するために，気管内チューブは残された。同月 8 日，被害者の四肢に拘縮傾向が見られるようになり，被告人は，脳の回復は期待できないと判断するとともに，被害者の妻や子らに病状を説明し，呼吸状態が悪化した場合にも再び人工呼吸器を付けることはしない旨同人らの了解を得るとともに，気管内チューブについては，これを抜管すると窒息の危険性があることからすぐには抜けないことなどを告げた。

(4) 被告人は，11 月 11 日，被害者の気管内チューブが交換時期であったこともあり，抜管してそのままの状態にできないかと考え，被害者の妻が同席するなか，これを抜管してみたが，すぐに被害者の呼吸が低下したので，『管が抜けるような状態ではありませんでした。』などと言って，新しいチューブを再挿管した。

(5) 被告人は，11 月 12 日，被害者を ICU から一般病棟である南 2 階病棟の個室へ移し，看護婦（当時の名称。以下同じ。）に酸素供給量と輸液量を減らすよう指示し，

急変時に心肺蘇生措置を行わない方針を伝えた。被告人は，同月13日，被害者が一般病棟に移ったことなどをその妻らに説明するとともに，同人に対し，一般病棟に移ると急変する危険性が増すことを説明した上で，急変時に心肺蘇生措置を行わないことなどを確認した。

(6)　被害者は，細菌感染症に敗血症を合併した状態であったが，被害者が気管支ぜん息の重積発作を起こして入院した後，本件抜管時までに，同人の余命等を判断するために必要とされる脳波等の検査は実施されていない。また，被害者自身の終末期における治療の受け方についての考え方は明らかではない。

(7)　11月16日の午後，被告人は，被害者の妻と面会したところ，同人から，『みんなで考えたことなので抜管してほしい。今日の夜に集まるので今日お願いします。』などと言われて，抜管を決意した。同日午後5時30分ころ，被害者の妻や子，孫らが本件病室に集まり，午後6時ころ，被告人が准看護婦と共に病室に入った。被告人は，家族が集まっていることを確認し，被害者の回復をあきらめた家族からの要請に基づき，被害者が死亡することを認識しながら，気道確保のために鼻から気管内に挿入されていたチューブを抜き取るとともに，呼吸確保の措置も採らなかった。

(8)　ところが，予期に反して，被害者が身体をのけぞらせるなどして苦もん様呼吸を始めたため，被告人は，鎮静剤のセルシンやドルミカムを静脈注射するなどしたが，これを鎮めることができなかった。そこで，被告人は，同僚医師に助言を求め，その示唆に基づいて筋し緩剤であるミオブロックをICUのナースステーションから入手した上，同日午後7時ころ，准看護婦に指示して被害者に対しミオブロック3アンプルを静脈注射の方法により投与した。被害者の呼吸は，午後7時3分ころに停止し，午後7時11分ころに心臓が停止した。

2　所論は，被告人は，終末期にあった被害者について，被害者の意思を推定するに足りる家族からの強い要請に基づき，気管内チューブを抜管したものであり，本件抜管は，法律上許容される治療中止であると主張する。

しかしながら，上記の事実経過によれば，被害者が気管支ぜん息の重積発作を起こして入院した後，本件抜管時までに，同人の余命等を判断するために必要とされる脳波等の検査は実施されておらず，発症からいまだ2週間の時点でもあり，その回復可能性や余命について的確な判断を下せる状況にはなかったものと認められる。そして，被害者は，本件時，こん睡状態にあったものであるところ，本件気管内チューブの抜管は，被害者の回復をあきらめた家族からの要請に基づき行われたものであるが，その要請は上記の状況から認められるとおり被害者の病状等について適切な情報が伝えられた上でされたものではな

⇒　*122*

く，上記抜管行為が被害者の推定的意思に基づくということもできない。以上によれば，上記抜管行為は，法律上許容される治療中止には当たらないというべきである。

　そうすると，本件における気管内チューブの抜管行為をミオブロックの投与行為と併せ殺人行為を構成するとした原判断は，正当である。」

［2］　正 当 防 衛

侵害の急迫性

122　急迫性の意義

最判昭和 24 年 8 月 18 日刑集 3 巻 9 号 1465 頁

【判決理由】「本件は，昭和 22 年 1 月 18 日全官公共同闘争委員会が 2 月 1 日を期して官公庁職員各労働組合総罷業を決行すべき旨のいわゆる 2・1 ゼネスト突入宣言を発表し，翌 19 日朝の東京都下各新聞がその報道をなすや，被告人外 1 名は罷業の中止を勧告するため産別会議議長 A を訪れたが不在で面会を得ず，さらに翌 20 日同人を訪れ押問答の末両人が予め携えていった肉切庖丁や刺身庖丁を揮って A に傷害を加えたという事件の上告である。……さて，刑法 36 条にいわゆる急迫の侵害における『急迫』とは，法益の侵害が間近に押し迫ったことすなわち法益侵害の危険が緊迫したことを意味するのであって，被害の現在性を意味するものではない。けだし，被害の緊迫した危険にある者は，加害者が現に被害を与えるに至るまで，正当防衛をすることを待たねばならぬ道理はないからである。また刑法第 37 条にいわゆる『現在の危難』についても，ほぼこれと同様のことが言い得るわけである。そこで，原判決の認定したところによれば，各官公庁労働組合の争議は昭和 21 年 11 月中旬頃から発生し，その後判示のごとき経過をたどり，漸次参加組合の範囲を拡大し共同闘争態勢をとり，遂に昭和 22 年 1 月 18 日全官公共同闘争委員会は，2 月 1 日を期して全官公庁各労働組合が総罷業を実行すべき旨の宣言（このゼネスト突入宣言の中にはなお 2 月 1 日以前において弾圧を受けた場合には，それが如何なるものであろうとも，自働的にゼネストに突入することが記載されている）を発表した事態にあったのである。原判決はかかる事態を観察して，『本件犯行

当時は単に共同闘争委員会が，その総罷業の準備をしてその計画と実行を発表したに止まり，未だ罷業は実行されていなかったのであって，従って罷業の実行による社会の安寧秩序の紊乱乃至国民生活の窮迫という事態は発生していなかったものであるから，国民の自由又は生活に対する現実の侵害はまだなかったものというべきである』となしこの理由によって急迫な侵害又は現在の危難に当らないと判定した。しかし，急迫な侵害又は現在の危難は，前述のように被害の現在性を意味するものではないから，原判決が現実の侵害がないという理由をもって急迫な侵害又は現在の危難がないとした判断の誤っていることは論旨の正確に指摘するとおりである。」

123　急迫不正の侵害が終了していないとされた事例

最判平成 9 年 6 月 16 日刑集 51 巻 5 号 435 頁／判時 1607・140，判タ 946・173

(重判平 9 刑 2)

【判決理由】　「一　原判決及びその是認する第 1 審判決の認定並びに記録によれば，本件事案の概要は，次のとおりであることが明らかである。

　すなわち，被告人は，肩書住居の文化住宅 P 荘 2 階の一室に居住していたものであり，同荘 2 階の別室に居住する S（当時 56 歳）と日ごろから折り合いが悪かったところ，平成 8 年 5 月 30 日午後 2 時 13 分ころ，同荘 2 階の北側奥にある共同便所で小用を足していた際，突然背後から S に長さ約 81 センチメートル，重さ約 2 キログラムの鉄パイプ（以下「鉄パイプ」という）で頭部を 1 回殴打された。続けて鉄パイプを振りかぶった S に対し，被告人は，それを取り上げようとしてつかみ掛かり，同人ともみ合いになったまま，同荘 2 階の通路に移動し，その間 2 回にわたり大声で助けを求めたが，だれも現れなかった。その直後に，被告人は，S から鉄パイプを取り上げたが，同人が両手を前に出して向かってきたため，その頭部を鉄パイプで 1 回殴打した。そして，再度もみ合いになって，S が，被告人から鉄パイプを取り戻し，それを振り上げて被告人を殴打しようとしたため，被告人は，同通路の南側にある 1 階に通じる階段の方へ向かって逃げ出した。被告人は，階段上の踊り場まで至った際，背後で風を切る気配がしたので振り返ったところ，S は，通路南端に設置されていた転落防止用の手すりの外側に勢い余って上半身を前のめりに乗り出した姿勢になっていた。しかし，S がなおも鉄パイプを手に握っているのを見て，被告人は，同人に近づいてその左足を持ち上げ，同人を手すりの外側に追い落とし，その結果，同人は，1 階のひさしに当たった後，手すり上端から約 4 メートル下のコンクリート道路上に転落した。S は，被告人の右一連の暴行により，入院加療約 3 箇月間を要する前頭，頭頂部打撲挫創，第 2 及び第 4 腰椎圧迫骨折等の傷害を負った。

二　原判決及びその是認する第1審判決は，被告人がSに対しその片足を持ち上げて地上に転落させる行為に及んだ当時，同人が手すりの外側に上半身を乗り出した状態になり，容易には元に戻りにくい姿勢となっていたのであって，被告人は自由にその場から逃げ出すことができる状況にあったというべきであるから，その時点でSの急迫不正の侵害は終了するとともに，被告人の防衛の意思も消失したとして，被告人の行為が正当防衛にも過剰防衛にも当たらないとの判断を示している。

しかしながら，前記一の事実関係に即して検討するに，Sは，被告人に対し執ような攻撃に及び，その挙げ句に勢い余って手すりの外側に上半身を乗り出してしまったものであり，しかも，その姿勢でなおも鉄パイプを握り続けていたことに照らすと，同人の被告人に対する加害の意欲は，おう盛かつ強固であり，被告人がその片足を持ち上げて同人を地上に転落させる行為に及んだ当時も存続していたと認めるのが相当である。また，Sは，右の姿勢のため，直ちに手すりの内側に上半身を戻すことは困難であったものの，被告人の右行為がなければ，間もなく態勢を立て直した上，被告人に追い付き，再度の攻撃に及ぶことが可能であったものと認められる。そうすると，Sの被告人に対する急迫不正の侵害は，被告人が右行為に及んだ当時もなお継続していたといわなければならない。さらに，それまでの一連の経緯に照らすと，被告人の右行為が防衛の意思をもってされたことも明らかというべきである。したがって，被告人が右行為に及んだ当時，Sの急迫不正の侵害は終了し，被告人の防衛の意思も消失していたとする原判決及びその是認する第1審判決の判断は，是認することができない。

以上によれば，被告人がSに対しその片足を持ち上げて地上に転落させる行為に及んだ当時，同人の急迫不正の侵害及び被告人の防衛の意思はいずれも存していたと認めるのが相当である。また，被告人がもみ合いの最中にSの頭部を鉄パイプで1回毆打した行為についても，急迫不正の侵害及び防衛の意思の存在が認められることは明らかである。しかしながら，Sの被告人に対する不正の侵害は，鉄パイプでその頭部を1回毆打した上，引き続きそれで殴り掛かろうとしたというものであり，同人が手すりに上半身を乗り出した時点では，その攻撃力はかなり減弱していたといわなければならず，他方，被告人の同人に対する暴行のうち，その片足を持ち上げて約4メートル下のコンクリー

ト道路上に転落させた行為は，一歩間違えば同人の死亡の結果すら発生しかねない危険なものであったことに照らすと，鉄パイプで同人の頭部を1回殴打した行為を含む被告人の一連の暴行は，全体として防衛のためにやむを得ない程度を超えたものであったといわざるを得ない。

そうすると，被告人の暴行は，Sによる急迫不正の侵害に対し自己の生命，身体を防衛するためその防衛の程度を超えてされた過剰防衛に当たるというべきであるから，右暴行について過剰防衛の成立を否定した原判決及びその是認する第1審判決は，いずれも事実を誤認し，刑法36条の解釈適用を誤ったものといわなければならない。」

124 喧嘩両成敗

大判昭和7年1月25日刑集11巻1頁

【判決理由】「所為喧嘩を為す闘争者の闘争行為は互に対手方に対し同時に攻撃及防禦を為す性質を有するものにして其の一方の行為のみを不正侵害なりとし他の一方の行為のみを防禦の為にするものと解すへきものに非す従て喧嘩の際に於ける闘争者双方の行為に付ては刑法第36条の正当防衛の観念を容るるの余地なきものとす我国に於て古来『喧嘩両成敗』の格言を存し喧嘩の闘争者双方の行為は互に違法性を阻却すへき性質を有するものに非すとして共に之を処罰すへきものとしたる理由も亦並に存すと謂ふへし本件に於ける原判示事実に依れは被告人は金沢市尾山神社山門側に於てAより喧嘩を挑まれ同人と共に同市西町一番町大谷廟所裏門前街路に至り携へ居たる匕首を逆手に持ち之をAに示し『遣るなら遣れ』と放言したるに同人か『そんな物何じやい』と云ふや憤怒の余同人を殺害せんと決意し右匕首を以て同人の胸部を突刺し之を即死せしめたりと云ふに在るを以て被告人の本件行為は所謂喧嘩闘争の為に行はれたる加害行為に外ならすして之を正当防衛の行為と解すへきものに非す」

125 全般的情況から判断した事例

最大判昭和23年7月7日刑集2巻8号793頁

【判決理由】「互に暴行し合ういわゆる喧嘩は，闘争者双方が攻撃及び防禦を繰り返す一団の連続的闘争行為であるから，闘争の或る瞬間においては，闘争者の一方がもっぱら防禦に終始し，正当防衛を行う観を呈することがあっても，闘争の全般からみては，刑法第36条の正当防衛の観念を容れる余地がない場

⇒ *126*

合がある。本件について，原判決の確定した事実によれば，被告人はAと口論の末，互に殴り合となり，被告人はたちまちAのために殴られ乍ら後方へ押されて鉄条網に仰向けに押しつけられた上睾丸等を蹴られたので，憤激の余り所持していた小刀でAに斬りつけ創傷を負わせた結果，同人を左上膊動脈切断に因る出血のため，死亡するに至らしめたというのであるから，被告人の行為は全般の情況から見て，前記の場合に当るものと言わなければならない。従って刑法第36条を適用すべき余地はない。」

126 喧嘩闘争にも正当防衛の余地有りとした事例

最判昭和32年1月22日刑集11巻1号31頁

【判決理由】「所論引用の大法廷の判例〔⇒*125*〕の趣旨とするところは，『いわゆる喧嘩は，闘争者双方が攻撃及び防禦を繰り返す一団の連続的闘争行為であるから，闘争のある瞬間においては，闘争者の一方がもっぱら防禦に終始し，正当防衛を行う観を呈することがあっても，闘争の全般からみては，刑法36条の正当防衛の観念を容れる余地がない場合があるというのであるから，法律判断として，まず喧嘩闘争はこれを全般的に観察することを要し，闘争行為中の瞬間的な部分の攻防の態様によって事を判断してはならないということと，喧嘩闘争においてもなお正当防衛が成立する場合があり得るという両面を含むものと解することができる。』

しかるに原審が，控訴趣意を容れて1審判決を破棄する理由として判示するところによれば，本件闘争関係の推移として，被害者Aはいわゆる遊人であって，その輩下を含めて何らかの理由により被告人の主筋に当るBないしその組織する共愛会に敵意を抱いて居り，そのためはじめA側よりB一派に対し挑戦的態度に出で，Aまたはその輩下による共愛会会員Cに対する暴行，さらに自己及び輩下において刺身庖丁を携帯し同会員D方に押し掛け同人を殴打する等，本件闘争関係がA一派のB一派に対する全く一方的攻撃に終始した集団的対立なることを示しながら，『かかる事情の下においてはD救援が当面の目的であることは勿論だとしても被告人等においてAと喧嘩闘争に至るやも知れないことは当然予期していたものと解するを相当とする』と断じ，次いで両派の具体的な闘争関係を説明した後，末段において，『そうだとすれば動機の曲直は何れの側にあるかは暫らく措き』と前提し，終局段階における

A 対被告人の闘争を捉えて，『被告人と A との間には後者が前者を蹴り前者が後者の臀部を刺したことによって喧嘩闘争は既に開始され』と判示し，結論として，『A の追跡，被告人の A 刺殺は右闘争の延長でありその一部をなす攻撃防禦であって原判決のようにその一部を他から切り離して事を論ずることは事の真相に徹しないものといわねばならない。そうだとすれば被告人の本件所為は喧嘩闘争の一駒であり，これを組成する一攻撃に過ぎないものと云うべく素より正当防衛の観念を容るる余地がない』と判断したのである。

　以上によってみるときは，原審は A と被告人との間に判示のある特定の段階において喧嘩闘争が成立したものと認定し，喧嘩闘争なるがゆえに正当防衛の観念を容るる余地がないと判断したことが認められるから，その結果として正当防衛はもとより，従ってまた過剰防衛の観念もまた全く成立すべくもないとしてこのことに触れなかったものと認められるのである。このような原審判断は，喧嘩闘争と正当防衛との関係について，ひっきょう喧嘩闘争を認めるにつき一場面をのみ見て闘争の全般を観察しなかったか，または喧嘩闘争には，常に全く正当防衛の観念を容れる余地はないとの前提にたったか，いずれにしても結局前記判例の趣旨に反するというそしりを免れないのである。」

127　侵害が予期されただけでは急迫性は失われないとした事例

　　　最判昭和 46 年 11 月 16 日刑集 25 巻 8 号 996 頁／判時 652・3, 判タ 271・264
　　　　　　　　　　　　　　　　　　　　　　（重判昭 47 刑 1）　⇒*129, 143*

【事案】　被告人 X は，同じ旅館に宿泊する A と口論になり「手前出てゆけ。手前なんかぶっ殺してしまう」などとどなられ，旅館にいることが危険であると感じたので，一旦旅館を出て行こうとしたが，近くの居酒屋等で酒を飲んでいるうちに，A にあやまってみてもし仲直りができたら，元通り旅館に泊めてもらおう，という考えを起し，酒の勢いにのって，同旅館に赴むいたところ，A から「われはまたきたのか」などとからまれた末，顔面を手拳で 2 回くらい殴打されたので，逆上し，A を死亡させてもやむを得ないとの考えのもとに，部屋の障子鴨居の上に隠してあったくり小刀を取り出し，これで A の左胸部を突き刺し，よって A を殺害した。第 1 審判決が，被告人の行為を過剰防衛としたのに対して，原判決は，侵害の急迫性を否定した。

【判決理由】　「刑法 36 条にいう『急迫』とは，法益の侵害が現に存在しているか，または間近に押し迫っていることを意味し，その侵害があらかじめ予期されていたものであるとしても，そのことからただちに急迫性を失うものと解すべきではない。これを本件についてみると，被告人は A と口論の末いったん

⇒ *128*

止宿先の旅館を立ち退いたが，同人にあやまって仲直りをしようと思い，旅館に戻ってきたところ，Ａは被告人に対し，『Ｘ，われはまたきたのか。』などとからみ，立ち上がりざま手拳で２回ぐらい被告人の顔面を殴打し，後退する被告人に更に立ち向かったことは原判決も認めているところであり，その際Ａは被告人に対し，加療10日間を要する顔面挫傷および右結膜下出血の傷害を負わせたうえ，更に殴りかかったものであることが記録上うかがわれるから，もしそうであるとすれば，このＡの加害行為が被告人の身体にとって『急迫不正の侵害』にあたることはいうまでもない。

原判決は，前記のように，『被告人が旅館を出ていった前記経緯からすると，若し被告人が再び旅館に戻ってくるようなことがあると，必ずや被害者との間にひと悶着があり，場合によっては被害者から手荒な仕打ちをうけることがあるかもしれない位のことは，十分に予測されたことであり，被告人としてもそのことを覚悟したうえで，酒の勢いにのり，旅館に戻ったものと考えられるので，たとえ被害者から立上りざま手拳で殴打されるということがあり，その後加害者が被告人に向ってゆく体勢をとることがあったとしても，そのことは被告人の全く予期しないことではなかったのであり，その他証拠によって認められるその殴打がなされる直前に，扇風機のことなどで，旅館の若主人と被害者との間にはげしい言葉のやりとりがかわされていて，その殴打が全く意表をついてなされたというものではなかったこと』をＡの侵害行為につき急迫性が認められない有力な理由としている。右判示中，被告人が右のようにＡから手荒な仕打ちを受けるかもしれないことを覚悟のうえで戻ったとか，殴打される直前に扇風機のことなどで旅館の若主人（Ｂ女〔54才〕を指しているものと認められる。）とＡとの間にはげしい言葉のやりとりがかわされていたとの部分は，記録中の全証拠に照らし必ずしも首肯しがたいが，かりにそのような事実関係があり，Ａの侵害行為が被告人にとってある程度予期されていたものであったとしても，そのことからただちに右侵害が急迫性を失うものと解すべきでないことは，前に説示したとおりである。」

128 積極的加害意思と急迫性

最決昭和52年7月21日刑集31巻4号747頁／判時863・23，判タ354・310
（重判昭53刑1）

【事案】 被告人Ｘらは，いわゆるＰ派に属する者であるが，福岡県教育会館3階大ホ

ールで政治集会を開催するにあたって，同派の学生ら約十数名と共謀のうえ，同会館内において，かねて対立関係にあったＱ派などの学生らの生命，身体に対して共同して害を加える目的を持って前記Ｐ派の学生らとともに多数の木刀，鍬の柄，ホッケーのスティック，鉄パイプなどを凶器として集合し，押しかけてきたＱ派などの者十数名を，そのうちの一人を木刀，鉄パイプ等で滅多打ちにするなどして撃退したが，同派の者らが態勢を整えて再び襲撃してくることは必至と考え，3階大ホール入口に机や椅子でバリケードを築き，再び押しかけてきたＱ派の者達がバリケードの隙間等から鉄パイプを投げ込んだり，工事用の長さ2メートル余りの鉄棒を突き出したり投げ込んだりするのに対し，被告人Ｘらもバリケード越しに鉄パイプを投げたり，投げ込まれた鉄棒で突き返すなどして応戦した。

【決定理由】 「刑法36条が正当防衛について侵害の急迫性を要件としているのは，予期された侵害を避けるべき義務を課する趣旨ではないから，当然又はほとんど確実に侵害が予期されたとしても，そのことからただちに侵害の急迫性が失われるわけではないと解するのが相当であり，これと異なる原判断は，その限度において違法というほかはない。しかし，同条が侵害の急迫性を要件としている趣旨から考えて，単に予期された侵害を避けなかったというにとどまらず，その機会を利用し積極的に相手に対して加害行為をする意思で侵害に臨んだときは，もはや侵害の急迫性の要件を充たさないものと解するのが相当である。そうして，原判決によると，被告人Ｘは，相手の攻撃を当然に予想しながら，単なる防衛の意図ではなく，積極的攻撃，闘争，加害の意図をもって臨んだというのであるから，これを前提とする限り，侵害の急迫性の要件を充たさないものというべきであって，その旨の原判断は，結論において正当である。」

129 他にとるべき方法がある場合と急迫性

最判昭和46年11月16日刑集25巻8号996頁／判時652・3，判タ271・264
（重判昭47刑1）　⇒127, 143

【事案】 ⇒127

【判決理由】 「更に，原判決は，右の点に加えて『被告人本人がその気になりさえすれば，前記広間の四周にある障子を押し倒してでも脱出することができる状況にあったこと，近くの帳場には泊り客が1人おり，またその近くに旅館の若主人もいて，救いを求めることもできたことや，被害者のなした前記殴打の態様，回数などの点をも総合，勘案すると，被害者による法益の侵害が切迫

しており，急迫性があったものとは，とうてい認められない』と判示している。しかし，記録によれば，……原判決の前記判示中，被告人が脱出できる状況にあったとか，近くの者に救いを求めることもできたとの部分は，いずれも首肯しがたいが，かりにそのような事実関係であったとしても，法益に対する侵害を避けるため他にとるべき方法があったかどうかは，防衛行為としてやむをえないものであるかどうかの問題であり，侵害が『急迫』であるかどうかの問題ではない。したがって，Ａの侵害行為に急迫性がなかったとする原判決の判断は，法令の解釈適用を誤ったか，または理由不備の違法があるものといわなければならない。」

130　急迫性の判断方法

最決平成 29 年 4 月 26 日刑集 71 巻 4 号 275 頁／判時 2340・118，判タ 1439・80

(百選 I 23)

【決定理由】「1　第 1 審判決及び原判決の認定並びに記録によれば，本件の事実関係は，次のとおりである。

(1)　被告人は，知人であるＡ（当時 40 歳）から，平成 26 年 6 月 2 日午後 4 時 30 分頃，不在中の自宅（マンション 6 階）の玄関扉を消火器で何度もたたかれ，その頃から同月 3 日午前 3 時頃までの間，十数回にわたり電話で，『今から行ったるから待っとけ。けじめとったるから。』と怒鳴られたり，仲間と共に攻撃を加えると言われたりするなど，身に覚えのない因縁を付けられ，立腹していた。

(2)　被告人は，自宅にいたところ，同日午前 4 時 2 分頃，Ａから，マンションの前に来ているから降りて来るようにと電話で呼び出されて，自宅にあった包丁（刃体の長さ約 13.8 cm）にタオルを巻き，それをズボンの腰部右後ろに差し挟んで，自宅マンション前の路上に赴いた。

(3)　被告人を見付けたＡがハンマーを持って被告人の方に駆け寄って来たが，被告人は，Ａに包丁を示すなどの威嚇的行動を取ることなく，歩いてＡに近づき，ハンマーで殴りかかって来たＡの攻撃を，腕を出し腰を引くなどして防ぎながら，包丁を取り出すと，殺意をもって，Ａの左側胸部を包丁で 1 回強く突き刺して殺害した。

2　刑法 36 条は，急迫不正の侵害という緊急状況の下で公的機関による法的保護を求めることが期待できないときに，侵害を排除するための私人による対抗行為を例外的に許容したものである。したがって，行為者が侵害を予期した上で対抗行為に及んだ場合，侵害の急迫性の要件については，侵害を予期していたことから，直ちにこれが失われると解すべきではなく（最高裁昭和 45 年(あ)第 2563 号同 46 年 11 月 16 日第三小法廷判決・刑集 25 巻 8 号 996 頁参照），

対抗行為に先行する事情を含めた行為全般の状況に照らして検討すべきである。具体的には，事案に応じ，行為者と相手方との従前の関係，予期された侵害の内容，侵害の予期の程度，侵害回避の容易性，侵害場所に出向く必要性，侵害場所にとどまる相当性，対抗行為の準備の状況（特に，凶器の準備の有無や準備した凶器の性状等），実際の侵害行為の内容と予期された侵害との異同，行為者が侵害に臨んだ状況及びその際の意思内容等を考慮し，行為者がその機会を利用し積極的に相手方に対して加害行為をする意思で侵害に臨んだとき（最高裁昭和 51 年(あ)第 671 号同 52 年 7 月 21 日第一小法廷決定・刑集 31 巻 4 号 747 頁参照）など，前記のような刑法 36 条の趣旨に照らし許容されるものとはいえない場合には，侵害の急迫性の要件を充たさないものというべきである。

　前記 1 の事実関係によれば，被告人は，A の呼出しに応じて現場に赴けば，A から凶器を用いるなどした暴行を加えられることを十分予期していながら，A の呼出しに応じる必要がなく，自宅にとどまって警察の援助を受けることが容易であったにもかかわらず，包丁を準備した上，A の待つ場所に出向き，A がハンマーで攻撃してくるや，包丁を示すなどの威嚇的行動を取ることもしないまま A に近づき，A の左側胸部を強く刺突したものと認められる。このような先行事情を含めた本件行為全般の状況に照らすと，被告人の本件行為は，刑法 36 条の趣旨に照らし許容されるものとは認められず，侵害の急迫性の要件を充たさないものというべきである。したがって，本件につき正当防衛及び過剰防衛の成立を否定した第 1 審判決を是認した原判断は正当である。」

131　公的機関に保護を求める余裕と急迫性

高知地判昭和 51 年 3 月 31 日判時 813 号 106 頁／判夕 334・171

【事案】　高知県にある A 会社のパルプ工場は，長年に渡りパルプ廃液を川に放流し，川及び川が流入する浦戸湾を汚染していた。「浦戸湾を守る会」の会長である被告人 X と同会事務局長である Y は，工場移転又は操業の一時停止を A 会社と交渉していたが，会社側が一方的に会談を拒否したため，工場の操業を実力によって停止させようと決意し，守る会の他のメンバー 2 名と共に，パルプ工場の配水管に生コンクリートを投入し，右配水管を閉鎖してパルプ廃液の流通を止め，工場の操業を停止させた。裁判所は，以下のように述べて，被告人らの正当防衛の主張を退け，威力業務妨害罪の成立を認めた。

【判決理由】　「A パルプの廃液排出は，既に前記のような被害をもたらしており，且つ，少なくとも本件犯行当時においてはその被害を拡大する原因になり

得るものであったと考えられるから，実質的にみて，違法であり，住民の健康等の法益に対する不正の侵害であったといわざるを得ない。

　しかしながら，われわれは，ここで刑法が違法性阻却事由の一つとして正当防衛を認めている趣旨をその出発点に立ち返って考えてみなければならない。即ち，法は，社会秩序を維持する見地から，個々の国民の権利の擁護，救済の責任を全て国家又は公共団体等の公的機関に負わせ，権利を侵害され又はされるおそれを生じた国民は，公的機関にその法的保護を求め，その公的機関が侵害された権利の回復ないし法益の侵害の危険性の除去を図るのを原則とする建前をとって，国民自らが実力行使に訴えるのを一般に違法としてこれを禁止しており，ただ国民が公的機関に法的保護を求める時間的余裕のない緊急状態の下における相当な防衛的実力行使のみにつき，正当防衛としてその違法性を阻却せしめているのであって，それはあくまで例外的にしか認められないことである。そして，正当防衛が成立するためには，第1に，侵害が『不正』であるのみならず，『急迫』であることを必要とするのであるが，その急迫とは，右の正当防衛制度の趣旨に照らし，とりもなおさず，公的機関に保護を求める時間的余裕がないほどに緊急な場合を意味するものと解すべきである。

　そこで，これを本件について考えるに，前記のとおり本件パルプ工場の廃液排出が不正の侵害であることは否定できないけれども，被告人らが公的機関にその侵害からの保護を求める方法として，裁判所に本件パルプ工場の操業差止或は廃液規制等を命ずる仮処分を申請するとか，右廃液排出により江ノ口川及び浦戸湾を汚濁していることにつきAパルプの幹部に高知県内水面漁業調整規則違反等の犯罪の疑いがないではなかったことに鑑みこれを告発し警察検察による捜査取締りに期待してみるとかの手段が考えられる。もっとも，右の仮処分申請については，その準備や裁判所の審理等に相当の期間を必要とし，告発についても，その結論が出るまでにかなりの日数を要するものと思われ，またいずれにおいても被告人らにとって好結果をもたらす保障はなく，その間も本件パルプ工場の廃液放流行為が継続し，被害が拡大するのではないかという問題が考えられる。しかし，判示認定の各種の被害の発生は，過去20年余りにわたる侵害行為の蓄積によるものであって，現に継続中の廃液放流行為そのもののみの結果ではないこと等よりすれば，現在継続中の廃液の放流行為によって新たに付加されるものはさほど一刻を争い本件犯行日に実力行使をしなけ

れば機を逸するほどのものとはいえない（現に，後述のとおり，被告人ら住民側は，Ａパルプが，昭和47年末までに工場を移転できなくても同年末をもって確実に本件パルプ工場の操業を停止するのであれば，一応納得して，その後の推移を見守るつもりであったと思われる。）から，被告人らにおいて，裁判所に仮処分を求める等の時間的余裕がなかったとみることは到底できず，従って，前記侵害には急迫性がなく，正当防衛の主張はその前提を欠くというほかない。」

132 団体交渉の拒否を急迫不正の侵害に当たらないとした事例

最決昭和 57 年 5 月 26 日刑集 36 巻 5 号 609 頁／判時 1046・141，判タ 473・145
（重判昭 57 刑 1）

【事案】　被告人は，Ｐ労働組合Ｑ支部Ｒ分会長であるが，東京への配置転換を命じられたため，不当配転であるとしてその撤回を求めてＲ放送局長Ａらと交渉を行っていたところ，その過程で右撤回を求める抗議集会に参加しない組合員を参加させようとした暴行・傷害事件が起こり，被告人は懲戒処分を受けた。被告人は，赴任期限 2 日前を最後の闘争の機会と考え，Ａ局長に対して，配転撤回と処分撤回を要求する団体交渉を求め，これが拒否されるや，組合員 20 数名の威力を示し，会議室の廊下側仕切ガラス 1 枚を叩き割り，局長が管理し施錠してあった会議室に侵入して，会議室にあった長机を会議室から局長室に通じる木製ドアに突き当てて長机 2 脚と右ドアを壊した。第 1 審判決は，被告人の行為を，暴力行為等処罰に関する法律 1 条（刑法 261 条）及び刑法 130 条に該当するとした。第 2 審判決は，Ａ局長は配転命令や懲戒処分の権限を有しないので，団体交渉の交渉適格を有せず，また，被告人らのＡ局長に対する面会要求は無理押しの色彩が強くＡ局長がこれを拒否しても直ちに不当とはいえないので，Ａ局長の態度が労働基本権の侵害とはいえず，従って，被告人の行為に正当防衛を認める余地はない，として控訴を棄却した。

【決定理由】　「本件のように，使用者側が団体交渉の申入れに応じないという単なる不作為が存するにすぎない場合には，いまだ刑法 36 条 1 項にいう『急迫不正の侵害』があるということはできないと解するのが相当であって，同局長に団体交渉適格があると否とを問わず，本件被告人の行為を正当防衛行為にあたるとみる余地はない。」

不正の侵害

133 不正の意義
大判昭和 8 年 9 月 27 日刑集 12 巻 1654 頁

【判決理由】「被告人は酒気を帯ひて淀橋町第二庶民会の開かれたる淀橋第二小学校御真影奉安室に入り悪口雑言を為したるに役員等の為退去を求められたるも之に応せさるより同人等の為廊下に拉致され役員の一人 A より黙つて帰れと云はれたるを憤り靴履の儘右足にて A の左前脛部を蹴り打撲挫傷を負はしめたる趣旨に外ならされは叙上役員等か被告人を廊下に拉致したる行為は違法ならさるものと謂ふへく刑法第 36 条に所謂不正とは違法なることを指斥せる法意なるか故に被告人の A に加へたる打撲挫傷は正当防衛の観念を以て論する限りに非す」

134 犬による侵害
大判昭和 12 年 11 月 6 日大審院判決全集 4 輯 1151 頁
⇒173

【事案】 被告人は，その所有する猟犬（価格 600 円相当）を連れて A 方の前を通りかかったところ，A 所有の番犬（価格 150 円相当）が右猟犬を咬み伏せたため，A 方家人に番犬の制止を求めたが，同人らはこれに応じずそのまま放置したため，猟銃に火薬散弾を装塡して番犬を狙撃し，これに銃創を負わせた。原判決は，被告人に対して，器物損壊罪と銃砲火薬取締施行規則違反の罪の成立を認めたが，大審院は，以下のように判示して，被告人の行為は，緊急避難に該当するとして，無罪を言い渡した。

【判決理由】「右両犬の種類大小性質等を比照し両犬か叙上の如き状況の下に在りたることを彼此考量すれは其の儘之を放置するに於ては被告人所有の猟犬は A 所有の番犬の為に甚しき咬傷を受くるに至り其の結果或は死に至ることあるへく少くとも爾後猟犬としての用を充たす事能はす殆と無価値のものとなるへき事明白にして被告人か当公廷に於て供述するか如く其の際自己所有の猟犬に対する被害を思ふて速に応急の措置に出つへきものと做したるは毫も不当なる判断と云ふを得さるへく而も右猟犬に対し叙上の如き危難あるに当り之を避けむか為 A 方家人に対し番犬の制止方を求めたるも同人等に於て之に応せさりし為前叙の如く其の場に於て直に狩猟用火薬並散弾を装塡した 2 連銃を以て右番犬を狙撃して其の活動を阻止するの外他に右危難を避くるに足る適当

の手段方策なかりしことは被告人の当公廷に於ける供述に依り明白なるか故に被告人か策尽きて遂に前示行為に及ひたるは其の所有猟犬に対する現在の危難を避くる為已むことを得さるに出てたるものと認めさるを得す」

135 自傷行為阻止と正当防衛

横浜地判平成 28 年 1 月 29 日裁判所ウェブサイト
⇒*178* 参照

【事案】 被告人は，交際相手である A の自傷行為を防ぐため，A の顔を平手で数回叩き，仰向けに倒して馬乗りになってその右腕を左手でつかみ，全治約 1 週間を要する傷害を負わせた。本判決は，以下のように述べて，被告人の行為に正当防衛を認め，無罪を言い渡した。

【判決理由】 「本件で想定される A の自傷行為は，A が自身の胸部や腹部を包丁で刺すなどという生命に危険が及びかねない行為であって，自殺関与罪が刑法上規定されていることも踏まえると，違法と評価すべきものと解される。そうすると，被告人による本件行為は，A が外出して自傷行為に及ばないように A を制止する目的からなされたものであり，A の生命身体という法益に対する不正の侵害が切迫した状況において，これを防衛するためになされた行為というべきである。また，女性ではあるが空手の有段者であり，被告人に激しく抵抗していた A を制止するには，ある程度の有形力行使は避けられなかったと思われること，本件行為により A が負った傷害の程度も全治約 1 週間にとどまることに照らせば，本件行為は，防衛手段として必要かつ相当なものであったと認められる。」

自招侵害

136 自招侵害

福岡高判昭和 60 年 7 月 8 日刑月 17 巻 7 = 8 号 635 頁／判タ 566・317

【事案】 A は，被告人の妻 B に悪口雑言を述べられて立腹し，被告人宅に上がり込み，文句を言ったが，かえって被告人から怒鳴られたうえ，右胸部を手拳で殴打され，同部に激しく 2 回膝蹴りを加えられた。自宅に逃げ帰った A は，憤懣やる方なく，被告人に謝罪させるため，万一のため包丁を持って，被告人宅に引き返したが，玄関が施錠されていて開けることができなかったので，「開けろ」などと怒鳴りながら玄関戸を 5 分から 10 分間にわたってさかんに足蹴りにした。被告人は，玄関脇の風呂場の窓から A

⇒ *136*

の様子を窺い，Aが包丁を手にしていることに気づいたが，Aが右以上の行為に及ぶ気配はなく，屋内に居る被告人らに包丁で危害を加える可能性もなく，放置しておけば間もなく諦めて帰宅することが十分予測される状況にあり，自らもその認識を有していたにもかかわらず，Aに対して攻撃を加えてうっ憤を晴らすとともに，同人を追い払うことによって侵害を排除しようと決意し，長さ約86.5センチの竹棒を窓からA目がけていきなり突き出し，その先端をAの左前頭部に当てて加療約10日の傷害を負わせた。

【判決理由】「刑法36条にいう権利の侵害とは，広く法律上保護に値する利益に対する侵害を含むものと解されるところ，Aが，被告人宅の玄関戸を5分ないし10分間にわたって足蹴りするなどした行為は，原判示のとおり，住居の平穏を侵害する行為にあたり，その行為に正当性を認めることはできないから，右は不正の侵害に該当するものと解すべきである。しかし，相手方の不正の侵害行為が，これに先行する自己の相手方に対する不正の侵害行為により直接かつ時間的に接着して惹起された場合において，相手方の侵害行為が，自己の先行行為との関係で通常予期される態様及び程度にとどまるものであって，少なくともその侵害が軽度にとどまる限りにおいては，もはや相手方の行為を急迫の侵害とみることはできないものと解すべきであるとともに，そのような場合に積極的に対抗行為をすることは，先行する自己の侵害行為の不法性との均衡上許されないものというべきであるから，これをもって防衛のための已むを得ない行為（防衛行為）にあたるとすることもできないものと解するのが相当である。これを右各認定事実について見ると，Aの行為に先行する被告人の行為が理不尽かつ相当強い暴行，すなわち身体に対する侵害であるのに対し，それに対するAの行為は，屋内にいる被告人に向けて，屋外から住居の平穏を害する行為を5分ないし10分間にわたって続けたに過ぎないものであって，Aにおいて包丁を所持していたとはいえ，未だ，それによって被告人らの身体等に危害が及ぶという危険が切迫した状態にもなかったことを考慮すると，Aの右行為については，未だこれを被告人に対する急迫の侵害にあたるものと認めることはできないし，右状況の下で，Aの身体に対し竹棒で突くという，傷害を負わせる危険性の高い暴行を加えて対抗することは，Aの行為を排除する目的を併せ有するものであることを考慮しても，自己の先行行為のもつ不法性との均衡上，これを防衛のための已むを得ない行為（防衛行

為）にあたるものと評価することもできない（従って，過剰防衛にもあたらない。）。」

137 自招侵害

東京地判昭和 63 年 4 月 5 日判タ 668 号 223 頁

【事案】 被告人は，借金の返済を迫られていた A 方に赴き，A を怒鳴りつけたうえ突き飛ばして転倒させたところ，A が傍らにあった置物の石塊大小 2 個を続けざまに投げつけてきてこれらが被告人の頭部に当たったため，これに激高し，右石塊のうちの大きい方や同所にあったラジオカセットで A の頭部及び顔面部を 20 数回殴打して同人を殺害した。

【判決理由】 「弁護人は，被告人の判示第一の所為は，A が置物の石塊を頭頂部に，続いて小型の石を右側頭部に投げつけ，さらにラジオカセットを両手に持って立ち向かってきたことに対する過剰防衛である旨主張するので，この点について判断する。

なるほど，被告人が A を殺害するに至った過程に同人の投石行為が存したことは判示のとおりであり，その後も被告人が A から投げつけられた石塊を持って同人に向かって行った際同人がラジオカセットを持っていた旨の被告人の供述（但し，被告人も A が立ち向かってきたとまでは供述していない。）を排斥するに足る証拠はない。

しかしながら，A の被告人に対するこれらの侵害行為は，A に対し被告人が判示のとおりの脅迫や暴行を加えたことに対して，直接惹起された反撃行為であることは明らかである。A は，被告人に対しあらかじめ敵対心を抱いていたわけではなく，深夜一人でいるところで，何の落度もないのに思いもかけず，一方的に脅迫されたうえかなり強い暴行を受けたのであるから，被告人に対して反撃行為に出るのは無理もないところである。また，その態様や程度も，被告人の受傷状況や被告人自身 A が自分をやっつけるとか殺すとかいう感じは受けなかった旨供述していることからみても，被告人がそれまで加えていた暴行脅迫の程度と比較して過剰なものではなく，投石という手段によるかどうかはともかく，被告人の先行行為に対して通常予想される範囲内のものであるにとどまる。そうすると，A から受けた侵害は，被告人自らの故意による違法な行為から生じた相応の結果として自らが作り出した状況とみなければならず，被告人が防衛行為に出ることを正当化するほどの違法性をもたないという

⇒ *138*

べきである。

　したがって，Ａの侵害は，違法な先行行為をした被告人との関係において
は，刑法 36 条における『不正』の要件を欠き，これに対しては正当防衛はも
とより過剰防衛も成立する余地はないと解するのが相当であり，弁護人の主張
は採用できない。」

138　自招侵害

　　最決平成 20 年 5 月 20 日刑集 62 巻 6 号 1786 頁／判時 2024・159，判タ 1283・71
（百選Ⅰ26，重判平 20 刑 2）

【決定理由】　「1　原判決及びその是認する第 1 審判決の認定によれば，本件の事実関
係は，次のとおりである。

　(1)　本件の被害者であるＡ（当時 51 歳）は，本件当日午後 7 時 30 分ころ，自転車
にまたがったまま，歩道上に設置されたごみ集積所にごみを捨てていたところ，帰宅途
中に徒歩で通り掛かった被告人（当時 41 歳）が，その姿を不審と感じて声を掛けるな
どしたことから，両名は言い争いとなった。

　(2)　被告人は，いきなりＡの左ほおを手けんで 1 回殴打し，直後に走って立ち去っ
た。

　(3)　Ａは，『待て。』などと言いながら，自転車で被告人を追い掛け，上記殴打現場
から約 26.5ｍ先を左折して約 60ｍ進んだ歩道上で被告人に追い付き，自転車に乗っ
たまま，水平に伸ばした右腕で，後方から被告人の背中の上部又は首付近を強く殴打し
た。

　(4)　被告人は，上記Ａの攻撃によって前方に倒れたが，起き上がり，護身用に携帯
していた特殊警棒を衣服から取出し，Ａに対し，その顔面や防御しようとした左手を
数回殴打する暴行を加え，よって，同人に加療約 3 週間を要する顔面挫創，左手小指中
節骨骨折の傷害を負わせた。

　2　本件の公訴事実は，被告人の前記 1(4)の行為を傷害罪に問うものである
が，所論は，Ａの前記 1(3)の攻撃に侵害の急迫性がないとした原判断は誤りで
あり，被告人の本件傷害行為については正当防衛が成立する旨主張する。しか
しながら，前記の事実関係によれば，被告人は，Ａから攻撃されるに先立ち，
Ａに対して暴行を加えているのであって，Ａの攻撃は，被告人の暴行に触発
された，その直後における近接した場所での一連，一体の事態ということがで
き，被告人は不正の行為により自ら侵害を招いたものといえるから，Ａの攻
撃が被告人の前記暴行の程度を大きく超えるものでないなどの本件の事実関係
の下においては，被告人の本件傷害行為は，被告人において何らかの反撃行為

に出ることが正当とされる状況における行為とはいえないというべきである。そうすると, 正当防衛の成立を否定した原判断は, 結論において正当である。」

自己又は他人の権利

139 国家的公共的法益の防衛

最判昭和 24 年 8 月 18 日刑集 3 巻 9 号 1465 頁
⇒*122*

【判決理由】「本件の主張は, 個人的法益の防衛行為ではなく, 国民の安全利益の防衛に関するものである。かかる公益ないし国家的法益の防衛が正当防衛として認められ得るか否かについては, これを否定する学説見解もないではないが, 公共の福祉を最高の指導原理とする新憲法の理念から言っても, 公共の福祉をも含めてすべての法益は防衛せらるべきであるとする刑法の理念から言っても, 国家的, 国民的, 公共的法益についても正当防衛の許さるべき場合が存することを認むべきである。だがしかし, 本来国家的, 公共的法益を保全防衛することは, 国家又は公共団体の公的機関の本来の任務に属する事柄であって, これをた易く自由に私人又は私的団体の行動に委すことは却って秩序を乱し事態を悪化せしむる危険を伴う虞がある。それ故, かかる公益のための正当防衛等は, 国家公共の機関の有効な公的活動を期待し得ない極めて緊迫した場合においてのみ例外的に許容さるべきものと解するを相当とする。そこで, 原判決の判示した前述の具体的な客観的事態情勢は, 国家公共の機関（連合国の占領下にある現状においては, 占領軍機関）をも含めての有効な公的活動を期待し得ない極めて緊迫した場合に該当するに至ったものとは到底認めることができない。従って, かかる事態の下においては, 被告人の行動を正当防衛又は緊急避難として寛恕するを得ないものと言わねばならぬ。」

140 夫権の防衛

福岡高判昭和 55 年 7 月 24 日判時 999 号 129 頁／判タ 421・155, 443・163
【判決理由】「そもそも被害者 A は, 被告人の妻と情交関係を結び同棲するなどして, 被告人の婚姻生活を破壊した立場にありながら, 非常識にも被告人ら夫婦の住居にまで来て, 被告人の許からその妻を連れて行こうとしたばかりでなく, これに応じて同女が自らの意志で出て行こうとしたにせよ, 夫たる被告

⇒ *141*

人がこれを制止しようとするのを，抱きついて実力で妨害する行為に及んだものであって，この行為は，被告人がその妻との間，住居を共にして性的生活を共同にする等の利益，換言すれば夫権に対する急迫不正の侵害というほかなく，かような利益も亦法によって保護せられていることは言うまでもないから，これについて防衛を為し得ることは明らかである。この被害者 A により加えられた急迫不正の侵害に対し，被告人が自己の夫権を防衛するため，抱きついて来た被害者を投げ倒して反撃的態度に出たのは，防衛のための已むを得ない行為であったと認めることができる。ただ，その後に引き続き，被告人が出刃包丁を持ち出し，殺意をもってこれを被害者の胸部に突き刺す等の行為に出，被害者を心臓刺創により死亡するに至らせたことは，原判示のとおりであることが認められるところ，これは当時被告人がきき腕の左手を骨折，ギブスをはめていたうえ，被害者が暴力団員でさらに何をされるかわからないという恐怖感等から，狼狽・興奮し，冷静さを失っていたことによるものと思われるが，客観的に見て，防衛に必要かつ相当な程度をこえたものと云わざるを得ないので，これら被告人の行為を一連のものとして全体的に観察すれば，過剰防衛にあたると認定するのが相当である。」

防衛の意思

141 防衛の意思の必要性

大判昭和 11 年 12 月 7 日刑集 15 巻 1561 頁

【事案】 被告人は，A と B 女との喧嘩を仲裁しようとしたところ，B 女が被告人に立ち向かって来て突然被告人の胸倉を攞んだので，憤激して B 女を海に突き飛ばし海中に墜落させて，同女に海水嚥下による気管支炎を負わせた。原判決は，被告人は胸倉を攞まれたことに憤激して暴行に出たのであるから，被告人の本件行為は，不正の侵害を防衛するためのものではない，と判示した。

【判決理由】 「刑法第 36 条は加害行為に付防衛意思の存在を必要とするものにして縦令急迫不正の侵害ある場合なるにもせよ之に対する行為か防衛を為す意思に出てたるものに非さる限り之を以て正当防衛又は其の程度超越を以て目すへきものに非すと解するを正当なりとし而して判示証拠説明と対照し仔細に之を考察するときは原審は被告人の行為を以て防衛意思に出てたるものに非すと

為したるものなるか故に之に対し刑法第 36 条を適用せざりしは結局正当にして擬律錯誤の違法なし」

142 権利防衛のためにしたものではないとされた事例

最決昭和 33 年 2 月 24 日刑集 12 巻 2 号 297 頁

【事案】 被告人は，同居の A が日頃飲酒して乱暴な振る舞いに出ることが度々あって処置に窮していたところ，犯行の当日も，朝から飲酒を続けていた A が「おじい殺してやる。火をつけて家を焼いてやる」等と暴言したことから口論となり，A が付近にあった七輪，五徳，鍋等を被告人に投げつけ，さらに小鍋で被告人の頭部を殴打するに及んで，被告人は平素の鬱憤を抑えかね憤激の余り，とっさに同人を殺害することを決意し，手斧を摑んで同人の頭部を 2 回強打したうえ，同人の頸部を両手で強圧し，窒息死させて殺害した。

【決定理由】「なお原判決は措辞適切でないところがあるけれども判文全体の趣旨からすれば，被告人は第 1 審判決の判示する被害者の急迫不正の侵害から容易に逃避し得る状況にあったのであるから被告人の本件所為は已むことを得ざるに出でたものということはできないと認めるというにあるのではなく，第 1 審判決が判示するように，被告人が容易に逃避可能であったこと，成人した被告人の子供達が一室を隔てたところにいたのにこれに救援を求めようとしなかったこと，被害者は泥酔していたこと，他方被害者と被告人とはかねて感情的に対立していた諸事情からすれば，被告人の本件所為は被害者の急迫不正の侵害に対する自己の権利防衛のためにしたものではなく，むしろ右暴行により日頃の忿懣を爆発させ憤激の余り咄嗟に右被害者を殺害せんことを決意してなしたものであり，その措置も已むことを得ざるに出でたものとは認められない。従って正当防衛行為ではなく，又防衛の程度を超えた過剰防衛行為でもない旨を判示した第 1 審の判断を肯認したものであること明らかであり，被告人の本件所為が右認定の如く急迫不正の侵害に対し権利防衛に出でたものでない以上，正当防衛乃至過剰防衛の観念を容れる余地はないものと解すべきであるから，原判決の右判断は相当である。」

143 憤激・逆上しても防衛の意思は否定されないとした事例

最判昭和 46 年 11 月 16 日刑集 25 巻 8 号 996 頁／判時 652・3，判タ 271・264
（重判昭 47 刑 1） ⇒*127，129*

【事案】 ⇒*130* 参照

⇒ *144*

【判決理由】「刑法36条の防衛行為は，防衛の意思をもってなされることが必要であるが，相手の加害行為に対し憤激または逆上して反撃を加えたからといって，ただちに防衛の意思を欠くものと解すべきではない。これを本件についてみると，前記説示のとおり，被告人は旅館に戻ってくるやAから一方的に手拳で顔面を殴打され，加療10日間を要する傷害を負わされたうえ，更に本件広間西側に追いつめられて殴打されようとしたのに対し，くり小刀をもって同人の左胸部を突き刺したものである（この小刀は，以前被告人が自室の壁に穴を開けてのぞき見する目的で買い，右広間西側障子の鴨居の上にかくしておいたもので，被告人は，たまたまその下に追いつめられ，この小刀のことを思い出し，とっさに手に取ったもののようである。）ことが記録上うかがわれるから，そうであるとすれば，かねてから被告人がAに対し憎悪の念をもち攻撃を受けたのに乗じ積極的な加害行為に出たなどの特別な事情が認められないかぎり，被告人の反撃行為は防衛の意思をもってなされたものと認めるのが相当である。」

144 防衛の意思と攻撃の意思の併存

最判昭和50年11月28日刑集29巻10号983頁／判時802・115，判タ333・322

(百選Ⅰ24)

【判決理由】「一　原判決は，被告人の本件行為は自己の権利を防衛するためにしたものとは認められないから，第1審判決がこれを過剰防衛行為にあたるとしたのは事実誤認であるとして，第1審判決を破棄し，自ら次の事実を認定判示した。

　被告人は，昭和48年7月9日午後7時45分ころ，友人のAとともに，愛知県西尾市……付近を乗用車で走行中，たまたま同所で花火に興じていたB（当時34年），C，Dらのうちの1名を友人と人違いして声を掛けたことから，右Bら3名に，『人違いをしてすみませんですと思うか。』，『海に放り込んでやろうか。』などと因縁をつけられ，そのあげく酒肴を強要されて同県幡豆郡吉良町の飲食店『P』でBらに酒肴を馳走した後，同日午後10時過ぎころ，右Aの運転する乗用車でBらを西尾市寺津町……Q方付近まで送り届けた。ところが，下車すると，Bらは，一せいに右Aに飛びかかり，無抵抗の同人に対し，顔面，腹部等を殴る，蹴るの暴行を執拗に加えたため，被告人は，このまま放置しておけば，右Aの生命が危いと思い，同人を助け出そうとして，同所から約130メートル離れた同市巨海町……の自宅に駆け戻り，実弟E所有の散弾銃に実包4発を装てんし，安全装置をはずしたうえ，予備実包1発をワイシャツの胸ポケットに入れ，銃を抱えて再び前記Q方前付近に駆け戻った。しかしながら，AもBらも

見当たらなかったため，Aは既にどこかにら致されたものと考え，同所付近を探索中，同所から約30メートル離れた同市寺津町……付近路上において，Bの妻を認めたので，Aの所在を聞き出そうとして同女の腕を引っ張ったところ，同女が叫び声をあげ，これを聞いて駆けつけたBが『このやろう。殺してやる。』などといって被告人を追いかけてきた。そこで，被告人は，『近寄るな。』などと叫びながら西方へ約11.2メートル逃げたが，同所2番地付近路上で，Bに追いつかれそうに感じ，Bが死亡するかも知れないことを認識しながら，あえて，右散弾銃を腰付近に構え，振り向きざま，約5.2メートルに接近したBに向けて1発発砲し，散弾を同人の左股部付近に命中させたが，加療約4か月を要する腹部銃創及び左股部盲管銃創の傷害を負わせたにとどまり，同人を殺害するに至らなかったものである。

　二　原判決は，被告人の右行為が自己の権利を防衛するためのものにあたらないと認定した理由として，被告人が銃を発射する直前にBから『殺してやる。』といわれて追いかけられた局面に限ると，右行為は防衛行為のようにみえるが，被告人が銃を持ち出して発砲するまでを全体的に考察し，当時の客観的状況を併せ考えると，それは権利を防衛するためにしたものとは到底認められないからであると判示し，その根拠として，㈠　被告人は，Bらから酒肴の強要を受けたり，帰りの車の中でいやがらせをされたりしたうえ，友人のAが前記Q方付近で一方的に乱暴をされたため，これを目撃した時点において，憤激するとともに，Aを助け出そうとして，Bらに対し対抗的攻撃の意思を生じたものであり，Bに追いかけられた時点において，同人の攻撃に対する防禦を目的として急に反撃の意思を生じたものではないと認められること，㈡　右Q方付近は人家の密集したところであり，時刻もさほど遅くはなかったから，被告人は，Aに対するBらの行動を見て，大声で騒いだり，近隣の家に飛び込んで救助を求めたり，警察に急報するなど，他に手段，方法をとることができたのであり，とりわけ，帰宅の際は警察に連絡することも容易であったのに，これらの措置に出ることなく銃を自宅から持ち出していること，㈢　被告人が自宅へ駆け戻った直後，Aは独力でBらの手から逃れて近隣のR方へ逃げ込んでおり，被告人が銃を携行してQ方付近へきたときには，事態は平静になっていたにもかかわらず，被告人は，Bの妻の腕をつかんで引っ張るなどの暴行を加えたあげく，その叫び声を聞いて駆けつけ，素手で立ち向ってきたBに対し，銃を発射していること，㈣　被告人は，殺傷力の極めて強い4連発散弾銃を，散弾4発を装てんしたうえ，予備散弾をも所持し，かつ，安全装置をはずして携行していることを指摘している。

　三　しかしながら，急迫不正の侵害に対し自己又は他人の権利を防衛するためにした行為と認められる限り，その行為は，同時に侵害者に対する攻撃的な意思に出たものであっても，正当防衛のためにした行為にあたると判断するのが，相当である。すなわち，防衛に名を借りて侵害者に対し積極的に攻撃を加

⇒ *145*

える行為は，防衛の意思を欠く結果，正当防衛のための行為と認めることはできないが，防衛の意思と攻撃の意思とが併存している場合の行為は，防衛の意思を欠くものではないので，これを正当防衛のための行為と評価することができるからである。

　しかるに，原判決は，他人の生命を救うために被告人が銃を持ち出すなどの行為に出たものと認定しながら，侵害者に対する攻撃の意思があったことを理由として，これを正当防衛のための行為にあたらないと判断し，ひいては被告人の本件行為を正当防衛のためのものにあたらないと評価して，過剰防衛行為にあたるとした第1審判決を破棄したものであって，刑法36条の解釈を誤ったものというべきである。」

145　専ら積極的攻撃意思で行為に及んだとされた事例

東京高判昭和 60 年 10 月 15 日判時 1190 号 138 頁

【判決理由】　「㈠　被告人は，昭和 57 年 12 月下旬，東京都練馬区で P という名称で土質改良業を営んでいた実父のもとで働くことになり，昭和 58 年 1 月中旬，原判示 P 宿舎に入居したが，当時同宿舎には A が入居していた。同年 3 月 20 日夕方，被告人は A と仕事から帰り，同人と一緒に付近の飲食店でビールを飲んだ後，前記宿舎 1 階台所でウイスキー（720 ミリリットルびん入り）を飲み始めたが，2 人でこれをほとんど飲み尽くしたころ，酔った A が，同月初めころ飲酒して当時同宿していた B と口論した際止めに入った被告人から顔面を殴打されたことを持ち出し，被告人に対し『この前なんで殴ったんだ』『何かおれが悪いことをしたのか』『社長のせがれだから黙っているんだ』などと言ってしつこく絡んできたが，被告人は A の酒癖が悪いことを知っているので最初のうちは相手にしなかったものの，あまりしつこく同じことを言うので，『いい加減にしろ』と怒鳴った。すると，A はふらっと立ち上がり，後にある流しの下の物入れの中から包丁を取り出してすわっている被告人の方に向き直り，右包丁を右手で腰のあたりに前に向け水平に持ち，手を延ばせば包丁が被告人に届きそうな所から，『この若僧，冗談じゃねえよ』などと言ってすごんだが，同人はかなり酔ってふらふらしており，被告人に向かって包丁で切りつけたり，刺したりするような仕草はしていなかった。被告人は，A が自分の方に向き直るとすぐに，『ふざけやがって，なめてんのか』と言って食卓の上にあった前記ウイスキーびんを右手に持ち，立ち上がりざま，これを右上から左下に払うようにして同人の左側頭部めがけて力一杯強打した。そのため，びんは割れて破片が四散し，A はひざから崩れ落ちるようにしてその場に倒れ，右手に持っていた包丁は手から離れ落ちてしまった。

　㈡　A は，本件の前にも酔余包丁やカッターナイフを持ち出して人に絡んだことが

あったが，実際にこれで切りつけるなどの行動に出たことはなく，被告人らに刃物を取り上げられたりして事なきを得ていた。

（三）　被告人は，当時25歳で当時64歳のAより若く，体力的にも勝っており，しかもAは，本件当時相当量の飲酒をし，足がふらつくような状態であったので，かりにAが攻撃してきても，被告人はこれを容易に避けることができたものと認められる。現に被告人は，Aが立ち上がって包丁を手にしたのを見たときの気持について，捜査段階において，『こわいという気持はなかった』（前記8月29日付員面調書），『その包丁で切りつけられたり刺されたりというわけではなく，Aは年よりで酒を飲んでふらふらしているので，別にこわいという気持は起きなかった』（前記9月11日付検面調書）と供述し，原審公判においても，Aに傷つけられるというさし迫った危険を感じた記憶はなく，とっさに行動に出たものであると供述している。

（四）　被告人は，ウイスキーのびんでAを強打したときの気持について，捜査段階において，その包丁でどうこうされるのを防ぐのに必要だったわけではないが，私が『酒を飲まないときに話せ』と言っていたのも聞かずにAが私を若僧呼ばわりして包丁などを持ち出したので，頭に来てしまいカーッとなり殴打したものである（前記9月11日付検面調書）旨を供述し，原審理公判においても，後で考えると相手は刃物を持っていたので危ないと感じるのは当然であったし，刺されたかも知れないと思うが，そのときは包丁を持ち出してきたのでとっさに殴ってしまったと供述しており，一貫して，Aの行動に対し危ないと感じてこれを防ぐために殴打したとは述べていない。

（五）　被告人は，Aが右強打によってその場に倒れ，包丁も手から離し，全く攻撃の意思を失った後も，同人に対ししつように強烈な暴行を加えている。

　以上の事実関係を基礎とし，被告人がAをウイスキーびんで強打した際，被告人に防衛の意思が存していたか否かを考えてみるのに，最高裁判所の判例（昭和46年11月16日第三小法廷判決・刑集25巻8号996頁，同50年11月28日第三小法廷判決・刑集29巻10号983頁）が示すとおり，相手方の急迫不正の侵害に対し憤激又は逆上して反撃を加えたからといって，直ちに防衛の意思が欠けるというものではなく，急迫不正の侵害に対し自己又は他人の権利を防衛するためにした行為と認められる限り侵害者に対する攻撃的な意思が併存していたとしても，防衛の意思に出たものと解すべきである。しかし，他面，最高裁判所の判例（右昭和50年11月28日判決）が示しているとおり，行為者が防衛に名を借りて侵害者に対し積極的に攻撃を加えた場合には，もはや防衛の意思に基づく行為と認めることはできない。そこで，本件においては，防衛の意思と攻撃の意思とが併存していた場合であるのか，専ら攻撃の意思が存

していた場合であるのかが問題となる。そして，本件のように，相手方が包丁を持って行為者の近くに立ち，行為者を難詰するという挙動に出たときには，当然身体等に対する危険が差し迫っていると考えられるから，ことを一般的に見る限りでは，本件のように行為者がその場にあったウイスキーびんで相手方を強打するという行為も，防衛のための行為であって，防衛の意思に基づくものであると推認するのが相当であり，反撃の程度が相当性を欠くと判断されることがあるにとどまるというべきである。しかし，右のような場合であっても，具体的な事案においては，行為者が自分に加えられている侵害を排して自分の法益を防衛するため反撃に出たのではなく，その機会に専ら相手方に対し積極的に攻撃を加える意思で行為に及ぶこともあり得るのであり，特に，具体的に採った反撃の手段が防衛のためにはとうてい必要とはいえない過大なものであり，かつ，そのことを行為者が知りつつあえてそのような手段を採ったようなときには，防衛の意思を否定すべき場合がむしろ多いと考えられる。

　これを本件についてみるのに，被告人は，前記のとおり，捜査段階においては，Ａから包丁で傷つけられるのを防ぐためではなく，同人が包丁まで持ち出してしつこく自分を難詰することに腹を立て，同人をウイスキーのびんで殴ったものであると供述し，原審公判においても，後で考えるとＡは刃物を持っているので危なかったのは当然であるし，刺されていたかも知れないと主張しつつも，その時はＡが包丁を持ち出してきたので憤激してとっさに殴ってしまったものであると供述しており，一貫して，Ａから包丁で切られたり，刺されたりする危険を感じ，その危険を排除するために殴ったとは供述していない。この供述に表れている被告人の行為の意思は，防衛の意思と攻撃の意思とが併存している状態ではなく，専ら憤激のあまりＡに制裁を加えようという意思つまりは積極的な攻撃の意思であったというべきである。このことは，Ａが，未だ包丁で被告人を傷つけようとする仕草に及んでおらず，以前刃物を持ち出した際にも実際に人を傷つけるような行為に及ばず，被告人らに刃物を取り上げられて終っていること，年齢も高く，本件当時相当酩酊して足がふらついている有様であって，被告人が加えたような強烈な反撃を必要とする状況にはなかったと認められることからも裏付けられている。さらに，被告人は，Ａの行動を制止するような言動には出ず，『ふざけやがって。なめてんのか』といいながら，立ち上がりさま，いきなりウイスキーのびんでＡの顔面のあ

たりを強打し，Ａがまったく攻撃の能力と意思を失った後もしつように同人に暴行を加えているのであって，この事実もまた，被告人の本件行為がＡの侵害から身を守る意思でしたものではなく，同人の度重なる悪態に我慢しきれず，同人が包丁を手にしたのを見て憤懣が爆発し，積極的な攻撃の意思で行ったものであることを強く推認させるというべきである。結局，被告人には本件ウイスキーびんによる殴打行為に出た際防衛の意思がなかったと認めるのが相当であり，これと同旨の原判決の認定には事実誤認はない。論旨は理由がない。」

防衛の必要性・相当性

146 防衛行為は客観的に適正妥当なものでなければならないとした事例

大判昭和 2 年 12 月 20 日評論 17・刑 18

【事案】 被害者Ａは，被告人Ｘの父で被告人Ｙの叔父であるＢを殴打し，同人を海中に引きずり込み海中にねじ伏せたため，被告人両名は，Ｂの生命身体を防衛するため，付近にあった舵柄を取ってＡを殴打し，Ａに治療約 1 か月を要する傷害を負わせた。原判決は，被告人らの行為は過剰防衛に当たるとした。

【判決理由】「正当防衛は不正の侵害に対する権利行為なれは防衛行為か已むを得さりしと為すには必しも他に執るへき方法の存したりしや否は問ふ所に非すと雖其の防衛行為たるや固より無制限に許容せらるへきに非す自ら一定の限度ありて客観的に視て適正妥当のものたらさる可からす是れ近時正当防衛に於ける防衛行為の必要性に代へて適当性か主張せらるる所以なりとす而して之を本件事案に付て按するに被告人等に於て其の父又は其の叔父に当るＢの生命身体に対する急迫不正の侵害に対し判示防衛の行為に出てたるは人情自然の流露にして泡に同情に値すと雖不正の侵害者は巨軀なりとは云へ 40 歳に余るＡ 1 人なれは血気旺なる被告人等協力して之か防衛行為に出つるに於ては容易に不正の侵害を排撃し得るに拘らす孰れも舵柄を揮ひて乱打したるか如き又右乱打に因りてＡの蒙りたる傷害の程度の如き其の他諸般の情状に照すも原判決か被告人等の行為を防衛の程度を超えたるものと判示したることは必すしも重大なる事実の誤認ありと為すことを得さるのみならす擬律錯誤の違法ありとも

⇒ *147・148*

謂ふへからす本論旨は理由なし」

147 豆腐数丁の防衛

大判昭和 3 年 6 月 19 日新聞 2891 号 14 頁

【事案】 豆腐の行商をしていた被告人は，A から豆腐の貸売を執拗に迫られ口論となったため，その場から逃げたが，同人が被告人を追跡して来て豆腐を入れたバケツを蹴ったため，憤激して，その場にあった木口で A を数回殴打し，同人を死亡するに至らせた。

【判決理由】 「原判決の引用せる証人 B の証言に徴すれは被告人は憤激の余同証人か A を押除けたるに拘らす仍ほ其の背後より判示角材を以て A を殴打し同人か其の場に倒れて再起上らむとするや更に之を殴打して遂に死に至らしめたること明白なるを以て右被告人の行為を以て輙く急迫不正の侵害に対しての防衛行為と目するを得す否仮りに右行為に於て急迫不正の侵害に対する防衛行為と目し得へしとするも僅々豆腐数丁の財産的利益を防衛する為至重の法律利益たる人命を害するか如きは当に防衛の程度を超えたるものと謂はさるへからす」

148 相当性の判断方法

最判昭和 44 年 12 月 4 日刑集 23 巻 12 号 1573 頁／判時 581・82，判タ 243・260

【判決理由】 「原判決が認定判示した犯罪事実は，被告人は自己の勤務する運送店の事務所の入口付近で，貨物自動車の買戻しの交渉のため訪ねて来た A と押し問答を続けているうち，同人が突然被告人の左手の中指および薬指をつかんで逆にねじあげたので，痛さのあまりこれをふりほどこうとして右手で同人の胸の辺を 1 回強く突き飛ばし，同人を仰向けに倒してその後頭部をたまたま付近に駐車していた同人の自動車の車体（後部バンパー）に打ちつけさせ，よって同人に対し治療 45 日間を要する頭部打撲症の傷害を負わせたものであるというものであり，同判決は，右被告人の所為はその因って生じた傷害の結果にかんがみ，防衛の程度を超えたもので，過剰防衛であるとして，被告人を有罪としている。

　ところで，右 A の行為が被告人の身体に対する急迫不正の侵害であることは，原判決も認めているところである。そして，刑法 36 条 1 項にいう『已むことを得さるに出てたる行為』とは，急迫不正の侵害に対する反撃行為が，自

己または他人の権利を防衛する手段として必要最小限度のものであること，すなわち反撃行為が侵害に対する防衛手段として相当性を有するものであることを意味するのであって，反撃行為が右の限度を超えず，したがって侵害に対する防衛手段として相当性を有する以上，その反撃行為により生じた結果がたまたま侵害されようとした法益より大であっても，その反撃行為が正当防衛行為でなくなるものではないと解すべきである。本件で被告人が右Aの侵害に対し自己の身体を防衛するためとった行動は，痛さのあまりこれをふりほどこうとして，素手でAの胸の辺を1回強く突いただけであり，被告人のこの動作によって，被告人の指をつかんでいた手をふりほどかれたAが仰向けに倒れたところに，たまたま運悪く自動車の車体があったため，Aは思いがけぬ判示傷害を蒙ったというのである。してみれば，被告人の右行為が正当防衛行為にあたるか否かは被告人の右行為がAの侵害に対する防衛手段として前示限度を超えたか否かを審究すべきであるのに，たまたま生じた右傷害の結果にとらわれ，たやすく被告人の本件行為をもって，そのよって生じた傷害の結果の大きさにかんがみ防衛の程度を超えたいわゆる過剰防衛であるとした原判決は，法令の解釈適用をあやまった結果，審理不尽の違法があるものというべく，右違法は判決に影響を及ぼすことが明らかであり，かつ，これを破棄しなければ著しく正義に反するものと認める。」

149 相当性の判断方法

東京地八王子支判昭和62年9月18日判時1256号120頁

【事案】 被告人は，飲酒しての帰途，橋の路上で，やはり酔って通りかかったAから因縁をつけられ，襟首を摑む，手拳で頭部を1回殴打する等の暴行を加えられたうえ，さらにAが上半身裸の喧嘩姿となってなおも執拗にからんでくる態勢を示したことから，自らも上半身裸となってAと口論を繰り返した挙句，ガードレールを背にした状態で靴を持った右手を振り挙げて殴りかかってきたAの胸倉付近を手拳で力一杯突き飛ばす暴行を加え，同人を約40メートル下の河川敷に転落させて，死亡するに至らしめた。

【判決理由】 「もちろん，Aが数分間も被告人の身辺に付きまとい，言いがかりをつけ，間欠的にもせよ暴行にさえ及び，被告人が逃げようと試みても逃げきれない状態だ（そのように認定せざるを得ない。）ということは，全体として被告人の行動の自由及び身の安全という法益に対する急迫不正な侵害の継続

⇒ *149*

に外ならないから，これに対しては相応の防衛行為が許されて然るべきであるし，また被告人において防衛の意思を発してもおかしくはない状況である。してみると，かかる経緯のもとに被告人が上半身裸となったというのも，Ａの挑発と攻撃が更に継続すべき気配のもとに焦立ちと立腹も加わって，むしろ暴力をもってでもこれを排除制圧し，もって行動の自由と身の安全を図ろうという防衛の意図を併せ発し，手初めに威迫的行動を示したものであると推認する余地がないではない。少なくとも，これをもって被告人が相対ずくの喧嘩争闘を決意し，以後その状態に転換したことを示すものと一義的に見ることには証拠上躊躇せざるを得ないものがあって，ひっきょう，被告人が上半身裸となって以後の反撃につきそれが喧嘩の一環であって防衛行為ではないと断定しさることはできないのであるが，進んで防衛行為としての相当性を考える上では，不正な侵害の態様と程度が全体として右のようなものにとどまっていたということは見逃せない事情となる。

　3　そこで，その後に被告人が行なった反撃の態様・程度を具体的に見ると（ちなみに，刑法 36 条 1 項にいう「行為」とは，それについて正当防衛という違法性阻却事由の存否が判断される対象を指称する概念であって，すなわち構成要件に該当すべき所為を意味するから，狭義の行為すなわち動作だけではなく，故意犯における結果と同様に結果的加重犯における結果を含むものと解しなければならず，いわゆる「相当性」の有無も，狭義の反撃行為だけではなくその結果をも含めた全体について判断されるべきものである。）被告人は，上半身裸の Ａ が片手に下足を振り上げて迫ってきたので機先を制して胸元を 1 回強く手拳で突いたところ，同人は数歩後ろ寄りによろめいた勢いでほぼ仰向けにガードレール越しに橋下に転落していったと言うのであるから，それならば，その時の Ａ は深い谷底を控えたガードレールを背に，かつ，これにかなり近接した場所に位置していたということになる。してみると，終始一貫して前認定程度のものであった Ａ の侵害行為に対するに，被告人の加えた反撃たるや，その動作自体においても状況上 Ａ の橋下転落とひいてはその死亡さえ招きかねない高度に危険な態様のものだったのであり（そのことは被告人も容易に認識し得た筈のものである。），果たして結果においてもこの上ない重大な法益侵害を生じてしまったものなのである。これがいわゆる相当性の範囲を逸脱する明らかに過剰なものであったことはとうてい否定できない。

　以上のとおり，被告人の判示所為は正当防衛行為と認めることはできず，過剰防衛行為にとどまると認められるものである。」

150　包丁を手にした脅迫が相当性の範囲を超えていないとされた事例

最判平成元年 11 月 13 日刑集 43 巻 10 号 823 頁／判時 1330・147，判タ 713・72
（百選 I 25，重判平元刑 2）

【判決理由】　「原判決の認定によれば，本件における事実関係は次のとおりである。すなわち，被告人は，前記日時ころ，運転してきた軽貨物自動車を前記空地前の道路に駐車して商談のため近くの薬局に赴いたが，まもなく貨物自動車（いわゆるダンプカー）を運転して同所に来た A が，車を空地に入れようとして被告人車が邪魔になり，数回警笛を吹鳴したので，商談を中断し，薬局を出て被告人車を数メートル前方に移動させたうえ，再び薬局に戻った。ところが，それでも思うように自車を空地に入れることができなかった A が，車内から薬局内の被告人に対し『邪魔になるから，どかんか。』などと怒号したので，再び薬局を出て被告人車を空地内に移動させたが，A の粗暴な言動が腹に据えかねたため，同人に対し『言葉遣いに気をつけろ。』と言ったところ，A は，空地内に自車を駐車して被告人と相前後して降車して来たのち，空地前の道路上において，薬局に向かおうとしていた被告人に対し，『お前，殴られたいのか。』と言って手拳を前に突き出し，足を蹴り上げる動作をしながら近づいて来た。そのため，被告人は，年齢も若く体格にも優れた A から本当に殴られるかも知れないと思って恐くなり，空地に停めていた被告人車の方へ後ずさりしたところ，A がさらに目前まで追ってくるので，後に向きを変えて被告人車の傍らを走って逃げようとしたが，その際ふと被告人車運転席前のコンソールボックス上に平素果物の皮むきなどに用いている菜切包丁を置いていることを思い出し，とっさに，これで A を脅してその接近を防ぎ，同人からの危害を免れようと考え，被告人車のまわりをほぼ 1 周して運転席付近に至るや，開けていたドアの窓から手を入れて刃体の長さ約 17.7 センチメートルの本件菜切包丁を取り出し，右手で腰のあたりに構えたうえ，約 3 メートル離れて対峙している A に対し『殴れるのなら殴ってみい。』と言い，これに動じないで『刺すんやったら刺してみい。』と言いながら 2，3 歩近づいてきた同人に対し，さらに『切られたいんか。』と申し向けた。

　そこで，正当防衛の成否に関する原判決の法令の解釈適用について検討すると，右の事実関係のもとにおいては，被告人が A に対し本件菜切包丁を示した行為は，今にも身体に対し危害を加えようとする言動をもって被告人の目前に迫ってきた A からの急迫不正の侵害に対し，自己の身体を防衛する意思に出たものとみるのが相当であり，この点の原判断は正当である。

　しかし，原判決が，素手で殴打しあるいは足蹴りの動作を示していたにすぎ

⇒ *151*

ない A に対し，被告人が殺傷能力のある菜切包丁を構えて脅迫したのは，防衛手段としての相当性の範囲を逸脱したものであると判断したのは，刑法36条1項の『已むことを得ざるに出てたる行為』の解釈適用を誤ったものといわざるを得ない。すなわち，右の認定事実によれば，被告人は，年齢も若く体力にも優れた A から，『お前，殴られたいのか。』と言って手拳を前に突き出し，足を蹴り上げる動作を示されながら近づかれ，さらに後ずさりするのを追いかけられて目前に迫られたため，その接近を防ぎ，同人からの危害を免れるため，やむなく本件菜切包丁を手に取ったうえ腰のあたりに構え，『切られたいんか。』などと言ったというものであって，A からの危害を避けるための防御的な行動に終始していたものであるから，その行為をもって防衛手段としての相当性の範囲を超えたものということはできない。

　そうすると，被告人の第1の所為は刑法36条1項の正当防衛として違法性が阻却されるから，暴力行為等処罰に関する法律1条違反の罪の成立を認めた原判決には，法令の解釈適用を誤った違法があるといわざるを得ない。

　次に，被告人の第2の所為について検討すると，その公訴事実は，A を脅迫する際に刃体の長さ約17.7センチメートルの菜切包丁を携帯したというものであるところ，右行為は，A の急迫不正の侵害に対する正当防衛行為の一部を構成し，併せてその違法性も阻却されるものと解するのが相当であるから，銃砲刀剣類所持等取締法22条違反の罪は成立しないというべきである。

　そうすると，同法違反の成立を認めた原判決には，法令の解釈適用を誤った違法があるといわざるを得ない。」

151　西船橋駅事件

千葉地判昭和62年9月17日判時1256号3頁／判タ654・109

【事案】　被告人は，総武線西船橋駅ホームにおいて，酒に酔った男性 A から執拗にからまれた末，コートの衿のあたりをつかまれたため，A を我が身から引き離そうと同人の体を突いたところ，A がホームから転落し，折から進入してきた電車の車体とホームの間に体をはさまれて死亡した。

【判決理由】　「以上，当時ホーム上に居た乗客らの各証言によって逐次検討して来たところの，被告人が A を突いたホーム上の位置，その際の被告人と A のかかわりの状態，右状態の中で被告人が A を突くに至った経緯のほか，被告人が階段を下りて来ていた時点以後の一連の状況に徴すれば，電車が4番線

に入るとの案内放送があった頃，4番線ホームの方に行く感じになっていたA
が被告人を叩き，それに対して被告人がAを突いたことから，被告人は，ベ
ンチの千葉寄り付近ないし右ベンチと千葉寄りにある柱との間のあたりにおい
て，被告人の方に引き返す形のAと50センチとは離れていないくらいの間隔
で，かつ互に立ち止まって向かい合う状態になり，その際，それまでに被告人
はAに絡まれ続け，手出しを受けたほか，馬鹿女などといわれて来たうえに，
更に向き合ったAから胸から首筋のあたりを手でつかまれるという状態に至
って，Aを自らの力で我が身から離そうとし，右手に左手を添える形で，同
人の右肩付近に手のひらを拡げて突き出して，同人を突いたものと認められる。

　しかも右当時の状況のもとにおいて，被告人がAから右の如く胸から首筋
のあたりを手でつかまれる状態になるという更に強い絡みを受け，これからの
がれるための手立てとして同人を両手で突く所為に出たことは，自制心を欠い
たかの如き酒酔いの者にいわれもなくふらふらと近寄られ，更には手をかけら
れたときに生じる気味の悪さ，嫌らしさ，どのようなことをされるかも知れな
いという不安ないしは恐怖にも通じる気持が日常生活上において経験し理解さ
れ得るところであることをもあわせ考えると，差し迫った危害に対するやむを
得ない行為であったといわなければならず，またその態様も，前叙の如く被告
人に手をかける状態になっているAに対し，これを離させるため，曲げた両
腕を前にのばし，その際右手に左手を添える形で，手のひらで突いたというも
ので，D証人が，1歩踏み出すような感じで両手を前に出した旨供述するとこ
ろがあるものの，つかんでいる相手方を離すという所為としてみるとき，女性
にとって相応の形態で，かつ通常とられる手立てとして首肯し得る態様のもの
であり，しかもつかんでいるAを離すため1回突いたにとどまっていること，
前叙したようにベンチの背合わせ付近から4番線ホームの線路際までは3メー
トル前後の間隔が存していること，突いた力も，E証人が，『私も最初は落ち
るとは思わなかった，距離もあるし，そのときの勢いとか最初の勢いとかその
辺を瞬間的に思ったのだと思う』と述べているほか，Aが線路上に落ちるま
での状況について，前示(1)のD証人は，『押されて後ろに下がるような感じで，
その間にバランスをとろうとして，おっとっと，という感じで落ちて行くよう
に見えた』旨述べ，同じく(4)のG証人は，『男の人は押されてよろめきかかる
ようにして私達が坐っているベンチの前の方まで来て，それから落ちた』旨供

⇒ *151*

述し，同じく(5)のI証人も，『4番線側ベンチの角あたりまでは割にゆっくり
というより少し早めに後ずさり，その後はふうらふらして3歩位してホームか
ら落ちた』旨述べており，これらの目撃状況から考えると，被告人がAを突
いた力は，同人をその場に突き倒すほどの強いものでなかったことが明らかで
あるばかりでなく，Aが当時酔っていて足もとのふらつく状態にありながら，
被告人に突かれたことによって体のバランスをある程度失うことになったもの
の，その付近において倒れるまでに至ることなく，ホームの線路際まで3メー
トル前後の間を，しかも斜めの方向で後ずさりして行っているのに徴すれば，
D証人が踏んばるように力をこめるみたいな感じで1歩踏み込んだ状態で押
した旨といい，B証人が，かなりきつく押した旨述べ，C証人が，足を前の方
に1歩出し腰に力を入れるような感じでかなり強い勢いで突いた旨いうところ
も，その言葉どおりの強い力であったことの証左であるとはたやすくいえない
こと，また被告人の検察官に対する昭和61年1月29日付供述調書によれば，
被告人は身長約167センチ，体重約65.6キログラムで，他方Aは，司法警察
員作成の死体解剖鑑定立会結果報告書に明らかなように身長約165.5センチ，
体重約65キログラムであるところ，K子の検察官に対する供述調書によれば，
夫のAは日本体育大学を卒業した後，本件当時高等学校で体育の教諭として
勤務していた者であり，これに対して被告人は40歳になろうとする女性であ
って，必ずしも被告人が体力的に優っているとはいえないうえ，技術吏員S
作成のAの血液についての検査結果報告書によれば，Aは血液1ミリリット
ル中に2.5ミリグラムのアルコールを含有して，かなり高度の酒酔いとみられ
る状態にあったものの，前叙した一連の経過によると，Aが酒に酔っている
者によく見られるところの，自制心が働かず，その行動が制御されずに相手方
に立ち向かうような状況にあったことが看取され，従ってそのようなAから
離れるためには被告人なりに力を入れて突く必要があったとみられること，こ
れらの諸事情に照らせば，被告人のAを突いた所為が被告人自身からAを離
すに必要にして相応な程度を越えていたとは到底いえないところである。」

「この場合，被告人として他にどのようなとり得る方法があったかを問うと
き，そのような酔余の者に絡まれたからには，かかわり合いにならないように
ホームの別の場所に逃げればよかったではないかとか，駅員に通報して保護を
求めるなどの方法があったのではないかとのたぐいのことを，はた目には言う

ことができるとしても，電車に乗ろうとして階段からホームに下りて来た被告人が，思いもかけず公衆の面前で酔余のＡに絡まれたうえ，侮辱的言辞まで受け，剰え周囲の者に助けを求めても，笑うなどするのみで誰一人としてこれに応じてくれず，また被告人の供述するところによれば，当時被告人は買い求めてあった食料品などを２個の紙袋に入れ両手に提げていて，思うように動ける状態にあったともみられないなかで，そのような被告人に対して，それでもなお自らの困惑した事態をのがれようとするのであれば，その場から立ち去る動きに出て然るべきであったかのようにいうのは，相手がかかる酔余者であることをも考え，事を荒立てずに済ませるような処置をとるのがよかったのではないかという，いわば，ただただ被告人に対してのみ然るべき対処を余儀なくさせるという片面的観点からの論であるといわざるを得ず，公共の場でそのような状態に追い込んで来た相手方の行動に関しての視点を欠く嫌いのあるものであって，右の如き論は被告人に対し一方的にそのような屈辱を甘受せよと無理強いし，また嫌がらせを受けながらもその場から逃げ去るくやしさ，みじめさを耐え忍べよというに等しく，他方，駅のホームという公共の場にそぐわない行動をとる酔余者に対しては，その行動を放任する結果になることから，徒らに同人の右の動きを助長する傾きのあるのを否めないところであり，結局において電車に乗ろうとして駅ホームでその来るのを待っていた被告人の，一市民としての立場をないがしろにするものであって，到底与することができない。」

152 ホテトル嬢客刺殺事件

東京高判昭和 63 年 6 月 9 日判時 1283 号 54 頁／判タ 671・249

【事案】　客の待つホテルに赴いて売春をするいわゆるホテトル嬢をしていた被告人は，ホテルの室内において客のＡと 4 時間の遊びを約束したところ，Ａは，いきなり被告人のみぞおちを殴打し，ひるむ被告人を押さえつけて，「静かにしないと殺す」などと言って，切出しナイフで被告人の右手背を 1 回突き刺したり，ナイフを顔面近くに突きつけたりし，被告人の両足首，両手首を帯やガムテープで縛るなどしたうえ，わいせつな行為を強要し，その様子をビデオカメラ，ポラロイドカメラ等で撮影した。その間，被告人は，Ａの言動からおとなしくしている限り，Ａが粗暴な振る舞いに出ないことを知る一方，Ａからこの様な理不尽で異常な仕打ちを受けるいわれはなく，機会を見つけて逃げ出したいと考え，機会を伺っていたが，そのうちＡの要求に堪えられなくなり，Ａが放置していたナイフを手にして，Ａがよそ見をした瞬間をとらえて，Ａの

⇒ *152*

左腹部をナイフで1回突き刺し，ドアの方に逃げ出した。Aは，ナイフで刺されるや被告人を突き飛ばすようにしたうえ，直ちにその後を追い，ドアの直前で被告人の前に回り込んで立ち塞がり，被告人ともみ合い，被告人が反転して部屋の奥の方に逃げると，すかさずその後を追い，逃げ回る被告人を捕まえて押さえつけ，被告人からナイフを取り上げようとし，その間に，被告人にかみつく，髪をつかんで頭を壁に打ち付ける，首に左手を回す，頭を殴るなどの暴行を加え，被告人が再度ドアの方に逃げると，なおも後を追って，またもドアのところで被告人の前に回り込んだ。被告人は，Aが右のように追い回している間，同人が死ぬかも知れないことを認識しながら，同人の胸部や腹部をナイフで数回強烈に突き刺したため，Aは出血多量のためドアにもたれかかりながら失神し，約1時間後に失血死した。第1審判決は，被告人の行為を過剰防衛にあたるとして，懲役3年の実刑判決を言い渡した。本判決は，以下のように述べて，原審の事実認定を是認したが，量刑不当の点についてはこれを容れて，原判決を破棄し，懲役2年執行猶予3年の刑を言い渡した。

【判決理由】「被告人の本件行為が防衛のためやむことをえないものであったか否かをみると，なるほど，Aは，身長約172センチメートル，当時28歳の男性であるのに対し，被告人は，身長約158センチメートル，当時21歳の女性であって，体力的にAより劣勢であったこと，被告人は，本件犯行の1時間余り前にはAから，殴る，ナイフで突き刺す，ナイフを突き付けて脅すなどの強力かつ露骨な暴行や脅迫が加えられ，その後も手足を縛られて監禁状態に置かれ，わいせつ行為を強要されていたこと，Aは，被告人から第一撃を受けた後被告人を追い回している間，終始機敏に動いて攻勢を取り，被告人は守勢に回って，恐怖，驚き，怒り，興奮等の錯綜した心理状態の中で，必死に逃げあるいは応戦していたことなどの事情はあるが，他面次のような事情も認められる。

すなわち，被告人の最初の刺突行為については，そのころ被告人は，監禁状態に置かれていたとはいえ，それ以上に強力な暴行を加えられていたわけではなく，そのような状況下でわいせつ行為を強要されていただけであり，被告人において，Aの言動，表情等から同人に無気味なものを感じ，更にどのようなことをされるかもしれないという不安を抱いていたことは否定し難いが，生命にまで危険を感じていたとは認められないこと，右の一撃は，先端の極めて鋭利な切出しナイフで，わいせつ行為に熱中する同人の腹部を狙いすまして強く突き刺した危険なものであること，被告人は，自らの意思により，『ホテト

ル嬢』として4時間にわたり売春をすることを約して，Aから高額の報酬を得ており，原審検察官が主張するように，これにより被告人が性的自由及び身体の自由を放棄していたとまではいえないが，少なくとも，Aに対し，通常の性交及びこれに付随する性的行為は許容していたものといわざるをえないから，被告人の性的自由及び身体の自由に対する侵害の程度については，これを一般の婦女子に対する場合と同列に論ずることはできず，相当に減殺して考慮せざるをえないことなどの事情がある。

　次に，その後被告人がAから追い回されている間にした刺突行為については，それが未必的にもせよ殺意をもって，右のような危険なナイフで繰り返し強烈に行われ，同人に対しキ，ク，ケ，コ，ザ，サの各創のような重傷を負わせ，間もなく同人をその場で失神させたうえ，約一時間後には失血死させたものであること，Aは，機敏かつ一方的に被告人を追い回し続けていたとはいいながら，素手であったうえ，被告人は，守勢に終始しながらも，Aに対しよく応戦していて，その間同人からナイフを奪い取られたようなことはなく，同人にナイフを取られない限り，被告人の生命までもが危険となることはなかったこと，Aの右のような執ような追撃は，被告人のAに対する前記の第一撃が，同人を刺激して激昂させ，これを誘発したといえなくもないことなどの事情があり，これらの事情もまた被告人の行為の違法性を判断するに当たって考慮に入れざるをえない。

　なお，被告人は，捜査段階及び原審，当審各公判を通じて終始，Aにナイフを奪われれば殺されると思っていた旨供述しているところ，被告人は，当初Aからナイフで手を刺され，ナイフを突き付けられて『静かにしないと殺すぞ。』などと脅されていたうえ，異常ともいえるわいせつ行為を受け続け，ナイフで腹部を刺せば，同人がひるんで逃げ出す機会が得られると思い，そのような挙に出たのに，同人がひるむことなく，敏速かつ執ように被告人を追い回し，被告人のナイフで受傷して血にまみれながらも，被告人の逃走や抵抗を制圧しようとしていたことが明らかであり，Aのその行動には，自己の生命の安否をも省みることなく，被告人を逃がすまいとする異常なまでの激情と執念とが看取されるのであって，実際にAが被告人からナイフを奪い取った後どうするつもりでいたかはともかく，被告人がナイフを奪われれば殺されると思ったというのは，まことに無理からぬところであったと認められ，原判決が被

⇒ *153*

告人の右供述を措信できないとしたのは支持し難い。もっとも，被告人がA
からナイフを奪い取られたことがないことは，前記のとおりであり，その限り
で被告人の懸念は現実化するに至らなかったということができる。

　そして，これらの諸事情を総合し，法秩序全体の見地からみると，確かに
Aの側に被告人の権利に対する侵害行為のあったことは否定し難いところで
あるが，本件の状況下でこれに対し前記のような凄惨な死をもって酬いること
が相当であるとは認め難く，被告人の本件行為は，前後を通じ全体として社会
通念上防衛行為としてやむことをえないといえる範囲を逸脱し，防衛の程度を
超えたものであると認めざるをえない。」

過 剰 防 衛

153　過剰防衛の限界（1）

最判昭和34年2月5日刑集13巻1号1頁

【事案】　被告人XがAとBの喧嘩の仲裁をしたところ，これを不満に感じたAは，
業務用屋根鋏を持って夜9時頃X方土間に侵入し，屋根鋏の刃先をXの首近くに突き
つけ，2，3回チョキチョキと音を立てて鋏を開閉しながら「この野郎殺してしまうぞ」
と申し向けて威嚇しつつXを土間の一隅に追い詰めた。Xは，じりじりと後退するう
ち右手が付近の腰掛の上にあった鉈に触ったので，このまま推移すれば殺されてしまう
と考え，自己の生命身体に対する危険を排除するため，とっさにその鉈を右手に摑み左
手で目前の屋根鋏を払いのけ鉈でAの左頭部辺をめがけて斬りつけて一撃を加え，つ
いでよろけながら屋根鋏を落としたAの同部を追い討ちに殴りつけ，その場にAを横
倒しにさせたが，XはAの不法行為とこれに起因した異常の出来事により，はなはだ
しく恐怖，驚愕，興奮かつ狼狽していたので，さらに一撃のうちにAの頭部，腕等を
鉈を振るって3，4回斬りつけ，よってAを頭部切創による左大脳損傷のため死亡させ
た。第1審判決は，Aが横転するまでの被告人の行為は正当防衛に当たるとし，Aが
横転した後の追撃行為は，急迫不正の侵害が既に去った後に行われたものではあるが，
恐怖，驚愕，興奮かつ狼狽した余り，既に危険が去ったことの認識を欠き，その現場に
おいて正当防衛行為に引き続き一瞬のうちに継続した防衛のための追撃行為であって，
これは同時に不法侵入者たるAを排斥しようとする行為にほかならないから，盗犯等
の防止及処分に関する法律第1条第1項第3号に該当するとして，無罪を言い渡した。
これに対して，第2審判決は，同一の機会における同一人の所為を可分し，趣旨を異に
する2つの法律を別々に適用することは，立法の目的にそわない，とした上で，被告人

の一連の行為は，それ自体が全体として，その際の状況に照らして，刑法36条第2項にいう「防衛の程度を超えたる行為」に該る，と判示し，被告人を殺人罪で懲役2年の刑に処した。

【判決理由】「原審の是認した第1審の認定にかかる被告人の本件一連の行為は，それ自体が全体として，その際の情況に照らして，刑法36条1項にいわゆる『已むことを得ざるに出てたる行為』とはいえないのであって，却って同条2項にいわゆる『防衛の程度を超えたる行為』に該るとして，これを有罪とした原審の判断は正当である。」

154　過剰防衛の限界（2）

最決平成20年6月25日刑集62巻6号1859頁／判時2009・149，判タ1272・67
（百選Ⅰ27，重判平20刑3）

【決定理由】「1　原判決の認定及び記録によれば，本件の事実関係は，次のとおりである。

（1）　被告人（当時64歳）は，本件当日，第1審判示『Aプラザ』の屋外喫煙所の外階段下で喫煙し，屋内に戻ろうとしたところ，B（当時76歳）が，その知人であるC及びDと一緒におり，Bは，『ちょっと待て。話がある。』と被告人に呼び掛けた。被告人は，以前にもBから因縁を付けられて暴行を加えられたことがあり，今回も因縁を付けられて殴られるのではないかと考えたものの，同人の呼び掛けに応じて，共に上記屋外喫煙所の外階段西側へ移動した。

（2）　被告人は，同所において，Bからいきなり殴り掛かられ，これをかわしたものの，腰付近を持たれて付近のフェンスまで押し込まれた。Bは，更に被告人を自己の体とフェンスとの間に挟むようにして両手でフェンスをつかみ，被告人をフェンスに押し付けながら，ひざや足で数回けったため，被告人もBの体を抱えながら足を絡めたり，けり返したりした。そのころ，二人がもみ合っている現場にC及びDが近付くなどしたため，被告人は，1対3の関係にならないように，Cらに対し『おれはやくざだ。』などと述べて威嚇した。そして，被告人をフェンスに押さえ付けていたBを離すようにしながら，その顔面を1回殴打した。

（3）　すると，Bは，その場にあったアルミ製灰皿（直径19cm，高さ60cmの円柱形をしたもの）を持ち上げ，被告人に向けて投げ付けた。被告人は，投げ付けられた同灰皿を避けながら，同灰皿を投げ付けた反動で体勢を崩したBの顔面を右手で殴打すると，Bは，頭部から落ちるように転倒して，後頭部をタイルの敷き詰められた地面に打ち付け，仰向けに倒れたまま意識を失ったように動かなくなった（以下，ここまでの被告人のBに対する暴行を「第1暴行」という。）。

（4）　被告人は，憤激の余り，意識を失ったように動かなくなって仰向けに倒れている

⇒ *154*

Bに対し，その状況を十分に認識しながら，『おれを甘く見ているな。おれに勝てるつもりでいるのか。』などと言い，その腹部等を足げにしたり，足で踏み付けたりし，さらに，腹部にひざをぶつける（右ひざを曲げて，ひざ頭を落とすという態様であった。）などの暴行を加えた（以下，この段階の被告人のBに対する暴行を「第2暴行」という。）が，Bは，第2暴行により，肋骨骨折，脾臓挫滅，腸間膜挫滅等の傷害を負った。

(5) Bは，Aプラザから付近の病院へ救急車で搬送されたものの，6時間余り後に，頭部打撲による頭蓋骨骨折に伴うクモ膜下出血によって死亡したが，この死因となる傷害は第1暴行によって生じたものであった。

2 第1審判決は，被告人は，自己の身体を防衛するため，防衛の意思をもって，防衛の程度を超え，Bに対し第1暴行と第2暴行を加え，同人に頭蓋骨骨折，腸間膜挫滅等の傷害を負わせ，搬送先の病院で同傷害に基づく外傷性クモ膜下出血により同人を死亡させたものであり，過剰防衛による傷害致死罪が成立するとし，被告人に対し懲役3年6月の刑を言い渡した。

これに対し，被告人が控訴を申し立てたところ，原判決は，被告人の第1暴行については正当防衛が成立するが，第2暴行については，Bの侵害は明らかに終了している上，防衛の意思も認められず，正当防衛ないし過剰防衛が成立する余地はないから，被告人は第2暴行によって生じた傷害の限度で責任を負うべきであるとして，第1審判決を事実誤認及び法令適用の誤りにより破棄し，被告人は，被告人の正当防衛行為により転倒して後頭部を地面に打ち付け，動かなくなったBに対し，その腹部等を足げにしたり，足で踏み付けたりし，さらに，腹部にひざをぶつけるなどの暴行を加えて，肋骨骨折，脾臓挫滅，腸間膜挫滅等の傷害を負わせたものであり，傷害罪が成立するとし，被告人に対し懲役2年6月の刑を言い渡した。

3 所論は，第1暴行と第2暴行は，分断せず一体のものとして評価すべきであって，前者について正当防衛が成立する以上，全体につき正当防衛を認めて無罪とすべきであるなどと主張する。

しかしながら，前記1の事実関係の下では，第1暴行により転倒したBが，被告人に対し更なる侵害行為に出る可能性はなかったのであり，被告人は，そのことを認識した上で，専ら攻撃の意思に基づいて第2暴行に及んでいるのであるから，第2暴行が正当防衛の要件を満たさないことは明らかである。そして，両暴行は，時間的，場所的には連続しているものの，Bによる侵害の継続性及び被告人の防衛の意思の有無という点で，明らかに性質を異にし，被告人が前記発言をした上で抵抗不能の状態にあるBに対して相当に激しい態様の第2暴行に及んでいることにもかんがみると，その間には断絶があるというべ

きであって，急迫不正の侵害に対して反撃を継続するうちに，その反撃が量的に過剰になったものとは認められない。そうすると，両暴行を全体的に考察して，1個の過剰防衛の成立を認めるのは相当でなく，正当防衛に当たる第1暴行については，罪に問うことはできないが，第2暴行については，正当防衛はもとより過剰防衛を論ずる余地もないのであって，これによりBに負わせた傷害につき，被告人は傷害罪の責任を負うというべきである。以上と同旨の原判断は正当である。」

155 過剰防衛の限界（3）

最決平成 21 年 2 月 24 日刑集 63 巻 2 号 1 頁／判時 2035・160，判タ 1290・135
（重判平 21 刑 2）

【決定理由】 「1 本件は，覚せい剤取締法違反の罪で起訴され，拘置所に勾留されていた被告人が，同拘置所内の居室において，同室の男性（以下「被害者」という。）に対し，折り畳み机を投げ付け，その顔面を手けんで数回殴打するなどの暴行を加えて同人に加療約3週間を要する左中指腱断裂及び左中指挫創の傷害（以下「本件傷害」という。）を負わせたとして，傷害罪で起訴された事案である。

2 原判決は，上記折り畳み机による暴行については，被害者の方から被告人に向けて同机を押し倒してきたため，被告人はその反撃として同机を押し返したもの（以下「第1暴行」という。）であり，これには被害者からの急迫不正の侵害に対する防衛手段としての相当性が認められるが，同机に当たって押し倒され，反撃や抵抗が困難な状態になった被害者に対し，その顔面を手けんで数回殴打したこと（以下「第2暴行」という。）は，防衛手段としての相当性の範囲を逸脱したものであるとした。そして，原判決は，第1暴行と第2暴行は，被害者による急迫不正の侵害に対し，時間的・場所的に接着してなされた一連一体の行為であるから，両暴行を分断して評価すべきではなく，全体として1個の過剰防衛行為として評価すべきであるとし，罪となるべき事実として，『被告人は，被害者が折り畳み机を被告人に向けて押し倒してきたのに対し，自己の身体を防衛するため，防衛の程度を超え，同机を被害者に向けて押し返した上，これにより転倒した同人の顔面を手けんで数回殴打する暴行を加えて，同人に本件傷害を負わせた』旨認定し，過剰防衛による傷害罪の成立を認めた。その上で，原判決は，本件傷害と直接の因果関係を有するのは第1暴行のみであるところ，同暴行を単独で評価すれば，防衛手段として相当といえることを酌むべき事情の一つとして認定し，被告人を懲役4月に処した。

3 所論は，本件傷害は，違法性のない第1暴行によって生じたものであるから，第2暴行が防衛手段としての相当性の範囲を逸脱していたとしても，過剰防衛による傷害罪が成立する余地はなく，暴行罪が成立するにすぎないと主

⇒ *156・157*

張する。

　しかしながら，前記事実関係の下では，被告人が被害者に対して加えた暴行は，急迫不正の侵害に対する一連一体のものであり，同一の防衛の意思に基づく1個の行為と認めることができるから，全体的に考察して1個の過剰防衛としての傷害罪の成立を認めるのが相当であり，所論指摘の点は，有利な情状として考慮すれば足りるというべきである。以上と同旨の原判断は正当である。」

156 誤想防衛でなく過剰防衛とされた事例

最判昭和24年4月5日刑集3巻4号421頁

【事案】　被告人は，父親Aと口論になり，Aが自宅に逃げ帰った被告人を追って被告人方勝手土間に入り棒様のものを手にして被告人に打ちかかってきたため，逃げ場を失った被告人は，Aの急迫不正の侵害に対して自己の身体を防衛するため，その場にあった斧を斧とは気づかず何か棒様のものと思いこれを手にしてAに反撃を加えたが，興奮のため防衛の程度を越し，その斧の峯及び刃でAの頭部を数回殴りつけて，同人を死亡させた。原判決が被告人の行為を過剰防衛としたのに対して，弁護人小野清一郎は，被告人には過剰の事実の認識がなかったので故意責任がない，と主張して上告した。

【判決理由】　「原審は斧とは気付かず棒様のものと思ったと認定しただけでただの木の棒と思ったと認定したのではない。斧はただの木の棒とは比べものにならない重量の有るものだからいくら昂奮して居たからといってもこれを手に持って殴打する為め振り上げればそれ相応の重量は手に感じる筈である。当時74歳（原審認定）の老父（原審は被害者が実父Aであることの認識があったと認定して居るのである）が棒を持って打ってかって来たのに対し斧だけの重量のある棒様のもので頭部を原審認定の様に乱打した事実はたとえ斧とは気付かなかったとしてもこれを以て過剰防衛と認めることは違法とはいえない。論旨は採用し難い。」

157 相当性の誤信

大阪地判平成23年7月22日判タ1359号251頁

【事案】　被告人は，自宅2階において，実弟のA（当時38歳）とけんかになり，Aが使っていたコップを床にたたきつけて割るとともに，水差しを床にたたきつけ，Aの携帯電話を二つに折って投げ捨てた。その直後，Aは被告人に駆け寄り，手拳で1回その顔面を殴打し，さらに，後退しつつ前かがみになった被告人の顔面等を手拳で複数回殴打し，なおも被告人を後方に追い込んでいった。Aは被告人よりも体格的に相当

優位にあり，Ａがけんか慣れをしていたといえるのに対し，被告人は全くの不得手であり，被告人は，Ａからほぼ一方的に，かつ，相当強い攻撃を受けた。被告人は，Ａの動きを制止しようと，同人に対し，その背後から左腕を首に回して締めつけ，よって同人を窒息により死亡させた。本判決は，以下のように述べて，被告人に無罪を言い渡した。

【判決理由】「緊迫した状況下にあったことからすると，被告人が，とにかくＡの動きを制止しようとするのに必死であり，無我夢中でＡの動きを制止しようとした結果，Ａの首の辺りに左腕をかけ，右手で左手を持ち，首の辺りを押さえようとしていて，意図せず首を締める形になり，その状況を認識しないまま，Ａを窒息死するに至らしめてしまったとしても，あながち不自然とはいえない。……被告人には，Ａの首を締めていたという認識があったと認めるに足りる十分な証拠はなく，被告人は，Ａの首の辺りを腕で押さえ込み，Ａの動きを封じようとする認識にとどまっていたとの合理的な疑いが残る。

　……（中略）……

　被告人は，Ａが使っていたコップを床にたたきつけて割るとともに，水差しを床にたたきつけ，Ａの携帯電話を二つに折って投げ捨てており（以下，これら被告人の一連の行為を「本件先行行為」という。），これがＡの怒りを一定程度誘発するべき違法行為であったことは否定できない。しかし，Ａはこれに対して，被告人に上記のような暴行を加えているのであり，物を壊す行為と人を傷つける行為とを比較すれば，Ａの行為は，被告人による物を壊す行為の違法性の程度を大きく超えているといえる。

　また，本件先行行為は，上記のとおり，Ａの怒りを誘発し得るものであったが，被告人とＡが7，8年間，殴り合いの喧嘩をしておらず，その間，被告人とＡとの間で暴力が振るわれたという事実は認められないことからすると，被告人にとって，Ａが本件先行行為に応じて，被告人の歯が折れるほどの暴力を振るうなどということは，予想外の出来事であったと考えるのが自然であり，被告人が，Ａの攻撃を予期していたという事実は認められない。さらに，……被告人が本件事件当時，Ａに対して積極的に危害を加える意思を有していたとは認められない。

　そして，被告人がＡに対する怒りもあるものの，自己の身を守ろうという意思を抱いて行動していたことは明らかであり，もっぱらＡに危害を加える

⇒ *158*

意思であったとは到底認められない。

　以上によれば，本件事件当時，被告人は，急迫不正の侵害に当たるＡの攻撃に対して反撃が正当化される状況の下，防衛のために公訴事実記載の行為に及んだものといえる。

　もっとも，人の急所である首を締めるという行為は，人の生命を侵害する重大な危険を含む行為であるから，Ａの攻撃に対する防衛行為としては許容範囲を超え，相当性に欠けるものであった。

　しかし，本件では，上記のとおり，被告人にＡの首を締めているという認識があったと認定することはできず，被告人はＡの首の辺りを腕で押さえ込み，Ａの動きを封じようとする認識にとどまっていたという前提で判断せざるを得ない。そして，このような被告人の認識していた事実を基礎とし，本件事件当時被告人が置かれていた状況等を考慮すれば，被告人の認識上，被告人がＡに対してした行為は，Ａの攻撃から身を守る防衛行為として許容範囲を超えておらず，相当性を有するものと認められる。そうすると，被告人は，防衛のため相当な行為をするつもりで誤ってその限度を超えたものであり，防衛行為が過剰であることを基礎づける事実の認識に欠けていたのであるから，被告人の行為は誤想防衛に当たり，被告人に対し，Ａに対する傷害致死罪の故意責任を問うことはできない。」

158　共犯における相当性の誤信

東京地判平成 14 年 11 月 21 日判時 1823 号 156 頁

【事案】　被告人Ａ子（Ｄの母親）および被告人Ｂ子（Ｄの妹）は，Ｃ（Ｄの弟で少年）と共謀の上，飲酒酩酊したＤによる暴力から自己または家族の身体を守るため，Ａ子は，Ｄの右腰付近から臀部辺りを両手で押さえつけたりし，Ｂ子は，Ｄの下半身側からその足首辺りを両手で押さえつけたりし，Ｃは，Ｄの頸部などをカーペット上に 5 分か 10 分くらい押さえつけたりした。Ｄは，後頸部圧迫に起因した鼻口部閉塞による急性呼吸循環不全により窒息死した。本判決は，Ｃの反撃行為は，防衛行為の相当性の範囲を逸脱したものといわざるを得ないとしたうえで，次のように判示して，Ａ子およびＢ子を無罪とした。

【判決理由】　「急迫不正の侵害に対して反撃行為を行った場合，客観的には，それが防衛行為の相当性の範囲を逸脱して過剰防衛とみられる場合であっても，その行為者において，相当性判断の基礎となる事実，すなわち，過剰性を基礎

づける事実に関し錯誤があり，その認識に従えば相当性の範囲を逸脱していないときには，誤想防衛の一場合として，行為者に対し，生じた結果についての故意責任を問うことはできない。そして，複数の者が，そのような反撃行為を共同して行った場合，相当性判断の基礎となる事実の認識の有無は，各人について個別に判断すべきものと解されるから，そのうちの一人の反撃行為が，防衛行為の相当性の範囲を逸脱したものであり，そのような反撃行為により生じた結果につき，客観的には，共同して反撃行為を行った他の者の行為との間の因果関係を否定し得ない場合であっても，共同して反撃行為を行った者において，相当性判断の基礎となる事実に関し錯誤があり，その認識に従えば相当性の範囲を逸脱していないときには，誤想防衛の一場合として，その者に対し，生じた結果についての故意責任を問うことはできないものというべきである。

　そこで，これを本件についてみると，上記のとおり，Ｃは，自らＤの後頸部を右手で強く押さえつけていたのであるから，自己の反撃行為につき，その相当性判断の基礎となる事実の認識に欠けるところはなかったと認められるのであるが，他方，……被告人両名については，いずれも，ＣがＤの後頸部を右手で強く押さえつけていることを認識していなかったのではないかという合理的な疑いを払拭することはできないものというべきである。

　そうすると，Ｃについては，その反撃行為が過剰防衛行為に当たると認められるにしても，被告人両名については，いずれも，ＣがＤの後頸部を右手で強く押さえつける行為に及んでいるという，本件における防衛行為の相当性判断の基礎となる事実，すなわち，過剰性を基礎づける事実についての認識に欠けていたとみるほかはないから（なお……被告人両名の上記の誤認について，その責めに帰すべき過失があったことも認め難い。），被告人両名につき，防衛行為の相当性判断の前提事実に誤認はなかった旨の検察官の主張も，採用することはできない。

　そして，このような被告人両名の認識に係る当時の状況，すなわち，Ｃにおいて，右手で，Ｄの後頸部ではなく左肩辺りを押さえつけ，被告人両名においては，こもごもＤの右腕や臀部辺り，あるいは，同人の足首を手で押さえつけるなどといった状況を前提とすると，そのような被告人Ａ子ら３名の一連の反撃行為が，Ｄによる急迫不正の侵害に対する防衛行為として，その相当性の範囲を逸脱するものであったとは認め難い……。

⇒ 159・160

　以上のとおり，被告人両名については，防衛行為の相当性判断の基礎となる事実に関し錯誤があったのではないかという合理的な疑いを払拭することができず，したがって，被告人両名の本件行為がいずれも誤想防衛行為に当たることを否定し難いのであるから，被告人両名に対し，Ｄに対する傷害致死罪の故意責任を問うことはできないものというほかはない。」

159　誤想過剰防衛に当たるとされた事例

最決昭和41年7月7日刑集20巻6号554頁／判時456・83，判タ195・110
（重判昭41・42刑2）

【決定理由】「被告人の長男ＡがＢに対し，同人がまだなんらの侵害行為に出ていないのに，これに対し所携のチェーンで殴りかかり，なお攻撃を加えることを辞さない意思で包丁を擬したＢと対峙していた際に，Ａの叫び声を聞いて表道路に飛び出した被告人は，右のごとき事情を知らず，ＡがＢから一方的に攻撃を受けているものと誤信し，その侵害を排除するためＢに対し猟銃を発射し，散弾の一部を同人の右頸部前面鎖骨上部に命中させたものであること，その他原判決認定の事情のもとにおいては，原判決が被告人の本件所為につき，誤想防衛であるがその防衛の程度を超えたものであるとし，刑法36条2項により処断したのは相当である。」

160　英国騎士道事件最高裁決定

最決昭和62年3月26日刑集41巻2号182頁／判時1261・131
（百選Ⅰ29，重判昭62刑1）

【事案】　第1審判決は，被告人（英国人）がＡに対して左回し蹴りに及んだ行為は，被告人の誤想を前提とする限り，「Ｂ子及び被告人の身体を防衛するためにやむことを得なかったものと言うべく，防衛手段としては相当性を有するものであって，防衛の程度を超えた行為ということはできない。確かに，反撃行為により生じた結果は重大であるが，反撃行為により生じた結果が偶々侵害されようとした法益より大であっても，その反撃行為そのものが防衛の程度を超えていないものである以上，過剰防衛となるものでないことは論を俟たない。」また「当時日本語の理解力が十分でなく，英国人である被告人が，誤想したことについて過失があったものと認めることもできない。」「被告人の本件行為は，誤想防衛に該当して，故意が阻却され，またその誤想したことについて過失は認められないので，結局被告人の本件行為は罪とならないものと言わなければならない。」と判示して，被告人に無罪を言い渡した。これに対して，第2審判決は，「相手に警告の声を発するなり，腕を引き続き差し出すなり，回し蹴りをするにしても相手

の体に当てないようにするなりして相手方の殴打行為を押し止め，あるいは相手が殴打してきた段階でその腕を払うなり，つかまえるなり，もしくは身を引くなり，防衛のためには採るべき方法はいくらでもあった」と判示し，また，「回し蹴りは一撃必殺とも言われる空手の攻撃技の一つであって」「重大な傷害や死の結果も発生しかねない危険なもの」と判示して，被告人の行為を誤想過剰防衛として傷害致死罪で処断した。

【決定理由】「原判決の認定によれば，空手3段の腕前を有する被告人は，夜間帰宅途中の路上で，酩酊したB子とこれをなだめていたAとが揉み合ううち同女が倉庫の鉄製シャッターにぶつかって尻もちをついたのを目撃して，Aが同女に暴行を加えているものと誤解し，同女を助けるべく両者の間に割って入った上，同女を助け起こそうとし，次いでAの方を振り向き両手を差し出して同人の方に近づいたところ，同人がこれを見て防御するため手を握って胸の前辺りにあげたのをボクシングのファイティングポーズのような姿勢をとり自分に殴りかかってくるものと誤信し，自己及び同女の身体を防衛しようと考え，とっさにAの顔面付近に当てるべく空手技である回し蹴りをして，左足を同人の右顔面付近に当て，同人を路上に転倒させて頭蓋骨骨折等の傷害を負わせ，8日後に右傷害による脳硬膜外出血及び脳挫滅により死亡させたというのである。右事実関係のもとにおいて，本件回し蹴り行為は，被告人が誤信したAによる急迫不正の侵害に対する防衛手段として相当性を逸脱していることが明らかであるとし，被告人の所為について傷害致死罪が成立し，いわゆる誤想過剰防衛に当たるとして刑法36条2項により刑を減軽した原判断は，正当である（最高裁昭和40年(あ)第1998号同41年7月7日第二小法廷決定・刑集20巻6号554頁参照）。」

161 共同正犯者間で過剰防衛の判断が分かれた事例

最決平成4年6月5日刑集46巻4号245頁／判時1428・144，判タ792・88
（百選Ⅰ90，重判平4刑1）

【決定理由】「一 原判決は，本件殺人の事実につき概要次のとおり認定した。

被告人は，昭和64年1月1日午前4時ころ，友人Pの居室から飲食店『アムール』に電話をかけて同店に勤務中の女友達と話していたところ，店長のAから長い話はだめだと言われて一方的に電話を切られた。立腹した被告人は，再三にわたり電話をかけ直して女友達への取次ぎを求めたが，Aに拒否された上侮辱的な言葉を浴びせられて憤激し，殺してやるなどと激しく怒号し，『アムール』に押しかけようと決意して，同行を渋るPを強く説得し，包丁（刃体の長さ約14.5センチメートル）を持たせて一緒

にタクシーで同店に向かった。被告人は，タクシー内で，自分もＡとは面識がないのに，Ｐに対し，『おれは顔が知られているからお前先に行ってくれ。けんかになったらお前をほうっておかない。』などと言い，さらに，Ａを殺害することもやむを得ないとの意思の下に，『やられたらナイフを使え。』と指示するなどして説得し，同日午前５時ころ，『アムール』付近に到着後，Ｐを同店出入口付近に行かせ，少し離れた場所で同店から出て来た女友達と話をしたりして待機していた。Ｐは，内心ではＡに対し自分から進んで暴行を加えるまでの意思はなかったものの，Ａとは面識がないからいきなり暴力を振るわれることもないだろうなどと考え，『アムール』出入口付近で被告人の指示を待っていたところ，予想外にも，同店から出てきたＡに被告人と取り違えられ，いきなりえり首をつかまれて引きずり回された上，手けん等で顔面を殴打されコンクリートの路上に転倒させられ足げりにされ，殴り返すなどしたが，頼みとする被告人の加勢も得られず，再び路上に殴り倒されたため，自己の生命身体を防衛する意思で，とっさに包丁を取り出し，被告人の前記指示どおり包丁を使用してＡを殺害することになってもやむを得ないと決意し，被告人との共謀の下に，包丁でＡの左胸部等を数回突き刺し，心臓刺傷及び肝刺傷による急性失血により同人を死亡させて殺害した。

　二　原判決は，以上の事実関係の下に，Ｐについては，積極的な加害の意思はなく，Ａの暴行は急迫不正の侵害であり，これに対する反撃が防衛の程度を超えたものであるとして，過剰防衛の成立を認めたが，一方，被告人については，Ａとのけんか闘争を予期してＰと共に『アムール』近くまで出向き，Ａが攻撃してくる機会を利用し，Ｐをして包丁でＡに反撃を加えさせようとしていたもので，積極的な加害の意思で侵害に臨んだものであるから，ＡのＰに対する暴行は被告人にとっては急迫性を欠くものであるとして，過剰防衛の成立を認めなかった。

　三　これに対し，所論は，Ｐに過剰防衛が成立する以上，その効果は共同正犯者である被告人にも及び，被告人についても過剰防衛が成立する旨を主張する。

　しかし，共同正犯が成立する場合における過剰防衛の成否は，共同正犯者の各人につきそれぞれその要件を満たすかどうかを検討して決するべきであって，共同正犯者の一人について過剰防衛が成立したとしても，その結果当然に他の共同正犯者についても過剰防衛が成立することになるものではない。

　原判決の認定によると，被告人は，Ａの攻撃を予期し，その機会を利用してＰをして包丁でＡに反撃を加えさせようとしていたもので，積極的な加害の意思で侵害に臨んだものであるから，ＡのＰに対する暴行は，積極的な加害の意思がなかったＰにとっては急迫不正の侵害であるとしても，被告人にとっては急迫性を欠くものであって（最高裁昭和51年(あ)第671号同52年7月21日第一小法廷決定・刑集31巻4号747頁参照），Ｐについて過剰防衛の成

立を認め，被告人についてこれを認めなかった原判断は，正当として是認することができる。」

盗犯等防止法の解釈

162　盗犯等防止法上の正当防衛の成立要件

最決平成 6 年 6 月 30 日刑集 48 巻 4 号 21 頁／判時 1503・147，判タ 857・111

【決定理由】「所論は，申立人の本件行為につき過剰防衛の成立にとどまらず，盗犯等の防止及び処分に関する法律（以下，単に「法」という。）1 条 1 項の正当防衛が成立すると主張するので，この点につき職権により判断する。

　同条項の正当防衛が成立するについては，当該行為が形式的に規定上の要件を満たすだけでなく，現在の危険を排除する手段として相当性を有するものであることが必要である。そして，ここにいう相当性とは，同条項が刑法 36 条 1 項と異なり，防衛の目的を生命，身体，貞操に対する危険の排除に限定し，また，現在の危険を排除するための殺傷を法 1 条 1 項各号に規定する場合にされたものに限定するとともに，それが『已むことを得さるに出てたる行為』であることを要件としていないことにかんがみると，刑法 36 条 1 項における侵害に対する防衛手段としての相当性よりも緩やかなものを意味すると解するのが相当である。

　これを本件についてみるに，原決定の認定及び記録によれば，事実は次のとおりである。

　被害者を含む中学 3 年生 7 名は，高校 3 年生である申立人から金員を奪い取るあるいは脅し取る目的をもって，被害者が申立人に対し難癖を付けて同行を要求したところ，申立人も護身用にナイフ（刃体の長さ約 9.9 センチメートルの果物ナイフ）を携帯していたところから，これに応じ，昼間とはいえ人通りの少ない杉山ビル玄関前の通路へ連行された。同所において，中学生 7 名は，こもごも申立人に対し一方的に暴行を加え始め，うち 1 名は強く殴るための道具であるいわゆるメリケンサックを右手に装着して，他の者は素手で，背中を殴ったり，足を蹴ったりするなどした。申立人は，2 度ほど逃げ出そうとしたものの，大声で助けを求めたり抵抗したりせず，専ら防衛の姿勢に終始するうち，暴行が数分間に及んだため，やむなく所携のナイフを取り出し，身をかが

⇒ *163*

めたまま前にいた中学生の足を目掛けてナイフを突き出したが，かすめた程度に終わったので，すぐ体を半回転させたところ，目前に今にも素手で殴りかかろうとしている被害者を見て，それまでの被害者の言動に体する腹立ちもあり，やられる前に刺してやれと思い，被害者が死亡することがあっても構わないという認識の下に，被害者の上半身にぶつかるようにして前に出て，その左胸部をナイフで突き刺し，被害者を心臓刺創により失血死させた。

　右のような状況の下における申立人の行為は，強盗に着手した相手方の暴行が，メリケンサック以外の凶器等を用いておらず，申立人の生命にまで危険を及ぼすようなものではなかったのに，ナイフを示して威嚇することもなく，いきなり被害者の左胸部をナイフで突き刺し死亡させたものであり，申立人１人に対し相手方の数が７名と多く，本件現場が昼間とはいえ人通りが少ない場所であることなどの事情を考慮しても，申立人の本件行為は身体に対する現在の危険を排除する手段としては，過剰なものであって，前記の相当性を欠くものであるといわざるを得ない。したがって，法１条１項の正当防衛の成立を否定し，過剰防衛の成立を認めた原判断は，正当である。」

[3] 緊急避難

現在の危難

163 豪雨による水田の湛水

大判昭和８年11月30日刑集12巻2160頁

【事案】 被告人らは，豪雨で自己の耕作する水田が湛水し，田植をしたばかりの稲苗が増水のため水没して枯死する恐れがあったため，排水を妨げていた水利組合の管理する川の板堰を損壊した。

【判決理由】「被告人等の本件行為に付ては弁護人の主張する如く刑法第37条第1項に依る緊急避難に該るの事情あるに非さるや此点に付て審査するの必要あり蓋し板堰設置の処置適法なる以上被告人等は之か損壊に付民事上損害賠償の責任を逸れさるへしと雖他人の正当なる利益に対する加害行為に付ても亦緊急避難を認むるの余地を存することあるへけれはなり……当時異常の降雨あり挿秧後10日乃至12日にして比較的危険なる時期にある稲苗か前示の如き湛水

に因り其の劍先を没し或は纔に5分を余すのみと為れる場合被告人等か湛水の
継続に因り稲作の著しき不作又は稲苗の枯死を懸念したるは農民として当然の
ことと云ふへく被告人 X_3 の当公廷に於ける供述に依れは本件に於て湛水は板
堰の破壊を以てしても尚且爾後2日間稲苗を浸水せしめたるものなるか故に被
告人等か稲苗の被害を思ふて一刻も猶予する能はすと做せしこと毫も不当の判
断なりとせす即ち被告人等か板堰を破壊して湛水を排除せんとしたる行為は被
告人等の財産に対する現在の危難を避くる為已むことを得さるに出てたるもの
と認むへく被告人等か正午頃より午後3時過頃まて現場に在りたることは其の
間執るへき救済方法を施すの余地あるに拘らす漫然経過したりと見るへきにあ
らすして被告人等は一意塵芥等の除去に努め湛水の減少を期したるも其の効果
を挙くること能はすして水は刻々に増加し来り万策終に尽きて茲に非常手段に
訴ふるの已むなきに至りしものと認むへく其の最後の瞬間に於ては最早猶予を
許ささるに至りしものなれは其の際に於て組合当局者又は官憲の保護を求むる
の余裕存ささりしものと謂ふへく尚本件板堰の破壊後猶洪水2日に及ひたる事
迹に徴するも単に板堰中央の板のみを取除くに依りて危難を避け得たりしと做
すを得さること亦疑を容れさることに属す又之を第1審の検証調書に徴するに
古川堀は黒埼村大字鳥原地内に於て中の口川より流水を取入れ同大字耕地内を
経て南側大字鳥原新田及大字金巻耕地と北側大字小平方分との境界を西方に貫
流し大字小平方分字亀貝なる溜池に注く幅約2間の水路にして破壊されたる板
堰の存在せしは溜池より上流約30間の地点村道より6間の下にして其の南岸
は近藤新平所有の田地なることを認むへく当審検証調書に依れは古川堀は鳥原
新田の下流より溜池に到るまての間に於て之より用水を取入れたる痕跡存する
ことなく却て其の南岸 A 所有田地を含む大字金巻耕地は其の用水を南東の長
田堀に仰き居り唯板堰設置場所の下流に於て僅に A 所有田地の排水路として
の価値ありと認められ得へきか故に以上の状況よりすれは古川堀は鳥原新田の
下流に於ては毫も用水堀として利用せられす板堰の用も平時水準を高めて両岸
の民家の使用に資するに過きさるものと認むるを至当なりとす而して右 A 所
有田地は2段2而の水田に過きさること第1審検証調書に依りて明なるのみな
らす本件板堰は右田地に対する用水設備としては既に効用を存せさること前記
の如くなるか故に板堰の損壊に因る損害としては其の板堰の価額40円の外に
は殆と挙示するに足るものなし之に反し右湛水の難に罹れる被告人等の耕地は

⇒ *164*

右検証調書の記載に依り被告人 X₁ 7 段余，被告人 X₂ 5 段，被告人 X₃ 11 段8 畝，被告人 X₄ 10 段，被告人 X₅ 4 段 9 畝余にして同一の運命にある同大字の被告人以外の者の耕地を数ふれは尚 23 段を加ふへく若し本件板堰を除去することなかりせは此水田に於ける稲作に生すへかりし損害の程度板堰損壊に因れる叙上損害に比して重大なること極めて明白なり

　以上説明するところに依れは被告人等か本件公訴に依る板堰を損壊したるは豪雨湛水に因り水田稲作に対する著しき浸害を避くる為已むを得さるに出てたるものにして其の行為より生したる害は自己の被害の程度を超えさりしものなることを認むるに足り而して右板堰は単に平時に於て A 等の耕地用水に利用する目的を以て設置せられたるものなること B に対する検事の聴取書に徴し明白にして彼の洪水氾濫に際しても尚利害対立関係者双方の損害を公平に調節することを目的とする堤防の類と趣を異にするものなれは本件に於けるか如き事情の下に在りては財産に対する現在の危難ありとし之に対する避難行為を認むるは法の精神に背戻するものに非す之を要するに本件被告人等の行為は刑法第 37 条第 1 項に該当する緊急避難に外ならさるか故に之を以て犯罪を構成すへきものとして処罰するを得さるものとす」

164　腐朽著しく落下の危険のある吊橋

最判昭和 35 年 2 月 4 日刑集 14 巻 1 号 61 頁／判時 219・6
（百選 I 30）

【事案】　被告人両名は，同村所有の吊橋が腐朽し車馬の通行が危険となったところから，村当局に対し再三架替えを要請したがその実現の運びに至らず，日常著しく不便を感じていたので，人工を加えて橋を落下させ，表面は雪害によって落橋したように装い災害補償金の交付を受ければ，前記橋の架替えも容易であろうと考え，ダイナマイトを爆発させて右橋を損壊し，川中に落下させて往来の妨害をした。

【判決理由】「原審は，本件吊橋を利用する者は夏から秋にかけて 1 日平均約2，30 人，冬から春にかけても 1 日平均 2，3 人を数える有様であったところ，右吊橋は腐朽甚しく，両 3 度に亘る補強にも拘らず通行の都度激しく動揺し，いつ落下するかも知れないような極めて危険な状態を呈していたとの事実を認定し，その動揺により通行者の生命，身体等に対し直接切迫した危険を及ぼしていたもの，すなわち通行者は刑法 37 条 1 項にいわゆる『現在の危難』に直面していたと判断しているのである。しかし，記録によれば，右吊橋は 200 貫

ないし 300 貫の荷馬車が通る場合には極めて危険であったが，人の通行には差支えなく，しかも右の荷馬車も，村当局の重量制限を犯して時に通行する者があった程度であったことが窺えるのであって，果してしからば，本件吊橋の動揺による危険は，少くとも本件犯行当時たる昭和 28 年 2 月 21 日頃の冬期においては原審の認定する程に切迫したものではなかったのではないかと考えられる。更に，また原審は，被告人等の本件所為は右危険を防止するためやむことを得ざるに出でた行為であって，ただその程度を超えたものであると判断するのであるが，仮に本件吊橋が原審認定のように切迫した危険な状態にあったとしても，その危険を防止するためには，通行制限の強化その他適当な手段，方法を講ずる余地のないことはなく，本件におけるようにダイナマイトを使用してこれを爆破しなければ右危険を防止しえないものであったとは到底認められない。しからば被告人等の本件所為については，緊急避難を認める余地なく，従ってまた過剰避難も成立しえないものといわなければならない。」

やむを得ずにした行為

165 業務上過失致傷罪に緊急避難の成立を認めた事例

大阪高判昭和 45 年 5 月 1 日高刑集 23 巻 2 号 367 頁／判タ 249・223

【事案】 被告人は，自動車を運転して時速 55 キロメートルくらいで道路を北進中，中央線を右に超えて南進してくる自動車を前方 30 メートルくらいで認め，これとの接触を避けるため左後方の安全を確認せず 50 キロメートルくらいに減速して進路を左に変更し，後方から進行してきた A 運転の自動 2 輪車に気づかず自車左後部に同車を衝突させて，A に加療 3 週間の傷害を負わせた。第 1 審判決が業務上過失致傷罪の成立を認めたのに対して，本判決は以下のように述べて無罪を言い渡した。

【判決理由】 「被告人が本件現場において左にハンドルを切り約 1 メートル左に寄って進行したのは，道路中央線を超えて対向する自動車を認めてこれとの衝突をさけるためにやむを得ざるに出た行為と認むべきである。なるほど被告人車は中央線から約 1.6 メートル離れて進行していたものであり，対向車（普通乗用車）の車体の半分乃至 8 割が中央線を超えていたとしても，計数上はそのまま直進してすれ違い得る如くであるが，本件の場合の如く双方の車が高速である場合（被告人車は時速約 55 キロであるから秒速約 15.3 メートルとなり，

⇒ *165*

対向車は時速約 70 ないし 75 キロであるから秒速約 19.4 メートルとなって，両車が 1 秒間に接近する距離は約 34.7 メートルとなる）前記の如き間隔のまますれ違うことは危険であるし，車を運転する者としては，このような状況の下では，自車を左に寄せて接触を避けんとすることは当然の措置と考えられる。たゞ本件の場合，被告人が左に進路を変えるにあたり，法定の進路変更の合図をし，又左バックミラーで後方の安全を確認しているか否かは，原判決の説示のとおり疑問であるから，（少くとも道路交通法第 53 条，同法施行令第 21 条の要求する安全措置は満たしていない）本件が通常の状況の下に発生したものならば，後続車 A の車の操作に遺憾の点があったとしても，被告人は進路変更につき安全措置をとらず且後方の安全確認を怠ったため本件事故を惹起したものとして過失責任を問われることは免れないところであろう。しかしながら本件にあっては，前記説明のとおり，被告人は 3，40 メートル前方に中央線を超えて高速度で対向して来る車を発見し（前記計算の如く，両車がこの距離を走行するに要する時間は 1 秒前後であり，又対向車は被告人の車との距離約 15.6 メートルに接近した際自車線に復帰したことは原判決の認定するところであるが，この際の両車の距離は約 0.5 秒の走行時間に過ぎない）これと衝突の危険を感ずる状態になったのであるから，正に自己の生命身体に対する現在の危険な状態にあったものという外はなく（このような状態に達するまでの間に被告人側に過失と認むべきものはない。），この衝突の危険を避けんとして把手を左に切り，約 1 メートル左に寄った被告人の行動は，現在の危難を避けるため已むことを得ない行為といわざるを得ない。

　その際多少減速した点は対向車との衝突を避けるためには不必要な処置かも知れないが，高速で進行したまま把手を操作すること自体危険な措置であるから，その際被告人が咄嗟に原判決の認める程度の減速をしたこともまたやむを得ぬ処置と解すべきである。しかも被告人のとった右行為により，後続する被害者 A 運転の自動 2 輪車と衝突したことによって同人に被らしめた損害が，前記対向車との正面衝突により発生すべき損害を越えるものとは考えられないから，本件は刑法第 37 条第 1 項前段に所謂緊急避難行為であるといわなければならない。」

166 吊橋の爆破

最判昭和 35 年 2 月 4 日刑集 14 巻 1 号 61 頁／判時 219・6
（百選 I 30）⇒*164*

167 無免許運転に緊急避難が成立しないとされた事例

東京高判昭和 46 年 5 月 24 日判タ 267 号 382 頁

【判決理由】「被告人は，原判示日の夜，同人方住込みの人夫 A が胃けいれんにより苦しみ出したため，他の人夫一同からの強い要請により，右 A を自動車で約 10 キロメートル離れた御殿場市内の御殿場中央病院に運送しようとして，原判示のような無免許運転をしたことが認められる。」

「この場合，被告人としては，本件のような無免許運転をしなくても，被告人方近所に聖マリヤ病院その他数ケ所の病院があるので，これら病院の医師の来診を求めるとか，あるいは被告人方飯場にある電話で近くのタクシーを呼ぶとか消防署に対し救急車の出動を要請するとか他の有効，適切な措置を講じ得たのではないかということが考えられるのであるが，被告人は原審公判以来当審公判を通じて，近くの病院へ誰かが電話連絡したが医師不在と断られた，近くのタクシーも若衆が電話したが，出払ってすぐ来られないとのことであった，救急車のことは全く念頭にはなかったという趣旨の弁明をしているのであって，この近くの病院およびタクシーの件については，被告人の弁明を虚偽として排斥するだけの資料もないので，一応これを措信するとしても，胃けいれんのような案件でも救急車が出動することは記録上明らかであるから，被告人としては，救急車の出動を要請すべきであったといわれても，致し方がないところである。してみると，本件の場合，本件運転のみが A の危難を避ける唯一の手段，方法であったとはいいがたいので，緊急避難を認める余地はなく，従って過剰避難も成立しえないし，また，本件被告人の年齢，地位その他諸般の具体的事情の下においては，本件について期待可能性がなかったものとも認めることはできない。」

168 自招危難

大判大正 13 年 12 月 12 日刑集 3 巻 867 頁
（百選 I 32）

【事案】 自動車運転手である被告人は，業務上の注意を怠り前方から来る荷車の背後等に十分注意することなく漫然と 1 時間 8 マイルの急速力でこれと擦違おうとしたとこ

⇒ 169

ろ，荷車の背後から突然Aが現れ道路を横切ろうとしたので急遽これを避けようとして進路を右に転換したため，Aの祖母に自動車を衝突させ死亡させた。業務上過失致死罪の成立を認めた原判決が，「公平の観念上危難が緊急避難をなす本人の故意又は過失によりて生じたるものにあらざることを必要と解する」と判示して緊急避難を認めなかったことを，法律解釈の誤りであると主張して，弁護人から上告がなされた。

【判決理由】「刑法第37条に於て緊急避難として刑罰の責任を科せさる行為を規定したるは公平正義の懸念に立脚し他人の正当なる利益を侵害して尚自己の利益を保つことを得せしめんとするに在れは同条は其の危難は行為者か其の有責行為に因り自ら招きたるものにして社会の通念に照し已むを得さるものとして其の避難行為を是認する能はさる場合に之を適用することを得さるものと解すへきに依り原判決の判断は正当なるのみならす上告論旨第一，二点に対し説明したる如く被告人かAの祖母Bと出会し避譲の処置を執らさりし事実を過失と認めたる趣旨なることを看取し得らるるを以て他に避くへき方法あるに拘らすAの祖母Bと衝突したるものに係り已むを得すして衝突したるものに非さるに依り論旨は理由なし」

169 自招危難

東京高判昭和45年11月26日東高刑時報21巻11号408頁／判タ263・355

【判決理由】「所論は，……若し，被告人が急ブレーキをかけたりしたならば，被告人車輌は滑走して横転，横向き又は歩道に乗りあげ，或いは対向車線内に乗り入れたりすることは，経験則上明らかな事実であり，被告人は，急ブレーキをかけることにより発生するであろう，左側歩道上の3名の歩行者の生命身体に対する損傷，対向車との衝突という，本件事故に比して，より大なる現在の危難（現在の危難とは，法益に対する被害が現実に生じている場合に限らず，法益に対する被害のおそれが間近に切迫している場合をも含むことは，最高裁判例も認めているところである。）を避けるために，被告人が急ブレーキをかけなかったのはやむことを得ざるに出た行為であって，本件は緊急避難行為であるというのである。

しかしながら，行為者が自己の故意又は過失により自ら招いた危難を回避するための行為は，緊急避難行為には当らないと解すべきところ，本件についてみるに，原判決挙示にかかる証拠によれば，原判決認定のとおり，被告人が降雨のため路面が湿潤していて滑走し易い状況であり，前方に横断歩道が設置さ

れていることを知っており，対向車のために横断歩道を渡ろうとしていた歩行者を発見しにくい状態であったから，横断歩道上を横断中の歩行者のあることを慮り，その直前で一時停止しうるよう予め速度を調節して進行し，かつ右横断歩道を横断中の歩行者を認めた場合には，同横断歩道の直前で一時停止し，その通過を待って進行すべき業務上の注意義務があるのに，これを怠り，漫然従前の時速約45キロメートル（制限速度時速40キロメートル）で進行を続けたばかりでなく，同横断歩道を右から左に向けて小走りで横断していた被害者を右斜め前方約30メートルの地点に認めたのに，警音器を鳴らして警告したのみで，その直前に至るまで制動措置をとらずに進行を続けた各過失により，自車を被害者に衝突させて，原判示の傷害を与えたものであることを肯認することができる。従って，所論が主張するように，被告人車輌が急ブレーキをかけた場合には，被告人車輌は滑走して横転，横向き又は歩道上に乗りあげ或いは対向車線に入り，歩道上の歩行者や対向車に与えるという現在の危険があったとしても，それは，そもそも，被告人が道路交通法第70条に明定されている，道路，交通および被告人車輌等の状況に応じ，他人に危害を及ぼさないような速度と方法で運転しなかったために自ら招いたものと認められる。すなわち，前叙認定の如く，被告人が横断歩道に接近するにあたり，歩道上の歩行者の安全を保護するため，横断歩道直前で一時停止ができるに足りる適当な速度の調整を行なわなかったがためである。されば，所論その余の点について判断するまでもなく，被告人の原判示所為が緊急避難の要件を備えていないと認めた原判決には，所論の如き事実の誤認ないし法令適用の誤りは存しない。」

170　強要による緊急避難

東京地判平成8年6月26日判時1578号39頁／判タ921・93
（重判平8刑3）

【事案】　教団の元信者である被告人は，同じく元信者であるDらとともに，教団施設に収容されている自分の母親を連れだそうと，同施設に忍び込んだところ，信者らに発見されて，取り押さえられ，手錠を掛けられる等して，別の教団施設に連行され，信者らに囲まれたまま待機させられた。その後，被告人は，教団代表者Gや幹部の前に連れ出され，被告人を解放する条件としてDを殺害するようにGに言われた。被告人は，殺害を拒んだとしても，すぐに殺害される危険性はなかったが，拒否し続ければ殺害される危険性はあり，また身体は拘束されている状態にあった。こうした状態において，被告人は，GからDを殺害すれば自宅に帰れる旨の回答を得たため，D殺害を決意し

⇒ *170*

て実行した。本判決は，生命に対する現在の危難の存在は否定して，本件殺害行為について緊急避難の成立は否定したが，次のように述べて過剰避難の成立を肯定した。

【判決理由】「1　被告人の身体の自由に対する現在の危難が存在したことは，先に認定したとおりである。また，前記第二認定の事実関係からすると，被告人は，Gから家に帰す条件としてDを殺害するように言われ，自己の身体の拘束状態を脱するためにD殺害を決意し，殺害行為に及んだことは明らかであるから，被告人に避難の意思も認められる。そこで，被告人のD殺害行為が，被告人の身体の自由に対する現在の危難を避けるために『已むことを得ざるに出でたる行為』といえるか否かを検討する。

　2　緊急避難，過剰避難の成立要件である『已むことを得ざるに出でたる行為』とは，当該避難行為をする以外に他に方法がなく，このような行為を行うことが条理上肯定し得る場合をいう。そして，本件のように，避難行為が他人の生命を奪う行為である場合には，右の要件をより厳格に解釈すべきことも前述のとおりである。

　ところで，検察官は，被告人が，Gに対しD殺害を翻意するよう働きかけるなどDを殺害せずに済ませるための努力を全くしておらず，結果を回避するため十分な手だてを尽くしたとはいえないのであるから，被告人の行為が補充性をみたしているとはいえないし，被告人の身体の自由に対する現在の危険を避けるためにDの生命を奪うということは，法益の権衡を著しく失しているのであるから，被告人の行為は，避難行為の相当性をも欠いていると主張する。

　しかしながら，

　(1)　補充性の要件についていえば，被告人が避難行為に出る以前にどれだけの行為をしたかということが重要なのではなく，客観的にみて，現在の危難を避け得る現実的な可能性をもった方法が当該避難行為以外にも存在したか否かという点が重要なのであり，この観点からすれば，前述のとおり，被告人は，外部と隔絶された教団施設内で，両手に前手錠を掛けられたうえ，Gの面前で10名近い教団幹部に取り囲まれている状況にあったのであり，被告人が自力でこの拘束状態から脱出することや，外部に連絡して官憲の救助を求めることは不可能な状態にあったといってよい。また，前記のとおり，被告人やDの行った行為が教団破壊行為であり，教祖であるGが，教団の教義に基づき，

被告人をしてDを殺害させることによって事態を収拾しようと考え，その旨を周囲にいた教団幹部に話している以上，被告人にGの翻意を促す説得行為を要求してみたところで，被告人の身体の拘束が解かれる現実的な可能性はほとんどないといわざるを得ない（現に，被告人は，Gから家に帰してやる条件はなんだと思うかという趣旨の質問を受け，教団に戻って一生懸命修行する旨回答しているが，Gからは，それもあると言われただけで，結局，修行をすることに加えてDを殺害するように命ぜられているのである。）。このような状況からすると，被告人は，Gの意思によって身体の拘束を解かれる以外に監禁状態から脱するすべはなく，Gの意思によって身体の拘束を解かれるためには，Dを殺害しなければならないということに帰するのであって，結局，被告人が身体拘束状態から解放されるためには，Dを殺害するという方法しかとり得る方法がなかったものと認めざるを得ない。

(2) 次に，相当性の要件について検討するに，本件では，侵害されている法益が被告人の身体の自由であり，避難行為によって侵害される法益がDの生命であることから，これを単純に比較すれば，当初より法益の均衡を著しく失しているともいえ，自己の身体の拘束状態を脱するために他人の生命を奪う行為に出るということは，条理上これを肯定することができないというべきであるから，その点からすると，避難行為の相当性を欠くとの検察官の主張もあながち理解できないわけではない。しかしながら，前述のとおり，被告人が現に直面している危難は被告人の身体の自由に対する侵害であるが，被告人に対する侵害そのものはこれにとどまるものではなく，危難の現在性は認められないとはいえ，被告人があくまでもこれを拒否すれば被告人自身の生命に対しても侵害が及びかねない状況も他方では認められるのであり（現に，被告人は，Gから脅し文句の一つとはいえ，Dを殺せないのならば被告人も殺すと言われており，また，前記第二で認定したとおり，被告人がD殺害行為に着手した後のことではあるが，被告人がなかなかDを殺害できないでいるときにも，Gから「これでDを殺せなかったら，お前のカルマだから諦めろ。」とも言われている。），当面被告人が避けようとした危難が被告人の身体の自由に対する侵害であったとしても，その背後には，危難の現在性はないとはいえ，被告人の生命に対する侵害の可能性もなお存在したといい得るのであるから，このような状態下で，被告人の身体の自由に対する侵害を免れるためにDの殺害行為

⇒　*171*

に出たとしても，このような行為に出ることが条理上肯定できないとまではい
えない。したがって，被告人のＤ殺害行為について，避難行為の相当性も認
められるというべきである。

　　3　以上の次第で，被告人のＤ殺害行為は，被告人の身体の自由に対する現
在の危難を避けるために，已むことを得ざるに出でたる行為とは認められるが，
他方，被告人は，自己の身体の自由に対する危難から逃れるために，Ｄを殺害
したのであって，法益の均衡を失していることも明らかであるから，結局，被
告人の行為には，過剰避難が成立するといわなければならない。」

171　覚せい剤使用について緊急避難が認められた事例

東京高判平成 24 年 12 月 18 日判時 2212 号 123 頁／判タ 1408・284
（百選 I 31）

【事案】　被告人は，警察官らからの依頼を受けて，捜査対象者に接触しようと試み，
同人が所属する暴力団組織の事務所に会いに行くと，同人は，既に覚せい剤を使用して，
いわゆる「できあがっている」状態になっていた。被告人は，疑われないように，世間
話をしたり，自分も覚せい剤の密売をしようと考えている旨説明したりしながら，警察
官らから依頼されていた覚せい剤の保管場所であるマンションや自動車について聞き出
した。被告人が帰ろうとしたところ，捜査対象者が，「おい，ちょっと待て。おまえ，
人の腹だけ探っておいて，聞くだけ聞いておいて，おかしくないか」「おまえ，大好き
なのに何でやらないんだ」などと言い，キッチンの方へ行き，けん銃を持ってくると，
そのけん銃を被告人の右こめかみに突き付け，「おまえのために作ってあるんだから，
おまえ，これやれよ」などと言った。断れば殺されると思い，その場から離れるために
は覚せい剤を注射するしかないと思って，覚せい剤を自分で注射した。

【判決理由】　「被告人は，覚せい剤を使用してその影響下にある捜査対象者か
ら，けん銃（以下「本件けん銃」という。）を右こめかみに突き付けられ，目
の前にある覚せい剤を注射するよう迫られたというのである。関係証拠上，本
件けん銃が真正けん銃であったか否かや，実弾が装填されていたか否か等は不
明であるが，逆に，本件けん銃が人を殺傷する機能を備えた状態にあったこと
を否定する事情もなく，被告人の供述する状況下では，被告人の生命及び身体
に対する危険が切迫していたこと，すなわち，現在の危難が存在したことは明
らかというべきである。

　　次に，被告人が自己の身体に覚せい剤を注射した行為が，現在の危難を避け
るためにやむを得ずにした行為といえるかについて検討すると，『やむを得ず

にした行為』とは，危難を避けるためには当該避難行為をするよりほかに方法
がなく，そのような行為に出たことが条理上肯定し得る場合をいうと解される
（最高裁判所大法廷昭和 24 年 5 月 18 日判決・裁判集刑事第 10 号 231 頁参照）
ところ，本件においては，覚せい剤の影響下にあった捜査対象者が，けん銃を
被告人の頭部に突き付けて，目の前で覚せい剤を使用することを要求したとい
うのであるから，被告人の生命及び身体に対する危険の切迫度は大きく，深夜，
相手の所属する暴力団事務所の室内に 2 人しかいないという状況にあったこと
も考慮すると，被告人が生命や身体に危害を加えられることなくその場を離れ
るためには，覚せい剤を使用する以外に他に取り得る現実的な方法はなかった
と考えざるを得ない。また，本件において危難にさらされていた法益の重大性，
危難の切迫度の大きさ，避難行為は覚せい剤を自己の身体に注射するというも
のであることのほか，本件において被告人が捜査対象者に接触した経緯，動機，
捜査対象者による本件強要行為が被告人に予測可能であったとはいえないこと
等に照らすと，本件において被告人が覚せい剤を使用した行為が，条理上肯定
できないものとはいえない。

　そして，本件において，被告人の覚せい剤使用行為により生じた害が，避け
ようとした被告人の生命及び身体に対する害の程度を超えないことも明らかで
あるから，被告人の本件覚せい剤使用行為は，結局，刑法 37 条 1 項本文の緊
急避難に該当し，罪とならない場合に当たる。」

法益の均衡

172　板堰と水田の稲苗

大判昭和 8 年 11 月 30 日刑集 12 巻 2160 頁
⇒163

173　価格 600 円相当の猟犬と価格 150 円相当の番犬

大判昭和 12 年 11 月 6 日大審院判決全集 4 輯 1151 頁

【事案】　⇒*134* 参照

【判決理由】　「右番犬及猟犬の当時に於ける価格は前叙の如くなるを以て A 所
有の番犬を損傷したるか為同人の蒙る損害としては右価格以上に出てさるもの
と云ふへく之に反し若被告人にして其の所有に係る猟犬か番犬の為咬付かれた
る儘放置せられ之に対し何等の措置を執らさりしとせは被告人の蒙るへかりし

⇒　*174*

損害は其の猟犬の価格に相当するものと認むるを妥当とすへく尚刑法第261条
銃砲火薬類取締法施行規則第25条第45条等の規定するところを参酌し被告人
の前示行為に因りて生しめせたる害は其の避けんとしたる害の程度を超えさる
ものと認む」

過 剰 避 難

174　酒気帯び運転が過剰避難に当たるとされた事例

東京高判昭和 57 年 11 月 29 日刑月 14 巻 11 = 12 号 804 頁／判時 1071・149

【事案】　被告人は，かねて不仲であり酒乱で粗暴癖のある弟 A が被告人方へ飲酒酩酊
のうえ鎌を持って暴れ込んだため，生命・身体の危険を感じて上半身裸で素足のまま部
屋の窓から逃げ出し，前庭に駐車していた自動車の中に逃げ込みしゃがんで 10 分から
20 分程度隠れていたが，どこかへ逃げて行って電話で警察に連絡するため着衣と履き
物と金が欲しいと思い，敏感な内妻が鈍感な A より先に気づいてくれることを期待し
ながらクラクションを鳴らしたところ，これに気づいた A が血相を変えて家から飛び
出してきて自分の自動車に乗ってエンジンをかけたため，被告人は当日亡父の新盆のた
め飲酒していたものであるが，A の車に進路を阻まれて逃げ場を失い，A に手ひどい
暴行，傷害を加えられると考え，このうえは自動車を運転して逃げ出すしかないと判断
し，自宅前から酒気帯び運転で乗り出した。被告人は，1 キロメートルほど走った時点
で後方に白い車を認めたので A が追って来るものと思い，警察に行って助けを求める
ほかないと判断し，そのまま市街地に入り，A に追い越されないように狭い道を選び
ながら，この間 A 車の追跡の有無を確かめることなく，約 20 分間運転を継続して警察
署に到着し，警察官に助けを求めた。被告人が見た自動車が A の車であったことを示
す証拠はないが，被告人が逃げ出した後，A は自動車で被告人車を追い，被告人を求
めて被告人方と自宅付近を探し回っていた。本判決は，以下のように判示して過剰避難
の成立を認めた上で，刑法 37 条但書を適用して刑を免除した。

【判決理由】　「被告人が沼田署に到着するまでの間は，被告人の生命，身体に
対する危険の現に切迫した客観的状況が継続していたものと認められ，被告人
が自ら右危難を招いたものということもできず，右危難を避けるためには身を
隠していた自動車を運転して逃げ出すほかに途はなく，被告人が自宅の前から
酒気帯び運転の行為に出たことは，まことにやむを得ない方法であって，かか
る行為に出たことは条理上肯定しうるところ，その行為から生じた害は，避け

ようとした害の程度を超えないものであったと認められる。しかしながら，戸鹿野橋を渡って市街地に入った後は，A車の追跡の有無を確かめることは困難ではあるが不可能ではなく，適当な場所で運転をやめ，電話連絡等の方法で警察の助けを求めることが不可能ではなかったと考えられる。この点で被告人の一連の避難行為が一部過剰なものを含むことは否定できないところであるが，前記一連の行為状況に鑑みれば，本件行為をかく然たる一線をもって前後に分断し，各行為の刑責の有無を決するのは相当とは考えられないのであって，全体としての刑責の有無を決すべきものである。このような見地から被告人の行為を全体として見ると，自己の生命，身体に対する現在の危難を避けるためやむを得ず行なったものではあるが，その程度を超えたものと認めるのが相当である。従って，『被告人の身上に対する危険は直接，切迫した状態にあったと認めることが出来るも，……本件運転行為のみが被告人にとって危難を避けるための唯一の手段，方法であったとはいい難い』として緊急避難を認めず，過剰避難の成立をも否定した原判決は，事実を誤認し，法令の適用を誤ったものというべきであり，原判決はこの点において破棄を免れない。」

175　最高速度超過運転が過剰避難に当たるとされた事例

堺簡判昭和 61 年 8 月 27 日判タ 618 号 181 頁

【事案】　被告人は，自動車を運転中，後部座席の次女 C（当時 8 歳で，乗車するとき体に異常はなかった）の熱がかなり高く一刻も早く医師の手当てが必要な状態にあることを発見し，救急車を呼ぶことも考えたが，掛り付けの病院がさほど遠くないところにあるので手当てを受けようと，急いで運転を続け，あと 7，8 分くらい運転すれば病院に着くところの最高速度を 50 キロメートル毎時と定められた道路を 88 キロメートル毎時で運転した。本判決は，以下のように述べて，被告人の行為を過剰避難にあたるとしたうえ，その刑を免除した。

【判決理由】「被告人が本件行為に及ぶに至った経緯及び C の病状については判示のとおりであって，C の右病状は，同人の身体に対する現在の危難があったというに妨げないこと，本件行為は，右の危難を避けるためになしたものであることがそれぞれ認められる。また右行為によって害される法益が，これによって保全される C の身体に対する危難の程度より重いということはできない。しかしながら，緊急避難には自ら手段の面で制約があるところ，判示の如き現在の危難を避けるためには，久崎病院まで左程遠くない（本件場所からは，

⇒ *176*

自動車で 7，8 分ぐらいである。）のであるから，許されるスピード（当時の速度違反の検挙は，毎時 15 キロメートル以上超過しているものであった。）で運転すれば足るものであって，本件行為の如きは判示危難を避くるため，やむことを得ざるに出でたる行為としての程度を超えたものであるといわねばならない。

　従って，本件行為は過剰避難行為にとどまるものと認められるので，弁護人のこの主張は，その限度で理由がある。」

176　補充性の要件の逸脱と過剰避難の成否

大阪高判平成 10 年 6 月 24 日高刑集 51 巻 2 号 116 頁／判時 1665・141，判タ 1002・286
（百選 I 33）

【事案】　暴力団組事務所内で監禁状態に置かれていた被告人は，監禁から脱出するため，同組事務所 1 階室内に放火し，同室の一部を焼損した。原判決は，行動の自由及び身体の安全に対する「現在の危難」を避けるため，「避難の意思」をもって本件放火行為に及んだとして過剰避難の成立を肯定したが，本判決は以下のように述べて過剰避難の成立を否定した。

【判決理由】　「所論は，原判決は，本件放火は避難行為として補充性の原則（危難を避けるための唯一の方法であって，他にとるべき途がなかったこと）を充たすものではないとの判断を示しながら，過剰避難の成立を認めているが，その法解釈は過剰避難の要件を不当に緩和するものであって，原判決には判決に影響を及ぼすべき法令解釈適用の誤りがある，というのである。

　そこで，検討するに，原判決が本件放火行為が補充性の原則を充たさず，かつ，法益の権衡を欠くとした点は，結論において是認できる。

　まず，刑法 37 条 1 項に規定する『やむを得ずにした行為』とは『当該避難行為をする以外には他に方法がなく，かかる行動に出たことが条理上肯定し得る場合を意味する』（最高裁昭和 24 年 5 月 18 日大法廷判決・刑集 3 巻 6 号 772 頁参照）と解するのが相当である。

　原審記録によると，被告人は平成 8 年 7 月に左足首を骨折したが，その後の治療により本件当時は歩行に支障がないほどに回復しており，現に，本件放火の前後に被告人が機敏に行動している事実からすると，A から左足首に暴行を受けていたとはいえ，当時逃走が困難となるほど歩行能力が低下していたとは認めがたいところ，組員らによる監視の程度は前示のとおり厳しいものでは

なく，その隙を突いて被告人がほぼ終日座っていたソファー近くの組事務所表出入口の閂錠を外して逃走し，あるいは，原判決が説示するとおり裏口からの逃走によることも不可能ではなかったと認められるのであり，本件において，逃走の手段として放火する以外に他にとるべき方法がなかったとはいえない。さらに，被告人は，翌日には入管局に出頭することが予定されており，Ａの支配下から解放される見込みがあったうえ，その監視の態様も緩やかで，行動の自由の侵害の程度は甚だしいものではなく，身体の安全についても，Ａから暴行を受ける可能性は否定できないとしても，せいぜい左足首を蹴られるといった程度の比較的軽い暴行が想定されていたのであって，右のような程度の害を避けるために本件のごとき灯油の火力を利用した危険な態様の放火行為により不特定多数の生命，身体，財産の安全，すなわち公共の安全を現実に犠牲にすることは，法益の均衡を著しく失するものといわざるを得ず，条理上も是認し得るものではない。したがって，本件放火は補充性及び条理のいずれの観点からしても『やむを得ずにした行為』であったとは認められない。

　ところで，原判決は，本件放火について補充性の原則を充たさないとしながらも，その一方で，『補充性の原則に反する場合においても，当該行為が危難を避けるための一つの方法であるとみられる場合は，過剰避難の成立を肯定し得るものである。本件においては，前記認定のとおり，本件放火行為が危難を避けるための一つの方法であること自体は認められるから，過剰避難が成立するものと解する。』旨を判示している。しかしながら，緊急避難では，避難行為によって生じた害と避けようとした害とはいわば正対正の関係にあり，原判決のいう補充性の原則は厳格に解すべきであるところ，過剰避難の規定における『その程度を超えた行為』（刑法37条1項ただし書）とは，『やむを得ずにした行為』としての要件を備えながらも，その行為により生じた害が避けようとした害を超えた場合をいうものと解するのが緊急避難の趣旨及び文理に照らして自然な解釈であって，当該避難行為が『やむを得ずにした行為』に該当することが過剰避難の規定の適用の前提であると解すべきである（最高裁昭和35年2月4日第一小法廷判決・刑集14巻1号61頁参照。もっとも，「やむを得ずにした行為」としての実質を有しながら，行為の際に適正さを欠いたために，害を避けるのに必要な限度を超える害を生ぜしめた場合にも過剰避難の成立を認める余地はあると考えられる。）。

⇒ *177*

　そうすると，本件においては，他に害の少ない，より平穏な態様での逃走手段が存在し，かつ，本件放火行為が条理上も是認し得るものとはいえない以上，過剰避難が成立する余地はなく，これを肯定した原判決の前記法解釈は過剰避難の要件を過度に緩めるものとして採用できない。」

誤想過剰避難

177　散髪バサミの窃取が誤想過剰避難とされた事例

大阪簡判昭和 60 年 12 月 11 日判時 1204 号 161 頁

【判決理由】　「被告人は，本件当日昼ころから判示国鉄ステーションビル 1 階の国鉄天王寺駅構内中央コンコースの 2 階に上る階段に坐っていたところ，午後 1 時 30 分ころ見知らぬやくざ風の 50 才位の男から話しかけられ，仕事を探しているなら俺にまかせておけ，一緒に飲もうといわれ，同人の奢りで午後 7 時 20 分ころまでの間同所に坐ったままその男の奢りで缶ビール 2 本，酎ハイ 2 本，ワンカップの酒 2 本を飲ませて貰ったが，そのころ同所に来たその男の知り合いとみられる 35 才位のやくざ風の男から仕事のことはおっさんにまかしておけ駅は 9 時に閉まるから外へ出ようといわれ手を引張られたが，その 2 人が仲間であり，手配師なら通常ワンカップの酒 1 本位しか飲ませてくれないのに，右のように長時間沢山の酒を飲ませてくれたのは何かこんたんがあり，2 人の男に蛸部屋のような飯場にでも連れていかれるのではないかと不安になり，もう一寸ここにいるといって坐ったまま立ち上らなかったところ，若い方の男から頭をこづかれたりしたが，2 人の男がまた戻ってくるからそこにいろといってその場から立ち去り，前記コンコース内をうろうろしているのが見えたがそのうちに見失った。被告人は，その後コンコース内をぶらぶら歩くうち，2 日前に西成方面で数人の男から殴られて所持金 3 万円位を奪われ，前歯を折られる等の負傷をしたことがあったためこのことを思い合わせ，右の 2 人の男が怖ろしくなり早く逃げ出さねばと考えたが，2 人の男が午後 9 時までには戻ってくるが，コンコース内のどこかにおり，みられてる感じがし，逃げ出すのが見つかれば 2 人の男から殴られたり蹴られたりするに違いないと思いこみコンコースからそのまま外へ出ることができず，逃げようとしてコンコース内の地下へ降りる階段から走って地下 1 階に降り，そこから判示 T 理容室前の通路を通り 28 メートル位進んだ先にあるアベノ地下街に入り，ビールびん等 2 人の男に対抗するための護身用になるものはないかと探したが，見つからなかったので右理容室の前まで引返して来て午後 8 時ころ同店のガラス越しに散髪バサミが置いてあるのを見て咄嗟にこれを護身用にしようと思い同店に飛びこみ右ハサミを勝手に持ち出して階段を上ってコンコースの方に逃げたところ，同店の従業員らに追跡され鉄道公安職員に逮捕されたことが認めら

れる。

　右認定事実によると，被告人の本件所為当時いまだ身体に対する切迫した危難があるということはできないが，被告人はいまにも 2 人のやくざ風の男から身体に危害を加えられると思いこみ，この危難を避けるため護身用具が必要と考えて本件の散髪バサミを持ち出したことは疑いがないから被告人が現在の危難を誤想してこれを避けるため本件行為に出たものということができる。

　しかし，前掲証拠によると被告人は，前記のようにコンコース内から地下 1 階に下り，被告人がコンコース内のどこかにいると思った 2 人の男から身を隠した形になってからアベノ地下街に入っているのであり，同地下街には多数の店舗があるほか，地下鉄谷町線へ下る入口が 4 ヶ所，コンコースのある前記天王寺駅ステーションビルから相当離れた地上に出る階段が 7 ヶ所（そのうちすぐ目につくのは 2 ヶ所）あり，右の階段から地上に出て 2 人の男から逃避することができるばかりでなく，危難を怖れるのであれば同地下街の店の人に頼んで電話で警察に連絡して貰って救助を求める余裕もあったものと認められる。ただ被告人は，本件の 4 日前に大阪に出て来たものであり，地理が判らないことや誤想に基づく当時の被告人の心情を考慮すると，被告人に右のような方法をとることを現実に期待することは困難な面があったとみられる。それ故右のような状況下でなされた被告人の本件所為は現在の危難の誤想に基づく避難行為といえても止むを得ない程度をこえた過剰避難であるといわざるを得ない。被告人は当公判廷において前記地下街の階段からコンコースを相当離れた地上に出ても 2 人の男に発見されるかも知れず，大阪市内のどこへいっても 2 人の男から探し出されて捕るから逃げ切れないと思った旨の弁解をしているけれども，右弁解は到底首肯できるものではなく，前記証拠殊に被告人の捜査段階から公判廷に至る供述を綜合すれば，被告人は，前記のように地下 1 階に下りてからは 2 人の男から逃避可能な方法を見出そうとせず，専ら護身用具を探していたもので，他に避難の方法がないと思って本件所為に出たものではないと認められる。

　従って，誤想避難として窃盗の故意を阻却するという弁護人の主張は採用できない。」

⇒ *178*

178 自殺行為阻止と緊急避難

東京地判平成 9 年 12 月 12 日判時 1632 号 152 頁／判タ 976・250

⇒*135* 参照

【事案】 被告人は，妻 A 子としばしば夫婦げんかをするようになっていたところ，平成 8 年 7 月 24 日深夜から翌 25 日朝にかけて，同女が以前交際していた男性とホテルへ行った旨を告白したことから，憤激した被告人が離婚すると言い出し，被告人を引き止めようとする同女が包丁で自殺の素振りを示し，自殺されてはと困惑する被告人が同女を制止するなどして激しく争い，同日午前 8 時 20 分前ころ，同女は，室内からベランダへ出て行こうとした。これは，被告人の気を引くため飛び降り自殺の素振りを見せたものであって，同女に真実自殺する意思はなかったが，被告人は，同女がベランダへ出て行こうとするのを見るや，同女が本気で自殺を図っているものと感じて，これを制止しようとした。その際，被告人は，同女に対する憤激や安易に自殺に走る同女への苛立ちの感情があったこともあって，自殺を制止するのにやむを得ない程度を超え，同女の両肩を両手で強く突いてその場に転倒させる暴行を加え，よって，同女に対し，右転倒に際し頭部を床面に強打したことによる頭部打撲の傷害を負わせ，その後，同女を右傷害に基づく頭蓋内損傷により死亡させた。

【判決理由】 「被告人は身長体重等の体格差において被害者よりもはるかに勝っており，被告人が被害者の飛び降り自殺を制止するためには，被害者をその場で取り押さえるなど容易に採り得べき方法が他にいくらでも存在したものであって，そのことは被告人自身も十分承知していたものと認められるのに，被告人は，前判示のとおり，被害者の両肩を両手で強く突いてその場に転倒させる暴行を加えたものである。したがって，本件暴行は，被告人の誤想した『現在の危難』を前提とした場合においても，避難にやむを得ない程度を超えたものであったことは明らかであって，これを正当化することはできないというべきである。

　…（中略）…

　以上を要するに，本件においては，被害者が室内からベランダへ出て行こうとしたとき，同女には真実自殺する意思はなかったが，被告人は，同女が本気で自殺を図っているものと誤信してこれを制止しようとし，その際，あえて自殺を制止するのにやむを得ない程度を超えて本件暴行に及び，被害者を死に致らせたものである。したがって，弁護人の主張のうち，緊急避難，誤想避難をいう点は採用できないが，誤想過剰避難の点を採用して，前記のとおり判示し

⇒ *178*

た次第である。」(なお,本判決は,「量刑の理由」において「本件が誤想過剰避難の事案であること……を被告人のために利益に斟酌し〔た〕」と述べているが,「法令の適用」において,刑法37条1項を適用してはいない。)

⇒ *179・180・181・182*

IV 責　任

［1］　責 任 主 義

179　結果的加重犯

最判昭和 26 年 9 月 20 日刑集 5 巻 10 号 1937 頁
⇒各論 *61*

【事案】　被告人 X，Y は，被害者 A に暴行を加え，死亡するに至らせた。原判決は傷害致死罪の成立を肯定。

【判決理由】　「傷害致死罪の成立には傷害と死亡との間に因果関係の存在を必要とするにとどまり，致死の結果についての予見は必要としない」

　［参考］　改正刑法草案第 22 条（結果的加重犯）「結果の発生によって刑を加重する罪について，その結果を予見することが不能であったときは，加重犯として処罰することはできない。」

180　業務主処罰

大判昭和 17 年 9 月 16 日刑集 21 巻 417 頁
⇒*18*

181　業務主処罰

最大判昭和 32 年 11 月 27 日刑集 11 巻 12 号 3113 頁／判時 134・12
⇒*19*

［2］　故　　意

未必の故意

182　盗品（贓物）の認識

最判昭和 23 年 3 月 16 日刑集 2 巻 3 号 227 頁
（百選 I 41）

【判決理由】　「贓物故買罪は贓物であることを知りながらこれを買受けること

によって成立するものであるがその故意が成立する為めには必ずしも買受くべき物が贓物であることを確定的に知って居ることを必要としない或は贓物であるかも知れないと思いながらしかも敢てこれを買受ける意思（いわゆる未必の故意）があれば足りるものと解すべきである故にたとえ買受人が売渡人から贓物であることを明に告げられた事実が無くても苟くも買受物品の性質，数量，売渡人の属性，態度等諸般の事情から『或は贓物ではないか』との疑を持ちながらこれを買受けた事実が認められれば贓物故買罪が成立するものと見て差支ない（大審院昭和2年(れ)第1007号昭和2年11月15日言渡判決参照）本件に於て原審の引用した被告人に対する司法警察官の聴取書によれば被告人は判示㈠の事実に付き『⑴衣類はAが早く処置せねばいけんといったが⑵近頃衣類の盗難が各地であり殊に⑶売りに来たのが○○人であるからA等が盗んで売りに来たのではなからうかと思った』旨自供したことがわかる右⑴乃至⑶の事実は充分人をして『贓物ではないか』との推量をなさしむるに足る事情であるから被告人がこれ等の事情によって『盗んで来たものではなかろうかと思った』旨供述して居る以上此供述により前記未必の故意を認定するのは相当である」

183 暴行の認識

広島高判昭和36年8月25日高刑集14巻5号333頁／判時273・5，判タ124・42

【判決理由】「原判示八木小学校校庭における盆踊り大会終了後被告人が同校庭前国道上から原判示太田川橋下まで原判示貨物自動車を運転して帰ろうと考えた頃には，被告人は既にそれまでの飲酒のため相当に酔が廻っており，そのことだけでも最早前方注視が覚束ないため正常な運転ができない虞があったばかりでなく，前照燈の故障により無燈火で暗夜の道路上を運転するのであるから，前方注視が殆ど不可能であって，到底正常な運転ができない状態であったため，折柄帰宅の途上にある盆踊り帰りの多数歩行者に自動車を突き当てて同人等を転倒させたり跳ね飛ばしたりする危険のあることを十分認識しながら，酒の勢に駆られ，そのような結果の発生を何等意に介することなく，敢て原判示貨物自動車を運転して原判示八木小学校前国道上から太田川橋方面に向い，その途中前説示の理由により，正常な運転ができなかったことから，原判示上八木駅北側附近国道右側を同一方向に歩行していた盆踊り帰りの原判示第二の

被害者等に右自動車を次ぎ次ぎに突き当て，被害者Aを除きその余の者等を附近に転倒させ或いは跳ね飛ばし，因って同人等に原判示第二の各傷害を負わせ，うちB・C・Dの3名を右傷害により原判示のとおり死亡するに至らしめたものであることが認められる。かかる事態の推移に鑑みれば，被告人には右運転開始に先立ち，原判示第二の被害者等に対し自己の運転する貨物自動車を突き当てて同人等を転倒させ或いは跳ね飛ばすことにつき，いわゆる未必の犯意があったものと認むべきであるから，被告人は右暴行と因果関係あることの明らかな原判示第二の傷害或いは死の結果につき傷害罪或いは傷害致死罪としての刑責を負うものといわなければならない。」

184 殺人の認識

東京高判昭和41年4月18日判タ193号181頁

【事案】 被告人は，小型貨物自動車のボンネット上に腹這いになり，ワイパーを掴んでいる状態のAを振り落とすべく蛇行運転をしたが，Aは運転台の屋根から後部荷台に移り難を逃れた。

【判決理由】 「既に見たように本件の蛇行運転が高速運転中に相当の動揺を与える規模のものであったことを考えれば，逃げることに夢中で安全運転などということはもとより被害者の生命身体に対する配慮など毛頭なかった当時の被告人の心情には，被害者に対する確定的な殺意はもとより無かったとしても，被害者を転落してでも逃げようという意識の根底には転落から生ずることあるべき危険な結果をも辞さぬという程度の容認が包蔵されていたとしても決して不自然ではなく，被告人の原審公判廷における供述を含めて記録を検討しても，なお被告人の捜査官に対する各供述が任意性を欠き信憑力を減殺されなければならないものとは認められないところである。原判決が被告人の捜査官に対する供述の証明力を否定した理由には納得し難いものがある。

以上検討のとおり，本件は，被告人がボンネット上に腹這いになっていた被害者を振落そうとして蛇行運転をした点において，当時の被害者の体勢，蛇行運転の態様，程度からみて被害者の転落の蓋然性が極めて高く，被害者の追及から逃れ去ろうとしていた当時の被告人らの心情からみても未必的殺意を認定するに十分な事犯であると認められしたがって本件につき単に暴行罪の成立のみを認めた原判決は，証拠の価値判断を誤って事実を誤認したものといわなければならず，論旨は理由があり，原判決は破棄を免れない。」

185 睡眠導入剤を摂取させて自動車を運転させる行為と殺人の故意

最判令和3年1月29日刑集75巻1号1頁／判時2504・107，判タ1489・57

【判決理由】 「第1　第1審判決

　被告人は，傷害罪のほか，Aに対する殺人罪，B，C，D及びEに対する各殺人未遂罪で起訴された。被告人は，上記5名に対する殺意を争ったが，第1審判決は，要旨，以下のとおり判示して，各殺意を認定し，上記各罪により被告人を懲役24年に処した。

　1　本件の事実関係

　(1)　被告人は，千葉県印西市内の老人ホーム（以下「本件老人ホーム」という。）において准看護師として勤務しており，同僚のAが自動車で通勤していることを知っていた。

　被告人は，平成29年2月5日午後0時頃から同日午後1時頃までの間に，本件老人ホーム事務室において，Aに対し，ブロチゾラムを含有する睡眠導入剤数錠をひそかに混入したコーヒーを飲ませた。Aは，同日午後3時頃になると，意識障害等を伴う急性薬物中毒の症状が生じ，普段とは違う口調で脈絡のない発言をするようになり，机に突っ伏して寝た。この様子を見ていた被告人は，Aに帰宅を促した。

　Aは，普通乗用自動車（以下「A車」という。）の運転を開始したが，仮睡状態等に陥り，同日午後3時40分頃，約100m走行した地点において，A車を脱輪させて鉄パイプの柵に衝突させる物損事故を起こした（以下「本件物損事故」という。）。被告人は，その現場に駆けつけ，上記鉄パイプの先端がA車に突き刺さっているのを目撃した。Aは，本件物損事故の状況を説明できず，フェンスに背中をもたれて立ったまま寝ている様子であり，被告人がAの両頬を両手で叩いて声をかけても，黙ってぼう然と立ったままであった。Aは，ふらつきながら同事務室に戻り，机に突っ伏して眠り込んだ。その後，被告人がA車の引上げ作業についてAの了承を得ようとした際も，眠り込んでいたため意思確認ができなかった。

　被告人は，同日午後5時30分頃，A車が走行可能である旨を告げてAを起こし，運転して帰宅するよう本件老人ホームから送り出した。

　Aは，A車の運転を開始したが，その後間もなく，急性薬物中毒に基づく仮睡状態等に陥り，約1.4km走行した地点において，A車を対向車線に進出させ，対向進行してきたB運転の普通貨物自動車にA車を衝突させた（以下「第1事故」という。）。第1事故により，Aは胸部下行大動脈完全離断等の傷害を負い，同日午後7時55分頃，搬送先の病院において死亡し，Bは全治約10日間を要する左胸部打撲の傷害を負った（以下，このA及びBに係る事件を「第1事件」という。）。

　(2)　第1事故後，被告人は，自己の行為によりAが交通事故を起こして死亡した事実を認識した。

　被告人は，同僚のCの夫であるDがCを自動車で本件老人ホームに送迎しているこ

とを知っていた。

　被告人は，同年5月15日午後1時頃から同日午後1時30分頃までの間に，本件老人ホーム事務室において，C及びDに対し，ゾルピデムを含有する睡眠導入剤数錠をひそかに混入したお茶を飲ませた。C及びDは，意識障害等を伴う急性薬物中毒の症状が生じ，同日午後2時頃以降，Dが椅子に座ったまま眠り込み，その後C及びDとも体調が悪化して同事務室等で休んでいたが，被告人は，この様子を見ていた。

　被告人は，同日午後5時30分頃，同事務室で寝ていたC及びDに対し，帰宅時間である旨を告げて起こし，Dに自動車を運転してCと共に帰宅するよう仕向けた。

　Dは，助手席にCを乗せて普通乗用自動車（以下「D車」という。）の運転を開始したが，Cと共に急性薬物中毒に基づく仮睡状態等に陥り，同日午後6時頃，約4.7 km走行した地点において，D車を対向車線に進出させ，対向進行してきたE運転の普通貨物自動車にD車を衝突させた。この事故により，Cは全治約1か月間を要する両側肋骨骨折の傷害を，Dは全治約10日間を要する全身打撲傷等の傷害を，Eは加療約3週間を要する頸椎捻挫等の傷害をそれぞれ負った（以下，このC，D及びEに係る事件を「第2事件」という。）。

2 殺意の有無

　被告人は，自動車を運転して帰宅する予定の者に対し，一般的な服用量以上の睡眠導入剤をひそかに摂取させ，その効果が生じている状況で，その者を起こし，運転するよう仕向けた。被告人の行為は，運転者が自身では認識していない睡眠導入剤の影響により，眠気を催して意識が混濁したり仮睡状態に陥ったりし，周囲の状況を把握し的確に運転操作をすることが困難となり，運転者，同乗者のみならず，巻き込まれた第三者を死亡させる事故を含め，あらゆる態様の事故を引き起こす危険性が高い。

　第1事件において，被告人は，本件物損事故の発生，その後のAの様子を目の当たりにしたことにより，自ら摂取させた睡眠導入剤の影響がAに生じていて，意識障害等が解消していない状態であることを十分認識していた。被告人は，そのようなAが自動車を運転すれば，上記のような死亡事故を含めあらゆる事故を引き起こす危険性が現実的にも高まったことを認識しながら，あえてAに運転して帰宅するよう仕向けた。

　第2事件において，被告人は，第1事件により，睡眠導入剤の影響による意識障害等が生じている状況で自動車を運転すれば，その運転者又は第三者を死亡させる事故を含むあらゆる態様の事故を引き起こす危険性があることを現実のものとして認識していた。被告人は，そのような認識の下で，C及びDに睡眠導入剤を摂取させ，その影響による意識障害等が生じている状態にあることを十分認識しながら，Dに自動車を運転してCと共に帰宅するよう仕向けた。

　被告人には，自動車を運転して帰宅するA及びDが交通事故を引き起こし，A，C及びD（以下，併せて「Aら」という。）並びに事故に巻き込まれた第三者が死亡する

かもしれないがそれでもやむを得ないという未必の殺意があった。

　第2　原判決

　被告人は，第1審判決に対して控訴し，原判決は，事故の相手方であるB及びEに対する殺意を認めた第1審判決には事実誤認があるとして第1審判決を破棄し，本件を千葉地方裁判所に差し戻した。その理由の要旨は以下のとおりである。

　1　被告人の行為は，運転者，同乗者及び交通事故の相手方を死亡させる現実的危険性が相当程度あり，実行行為性は認められるとしても，人が死亡する危険性が高いとまではいえない。事故の相手方は，Aらと異なり，自らの命を守ろうとする行動をとることが一応可能であるから，死亡の可能性はAらと比較しても低かった。

　2　人が死亡する危険性が高いとはいえない行為について殺意を認めるためには，行為者が，実行行為による人の死亡の危険性を単に認識しただけでは足りず，実行行為の結果としてその人が死亡することを期待するなど，意思的要素を含む諸事情に基づいて，その人が死亡してもやむを得ないと認容したことを要する。

　第1審判決は，Aらと事故の相手方を区別することなく，本来人の死亡の結果が生ずる危険性が高い行為について用いられるべき，専ら行為者の認識を基準とする判断枠組みを用いるとともに，これと整合性を保つため，認識の対象について，『第三者を死亡させる事故を含めあらゆる態様の事故を引き起こす危険性が高い行為』として，上記の危険性の程度を引き下げている。しかし，このような殺意の認定手法を採ると，行為者自身が摂取したアルコール又は薬物の影響により正常な運転が困難な状態で自動車を走行させた事例を，対向車の運転者等不特定の者に対する殺意が認められるものとして取り込む結果となり，殺意の意義を希釈することになりかねず，妥当でない。

　3　第1事件において，Aは，第1事故に先立ち，本件物損事故を起こしただけであって，対向車と衝突したわけではなかった。第2事件においても，第1事故でAは死亡したが，事故の相手方であるBは全治約10日間を要する左胸部打撲にとどまっていた上，被告人が同傷害について認識していたのか不明である。被告人が事故の相手方の死亡を期待する理由は全くない。事故の相手方が死亡することについては，もともとその可能性が低く，被告人がそれを想起し難いことに加えて，前記の意思的要素を備えていたとも認められない。

　第3　当裁判所の判断

　……（中略）……

　1　第1審判決は，殺意の有無を検討するに当たり，巻き込まれた第三者を死亡させる事故を含むあらゆる態様の事故を引き起こす危険性の認識について説示している。このような説示では，被告人が死亡事故発生の危険性をどのように認識していたのかが明確にならず，いささか措辞不適切であるといわざ

を得ない。しかし，判文全体を通覧すると，被告人の行為は，交通事故を引き起こす危険性が高い行為であり，事故の態様次第でＡらのみならず事故の相手方を死亡させることも具体的に想定できる程度の危険性があると評価したものと解される。第１審判決は，その上で，被告人は，このような自己の行為の危険性を認識しながらＡやＤに運転を仕向けており，事故の相手方であるＢ及びＥが死亡することもやむを得ないものとして認識・認容していたと判断したものと解するのが相当である。そうすると，第１審判決が認識の対象となる危険性の程度を引き下げているという原判決の指摘は，必ずしも第１審判決を正解したものとはいえない。

　２　原判決は，①被告人が運転を仕向けた後にも，ＡやＤが再び寝込んでしまうほか，他の者が運転しないように止めるなどして，運転をしなかったり，運転開始後も気分が悪くなって運転を止めたりする可能性があった上，運転を継続して実際に交通事故を起こしたとしても，Ａら又は事故の相手方は，傷害を負わなかったり，傷害を負ったとしても死亡するに至らなかったりする可能性が相当程度あったから，被告人の行為は，人が死亡する危険性が高いとまではいえない，②事故の相手方は，居眠り運転をしている車両が自車の車線上にはみ出してきても，これを避けて自らの命を守ろうとする行動をとることが一応可能であるから，死亡の可能性はＡらと比較しても低かった，と指摘する。

　しかし，上記①については，Ａらは睡眠導入剤を摂取させられたことを認識しておらず，もうろう状態にあったことなどに照らすと，自らの判断で運転を避止又は中止できた可能性は低かったといえる。当時，被告人を除く本件老人ホーム職員の中でＡらが睡眠導入剤を摂取させられていることを知っていた者はいなかったこと，被告人が他の職員の目が届きにくい状況でＡらに帰宅を促していることなどに鑑みると，他の者が運転を制止する可能性も低かったといえる。顕著な急性薬物中毒の症状を呈していたＡらが仮睡状態等に陥り，制御不能となったＡ車やＤ車がＡらの自宅までの道路を走行すれば，死亡事故を引き起こすことは十分考えられるのであるから，原判決の上記①の指摘は，第１審判決の危険性の評価が不合理であるとするだけの説得的な論拠を示しているとはいい難い。

　上記②については，Ａ車やＤ車が制御不能の状態で走行した場合に対向車

の運転者が採り得る回避手段が観念的には想定できるとしても，実際にそのような回避がされるとは限らず，事故の相手方が死亡することも十分あり得る。原判決の上記②の指摘も，第1審判決の危険性の評価が不合理であるとするだけの説得的な論拠を示しているとはいい難い。

　3　原判決は，被告人の行為により事故の相手方が死亡する危険性は低かったとの評価を前提に，被告人には事故の相手方が死亡することを想起し難いというが，前提を異にする指摘である上，被告人は，ひそかに摂取させた睡眠導入剤の影響によりAらが仮睡状態等に陥っているのを現に目撃し，また，第1事件の前には上記影響によりAが本件物損事故を引き起こしたこと及び第2事件の前には第1事件でAが死亡したことをそれぞれ認識していたのであり，各事件現場付近の道路交通の状況（証拠によれば，一定の交通量があったと認められる。）も知っていたのであるから，自己の行為の危険性を十分認識していたということができ，交通事故の態様次第では事故の相手方が死亡することも想定しており，B及びEはその想定の範囲内に含まれていたというべきである。したがって，B及びEに対する未必の殺意を認めた第1審判決の判断に不合理な点があるとはいえない。

　なお，原判決のいう実行行為の結果として被害者が死亡することを期待していたという事情は，本件において殺意を認定するために必要なものではない。原判決は，行為者自身が摂取した薬物等の影響下で自動車を走行させた事例を挙げて，実行行為の結果として被害者が死亡することを期待するなどの意思的要素を含む諸事情を要求しなければ，殺意の意義を希釈することになりかねないと批判するが，そのような事例と，本件事案とでは，事故により行為者自身の生命が危険にさらされるおそれの有無など種々の相違があり，同列に論ずることはできないから，上記の批判をもって，第1審判決の不合理性を指摘できているとはいえない。

　4　以上のとおり，……B及びEに対する殺意を認めた第1審判決に事実誤認があるとした原判決は，第1審判決について，論理則，経験則等に照らして不合理な点があることを十分に示したものとは評価することができない。そうすると，第1審判決に事実誤認があるとした原判断には刑訴法382条の解釈適用を誤った違法があり，この違法が判決に影響を及ぼすことは明らかであって，原判決を破棄しなければ著しく正義に反するものと認められる。」

⇒ *186*

186 殺人を一定の事態の発生にかからせていた場合

最判昭和 59 年 3 月 6 日刑集 38 巻 5 号 1961 頁／判時 1113・146，判タ 525・103

【判決理由】「所論は，判例違反をいうが，所論引用の判例（最高裁昭和 56 年㈎第 1004 号同年 12 月 21 日第一小法廷決定・刑集 35 巻 9 号 911 頁）は，殺害行為に関与しないいわゆる共謀共同正犯者としての殺意の成否につき，謀議の内容においては被害者の殺害を一定の事態の発生にかからせていたとしても，殺害計画を遂行しようとする意思が確定的であったときは，殺人の故意の成立に欠けるところはない旨判示しているにとどまり，犯意自体が未必的なものであるときに故意の成立を否定する趣旨のものではない。換言すれば，右判示は，共謀共同正犯者につき，謀議の内容においては被害者の殺害を一定の事態の発生にかからせており，犯意自体が未必的なものであったとしても，実行行為の意思が確定的であったときは，殺人の故意の成立に欠けるところはないものとする趣旨と解すべきである。しかるところ，原判決には，所論の指摘するとおり，被告人は，本件殺人の共謀時においても，将来，被害者といま一度話し合う余地があるとの意思を有しており，被害者の殺害計画を遂行しようとする意思が確定的ではなかったものとみているかに解される部分もないではないが，原判決を仔細に検討すれば，それは共謀の当初の時期における被告人の意思を記述したにとどまることが明らかである。すなわち原判決は，被告人は，A，B 及び C との間で，被害者から貸金問題について明確な回答が得られないときは，結着をつけるために，暴力的手段に訴えてでも同人を強制的に連行しようと企て，当初は，被害者と貸金問題についていま一度話し合ってみる余地もあると考えていたものの，一方では，このような緩慢な態度に終始していると舎弟頭として最後の責任をとる羽目にもなりかねないとも考え，また，本件犯行現場に向かう自動車内等での A らの言動から，同人らが被害者の抵抗いかんによってはこれを殺害することも辞さないとの覚悟でいるのを察知しており，A らとともに本件犯行現場に到着した際には，同人らに対し，被害者の応対が悪いときは，その後の事態の進展を同人らの行動に委ねる旨の意思を表明していること，その後犯行現場において A 及び B が刺身包丁で被害者の左前胸部等を突き刺したうえ転倒した同人を自動車後部座席に押し込む際，『早よ足を入れんかい』などと指示し，さらに右自動車内において，B が刺身包丁で被害者の大腿部を突き刺したのに対してもなんら制止することなく容認していた

こと等の事実を認定したうえで，これらの事情を総合して，被告人は，未必の故意のもとに，実行行為者であるAらと共謀のうえ被害者を殺害した旨判示しているのである。右判示を全体としてみれば，原判決は，指揮者の地位にあった被告人が，犯行現場において事態の進展をAらの行動に委ねた時点までには，謀議の内容においてはAらによる殺害が被害者の抵抗という事態の発生にかかっていたにせよ，Aらによって実行行為を遂行させようという被告人の意思そのものは確定していたとして，被告人につき殺人の未必の故意を肯定したものであると理解することができる。」

故意の認識対象・特定性

187 概括的故意

大判大正6年11月9日刑録23輯1261頁

【事案】　被告人は，Aの殺害を決意し，Aの留守中その妻であるB方に赴き，長火鉢にかけてあった鉄瓶の沸湯の中に毒薬昇汞を投入した。A，B，C，Dは昼食時に鉄瓶沸湯を飲んだが，味がおかしいので少量でやめたため殺害にはいたらなかった。原判決は4個の殺人未遂の成立を肯定した。

【判決理由】　「所論昇汞を投入したる鉄瓶沸湯は被告か之れをA及ひ其の家人の必然飲用すへき状態に提供せるものにしてA及其家人の之を飲用するに因り始めて致死の結果を発生するものなれは其の家人の何人か之を飲用するや未定に属するを以て原判決に於ては単に家人等の生命に危害ある可きことを予見しなから云云と説示したるものとす故に右家人の数及其名の不明且不特定なるも妨けす而して右の場合には被告か致死の結果を予想す可きものと論するを得へく随て右飲用者の数に応する殺人罪存す可きものなれは即ち一行為にして数箇の殺人罪名に触るるものとす」

188 メタノールの認識

最判昭和24年2月22日刑集3巻2号206頁

【判決理由】　「原判決は『右品物がメタノールであるとのはっきりした認識はなかったが，之を飲用に供すると身体に有害であるかも知れないと思ったにもかかわらずいずれも飲用に供する目的で』メタノールを所持又は販売した旨を説示しているので，原審においては被告人はAから買受けた本件物件がメタ

⇒ *189・190*

ノールであるというはっきりした認識はなかったものと認定したと言わなければならない。しかしながら原判決は被告人の本犯行を故意犯として処罰したのであるから，判示の『之を飲用に供すると身体に有害であるかも知れないと思った』事実を以て被告人は本犯行について所謂未必の故意あるものと認定したものであると解せざるを得ない。しかしながら身体に有害であるかも知れないと思っただけで（メタノールであるかも知れないと思ったのではなく）はたして同令第1条違反の犯罪についての未必の故意があったと言い得るであらうか。何となれば身体に有害であるものは同令第1条に規定したメタノール又は4エチル鉛だけではなく他にも有害な物は沢山あるからである。従ってただ身体に有害であるかも知れないと思っただけで同令第1条違反の犯罪に対する未必の故意ありとはいい得ない道理であるから原判決は被告人に故意があることの説示に欠くところがあり，理由不備の違法があると言わざるを得ない。」

189　覚せい剤の認識

最決平成2年2月9日判時1341号157頁／判タ722・234
（百選I 40，重判平2刑3）

【決定理由】「原判決の認定によれば，被告人は，本件物件を密輸入して所持した際，覚せい剤を含む身体に有害で違法な薬物類であるとの認識があったというのであるから，覚せい剤かもしれないし，その他の身体に有害で違法な薬物かもしれないとの認識はあったことに帰することになる。そうすると，覚せい剤輸入罪，同所持罪の故意に欠けるところはないから，これと同旨と解される原判決の判断は，正当である。」

190　トルエンを含有するシンナーの認識

東京地判平成3年12月19日判タ795号269頁

【判決理由】「吸入目的による所持罪の対象物件は，トルエンを含有するシンナーであり，それであることが同罪の客観的構成要件である。次に，主観的構成要件たる故意として，犯人において，その所持するシンナーがトルエンを含有していることの確定的な認識又はトルエンを含有しているかもしれないという未必的な認識を有していることが，必要であると解される。未必的な認識の場合には，さらにトルエンが含有していてもよいとする認容が必要である。

　ところで，故意の成立を認めるには，その事実を認識していることが，当該行為が違法であり，してはならない行為であると認識する契機となりうること

が必要であり，また，それで十分であるというべきである。そこで，トルエンを含有するシンナーについていえば，トルエンという劇物の名称を知らなくとも，身体に有害で違法な薬物を含有するシンナーであるとの確定的又は未必的な認識があれば，足りる。

　本件被告人は，過去の経験から，トルエンを含有しないシンナーを吸入し，又はその目的で所持しても，犯罪にならないことを知っていたというのであるから，当該シンナーにはトルエンが含有していないと思っていたとすれば，右の認識を欠き，故意がないことになり，吸入目的の所持罪が成立しないことは，明らかである。」

[3] 錯　　誤

具体的事実の錯誤

191　客体の錯誤

大判大正 11 年 2 月 4 日刑集 1 巻 32 頁

【判決理由】「凡そ殺人の罪は故意に人を殺害するに因りて成立するものにして其の被害者の何人たるやは毫も其の成立に影響を及ほすものに非す従て苟も殺意を以て人を殺傷したる以上は縦令被害者の何人たるやに付て誤認する所ありと雖殺人の犯意を阻却すへきものに非す而して原判決に於ては被告か A を殺害せんと決意し之か実行行為に著手し B を A なりと誤認し之を傷害したる事実を認め被告を殺人未遂罪に問擬したる旨趣自ら明かなれは特に其の理由を説明するの要なく論旨は理由なし」

192　因果関係の錯誤

大判大正 12 年 4 月 30 日刑集 2 巻 378 頁
（百選 I 15）　⇒*53*

193　方法の錯誤

最判昭和 53 年 7 月 28 日刑集 32 巻 5 号 1068 頁／判時 900・58，判タ 366・165
（百選 I 42，重判昭 53 刑 3）

【判決理由】「刑法 240 条後段，243 条に定める強盗殺人未遂の罪は強盗犯人が強盗の機会に人を殺害しようとして遂げなかった場合に成立するものである

⇒ *193*

ことは，当裁判所の判例とするところであり……これによれば，Bに対する傷害の結果について強盗殺人未遂罪が成立するとするには被告人に殺意があることを要することは，所論指摘のとおりである。

しかしながら，犯罪の故意があるとするには，罪となるべき事実の認識を必要とするものであるが，犯人が認識した罪となるべき事実と現実に発生した事実とが必ずしも具体的に一致することを要するものではなく，両者が法定の範囲内において一致することをもって足りるものと解すべきである（大審院昭和6年㈲第607号同年7月8日判決・刑集10巻7号312頁，最高裁昭和24年㈲第3030号同25年7月11日第三小法廷判決・刑集4巻7号1261頁参照）から，人を殺す意思のもとに殺害行為に出た以上，犯人の認識しなかった人に対してその結果が発生した場合にも，右の結果について殺人の故意があるものというべきである。

これを本件についてみると，原判決の認定するところによれば，被告人は，警ら中の巡査Aからけん銃を強取しようと決意して同巡査を追尾し，東京都新宿区西新宿1丁目4番7号先附近の歩道上に至った際，たまたま周囲に人影が見えなくなったとみて，同巡査を殺害するかも知れないことを認識し，かつ，あえてこれを認容し，建設用びょう打銃を改造しびょう1本を装てんした手製装薬銃1丁を構えて同巡査の背後約1メートルに接近し，同巡査の右肩部附近をねらい，ハンマーで右手製装薬銃の撃針後部をたたいて右びょうを発射させたが，同巡査に右側胸部貫通銃創を負わせたにとどまり，かつ，同巡査のけん銃を強取することができず，更に，同巡査の身体を貫通した右びょうをたまたま同巡査の約30メートル右前方の道路反対側の歩道上を通行中のBの背部に命中させ，同人に腹部貫通銃創を負わせた，というのである。これによると，被告人が人を殺害する意思のもとに手製装薬銃を発射して殺害行為に出た結果，被告人の意図した巡査Aに右側胸部貫通銃創を負わせたが殺害するに至らなかったのであるから，同巡査に対する殺人未遂罪が成立し，同時に，被告人の予期しなかった通行人Bに対し腹部貫通銃創の結果が発生し，かつ，右殺害行為とBの傷害の結果との間に因果関係が認められるから，同人に対する殺人未遂罪もまた成立し（大審院昭和8年㈲第831号同年8月30日判決・刑集12巻16号1445頁参照），しかも，被告人の右殺人未遂の所為は同巡査に対する強盗の手段として行われたものであるから，強盗との結合犯として，被告人

⇒ *194*

のＡに対する所為についてはもちろんのこと，Ｂに対する所為についても強
盗殺人未遂罪が成立するというべきである。したがって，原判決が右各所為に
つき刑法 240 条後段，243 条を適用した点に誤りはない。」

194 誤想防衛の一種とされた事例

大阪高判平成 14 年 9 月 4 日判タ 1114 号 293 頁
（百選Ⅰ28）

【事案】 被告人は，乱闘騒ぎのなかで，実兄Ｂが相手方のＡに木刀でやられそうにな
っているのを救助すべく，自動車を急後退させたところ，車をＡに当てたほか，Ｂを
轢死させた。原審は，被告人に傷害致死罪の成立を認めた。

【判決理由】「被告人が本件車両を急後退させる行為は正当防衛であると認め
られることを前提とすると，その防衛行為の結果，全く意図していなかったＢ
に本件車両を衝突・轢過させてしまった行為について，どのように考えるべき
か問題になる。不正の侵害を全く行っていないＢに対する侵害を客観的に正
当防衛だとするのは妥当でなく，また，たまたま意外なＢに衝突し轢過した
行為は客観的に緊急行為性を欠く行為であり，しかも避難に向けられたとはい
えないから緊急避難だとするのも相当でないが，被告人が主観的には正当防衛
だと認識して行為している以上，Ｂに本件車両を衝突させ轢過してしまった行
為については，故意非難を向け得る主観的事情は存在しないというべきである
から，いわゆる誤想防衛の一種として，過失責任を問い得ることは格別，故意
責任を肯定することはできないというべきである。

　ところで，原判決は，前記のように特段の理由を示していないが，被告人に
Ａに対する暴行の故意があったことを認め，いわゆる方法の錯誤により誤っ
てＢを轢過したととらえ，法定的符合説にしたがってＢに対する傷害致死の
刑責を問うもののようである。本件においては，上記のように被告人のＡに
対する行為は正当防衛行為でありＢに対する行為は誤想防衛の一種として刑
事責任を考えるべきであるが，錯誤論の観点から考察しても，Ｂに対する傷害
致死の刑責を問うことはできないと解するのが相当である。すなわち，一般に，
人（Ａ）に対して暴行行為を行ったが，予期せぬ別人（Ｂ）に傷害ないし死亡
の結果が発生した場合は，いわゆる方法の錯誤の場面であるとして法定的符合
説を適用し，Ａに対する暴行の（構成要件的）故意が，同じ『人』であるＢ
にも及ぶとされている。これは，犯人にとって，ＡとＢは同じ『人』であり，

⇒ *195*

構成要件的評価の観点からみて法的に同価値であることを根拠にしていると解される。しかしこれを本件についてみると，被告人にとってＢは兄であり，共に相手方の襲撃から逃げようとしていた味方同士であって，暴行の故意を向けた相手方グループ員とでは構成要件的評価の観点からみて法的に人として同価値であるとはいえず，暴行の故意を向ける相手方グループ員とは正反対の，むしろ相手方グループから救助すべき『人』であるから，自分がこの場合の『人』に含まれないのと同様に，およそ故意の符合を認める根拠に欠けると解するのが相当である。この観点からみても，本件の場合は，たとえＡに対する暴行の故意が認められても，Ｂに対する故意犯の成立を認めることはできないというべきである。

　したがって，Ｂに対する傷害致死罪の成立を認めることはできない。」

抽象的事実の錯誤

195　ヘロイン輸入と覚せい剤輸入，禁制品輸入と無許可輸入

最決昭和 54 年 3 月 27 日刑集 33 巻 2 号 140 頁／判時 922・13，判タ 392・63
（重判昭 54 刑 2）

【決定理由】「一　原判決の維持した第 1 審判決認定の事実によると，被告人は，ほか 2 名と共謀のうえ，㈠　営利の目的で，麻薬であるジアセチルモルヒネの塩類である粉末を覚せい剤と誤認して，本邦内に持ち込み，もって右麻薬を輸入し，㈡　税関長の許可を受けないで，前記麻薬を覚せい剤と誤認して，輸入した，というのである。第 1 審判決は，被告人の前記㈠の所為は刑法 60 条，麻薬取締法 64 条 2 項，1 項，12 条 1 項に，前記㈡の所為は刑法 60 条，関税法 111 条 1 項に該当するとしたうえ，被告人は前記㈠の罪を犯情の軽い覚せい剤を輸入する意思で犯したものであることを理由として，刑法 38 条 2 項，10 条により同法 60 条，覚せい剤取締法 41 条 2 項，1 項 1 号，13 条の罪の刑で処断する，としており，原判決は，第 1 審判決の右法令の適用を肯認している。

　二　そこで，右法令適用の当否につき判断する。

　㈠　麻薬と覚せい剤とは，ともにその濫用による保健衛生上の危害を防止する必要上，麻薬取締法及び覚せい剤取締法による取締の対象とされているもの

であるところ，これらの取締は，実定法上は前記２つの取締法によって各別に行われているのであるが，両法は，その取締の目的において同一であり，かつ，取締の方式が極めて近似していて，輸入，輸出，製造，譲渡，譲受，所持等同じ態様の行為を犯罪としているうえ，それらが取締の対象とする麻薬と覚せい剤とは，ともに，その濫用によってこれに対する精神的ないし身体的依存（いわゆる慢性中毒）の状態を形成し，個人及び社会に対し重大な害悪をもたらすおそれのある薬物であって，外観上も類似したものが多いことなどにかんがみると，麻薬と覚せい剤との間には，実質的には同一の法律による規制に服しているとみうるような類似性があるというべきである。

　本件において，被告人は，営利の目的で，麻薬であるジアセチルモルヒネの塩類である粉末を覚せい剤と誤認して輸入したというのであるから，覚せい剤取締法41条２項，１項１号，13条の覚せい剤輸入罪を犯す意思で，麻薬取締法64条２項，１項，12条１項の麻薬輸入罪にあたる事実を実現したことになるが，両罪は，その目的物が覚せい剤か麻薬かの差異があるだけで，その余の犯罪構成要件要素は同一であり，その法定刑も全く同一であるところ，前記のような麻薬と覚せい剤との類似性にかんがみると，この場合，両罪の構成要件は実質的に全く重なり合っているものとみるのが相当であるから，麻薬を覚せい剤と誤認した錯誤は，生じた結果である麻薬輸入の罪についての故意を阻却するものではないと解すべきである。してみると，被告人の前記一㈠の所為については，麻薬取締法64条２項，１項，12条１項の麻薬輸入罪が成立し，これに対する刑も当然に同罪のそれによるものというべきである。したがって，この点に関し，原判決が麻薬輸入罪の成立を認めながら，犯情の軽い覚せい剤輸入罪の刑によって処断すべきものとしたのは誤りといわなければならないが，右の誤りは判決に影響を及ぼすものではない。

　　㈡　次に，被告人の前記一㈡の所為についてみるに，第１審判決は，被告人は，税関長の許可を受けないで覚せい剤を輸入する意思（関税法111条１項の罪を犯す意思）で，関税定率法21条１項１号所定の輸入禁制品である麻薬を輸入した（関税法109条１項の罪にあたる事実を実現した）との事実を認め，これに対し関税法111条１項のみを適用している。そこで，右法令適用の当否につき案ずるに，関税法は，貨物の輸入に際し一般に通関手続の履行を義務づけているのであるが，右義務を履行しないで貨物を輸入した行為のうち，その

⇒ 196

貨物が関税定率法 21 条 1 項所定の輸入禁制品である場合には関税法 109 条 1 項によって，その余の一般輸入貨物である場合には同法 111 条 1 項によって処罰することとし，前者の場合には，その貨物が関税法上の輸入禁制品であるところから，特に後者に比し重い刑をもってのぞんでいるものであるところ，密輸入にかかる貨物が覚せい剤か麻薬かによって関税法上その罰則の適用を異にするのは，覚せい剤が輸入制限物件（関税法 118 条 3 項）であるのに対し麻薬が輸入禁制品とされているというだけの理由によるものに過ぎないことにかんがみると，覚せい剤を無許可で輸入する罪と輸入禁制品である麻薬を輸入する罪とは，ともに通関手続を履行しないでした類似する貨物の密輸入行為を処罰の対象とする限度において，その犯罪構成要件は重なり合っているものと解するのが相当である。本件において，被告人は，覚せい剤を無許可で輸入する罪を犯す意思であったというのであるから，輸入にかかる貨物が輸入禁制品たる麻薬であるという重い罪となるべき事実の認識がなく，輸入禁制品である麻薬を輸入する罪の故意を欠くものとして同罪の成立は認められないが，両罪の構成要件が重なり合う限度で軽い覚せい剤を無許可で輸入する罪の故意が成立し同罪が成立するものと解すべきである。これと同旨の第 1 審判決の法令の適用は，結論において正当である。」

196 覚せい剤所持とコカイン所持

最決昭和 61 年 6 月 9 日刑集 40 巻 4 号 269 頁／判時 1198・157，判タ 606・54
（百選 I 43，重判昭 61 刑 1）

【決定理由】「まず，本件において，被告人は，覚せい剤であるフェニルメチルアミノプロパン塩酸塩を含有する粉末を麻薬であるコカインと誤認して所持したというのであるから，麻薬取締法 66 条 1 項，28 条 1 項の麻薬所持罪を犯す意思で，覚せい剤取締法 41 条の 2 第 1 項 1 号，14 条 1 項の覚せい剤所持罪に当たる事実を実現したことになるが，両罪は，その目的物が麻薬か覚せい剤かの差異があり，後者につき前者に比し重い刑が定められているだけで，その余の犯罪構成要件要素は同一であるところ，麻薬と覚せい剤との類似性にかんがみると，この場合，両罪の構成要件は，軽い前者の罪の限度において，実質的に重なり合っているものと解するのが相当である。被告人には，所持にかかる薬物が覚せい剤であるという重い罪となるべき事実の認識がないから，覚せい剤所持罪の故意を欠くものとして同罪の成立は認められないが，両罪の構成

要件が実質的に重なり合う限度で軽い麻薬所持罪の故意が成立し同罪が成立するものと解すべきである（最高裁昭和 52 年㈖836 号同 54 年 3 月 27 日第一小法廷決定・刑集 33 巻 2 号 140 頁参照）。

　次に，本件覚せい剤の没収について検討すると，成立する犯罪は麻薬所持罪であるとはいえ，処罰の対象とされているのはあくまで覚せい剤を所持したという行為であり，この行為は，客観的には覚せい剤取締法 41 条の 2 第 1 項 1 号，14 条 1 項に当たるのであるし，このような薬物の没収が目的物から生ずる社会的危険を防止するという保安処分的性格を有することをも考慮すると，この場合の没収は，覚せい剤取締法 41 条の 6 によるべきものと解するのが相当である。」

谷口正孝裁判官の補足意見　「一 1　法廷意見にいうとおり，本件は，被告人において，覚せい剤であるフェニルメチルアミノプロパン塩酸塩を含有する粉末を麻薬であるコカインと誤認して所持したというのであって，前者の罪の法定刑は 10 年以下の懲役刑（覚せい剤取締法 41 条の 2 第 1 項 1 号，14 条 1 項）であり，後者のそれは 7 年以下の懲役刑（麻薬取締法 66 条 1 項，28 条 1 項）であり，その目的物も覚せい剤か麻薬かの差異があるので，この場合，被告人に対していかなる罪の成立が認められるのか，そしてまた，それとの関係において本件において押収された覚せい剤の没収をいかなる条規によって行うべきかが問われているわけである。

　被告人において意図した罪と現に発生した罪との間にそごがある。そして，両罪の構成要件を異にするので，このような場合，学説は一般に抽象的事実の錯誤として論ずるわけである。刑法 38 条 2 項の解釈問題として実務上も問題となる。

　ところで，この範ちゅうに属する事例について，最高裁判所の判例は，以下のような歩みを示している（ここでは，最も頻繁に引用される判例のみをあげる。）先ず，㈠　暴行・傷害を共謀した共犯者のうちの 1 人が殺人罪を犯した場合，故意のなかった他の共犯者については，傷害致死罪の共同正犯の成立を認め（最高裁判所昭和 54 年 4 月 13 日第一小法廷決定・刑集 33 巻 3 号 179 頁），一方において，㈡　公文書無形偽造教唆行為の共謀者の 1 人が他の共謀者に謀ることなく公文書有形偽造教唆行為をした場合，無形偽造の認識しかなかった他の共謀者について公文書有形偽造教唆の故意の責任を問い（同昭和 23 年 10

⇒ *196*

月23日第二小法廷判決・刑集2巻11号1386頁），さらに，㈦Ⅰ　営利の目的
で麻薬であるジアセチルモルヒネの塩類粉末を覚せい剤と誤認して輸入した場
合について，麻薬取締法64条2項，1項，12条1項の麻薬輸入罪の成立を認
め，Ⅱ　関税法109条1項の輸入禁制品の輸入罪と同法111条1項の無許可輸
入罪の関係につき，税関長の許可を受けないで，麻薬を覚せい剤と誤認して輸
入した場合，覚せい剤の無許可輸入罪の成立を認めている（同昭和54年3月
27日第一小法廷決定・刑集33巻2号140頁）。そして，以上の各判例につい
ては，犯人の認識した罪と現に発生した罪とが構成要件を異にするので，抽象
的事実の錯誤に当たり，この場合は，両構成要件要素の重なり合う限度におい
て故意犯の成立を認めたもので，学説にいう法定的符合説を採用したものであ
る，という理解が一方にある。

　確かに，㈡の判例は，法定的符合説をとった場合十分に説明ができる。しか
し，㈢，㈦のⅠ及びⅡの判例の場合は，両構成要件が重なり合う（あるいは実
質的に重なり合う）といってみても，㈢の事例は，客体が公文書という点にお
いて重なり合うとしても，犯罪の構成要素としての主体適格を異にし，㈦のⅠ
及びⅡの事例は目的物が覚せい剤か麻薬であるかの差異があるわけで，両構成
要件がいかなる意味で重なり合うといえるのか必ずしも明らかでない。ことに，
故意を構成要件要素と考え，あるいは構成要件によって制約されるという考え
方をとる場合，㈦のⅠの事例について麻薬輸入罪の成立を認めるためには，
『麻薬の種類とかその化学薬品名まで認識する必要はないが，素人が麻薬につ
いて理解している程度の意味の認識と当該物件が麻薬であることの認識を必要
とする』わけで，この場合も抽象的事実の錯誤に当たり，『両罪の構成要件は
重なり合っており，法定刑が同じであるので，両罪の軽重は刑法10条3項に
より決めることとなり，覚せい剤輸入罪が軽い罪であるとすれば，被告人が麻
薬を覚せい剤と誤認して輸入した所為につき，覚せい剤輸入罪の成立をみとめ，
その刑によって処断すべきであろう。』との批判がよせられている。この批判
は，右の㈦のⅠの判例を同一構成要件における具体的事実の錯誤と解する論者
に対する反論という内容となっている。しかし，故意を構成要件要素あるいは
構成要件によって制約されるという考え方を徹底し，麻薬輸入罪の故意の内容
を論者のいうように厳格にとらえた場合，私としては麻薬輸入罪と覚せい剤輸
入罪の構成要件がいかなる意味において重なり合っているといえるのか，そし

てまた，その場所処断刑（刑法 10 条 3 項）の軽いとされた覚せい剤輸入罪の故意がいかなる構成をとることにより認められることになるのか，やはり理解の届かないものがある。

いずれにしても，前記(イ)の判例と(ロ)及び(ハ)の I 及び II の判例をいずれも抽象的事実の錯誤に属するものとして統一的に理解するためには，多くの困難がある。(ロ)および(ハ)の I の判例を具体的事実の錯誤として理解しようとする有力な見解が生ずる所以である。

2　ところで，(ハ)の I の判例，すなわち，営利目的による麻薬輸入罪と同じ目的による覚せい剤輸入罪の罪質について考えてみよう。『（麻薬取締法と覚せい剤取締法の）両者は共にその中毒性，習慣性のため個人並に社会の保健衛生に危害を及ぼすことが多い薬剤について，その濫用を取締ろうとするものでその目的を同じうし，且つ，その取締方式においても極めて相似たものがあるのであって，両者別異の法律を以ってこれを規定したのは単に沿革的理由にすぎない』（大阪高裁昭和 31 年 4 月 26 日判決・高刑集 9 巻 3 号 317 頁）と説明されているように，両罪がその罪質を同じくするものであることは疑いがない。しかし，そのように両罪の罪質が同じであるということから，両罪の構成要件によって制約された故意が同一であるとは直ちに帰結できないし，また，このような意味において両罪の構成要件が重なり合うといっても，両罪の故意の同一を断定するについては，さらに説明を必要としよう。

思うに，構成要件によって制約された故意の内容としては，『構成要件該当の事実の認識ではなく，構成要件の規定する違法・責任内容の認識こそが決定的』である。つまり，構成要件に該当する自然的・物理的事実の認識を備えれば故意の成立に十分というわけではなく，『立法者が禁止の基礎とした違法・責任内容を行為者が認識しなければ故意は肯定し』えないというべきである。このような観点に立って故意を理解する限り，違法・責任の質において同一である（罪質を同じくするというのはこの意味においてである。）2 つの構成要件（(ハ)の I の判例の場合は営利目的による麻薬輸入罪と同じ目的による覚せい剤輸入罪である。）について，同じ法定刑が規定されているときは（右両罪の法定刑は同じである。），違法・責任の量においても両者は同じである。なお，ここで違法・責任の質，量という場合は，犯罪類型としてのそれを構成要件に即して論じている（以下，この用語はその意味で用いる。）。このように，2 つ

⇒ *196*

の構成要件を通じて違法・責任の質, 量とも同一である場合には, 故意の成否
が問われる抽象的事実の錯誤の問題を生ずる余地はない。(ハ)のⅠの事例につ
いていえば, 犯人において麻薬を覚せい剤と誤認したとしても, 故意の成立に影
響するところはなく, 現に生じた罪が故意に即応したものとして同罪の成立を
認めることになる。従って, この場合, 刑法38条2項の適用を論ずる余地は
ない。私は, (ハ)のⅠの判例 ((ロ)の判例も同じであろう。) は, この趣旨を明ら
かにしたものと理解している。ところで, 本件の覚せい剤を麻薬と誤認して所
持した場合, 故意・犯罪の成立をどのように考えるべきであろうか (そして,
(ハ)のⅡの判例も実は本件と同一系列にある。)。両罪の違法・責任の質は同じ
(前記罪質の同一) である。しかし, 両罪の法定刑を比較してみると, 前者に
つき後者に比べて重い法定刑で罰することとされている。従って, この事案で
は, 両罪の違法・責任の量を同じであると考えることは許されない。構成要件
相互において違法・責任の質を同じくしながら, その量において異なる場合,
抽象的事実の錯誤として, 違法・責任の量の重い罪の故意の成立は認められず,
軽い罪の故意の成立を認め, その故意に対応した軽い罪が成立するということ
になる (抽象的事実の錯誤について, このように違法・責任の質と量を導入す
る見解については, 町野朔, 法定的符合について(上), (下), 警察研究54巻4号,
5号参照)。一つの構成要件が他の構成要件を包摂する関係にある(イ)及び(ハ)の
Ⅱの判例もこの場合に当たる。

　なお, 右の見解に対しては, 覚せい剤を所持している場合であるのに, 麻薬
所持の罪の成立を認めるというのは, 余りにも事実と懸隔するとの非難がある。
しかし, それは故意を構成要件によって制約されると考える理論からの帰結で
あり, その懸隔は, 違法・責任の質, 量の重い罪 (本件では覚せい剤所持罪)
の構成要件が, 刑法38条2項により修正を受ける結果 (同規定は構成要件の
修正を認める実定法上の根拠規定と考えることもできる。), 違法・責任の質,
量の軽い罪 (麻薬所持罪) が成立するという構成で埋めることになろう。

　以上の理由で, 本件について麻薬所持罪の成立を認めた法廷意見に賛成す
る。」

197　ダイヤモンド原石の輸入と覚せい剤の輸入

東京高判平成 25 年 8 月 28 日高刑集 66 巻 3 号 13 頁／判タ 1407・228

【判決理由】「論旨は，原判決は，被告人が，本件ボストンバッグの中に隠匿されていたものが覚せい剤を含む違法薬物であることを認識していたとまで認めることはできず，これをダイヤモンド原石であると考えていた可能性を排斥できないとしつつ，最高裁昭和 54 年 3 月 27 日第一小法廷決定・刑集 33 巻 2 号 140 頁を引用して，ダイヤモンド原石を無許可で輸入する罪と輸入してはならない貨物である覚せい剤を輸入する罪とは，ともに通関手続を履行しないでした貨物の輸入行為を処罰の対象とする限度において，その犯罪構成要件は重なり合っているものと解されるとし，被告人は，税関長の許可を受けないでダイヤモンド原石を輸入する意思で，輸入してはならない貨物である本件覚せい剤を輸入しようとしたことになるから，輸入してはならない貨物の輸入罪の故意を欠くものとして，同罪の成立は認められないが，両罪の構成要件が重なり合う限度で，軽い，貨物を無許可で輸入する罪の故意及び同限度での氏名不詳者らとの共謀が成立し，貨物の無許可輸入罪（未遂）が成立する，としているが，ダイヤモンド原石と覚せい剤の違いを無視しており，そもそもダイヤモンド原石の無許可輸入罪と禁制品である覚せい剤の輸入罪の間では構成要件の重なり合いが認められないというべきであるから，原判決には，上記最高裁決定及び関税法の解釈適用に誤りがある，というのである。……

　1　まず弁護人は，無許可輸入罪に関する関税法 111 条及び同法 67 条は，関税の確定，納付，徴収の他，貨物の輸入の適正な実施と公正な管理の確保を目的とし，輸入された物品そのものに対する規制ではなく，不正な手段による輸入に対する規制という方法をとっているのに対し，禁制品輸入罪に関する関税法 109 条及び同法 69 条の 11 第 1 項の趣旨は，社会にとって有害な物品が日本へ持ち込まれることを防ぎ，社会公共の秩序，衛生，風俗，信用その他の公益の侵害を防止する点にあり，特定の物品の輸入自体を禁止するという規制の方法をとっており，両者の保護法益は異なる上，構成要件としての行為の内容としても，無許可という不作為であるのか，積極的な持ち込み行為という作為であるのかという点及び輸入の対象となる物品の範囲において，大きく異なっており，構成要件の重なり合いを認めることはできないと主張する。

　しかし，……111 条と 109 条は，いずれも関税法の目的の一つである貨物の

輸出入についての通関手続の適正な処理を図るための規定であって，111条が無許可での輸出入を禁止する密輸出入犯に対する原則的規定であり，109条は，特に取締りの必要性が高い禁制品の密輸入につきその責任非難の強さに鑑み，特にこれを重く処罰することとした規定であると解することができる。また，確かに，111条は，無許可の輸出入行為を処罰の対象としており，109条は，許可の有無にかかわらず，禁制品の輸入行為を処罰の対象としている点で，対象となる行為の内容が異なるようにも見えるものの，禁制品の輸入が許可されることは通常あり得ないから，共に通関手続を履行しないでする貨物の密輸入行為を対象とする限度において犯罪構成要件が重なり合うものということができる。上記最高裁決定も，許可の有無という事情にかかわらず，覚せい剤を無許可で輸入する罪と輸入禁制品である麻薬を輸入する罪との間に犯罪構成要件の重なり合いを認めており，弁護人の指摘する差異が構成要件の重なり合いの判断に影響することはないというべきである。そして，禁制品も輸入の対象物となるときは貨物であることに変わりがない。以上からすると，111条の無許可輸入罪と109条の禁制品輸入罪とは，ともに通関手続を履行しないでした貨物の密輸入行為を処罰の対象とする限度において，犯罪構成要件が重なり合っているものと解することができる。

　2　以上に対し，弁護人は，上記最高裁決定の事案は，覚せい剤と誤信して麻薬を輸入したというものであり，覚せい剤と麻薬は，ともに身体に有害な違法薬物であり，物理的な形状や輸入することの社会的意義も共通しているのであって，上記最高裁決定は，この点を前提として，『類似する貨物の密輸入行為を処罰の対象とする限度』において，例外的に構成要件の重なり合いを認めたものと解すべきであり，一般的な無許可輸入と禁制品の輸入行為との間に構成要件的重なり合いを認めたわけではなく，本件において被告人が誤信していたダイヤモンド原石と覚せい剤とは，物理的な形状や性質も，輸入にかかる社会的意義もまったく異なるから，構成要件の重なり合いを認めた上記最高裁決定の規範をそのまま適用することはできないと主張する。

　しかしながら，上記最高裁決定は，覚せい剤取締法の営利目的による覚せい剤輸入罪と麻薬取締法の営利目的による麻薬輸入罪については，輸入の目的物が覚せい剤か麻薬かの差異があることを前提としつつ，その余の犯罪構成要件要素と法定刑が同一であり，麻薬と覚せい剤の類似性に鑑みて，構成要件が実

質的に重なり合っているとみるのが相当であるとしているのに対し，関税法
109条1項と111条1項については，関税法が貨物の輸入に際し一般に通関手
続の履行を義務づけており，その義務を履行しないで貨物を輸入した行為のう
ち，貨物が輸入禁制品である場合には109条1項によって，その余の一般輸入
貨物である場合には111条1項によって処罰することとし，前者の場合は，そ
の貨物が関税法上の輸入禁制品であるところから，特に後者に比し重い刑をも
ってのぞんでいることを指摘した上で，密輸入にかかる貨物が覚せい剤か麻薬
かによって関税法上その罰則の適用を異にするのは，覚せい剤が輸入制限物件
であるのに対し麻薬が輸入禁制品とされているだけの理由によるものにすぎな
いことに鑑みると，覚せい剤を無許可で輸入する罪と輸入禁制品である麻薬を
輸入する罪とは，ともに通関手続を履行しないでした類似する貨物の密輸入行
為を処罰の対象とする限度において，その犯罪構成要件は重なり合っているも
のと解するのが相当である，としている。すなわち，上記最高裁決定は，関税
法上は，覚せい剤を無許可で輸入する行為も禁制品である麻薬を輸入する行為
も，貨物の内容が覚せい剤であるか麻薬であるかの差異にかかわらず，通関手
続を履行しないでする貨物の密輸入行為を処罰の対象とする限度において犯罪
構成要件が重なり合っていると判断したものであって，『類似する』とは必ず
しも貨物の内容が類似していることを意味するものではなく，単に貨物の密輸
入行為が類似していることを示したにすぎないものと解するのが相当である。
そうすると，貨物に隠匿された内容物が，いずれも身体に有害な違法薬物であ
るか否か，物理的な形状が類似しているか否か，それを輸入することの社会的
意義の同一性などといった事情は，ともに貨物の密輸犯取締規定である111条
と109条の犯罪構成要件の重なり合いの判断に直接影響するものではない。弁
護人の上記主張は採用できない。」

198　公文書無形偽造教唆と公文書有形偽造教唆

最判昭和23年10月23日刑集2巻11号1386頁
【判決理由】「原判決の認定によれば，被告人は第1審相被告人Yと共謀して，
岡山刑務所医務課長Aを買収してBのため同人が勾留に堪えられない旨の虚
偽の内容の診断書を作成さしてこれを入手しようと決め，Yがその任に当る
ことになったところ，Yは医務課長の買収が困難なのを知って，寧しろ医務

⇒ 199

課長名義の診断書を偽造しようと決意し，第1審相被告人Zを教唆して本件診断書を作成偽造せしめたというのである。被告人の故意は，前記認定の如く，Yと共謀して医務課長をして虚偽の公文書を作成する罪（刑法第156条の罪）を犯させることを教唆するに在る。しかるに現実には前記のような公文書偽造の結果となったのであるから，事実の錯誤の問題である。かかる場合にYのZに対する本件公文書偽造教唆について，被告人が故意の責任を負うべきであるか否やは一の問題であるが，本件故意の内容は刑法第156条の罪の教唆であり，結果は同法第155条の罪の教唆である。そしてこの両者は犯罪の構成要件を異にするも，その罪質を同じくするものであり，且法定刑も同じである。而して右両者の動機目的は全く同一である。いづれもBの保釈の為めに必要な虚偽の診断書を取得する為めである。即ち被告人等は最初その目的を達する手段として刑法第156条の公文書無形偽造の罪を教唆することを共謀したが，結局共謀者の1人たるYが公文書有形偽造教唆の手段を選び，これによって遂に目的を達したものである。それであるから，YのZに対する本件公文書偽造の教唆行為は，被告人とYとの公文書無形偽造教唆の共謀と全然無関係に行われたものと云うことはできないのであって，矢張り右共謀に基づいてたまたまその具体的手段を変更したに過ぎないから，両者の間には相当因果関係があるものと認められる。然らば被告人は事実上本件公文書偽造教唆に直接に関与しなかったとしてもなお，その結果に対する責任を負わなければならないのである。即ち被告人は法律上本件公文書偽造教唆につき故意を阻却しないのである。」

199 窃盗と占有離脱物横領

東京高判昭和35年7月15日下刑集2巻7＝8号989頁

【事案】 被告人は，Aにより駅の出札口の台の上に置き忘れられてあったが，なおAの占有下にあるカメラを遺失物と誤認して持ち去った。

【判決理由】 「本件は，被害者Aの管理する原判示カメラ1台を，被告人が占有離脱物たる遺失物であると思って持ち去ったものと認定すべき事案で，刑法第235条，第38条第2項，第254条を適用すべき場合である」

⇒**参考** 択一的認定を認めた事例（札幌高判昭和61年3月24日高刑集39巻1

号8頁）

【事案】 被告人は，居宅及び工場の敷地内を除雪しようとして，午後6時40分ころショベルローダーを運転して除雪を始め，途中からスコップで雪かきの手伝いをしていた妻Aに「もういいぞ」と声を掛けて家の中に入るよう促した後，8時50分ころまで除雪を行い，11時ころ自宅に入ったが，Aがいないことに気づき捜すうち，ショベルローダーでAをはねたかもしれないと考え雪をスコップで掘ったところ，雪の中に埋没しているAを発見した。Aは何の反応も示さなかったので既に死亡しているものと思い，交通事故にみせかけて遺棄することを決意して，敷地内南西端付近に遺棄した。原判決は，遺棄当時Aが死亡していたという証明がないとしたが，次のようにして死体遺棄罪の成立を肯定した。

「被告人はAが既に死亡しているものと判断してこれを遺棄したものであるところ，犯行時における同女の死亡の事実が立証されない結果，被告人の，既に同女が死亡していたとの判断は誤認ということになり，結局，被告人は死体遺棄の故意のもとに保護責任者遺棄を犯したことになる。

ところで，いわゆる抽象的事実の錯誤においては，両罪の構成要件が重なり合う限度で軽い罪の故意が成立するものと考えられるところ，遺棄罪（保護責任者遺棄罪を含む。以下，同じ。）の保護法益は直接的には個人の生命・身体の安全にあるものの，現代の社会生活においては，いかなる理由によるにもせよ，人を遺棄してその生命・身体に危険を与えることは社会的風俗を害するものとして許されないというべきであり，その意味において死体遺棄罪の保護法益である健全な社会的風俗と法益の面において重なり合う面があるばかりでなく，社会生活上，本件のような生死の分明でない者を発見した者に対しては，まずその救助のための適切な行為が要求されているものと考えられるところ，これをなさずに遺棄した場合には，少なくとも生きているのか死んでいるのか明らかでない状態で人を遺棄する意思があったものと評価できるうえ，その行為は死体と生体の違いがあっても遺棄という態様は同一であることからすれば，右の両罪の間には罪質の面においても同一性があるものと言え，したがって，本件のような場合には，死体遺棄罪と遺棄罪との間に実質的な構成要件上の重なり合いを認めるのが相当であり，結局，被告人については，軽い死体遺棄罪の故意が成立し，同罪が成立するものと解する。」

【判決理由】 「前記死亡推定時刻は，あくまでも死体解剖所見のみに基づく厳密な法医学的判断にとどまるから，刑事裁判における事実認定としては，同判断に加えて，行為時における具体的諸状況を総合し，社会通念と，被告人に対し死体遺棄罪という刑事責任を問い得るかどうかという法的観点をふまえて，Aが死亡したと認定できるか否かを考察すべきである。

本件において，仮に遺棄当時Aがまだ死亡に至らず，生存していたとする

と，被告人は，凍死に至る過程を進行中であった同女を何ら手当てせずに寒冷の戸外に遺棄して死亡するに至らしめたことになり，同女の死期を早めたことは確実であると認められるところ，自ら惹起した不慮の事故により雪中に埋没させてしまった同女を掘り出しながら，死亡したものと誤信し，直ちに医師による治療も受けさす等の救護措置を講ずることなく，右のように死期を早める行為に及ぶということは，刑法211条後段の重過失致死罪に該当するものというべく，その法定刑は5年以下の懲役もしくは禁錮又は20万円以下の罰金であるから，被告人は，法定刑が3年以下の懲役である死体遺棄罪に比べ重い罪を犯したことになって，より不利益な刑事責任に問われることになる。また，被告人の主観を離れて客観的側面からみると，Aが生存していたとすれば，被告人は保護責任者遺棄罪を犯したことになるが，同罪も死体遺棄罪より法定刑が重い罪である。本件では，Aは生きていたか死んでいたかのいずれか以外にはないところ，重い罪に当たる生存事実が確定できないのであるから，軽い罪である死体遺棄罪の成否を判断するに際し死亡事実が存在するものとみることも合理的な事実認定として許されてよいものと思われる。

　以上の諸点を総合考察すると，本件においては被告人の遺棄行為当時Aは死亡していたものと認定するのが相当である。」

[4] 違法性の意識

違法性の意識の可能性

200 違法性の意識不要説

最判昭和25年11月28日刑集4巻12号2463頁

【判決理由】「所謂自然犯たると行政犯たるとを問わず，犯意の成立に違法の認識を必要としないことは当裁判所の判例とするところである（昭和23年㈻第202号同年7月14日大法廷判決参照）。従って被告人が所論のように判示進駐軍物資を運搬所持することが法律上許された行為であると誤信したとしてもそのような事情は未だ犯意を阻却する事由とはなしがたい。原判決の認定したところによれば，被告人は判示物件を進駐軍物資と知りながら運搬所持したと

いうのであるから本犯罪の成立をさまたげるものではない。論旨は原判決は被告人は進駐軍物資を運搬することは許されないものであることの認識があったことの証拠を示さない違法があると主張するのであるが，所謂行政犯たる本件犯罪の成立に違法の認識を要しないこと前述の通りであるから所論のような証拠を示す必要はない。」

201 法の不知

大判大正 13 年 8 月 5 日刑集 3 巻 611 頁

【事案】　被告人は，大正 12 年 9 月 10 日ころ，関東大震災に際し暴利を得る目的で，震災前に仕入れた石油缶を，暴利取締令（勅令第 405 号）に違反して，不当な価格で販売した。弁護人は，同勅令は同月 7 日発布されたもので，行為当時は交通機関が全然途絶し，勅令の発布を知る由もなかったと主張した。

【判決理由】　「所論勅令第 405 号は発布の即日より施行すへきものに属するを以て被告人か本件行為の当時該勅令の発布を了知せす又了知し得へからさる状態に在りたりとするも苟も同勅令の内容に該当する行為を認識して之を実行するに於ては犯意なしと謂ふへからす其の行為か法令に違反することを認識せるや否やは固より犯罪の成立に消長を来ささるものとす然らは被告人か本件犯行当時勅令の発布を了知せさりしとするも其の勅令違反の行為を処罰することを妨けす」

202 羽田空港デモ事件

最判昭和 53 年 6 月 29 日刑集 32 巻 4 号 967 頁／判時 892・20, 判タ 365・71
（重判昭 53 刑 6）

【事案】　被告人は，羽田空港国際線出発ロビーにおいて，公安委員会の許可を受けずに，参加者約 300 名の集団示威運動を指導した。原判決は，無許可の集団示威運動が法律上許されないものとは考えず，かく考えるについて相当の理由があるときは，指導者の意識に非難すべき点はないのであるから，犯罪の成立を阻却するとし，被告人は本件集団示威運動は従来の慣例からいって法律上許されないものであるとまでは考えなかったのも無理からぬところで，誤信には相当の理由があり，一概に非難できず犯罪の成立は阻却されるとした。

【判決理由】　「原判決によれば，被告人は，日本中国友好協会（正統）（以下，単に日中正統という。）中央本部の常任理事，教宣委員長をしていた者であること，日中正統と，これと姉妹関係にある日本国際貿易促進協会の両団体は，内閣総理大臣佐藤栄作がアメリカ合衆国政府首脳と会談するため昭和 42 年 11

⇒ *202*

月12日羽田空港から出発して訪米の途につくことを知るや，右訪米は日本と中国との友好関係をそこなうものであるとして，同年9月上旬ころ，これに反対の態度を表明したうえ，機関紙やパンフレットにより，両団体の関係者などに対し，同年11月12日には羽田空港に集って訪米に反対の意思表示をするからこれに参加するように呼びかけていたが，その前日都内清水谷公園で開かれた同じような団体による佐藤首相訪米反対の集会やそれに引き続くデモ行進については，被告人が東京都公安委員会の許可を受けて実行していたのに，この件については許可申請の手続がなされなかったこと，右の呼びかけに応じて前記両団体の関係者などが昭和42年11月12日東京都大田区羽田空港2丁目3番1号東京国際空港ターミナル・ビルディング2階国際線出発ロビーに参集したが，被告人は，同日午後2時40分ころ，同ロビー内北西寄りにある人造大理石製灰皿の上に立ち，『首相訪米阻止に集った日中友好の皆さんはお集り下さい』と呼びかけ，これに応じて集った約300名の右両団体の関係者らに対し，『首相訪米を阻止しよう』という趣旨の演説をした後みずから司会者となり，日中正統会長Aに演説を依頼し，これに応じた同人が同じような趣旨の演説をした後，同人と交替して前記灰皿の上に立ち，手拳を突きあげて『首相訪米反対』，『蔣来日阻止』，『毛沢東思想万歳』，『中国プロレタリア文化大革命万歳』などのシュプレヒコールの音頭をとり，これに従って前記集団は一斉に唱和したこと，続いて，関西方面から参集した人々を代表してBが，青年を代表してCが，演説をした後，前記灰皿の上に立った被告人は，折からロビー内で制服警察官等が本件集団の動向を見ているのを認め，『警官の面前で首相訪米反対の意思を堂々と表示することができたのは偉大な力である』と述べて集団の士気を鼓舞したうえ，『これから抗議行動に移ることとするが，青年が先頭になり，他の人々はその後についてくれ』と指示し，最後に，右手をあげて『行動を開始します』と宣言したこと，これに応じ，前記集団の一部が，同日午後3時4分ころ，同ロビー内北側案内所附近で横約5列，縦10数列に並び，先頭部の約5名がスクラムを組んだうえ，西向きにかけ出し，その後右隊列は順次南方及び東方に方向を転換しながら同ロビー内を半周したうえ，ロビー南東部から延びている職員通路に走り込んだが，こうしてロビー内を半周している際，右隊列中の一部の者が『わっしょい，わっしょい』とか『訪米阻止』とかのかけ声をかけていたこと，空港ビルを管理している日本空港ビルデ

ィング株式会社は，同日午後2時40分ころから数回にわたり，場内マイク放送で『ロビー内での集会は直ちにおやめ下さい』などと繰り返し制止していたけれども，これを無視して前記演説やシュプレヒコールなどが行われ，かつ，各演説の途中及び終了の際に，本件集団は一斉に拍手したり，『そうだ』とかけ声をかけたりしていたことなどの事実が認められるというのである。

　これらの事実とくに右事実に現われている被告人の言動及び記録によって認められる被告人の経歴，知識，経験に照らすと，被告人は東京都内において集団示威運動を行おうとするときは場所のいかんを問わず本条例に基づき東京都公安委員会の許可を受けなければならないことを知っていたことが明らかであるうえ，終始みずからの意思と行動で本件集団を指導，煽動していたことにより，本件集団の行動が示威運動の性質を帯びていることを認識していたことも明らかであるから，被告人は行為当時本件集団示威運動が法律上許されないものであることを認識していたと認めるのが相当である。原判決が3の1で指摘している事情は，いまだ右の認定を左右するに足りるものではなく，また，本件集団示威運動が比較的平穏なものであったとの点も，原判決の認定している前記各事実に照らし必ずしも首肯することができないから，右の結論に影響を及ぼすものではない。

　以上によれば，被告人は行為当時本件集団示威運動が法律上許されないものであることを認識していたと認められるから，被告人はそれが法律上許されないものであるとは考えなかったと認定した原判決は，事実を誤認したものであり，この誤りは判決に影響を及ぼし，原判決を破棄しなければ著しく正義に反すると認められる。」

203 サービス券事件

　最決昭和62年7月16日刑集41巻5号237頁／判時1251・137，判タ647・124
（百選I 48，重判昭62刑2）

【決定理由】　「なお，第1審判決及び原判決の認定によれば，本件の事実関係は，以下のとおりである。すなわち，被告人Xは，自己の経営する飲食店『五十三次』の宣伝に供するため，写真製版所に依頼し，まず，表面は，写真製版の方法により日本銀行発行の百円紙幣と同寸大，同図案かつほぼ同色のデザインとしたうえ，上下2か所に小さく『サービス券』と赤い文字で記載し，裏は広告を記載したサービス券（第1審判示第一，一のサービス券）を印刷させ，次いで，表面は，右と同じデザインとしたうえ，上下2か所にある紙幣番号を『五十三次』の電話番号に，中央上部にある『日本銀行

券』の表示を『五十三次券』の表示に変え，裏面は広告を記載したサービス券（同第一，二のサービス券）を印刷させて，それぞれ百円紙幣に紛らわしい外観を有するものを作成した。ところで，同被告人は，右第一，一のサービス券の作成前に，製版所側から片面が百円紙幣の表面とほぼ同一のサービス券を作成することはまずいのではないかなどと言われたため，北海道警察本部札幌方面西警察署防犯課保安係に勤務している知合いの巡査を訪ね，同人及びその場にいた同課防犯係長に相談したところ，何人らから通貨及証券模造取締法の条文を示されたうえ，紙幣と紛らわしいものを作ることは同法に違反することを告げられ，サービス券の寸法を真券より大きくしたり，『見本』，『サービス券』などの文字を入れたりして誰が見ても紛らわしくないようにすればよいのではないかなどと助言された。しかし，同被告人としては，その際の警察官らの態度が好意的であり，右助言も必ずそうしなければいけないというような断言的なものとは受け取れなかったことや，取引銀行の支店長代理に前記サービス券の頒布計画を打ち明け，サービス券に銀行の帯封を巻いてほしい旨を依頼したのに対し，支店長代理が簡単にこれを承諾したということもあってか，右助言を重大視せず，当時百円紙幣が市中に流通することは全くないし，表面の印刷が百円紙幣と紛らわしいものであるとしても，裏面には広告文言を印刷するのであるから，表裏を全体として見るならば問題にならないのではないかと考え，なお，写真原版の製作後，製版所側からの忠告により，表面に『サービス券』の文字を入れたこともあり，第一，一のサービス券を作成しても処罰されるようなことはあるまいと楽観し，前記警察官らの助言に従わずに第一，一のサービス券の作成に及んだ。次いで，同被告人は，取引銀行でこれに銀行名の入った帯封をかけてもらったうえ，そのころ，右帯封をかけたサービス券1束約100枚を西警察署に持参し，助言を受けた前記防犯係長らに差し出したところ，格別の注意も警告も受けず，かえって前記巡査が珍しいものがあるとして同室者らに右サービス券を配布してくれたりしたので，ますます安心し，更に，第一，二のサービス券の印刷を依頼してこれを作成した。しかし，右サービス券の警察署への持参行為は，署員の来店を促す宣伝活動の点に主たる狙いがあり，サービス券の適否について改めて判断を仰いだ趣旨のものではなかった。一方，被告人Yは，被告人Xが作成した前記第一，一のサービス券を見て，自分が営業に関与している飲食店『大黒家』でも，同様のサービス券を作成したいと考え，被告人Xに話を持ちかけ，その承諾を得て，前記写真製版所に依頼し，表面は，第一の各サービス券と同じデザインとしたうえ，上下2か所にある紙幣番号を『大黒家』の電話番号に，中央上部にある『日本銀行券』の表示を『大黒家券』の表示に変え，裏面は広告を記載したサービス券（第1審判示第二のサービス券）を印刷させて百円紙幣に紛らわしい外観を有するものを作成した。右作成に当たっては，被告人Yは，被告人Xから，このサービス券は百円札に似ているが警察では問題ないと言っており，現に警察に配布してから相当日時が経過しているが別になんの話もない，帯封は銀行で巻いてもら

ったなどと聞かされ，近時一般にほとんど流通していない百円紙幣に関することでもあり，格別の不安を感ずることもなく，サービス券の作成に及んだ。しかし，被告人Yとしては，自ら作成しようとするサービス券が問題のないものであるか否かにつき独自に調査検討をしたことは全くなく，専ら先行する被告人Xの話を全面的に信頼したにすぎなかった。

　このような事実関係の下においては，被告人Xが第1審判示第一の各行為の，また，被告人Yが同第二の行為の各違法性の意識を欠いていたとしても，それにつきいずれも相当の理由がある場合には当たらないとした原判決の判断は，これを是認することができるから，この際，行為の違法性の意識を欠くにつき相当の理由があれば犯罪は成立しないとの見解の採否についての立ち入った検討をまつまでもなく，本件各行為を有罪とした原判決の結論に誤りはない。」

204　黒い雪事件
東京高判昭和44年9月17日高刑集22巻4号595頁／判時571・19，判タ240・115
（重判昭44刑4）

【事案】　被告人らは，映倫審査を通過した映画を上映したところ，わいせつ図画頒布罪で起訴された。この映画の猥褻性は，本判決により肯定されている。

【判決理由】「もとより，刑法第175条の罪の犯意については，前記最高裁判所が猥褻の文書について判示するところであり，これによれば『問題となる記載の存在の認識とこれを頒布，販売することの認識があれば足り，かかる記載のある文書が同条所定の猥褻性を具備するかどうかの認識まで必要としているものではない』ことおよび『かりに，主観的には刑法第175条の猥褻文書にあたらないものと信じてある文書を販売しても，それが客観的に猥褻性を有するならば法律の錯誤として犯意を阻却しないもの』とされている。これを本件についてみれば，本件映画の上映が客観的には同法条に定める猥褻性を具備する図画と解すべきことは前記のとおりであり，被告人らは，いずれも問題となる場面の存在を認識し，これを上映（陳列）することの認識を有していたことは記録上明らかであるから，同人らに刑法第175条の罪の犯意ありとするに十分のごとくでもある。しかし，前記判例といえども，被告人らのごとき映画の上映者において，該映画の上映が同条所定の猥褻性を具備しないものと信ずるにつき，いかに相当の理由がある場合でも，その一切につき犯意を阻却しないも

のとして処罰する趣旨とは解しがたいのみならず，ここでも，映画の上映における特殊性，すなわち，文書その他の物の場合とは異なる規制機関の存在，しかも，それは，前記のごとく，憲法の改正に伴ない，日本国憲法の精神に合致する制度として発足し，国家もまたそれを是認している制度であることを考慮せざるをえない。かかる観点に立って，被告人らの本件行為に対する責任について按ずれば，被告人らはいずれも映倫管理委員会の審査の意義を認めて本件映画をその審査に付し，その間，被告人 X は，もとより製作者として主張すべき点は主張して審査員との間に論議を重ねたとはいえ，結局は審査員の勧告に応じ，一部修正，削除して右審査の通過に協力し，本件映画は原判示のように，昭和 40 年 6 月 4 日いわゆる確認審査を経て映倫管理委員会の審査を通過したものであり，被告人両名等本件映画の公開関係者は，右審査の通過によって，本件映画の上映が刑法上の猥褻性を帯びるものであるなどとは全く予想せず，社会的に是認され，法律上許容されたものと信じて公然これを上映したものであることは一件記録に照らして明白であり，映倫管理委員会制度発足の趣旨，これに対する社会的評価並びに同委員会の審査を受ける製作者その他の上映関係者の心情等，前叙のごとき諸般の事情にかんがみれば，被告人らにおいて，本件映画の上映もまた刑法上の猥褻性を有するものではなく，法律上許容されたものと信ずるにつき相当の理由があったものというべきであり，前記最高裁判所判例が犯意について説示するところは当裁判所においても十分これを忖度し，尊重するとしても，前記のごとく映倫審査制度発足以来 16 年にして，多数の映画の中からはじめて公訴を提起されたという極めて特殊な事情にある本件においても，なおこれを単なる情状と解し，被告人らの犯意は阻却しないものとするのはまことに酷に失するものといわざるをえない。してみれば，被告人らは，本件所為につき，いずれも刑法第 175 条の罪の犯意を欠くものと解するのが相当である。記録並びに当裁判所における事実取調の結果に徴するも，他に被告人らの犯意を是認するに足る証拠はない。」

205 石油やみカルテル事件

東京高判昭和 55 年 9 月 26 日高刑集 33 巻 5 号 359 頁／判時 983・22，判タ 434・86
（重判昭 55 経 1）

【事案】 被告人 X（石油連盟会長），Y（同需給委員会委員長）は，共謀により，被告人 Z（石油連盟）の業務に関し，石油精製会社の原油処理量の調整を行い，原油取引に

関する取引分野における競争を実質的に制限したとして，独禁法違反により起訴された。本件生産調整は，石油業法の定める供給計画制度実施のために同法が許容する措置とは認められないから，通産省の容認の下に行われたとしても，違法性は阻却されないとされた。責任に関しては，昭和37年石油業法施行当時から通産省又はその指示を受けた石油連盟による生産調整が公然と行われ，本件まで通産省の要請・容認による同連盟による生産調整が継続されて国会審議等により関係者に周知の事実となっていたにもかかわらず，公取委が何らの措置を取らず，同委員長が通産省の行政指導による石油の生産調整を容認するかのような国会答弁をおこなっている等の事情を認めて，次のように判示した。

【判決理由】「被告人 Y 及び同 X が本件各行為に際し前記構成要件（第六）に該当する事実を認識していたことは，前記認定の事実（第四第五節）自体から推認することができる。したがって，特段の責任阻却事由がない限り，右被告人両名には故意があり，故意をもって右各行為に出た責任があると認めるべきことになる。

　しかし，弁護人らは，右被告人らには違法性の意識及びその可能性がなかったと主張している。そこで，右主張にかかる事実の存否について判断することにする。

　もっとも，この点については，『犯意があるとするためには犯罪構成要件に該当する具体的事実を認識すれば足り，その行為の違法を認識することを要しない』とする法律判断が最高裁判所の判例として定着しているから，犯罪の成否の問題としては右事実について判断する必要がないという見解もありうる。しかしながら，右の趣旨の判例は，違法であることを知らなかったとの被告人の主張は通常顧慮することを要しないという一般原則を示したものであるか，あるいは当該事件においてはその主張に理由がないとするものであって，行為者が行為の違法性を意識せず，しかもそのことについて相当の理由があって行為者を非難することができないような特殊な場合についてまで言及したものではないと解する余地もないではない。そうして，右の特殊な場合には行為者は故意を欠き，責任が阻却されると解するのが，責任を重視する刑法の精神に沿い，『罪を犯す意なき行為は之を罰せす』という刑法38条1項本文の文言にも合致する至当な解釈であると考える。」

「同被告人は，本件のような生産調整は，業界が通産省に無断で行なう場合には独占禁止法違反になるが，同被告人らは通産省に報告し，その意向に沿っ

てこれを行なっており，通産省の行政に協力しているのであるから，この場合には同法に違反しないと思っていたことが認められる。これを法律的に言えば，同被告人は，自己らの行為については違法性が阻却されると誤信していたため，違法性の意識を欠いていたものと認められる。

　そうして，前記3の諸事実を検討すると，同被告人が右のように信じたのも無理からぬことであると思わせる事実が多く存在するのであるから，同被告人が違法性を意識しなかったことには相当の理由があるというべきである。

　前記全事実によれば，同被告人は，石油業法の下で，あるいは通産省の直接指導により，あるいは通産省の指導，要請に基づく石油連盟の協力措置として実施されてきた生産調整の歴史の流れの中で，需給委員長に選任され，生産調整を正当な職務と信じ，何ら違法感をもたずに，誠実にその職務を遂行してきたものと認められるのであって，その違法性を意識しなかったことには右のとおり相当の理由があるのであるから，同被告人が本件各行為に及んだことを刑法上非難し，同被告人にその責任を帰することはできない。したがって，同被告人にはこの点において故意即ち『罪を犯す意』がなかったと認められる。」

　「同被告人も，被告人Yと同様に，自己らの行為について違法性が阻却されると誤信していたため，違法性の意識を欠いていたものと認められ，また，その違法性を意識しなかったことには相当の理由があるというべきである。そうである以上，被告人Xが前記のとおり石油連盟会長として，同会長に就任前から同連盟で行なわれていた生産調整を違法とは思わず，本件の各場合にもこれを行なうことに賛同，関与し，これをやめさせなかったからといって，それを刑法上非難し，同被告人にその責任を帰することはできない。したがって，同被告人にはこの点において故意がなかったと認められる。」

206　けん銃部品輸入事件

大阪高判平成 21 年 1 月 20 日判タ 1300 号 302 頁

【事案】　被告人は，銃刀法に違反してけん銃部品を輸入したとして第1審で有罪となった。

　被告人は，けん銃加工品の輸入事業を開始するに先立ち，大阪府警察本部生活安全課の警察官に，けん銃加工品を無可動銃として合法的に日本に輸入するための方法を相談しに行き，担当警察官から，輸入の際に引き金と撃鉄との連動を外しても，後で連動する部品を入れると模擬銃器（銃刀法 22 条の 3）になる可能性があることなどを指摘さ

れたため，警視庁の銃器対策課に電話をし，その担当警察官に，模擬銃器に当たる場合，アメリカから直接顧客に送る方法なら罪に問われないのかどうかを尋ね，後刻また電話をして，その方法であれば罰せられない旨の回答を得た。さらに，被告人は，関西国際空港の税関に出向いて，税関と警察の係官に対し，予定していた加工の方法を説明し，また，これとは別に，大阪府警察の銃器対策課にも電話をして，引き金と撃鉄を連動させる部品の輸入が違法かどうかを問合せ，違法でないことを確認した。被告人は，遅くとも平成13年内には，けん銃加工品の輸入事業を始めたが，けん銃加工品の輸入の際は，毎回，銃身，スライド（又は弾倉）及び機関部体にそれぞれ相当する部分を，別個に気泡緩衝材で包んだ上，それらを一つの袋に入れ，税関と警察に宛てて，加工の方法を説明した書面と，実際に加工を手掛けたガンスミスが撮影した，加工前及び加工後の各写真を添付していた。被告人は，けん銃加工品の輸入に関して，税関ないし警察から，①けん銃加工品の銃身について，その先端の銃口部分が5ミリメートル程度凹んでいたため，これを完全に埋めるように指示され，ハンマーで鉛を打ち込んで銃身を閉塞する処理をし，②総理府令が無可動銃の要件として規定する白又は金色の塗色が薄かったため，以後気を付けるよう注意を受けたが，当該けん銃加工品については，是正措置を求められることなく通関が認められ，③銃身にもう一つ穴を開けるように指示され，公安委員会から許可を受けている知人に，その措置をしてもらったが，これら以外には，本件各輸入行為までに，税関や警察からの注意ないし指摘はなかった。

　本判決は，被告人の輸入したけん銃の部品は，実銃の機関部体に一定の加工を施したものであるが，本件各部品を機関部体として用いて，銃刀法上のけん銃を製作することは可能であると認められるから，本件各部品は，同法上の機関部体に該当する，と判示したが，被告人には違法性の意識の可能性がなかったとして，無罪を言い渡した。

【判決理由】「オ　違法性の意識の可能性

　(ア)　純客観的・論理的判断の帰結

　a　続いて，違法性の意識の可能性の有無について検討するに，純客観的・論理的に判断する限り，被告人に違法性の意識の可能性があったと評価することにも，一定の合理性が認められる。

　……（中略）……

　(イ)　具体的経緯を踏まえた総合評価

　しかしながら，違法性の意識を欠いたことについて相当の理由があったかどうかは，違法性を認識するために必要な思考自体の複雑困難さの程度のみによって決すべきものではなく，具体的局面に即し，その立場に置かれた者に対して，客観的・論理的に適正な思考を求めることが酷でないかどうかを，社会通

⇒ *206*

念に照らし，常識的観点から判断することも必要であるところ，……本件において，被告人にそのような思考を要求し，それができずに適法と信じて輸入行為を行ったことをもって，故意犯の成立を認めることが妥当かどうかについては，重大な疑問がある。

　a　警察における事前の指導等との関係

　まず，被告人は，前記……のとおり，けん銃加工品の輸入事業開始に先立ち，合法的な輸入を行うために必要とされる加工の方法等を警察官や税関職員から確認しているが，この確認行為は，単に個人的に面識のある警察官等に事実上の打診をしたとか，別の話題の中でたまたま付随的に話された内容を信じたとかいうものではなく，けん銃加工品の輸入行為を合法化するという明確な目的をもって，銃器類の規制に関する専門的知見を有することが期待される専門部署の警察官2人から，その方法を詳細に聴取し，同様の期待が可能な警視庁生活安全課に電話をしたり，関空の税関に出向いたりして，自らの疑問を主体的に提示しながら，念入りに合法性を確認したのであるから，被告人が，その指導や回答の内容について，それが警察や税関の内部，ひいては，銃器に関する実務全般に，公的に通用している合法性の基準であると考えるのは，やむを得ないところである。

　加えて，被告人は，警察で教示された基準を，けん銃部品性を否定する法的な十分条件として鵜呑みにすることなく，この基準ではなお不十分であると判断して，各部品に対する破壊度を同基準より更に高め，けん銃部品性を確実に失わせようと，積極的に努力していた。被告人は，『例えば「無可動銃の認定基準」を100とした場合，120か130壊した物を出そうという意識はあり，同基準を2割も3割も上回る破壊をすれば，誰も文句は言わないだろうと思っていた。』旨供述しており，この供述は，被告人の心境を示すものとして十分信用できるとともに，この『誰も文句は言わない』という意識は，単に，事実上摘発されることはないという認識を示すにとどまらず，法的な意味でも，誰が判断しても問題なく合法と判定される，いわゆる安全圏に達している，という意識を示すものと理解するのが自然であり，客観的に評価しても，警察の専門部署に対して念入りに合法性の基準を確認した上，その基準を上回る加工を実践した以上，自らの行為が法的にも合法であると確信することには，それなりの根拠があったといえる。

　これと異なる見解をとることは，被告人に対して，その指示を守れば適法な輸入ができるという趣旨で，しかも，担当警察官個人の見解ではなく，警察内部の公的な基準に基づいて，客観的には不十分な指導しかしなかった捜査機関自身の落ち度を，その指導内容を上回る実践をした被告人に，刑事責任という重大な不利益を負わせるという形で転嫁することにほかならず，こうした社会的正義の観点も，可能な限り，法的評価に反映させるのが相当である。

　b　同種輸入行為の集積及びその間における税関側の対応との関係

　……被告人が，本件各輸入行為より前に，同種加工品の輸入を繰り返し，その間，税関側から，実質的な安全性にほとんど影響しない些細な不備を含めて，是正を求められていたのに，機関部体自体に関する問題点の指摘は一切受けることがなかったのであって，被告人には，同種加工品の輸入の合法性を再検討する機会は実質的になかったといえ，むしろ，そのような経験を重ねる中で，被告人が，同種加工品は，銃刀法上も機関部体に当たらないという確信を更に強めたとしても，何ら不自然ではなく，そのような被告人に対し，一度も実質的機会を与えないまま，本件各輸入行為に際して，その適法性に関する客観的かつ冷静な判断を求めることには，実際上，過度の困難を強いる面がある。

　c　輸入対象物についての意識との関係

　被告人は，……機関部体の耐久性を相当弱める加工をし，スライドや銃身にも，そのままでは発射が不能になる加工をし，……専ら，銃器関係品のマニア向けに，観賞用の装飾銃を構成するセットとして輸入しており，客観的にも，本件押収物全体がけん銃として使用される現実的可能性がなかったことは明らかである。すなわち，本件押収物自体について発射機能を回復させるためには，銃刀法上必要最小限度の発射機能であっても，相当専門的な技能を伴う本格的な修復作業を要することが，各鑑定書に示された修復作業の内容から推察できるところであり，直接の顧客自身が，その発射機能を回復させようと試みることはもとより，本件押収物全体が，顧客から更に暴力団関係者等に譲り渡され，その者において，発射機能を回復させて発射を試みることも，実際上ほとんど考えられない。被告人は，本件押収物の発射機能については，主観的にも客観的にも，これを排除するに十分な加工をしていたと認められ，それが正に，本件がけん銃の輸入としての起訴に至らなかった理由でもある。

　そして，本件各輸入行為の実態を見れば，本件各部品は，決して独立した輸

入の対象品ではなく，上記のような鑑賞用のセットの一部分にすぎず，本件各
部品がそのセットと切り離されて，性能に欠陥のない別の部品と組み合わされ，
凶器として使用されるような可能性も，事実上，ほとんどなかったといえる。
確かに，本件各部品を用いてけん銃を製作することはできるし，ガイドレール
を補修する技能があれば，使用に伴う危険を防ぐ余地もあるが，そのようなこ
とをするぐらいなら，『別の部品』の供給源になる同形式のけん銃をそのまま
使えばよいのであって，あえて耐久性・安全性の点から重大な欠陥があること
が明らかな本件各部品を譲り受け，それを別のけん銃の部品と組み合わせてけ
ん銃を作ろうとする者が現実に存在するとは考えられない。そのような状況で，
観賞用の銃を一つのセットとして輸入しようとする者に対し，本件押収物の発
射機能とは別に，部品ごとに厳密なけん銃部品該当性の冷静かつ正確な把握を
求め，『本件各部品を，性能上欠陥のない他の部品と組み合わされて使用すれ
ば，金属製弾丸を最低1発発射できるか』，という現実味の希薄な仮定論に立
った判断を求めるのは，相当困難な要求である。

　……（中略）……

　したがって，本件各輸入行為の際の具体的状況下で，被告人が前記(1)イに示
したような判断を行うことは，実際上，相当困難であり，被告人に銃器類に関
する相当専門的な知識があることを考慮しても，一私人である被告人に対し，
そのような判断に至れなかったことについて，法的非難を浴びせることは，酷
に過ぎるといえる。

　(ウ)　小括

　上記(イ)の諸点を総合すると，本件において，同(ア)の純客観的・論理的判断の
帰結をそのまま適用し，被告人に違法性の意識の可能性があったと認めること
は，常識や社会正義に反する価値評価であり，被告人が違法性の意識を欠いた
ことは，やむを得ないところであって，これについて相当な理由があったと評
価するべきである。

　カ　結論

　以上のとおり，被告人には，本件各部品の輸入がけん銃部品輸入罪の構成要
件に該当する違法な行為である旨の意識がなく，かつ，その意識を欠いたこと
について相当な理由があったといえるから，けん銃部品輸入罪の故意を認める
ことはできず，被告人に同罪は成立しない。」

207　判例変更と違法性の意識

最判平成 8 年 11 月 18 日刑集 50 巻 10 号 745 頁／判時 1587・148，判タ 926・153
（重判平 8 刑 2）

【判決理由】「行為当時の最高裁判所の判例の示す法解釈に従えば無罪となる
べき行為を処罰することが憲法 39 条に違反する旨をいう点は，そのような行
為であっても，これを処罰することが憲法の右規定に違反しないことは，当裁
判所の判例（最高裁昭和 23 年(れ)第 2124 号同 25 年 4 月 26 日大法廷判決・刑集
4 巻 4 号 700 頁，最高裁昭和 29 年(あ)第 1056 号同 33 年 5 月 28 日大法廷判決・
刑集 12 巻 8 号 1718 頁，最高裁昭和 47 年(あ)第 1896 号同 49 年 5 月 29 日大法廷
判決・刑集 28 巻 4 号 114 頁）の趣旨に徴して明らかであ」る。

　河合伸一裁判官の補足意見　「私は，被告人の行為が，行為当時の判例の示
す法解釈に従えば無罪となるべきものであったとしても，そのような行為を処
罰することが憲法に違反するものではないという法廷意見に同調するが，これ
に関連して，若干補足して述べておきたい。

　判例，ことに最高裁判所が示した法解釈は，下級審裁判所に対し事実上の強
い拘束力を及ぼしているのであり，国民も，それを前提として自己の行動を定
めることが多いと思われる。この現実に照らすと，最高裁判所の判例を信頼し，
適法であると信じて行為した者を，事情の如何を問わずすべて処罰するとする
ことには問題があるといわざるを得ない。しかし，そこで問題にすべきは，所
論のいうような行為後の判例の『遡及的適用』の許否ではなく，行為時の判例
に対する国民の信頼の保護如何である。私は，判例を信頼し，それゆえに自己
の行為が適法であると信じたことに相当な理由のある者については，犯罪を行
う意思，すなわち，故意を欠くと解する余地があると考える。もっとも，違法
性の錯誤は故意を阻却しないというのが当審の判例であるが（最高裁昭和 23
年(れ)第 202 号同年 7 月 14 日大法廷判決・刑集 2 巻 8 号 889 頁，最高裁昭和 24
年(れ)第 2276 号同 25 年 11 月 28 日第三小法廷判決・刑集 4 巻 12 号 2463 頁等），
私は，少なくとも右に述べた範囲ではこれを再検討すべきであり，そうするこ
とによって，個々の事案に応じた適切な処理も可能となると考えるのである。

　この観点から本件をみると，被告人が犯行に及んだのは昭和 49 年 3 月であ
るが，当時，地方公務員法の分野ではいわゆる都教組事件に関する最高裁昭和
41 年(あ)第 401 号同 44 年 4 月 2 日大法廷判決・刑集 23 巻 5 号 305 頁が当審の

⇒ *208*

判例となってはいたものの，国家公務員法の分野ではいわゆる全農林警職法事件に関する最高裁昭和43年(あ)第2780号同48年4月25日大法廷判決・刑集27巻4号547頁が出され，都教組事件判例の基本的な法理は明確に否定されて，同判例もいずれ変更されることが予想される状況にあったのであり，しかも，記録によれば，被告人は，このような事情を知ることができる状況にあり，かつ知った上であえて犯行に及んだものと認められるのである。したがって，本件は，被告人が故意を欠いていたと認める余地のない事案であるというべきである。」

208 法定刑の認識

最判昭和32年10月18日刑集11巻10号2663頁
（百選 I 49）

【判決理由】「刑法38条3項但書は，自己の行為が刑罰法令により処罰さるべきことを知らず，これがためその行為の違法であることを意識しなかったにかかわらず，それが故意犯として処罰される場合において，右違法の意識を欠くことにつき斟酌または宥恕すべき事由があるときは，刑の減軽をなし得べきことを認めたものと解するを相当とする。従って自己の行為に適用される具体的な刑罰法令の規定ないし法定刑の寛厳の程度を知らなかったとしても，その行為の違法であることを意識している場合は，故意の成否につき同項本文の規定をまつまでもなく，また前記のような事由による科刑上の寛典を考慮する余地はあり得ないのであるから，同項但書により刑の減軽をなし得べきものでないことはいうまでもない。

　しかるに原判決は，被告人等が共謀して昭和28年2月21日山形県○○○郡△△村所在の村有の橋を岩石破壊用ダイナマイト15本を使用爆発させて損壊した本件事案につき，被告人Xの第1審公判における，ダイナマイトを使ってこんなことをすると罪が重いということを知らなかった旨の供述，被告人Yの原審第3回公判における，ダイナマイトを勝手に使うことが悪いこととは思っていたが，こういう重罪ではなく罰金位ですむものと思っていた旨の供述を引用して，『被告人等のこれらの供述によれば，被告人等は死刑または無期もしくは7年以上の懲役または禁錮に処せらるべき爆発物取締罰則1条を知らなかったものというべきである』と判示し，被告人等の犯行の動機，性格，素行などを参酌して刑法38条3項但書により刑の減軽をなしているものであ

る。これによれば被告人等は右本件所為が違法であることはこれを意識していたものであり，ただその罰条または法定刑の程度を知らなかったというに過ぎないものであるにかかわらず，一般の量刑事情を挙げて刑法38条3項但書を適用しているのである。

　されば原判決は刑法38条3項但書の解釈適用を誤ったものであって，右違法は判決に影響を及ぼすこと明かであり，原判決を破棄しなければ著しく正義に反するものと認めなければならない。」

事実の錯誤と違法性の錯誤の限界

209　むささび・もま事件

大判大正13年4月25日刑集3巻364頁

【事案】　被告人は，狩猟禁止期間内にむささび（俗称もま）を捕獲した。

【判決理由】「刑法第38条第1項に所謂罪を犯す意なき行為とは罪と為るへき事実を認識せさる行為の謂にして罪と為るへき事実は即ち犯罪の構成に必要なる事実なるを以て捕獲を禁せられたる鼯鼠を斯る禁制なき他の動物なりと観念するは明に犯罪構成事実に関する錯誤にして此の観念に基く鼯鼠の捕獲は犯意なき行為なること勿論なれとも所謂判示弁疏の如く鼯鼠と『もま』とは同一の物なるに拘らす単に其の同一なることを知らす『もま』は之を捕獲するも罪と為らすと信して捕獲したるに過きさる場合に於ては法律を以て捕獲を禁したる鼯鼠即ち『もま』を『もま』と知りて捕獲したるものにして犯罪構成に必な要る事実の認識に何等の欠缺あることなく唯其の行為の違法なることを知らさるに止るものなるか故に右弁疏は畢竟同条第3項に所謂法律の不知を主張するものなるに外ならされは原判決に於て被告人か『もま』と鼯鼠とか同一なることを知らさりしは結局法律を知らさることに帰するを以て罪を犯すの意なしと為すを得さる旨判示したるは正当にして論旨は理由なし」

210　たぬき・むじな事件

大判大正14年6月9日刑集4巻378頁
（百選I45）

【事案】　被告人は，狩猟期間中である2月29日，狸を岩窟に追い込み，石塊で入り口を塞ぎ，狩猟禁止期間中である3月3日に至って石塊を除去し，銃を発射し猟犬に狸を

⇒ *211*

咬殺させた。本判決は，捕獲は狩猟期間中に終了しているとして犯罪の成立を否定したが，さらに傍論として次のように判示した。

【判決理由】「岩窟中に竄入したる狸に対して逸走すること能はさる施設を為したる事実のみを以てしては未た之を捕獲したるものと謂ふへからす同年3月3日に至り銃器及猟犬を使用し猟犬をして狸を咬殺せしめたる事実を竢つて始めて捕獲行為ありたりと仮定するも被告人は狸と狢とは全然種類を異にし猫に該当する獣を以て狸なりと誤信し延て本件の獣類は十文字の斑点を有し被告人の地方に於て通俗十文字狢と称するものにして狩猟禁止の目的たる狸に非すと確言し之を捕獲したるものなることは原審第1回公判調書中被告人の其の旨の供述記載と前顕鑑定人川瀬某の鑑定書中狸及猫に関する説明とに依り疑を容るるの余地なし然らは被告人の狩猟法に於て捕獲を禁する狸中に俚俗に所謂狢をも包含することを意識せす従て十文字狢は禁止獣たる狸と別物なりとの信念の下に之を捕獲したるものなれは狩猟法の禁止せる狸を捕獲するの認識を欠如したるや明かなり蓋し学問上の見地よりするときは狢は狸と同一物なりとするも斯の如きは動物学上の知識を有する者にして甫めて之を知ることを得へく却て狸，狢の名称は古来竝存し我国の習俗亦此の2者を区別し毫も怪まさる所なるを以て狩猟法中に於て狸なる名称中には狢をも包含することを明にし国民をして適帰する所を知らしむるの注意を取るを当然とすへく単に狸なる名称を掲けて其の内に当然狢を包含せしめ我国古来の習俗上の観念に従ひ狢を以て狸と別物なりと思惟し之を捕獲したる者に対し刑罰の制裁を以て之を臨むか如きは決して其の当を得たるものと謂ふを得す故に本件の場合に於ては法律に捕獲を禁する狸なるの認識を欠缺したる被告に対しては犯意を阻却するものとして其の行為を不問に付するは固より当然なりと謂はさるへからす此の点に於ても亦犯罪の証明なきものなり」

211 封印破棄

大決大正15年2月22日刑集5巻97頁

【事案】 被告人は，Aらと連帯してBに対して負担している金銭債務の不履行のため，被告人及びA所有の物件に仮差押えを受けていたところ，本件につき仲裁の労を執っているCからBに対して債務を弁済したから差押物件の封印を破棄してもよいと教示され，封印を破棄した。

【決定理由】「刑法38条第3項に於て法律を知らさるを以て罪を犯す意なしと

為すことを得すと規定したるは犯罪の違法性の錯誤は犯意を阻却せさるの趣旨を明にしたるものにして現行刑法は犯罪行為の一般違法性の錯誤と犯罪行為自体の構成要素たる事実の錯誤とを区別し独り後者の存する場合に於てのみ犯意なしと為すものなること洵に明瞭なりとす蓋し犯罪行為に対する一般の違法性と犯罪行為自体に属する構成要素とは厳に之を甄別すへく之に関する錯誤も亦其の効果を異にするを至当と為せはなり然れとも法律の規定を知らす又は之か適用を誤りたる結果犯罪行為自体の構成要素たる事実の錯誤を生し即ち或は犯罪構成要素の存在せさることを誤信し或は構成要素たる事実を実行するの権利を有すと誤認する場合の存することあり此の如き場合に於ては其の錯誤は固より犯罪行為の一般違法性とは何等の関係なきものにして却て犯罪行為自体の構成要素に対する認識を欠くに至るへきを以て犯意の存在を否定せさるへからす蓋し刑法は或種の犯罪に付其の構成要素を定むるに当り其の内容を民法又は公法の規定に委付し民法又は公法の規定に於て其の行為を目して権利の実行なりと為し又は刑法正条に定むる法律上の行為か其の効力を失ふものと為す場合に於ては刑法に於ても亦犯罪行為は其の外観のみを具備して其の実質に於ては犯罪構成要素を充ささるものと為すへく此の如き場合に於ては刑法第38条第3項を適用すへきものに非されはなり而して刑法第96条の罪は実に上述の場合に該当し同条の規定は封印又は差押の標示か効力を失はさる前に於て権利なくして之を損壊し又は其の他の方法を以て封印又は標示を無効たらしめたる行為を其の構成要素と為したるの趣旨にして民事訴訟法其の他公法の規定に依り差押の効力なきに至りたるものと解すへき場合又は封印等の形式存するも之を損壊するの権利ありと認めたる場合に於ては本罪の構成要素を欠くものなりと解するを至当とす従て民事訴訟法其の他の公法の解釈を誤り被告人か差押の効力なきに至りたる為差押存せすと錯誤し又は封印等を損壊するの権利ありと誤信したる場合に於ては本罪の犯意を阻却するものなりと謂はさるへからす本件に付原判決の説明する所に依れは被告人は原審公判に於て本件差押事件に付仲裁の労を採りたる者より同人か債権者へ本件債務を弁済したるに因り差押物件の封印を剥離して可なりと云はれたる故封印及標示を剥離したることを主張したるを以て原裁判所は須らく右被告人の弁解に対し被告人は仲裁人の弁済に因りて差押は効力なきに至り差押なしと誤信したるか又は封印及標示を剥離するの権利ありと誤信したるや否の事実を審究し以て其の錯誤は本件犯罪の構成要素

⇒ 212・213

に関連するか為犯意なきに帰著すへきや否を確定せさるへからす然るに原判決は右必要なる事実の確定を為さすして単に被告人は法律の不知を主張するものなりと為し有罪を言渡したるは犯意に関し必要なる事実を確定せすして犯罪を認定したる不法ありて本論旨は理由あり原判決は全部破毀を免れさるものとす」

212 封印破棄

最判昭和 32 年 10 月 3 日刑集 11 巻 10 号 2413 頁／判時 134・33

【事案】 裁判所執行吏である被告人は，A 方に同人の動産の差押えに訪れた際，既に市収税吏により滞納処分として適法になされていた差押えを，差押調書に重要な事項の記載がないから国税徴収法に違反し，差押財産の価格が著しく徴収金額を超え，A に対する一般債権者の強制執行を免れさせるための仮装の処分であって無効と誤信し，差押えの表示である封印を自己又は補助者により破棄した。原判決は「被告人が右のように誤信したのはまことにやむを得ないものと認められ，これに対して刑罰の制裁を科するは酷に失するので，被告人に対しては，犯意を阻却するものとして，その刑事責任を問えない」としていた。

【判決理由】 「刑法 96 条の公務員の施した差押の標示を損壊する故意ありとするには，差押の標示が公務員の施したものであること並びにこれを損壊することの認識あるを以て足りるものであるから，原判決が認定したように，函館市収税吏員によって法律上有効になされた本件滞納処分による差押の標示を仮りに被告人が法律上無効であると誤信してこれを損壊したとしても，それはいわゆる法律の錯誤であって，原判決の説示するように差押の標示を損壊する認識を欠いたものということのできないこと多言を要しない。されば，原判決には判決に影響を及ぼすべき法令違反ありとなさざるをえない。」

213 メチルアルコールの認識

最大判昭和 23 年 7 月 14 日刑集 2 巻 8 号 889 頁

【判決理由】 「『メチルアルコール』であることを知って之を飲用に供する目的で所持し又は譲渡した以上は，仮令『メチルアルコール』が法律上その所持又は譲渡を禁ぜられている『メタノール』と同一のものであることを知らなかったとしても，それは単なる法律の不知に過ぎないのであって，犯罪構成に必要な事実の認識に何等缺くるところがないから，犯意があったものと認むるに妨げない。而して本件にあっては被告人が法律に謂う『メタノール』即ち『メチ

ルアルコール』を『メチルアルコール』と知って之を飲用の目的で所持し且つ
その一部を譲渡したと云う原判決認定の事実は，原判決挙示の証拠によって優
に証明されるから，被告人の犯意を証拠によらずして認定したと云う非難は当
らない。」

214 わいせつ文書の認識（チャタレー事件）

最大判昭和 32 年 3 月 13 日刑集 11 巻 3 号 997 頁／判時 105・76，判タ 68・114

（百選Ⅰ47）

【事案】　被告人 X は，被告人 Y の翻訳にかかる小説『チャタレー夫人の恋人』を出版
した。原判決は同書を猥褻文書にあたるとし，本判決もその結論を維持している。

【判決理由】　「刑法 175 条の罪における犯意の成立については問題となる記載
の存在の認識とこれを頒布販売することの認識があれば足り，かかる記載のあ
る文書が同条所定の猥褻性を具備するかどうかの認識まで必要としているもの
でない。かりに主観的には刑法 175 条の猥褻文書にあたらないものと信じてあ
る文書を販売しても，それが客観的に猥褻性を有するならば，法律の錯誤とし
て犯意を阻却しないものといわなければならない。猥褻性に関し完全な認識が
あったか，未必の認識があったのにとどまっていたか，または全く認識がなか
ったかは刑法 38 条 3 項但書の情状の問題にすぎず，犯意の成立には関係がな
い。」

215 物品税法上の無申告製造

最判昭和 34 年 2 月 27 日刑集 13 巻 2 号 250 頁

【事案】　製材，木製品の製造販売を営む被告会社 X は，政府に申告しないで物品税の
課税物品である遊戯具ブランコ等を製造したとして物品税法上の無申告製造罪で起訴さ
れた。X は製材業の副産物である木切れ等を利用して副業的に幼児用木製品を製造す
ることを思い立ち，昭和 25 年以降製造していた。本件物品の製造はいわば副業であり，
課税物品であることを知る機会を得なかったとして，第 1 審裁判所は，課税物品の認識
が X の代表者・従業員になく，故意がないとして無罪としていた。

【判決理由】　「本件製造物品が物品税の課税物品であること従ってその製造に
つき政府に製造申告をしなければならぬかどうかは物品税法上の問題であり，
そして行為者において，単に，その課税物品であり製造申告を要することを知
らなかったとの一事は，物品税法に関する法令の不知に過ぎないものであって，
犯罪事実自体に関する認識の欠如，すなわち事実の錯誤となるものではない旨
の原判決の判断は正当である。」

216 サンダル履きの運転

東京高判昭和38年12月11日高刑集16巻9号787頁／判時359・73

【判決理由】「所論は，原判決は，『被告人は，昭和37年9月13日午後4時40分頃福島県双葉郡富岡町……内道路において，運転の妨げとなるようなサンダルをはいて普通自動車を運転したものである。』との本件公訴事実どおりの事実を認めながら，『被告人は，福島県において，サンダルをはいて自動車等を運転することが，同県道路交通規則により違反とされている点についての認識を有しなかったから，被告人には，故意がなかったものという外はない』として，無罪の言渡をしているが，同判決には刑法第38条第3項の解釈適用の誤りがあり，その誤りが判決に影響を及ぼすことが明らかであるから破棄を免れないという旨の主張に帰着する。

そこで，審按するに，原判決が，被告人には故意がないとして無罪を言い渡した理由の要旨は論旨第1に，摘示されているとおりである。そして違法の認識が犯意成立の要件でないことについては，従来大審院の判例としたところであったが，新憲法施行後においても最高裁判所は，刑法第38条第3項の解釈として有毒飲食物等取締令違反被告事件につき，犯罪の構成に必要な事実の認識に欠けるところがなければ，その事実が法律上禁ぜられていることを知らなかったとしても，犯意の成立を妨げるものではない旨の説示をして，従前の判例を維持し（昭和23年(れ)第203号，同年7月14日大法廷判決，刑集2巻8号889頁参照），その後も同裁判所は，『自然犯たると法定犯たるとを問わず，犯意の成立には，違法の認識を必要としない。』とし（昭和24年(れ)第2276号同年11月28日第三小法廷判決，刑集4巻12号2463頁参照）『犯意があるとするためには，犯罪構成要件に該当する具体的事実を認識すれば足り，その行為の違法を認識することを要しないし，またその違法の認識を欠いたことにつき過失の有無を要しない。』として（昭和24年(れ)第1694号同26年11月15日第一小法廷判決，刑集5巻12号2354頁参照），右大法廷判例の趣旨に従った判決をしており，当裁判所も，右各判例の見解に従うのが正当であると思料する。本件において，昭和35年福島県公安委員会第14号福島県道路交通規則第11条第3号は，道路交通法第71条第7号の規定に基づき車輌等の運転者が守らなければならない事項として『運転の妨げとなるような服装をし，又は下駄，スリッパ，サンダルその他これらに類するものをはいて自動車又は原動機付自

転車を運転しないこと』と規定しているところ，被告人の原審第1回公判調書中の供述記載，司法警察員作成の犯罪事実現認報告書および被告人の当審公判廷における供述によれば，被告人は，昭和37年9月13日午後4時40分頃福島県双葉郡富岡町……内道路において，サンダルをはいて普通自動車を運転した事実を認識しており，ただ，右規則第11条第3号の規定を知らなかったにすぎないものであることが認められるから，右各判例の趣旨に徴し被告人の本件所為は，刑法第38条第3項にいわゆる法の不知に該当し，その犯意を欠くものではないといわなければならない。したがって，これと相反する判断をし，前記のように被告人に対し無罪の言渡をなした原判決には，法令の解釈適用を誤った違法があり，この違法は判決に影響を及ぼすことが明らかであるから，論旨は理由がある。」

217 寺院規則事件

最判昭和26年7月10日刑集5巻8号1411頁

【判決理由】「刑法157条1項の罪は，故意犯であるから同項の罪の成立するがためには，行為者において公務員に対し申立てて権利義務に関する公正証書の原本に記載させた事項が虚偽不実であることを認識していたことを要件とすることは言うまでもないことである。ところで，原審は被告人が昭和20年10月4日附連合国最高司令部の日本政府に対する覚書『政治的，社会的及び宗教的自由に対する制限除去の件』により『宗教団体法は勿論のこと，同法にもとずく寺院規則，殊に本件法華経寺々院規則56条のごときは明らかに右覚書の趣旨に照らし，その効力を失った』ものと解したので，A外4名の新総代を選任するに当り，右規定の手続によらなかったという事実を認定した上，原審は更に説明を進めて，仮りに寺院規則が被告人の解したところと異り依然効力を有するものとするも『被告人は右規則の適用を誤った結果刑法第157条第1項の罪の構成要素たる事実の錯誤を生じたもの』であるから，被告人に故意があったとすることはできないと言い，この点につき『犯罪の証明なきもの』と判断しているのである。そこで，被告人の解するように宗教団体法が昭和20年10月4日附連合国最高司令部の日本政府に対する覚書『政治的，社会的及び宗教的自由に対する制限除去の件』によって直ちに失効したか否かは格別として，本件は昭和20年12月28日勅令719号宗教法人令施行後の事件である。

⇒ *218*

然るに右勅令は前記連合国最高司令部の覚書に則り制定公布されたものであるが同勅令に依れば同勅令施行の際現に効力を有する寺院規則は同勅令に依る規則と看做されるわけで（附則2項）あるから，本件法華経寺々院規則も亦有効に存続するものと解すべきである。従って，被告人のしたA外4名の檀信徒総代の選任行為は右規則56条に牴触し，無効であるからこれら新総代によって決議制定された新寺院規則も亦無効のものであって本件の変更登記事項は客観的には虚偽不実であるというべきである。然るに，原審の認定した事実によれば，被告人は右寺院規則の適用を誤り同規則が効力を失ったものと解釈し，右規定の手続によらないでA外4名の新総代を選任し，原判示のように『これら新総代によって従来の寺院規則の廃止，新寺院規則の制定を決議させ，これにもとずいて同月20日（昭和21年3月20日）松戸区裁判所市川出張所備付の寺院登記簿中，法華経寺の所属宗派並びに教義の大要を夫々公訴事実中に指摘するごとく変更登記させた』というのであるから，本件の変更登記事項がたとえ虚偽不実であっても，被告人はその認識を欠いたことにおいて刑法157条1項の罪の構成要素たる事実の錯誤を生じたものと原審は判断しているのである。されば，かかる事実に立脚する以上，被告人が右錯誤したことについて相当の理由の有無を問わず犯意を阻却するものというべきであるから原審の法令解釈には所論のような違法はない。そしてまた，原審の事実の認定にも違法があるとは認められない。」

218 無鑑札犬事件

最判昭和26年8月17日刑集5巻9号1789頁
（百選I 44）

【判決理由】「被告人の各供述によれば被告人は本件犯行当時判示の犬が首環はつけていたが鑑札はつけていなかったところからそれが他人の飼犬ではあっても無主の犬と看做されるものであると信じてこれを撲殺するにいたった旨弁解していることが窺知できる。そして明治34年5月14日大分県令第27号飼犬取締規則第1条には飼犬証票なく且つ飼主分明ならざる犬は無主犬と看做す旨の規定があるが同条は同令第7条の警察官吏又は町村長は獣疫其の他危害予防の為必要の時期に於て無主犬の撲殺を行う旨の規定との関係上設けられたに過ぎないものであって同規則においても私人が檀に前記無主犬と看做される犬を撲殺することを容認していたものではないが被告人の前記供述によれば同人

は右警察規則等を誤解した結果鑑札をつけていない犬はたとい他人の飼犬であっても直ちに無主犬と看做されるものと誤信していたというのであるから，本件は被告人において右錯誤の結果判示の犬が他人所有に属する事実について認識を欠いていたものと認むべき場合であったかも知れない。されば原判決が被告人の判示の犬が他人の飼犬であることは判っていた旨の供述をもって直ちに被告人は判示の犬が他人の所有に属することを認識しており本件について犯意があったものと断定したことは結局刑法38条1項の解釈適用を誤った結果犯意を認定するについて審理不尽の違法があるものとはいわざるを得ない。」

219 無許可浴場営業事件

最判平成元年7月18日刑集43巻7号752頁／判時1329・190，判タ713・91
（百選Ｉ46）

【判決理由】「一　本件公訴事実の要旨は，次のとおりである。すなわち，被告人株式会社Ｘビル（以下「被告会社」という。）は，昭和41年6月6日設立された有限会社Ｘビルを昭和47年1月5日株式会社に組織変更し，右有限会社Ｘビルがその設立当初から静岡市南町……において営んでいた特殊公衆浴場『トルコニューグランド』（以下「本件浴場」という。）の営業を承継して昭和56年4月26日まで同所において引き続き右浴場を経営していたもの，被告人Ｙ（以下「被告人」という。）は，右有限会社Ｘビル及び被告会社の各代表取締役等としてその経営全般を掌理するとともに，本件浴場従業員等を指揮監督していたものであるが，被告人において，被告会社の右業務に関し，静岡県知事の許可を受けないで，昭和41年6月6日から昭和56年4月26日までの間，本件浴場で，所定の料金を徴収して，多数の公衆を入浴させるなどし，もって，業として公衆浴場を経営したものである。

二　第1審判決は，被告会社及び被告人を右公訴事実につき有罪とし，原判決は，被告会社については，その控訴を棄却し，被告人については，第1審判決に法令適用の誤りがあるとして，これを破棄したが，自判して右公訴事実につき有罪とした。

三　ところで，本件浴場については，昭和41年3月12日に被告人の実父Ａが静岡県知事の公衆浴場法2条1項の許可（以下「営業許可」という。）を受けており，被告会社の代表者であった被告人が昭和47年11月18日付で右許可の申請者をＡから被告会社に変更する旨の静岡県知事あての公衆浴場業営業許可申請事項変更届（以下「変更届」という。）を静岡市南保健所に提出し，同保健所は同年12月9日にこれを受け付け，同月12日に静岡県知事に進達し，同日同知事により変更届が受理され（以下「変更届受理」という。），その結果公衆浴場台帳の記載がその旨訂正されているのであって，これらの事実

は，原判決も認定しているところであり，この限度では全く争いがない。原判決は，変更届受理には重大かつ明白な瑕疵があり行政行為としては無効であるから，これによって被告会社が営業許可を受けたものとはいえないとしたうえ，変更届受理後の被告会社による本件浴場の営業についても，被告人には被告会社が営業許可を受けていないことの認識があったと判示している。

　しかしながら，変更届受理によって被告会社に対する営業許可があったといえるのかどうかという問題はさておき，被告人が変更届受理によって被告会社に対する営業許可があったと認識し，以後はその認識のもとに本件浴場の経営を担当していたことは，明らかというべきである。すなわち，記録によると，被告人は，昭和47年になりAの健康が悪化したことから，本件浴場につき被告会社名義の営業許可を得たい旨を静岡県議会議員B（以下「B県議」という。）を通じて静岡県衛生部に陳情し，同部公衆衛生課長補佐Cから変更届及びこれに添付する書類の書き方などの教示を受けてこれらを作成し，静岡市南保健所に提出したのであるが，その受理前から，同課長補佐及び同保健所長Dらから県がこれを受理する方針である旨を聞いており，受理後直ちにそのことがB県議を通じて連絡されたので，被告人としては，この変更届受理により被告会社に対する営業許可がなされたものと認識していたこと，変更届受理の前後を問わず，被告人ら被告会社関係者において，本件浴場を営業しているのが被告会社であることを秘匿しようとしたことはなかったが，昭和56年3月に静岡市議会で変更届受理が問題になり新聞等で報道されるようになるまでは，本件浴場の定期的検査などを行ってきた静岡市南保健所からはもちろん誰からも被告会社の営業許可を問題とされたことがないこと，昭和56年5月19日に静岡県知事から被告会社に対して変更届ないしその受理が無効である旨の通知がなされているところ，被告会社はそれ以前の同年4月26日に自発的に本件浴場の経営を中止していること，以上の事実が認められ，被告人が変更届受理によって被告会社に対する営業許可があったとの認識のもとに本件浴場の経営を担当していたことは明らかというべきである。なお，原判決が指摘する昭和41年法律第91号による風俗営業等取締法の改正，同年静岡県条例第56号による同県風俗営業等取締法施行条例（昭和34年同県条例第18号）の改正，昭和42，3年ころの被告人による顧問弁護士に対する相談，B県議の関与などの諸点は，右認定を左右するものではない。

　してみると，本件公訴事実中変更届受理後の昭和47年12月12日から昭和56年4月26日までの本件浴場の営業については，被告人には『無許可』営業の故意が認められないことになり，被告人及び被告会社につき，公衆浴場法上の無許可営業罪は成立しない。また，変更届受理前の昭和41年6月6日から昭和47年12月12日までの本件浴場の営業については，右罪の公訴時効の期間は刑訴法250条5号，公衆浴場法8条1号，11条により被告人及び被告会社の双方につき3年であるところ，検察官が本件公訴を提起したのは昭和56年9月11日であるから，公訴時効が完成していることが明らかである。

　四　そうすると，被告人につき『無許可』営業の故意を認め，被告人及び被告会社を有罪とした第1審判決及び原判決には，判決に影響を及ぼすべき重大な事実誤認があり，これを破棄しなければ著しく正義に反するものと認められる。そして，本件については，当審において自判するのが相当であるところ，本件公訴事実中公訴時効が完成している部分については，一罪の一部として起訴されたものであるから，主文において特に免訴の言渡を必要としないので，被告会社及び被告人に対し無罪の言渡をすべきものである。」

220　追い越し禁止区域内での追い越し

東京高判昭和30年4月18日高刑集8巻3号325頁／判タ49・69

【事案】　被告人は，追い越し禁止区域内において，不注意により追い越し禁止区域であることを示す横断幕及び標識を見落として，他の自動車を追い越した。

【判決理由】　「次に本件において追越禁止区域であることの認識のないことはいわゆる法律の不知であって犯意を阻却するものではなく被告人に他の自動車を追い越すという認識がある以上故意犯として本件犯罪が成立するかどうかの点について考察してみるに，犯意ありということ，すなわち，罪となるべき事実を認識するということは，道路交通取締令第21条第1項第57条第2号の罪において，その認識は積極的なものであっても未必的な消極的なもののいずれであっても差し支えないこと勿論であるけれども，単に他の自動車を追い越すという認識だけでは足らず，公安委員会の定める場所，すなわち，追越禁止区域内で他の自動車を追い越すという認識を意味するものと解するのが相当である。（昭和25年2月21日最高裁判所第二小法廷昭和24年(れ)第2594号森林法違反被告事件判決参照）そして右公安委員会が何日如何なる法令で右追越禁止区域を指定したかを知る必要はなく（本件追越禁止区域の指定は，昭和28

年4月2日付東京都公安委員会告示第2号によりなされている。）この指定法
令の不知こそまさにいわゆる法令の不知といわれるものに該当すると解しなけ
ればならない。従って前記見解は到底採用できないものである。然らば，原判
決の事実認定にして以上の如くなりとすれば，故意犯としても勿論本件犯罪は
成立しないものとしなければならない筋合である。」

[5] 過　失

明文なき過失犯処罰

221　外国人登録証明書不携帯

最決昭和28年3月5日刑集7巻3号506頁／判タ30・42

【決定理由】「なお，原判決は所論の如く抽象的に『取締規定であるから故意
過失の有無を問わず処罰すべきである』と判示してはいないのである。所論外
国人登録令13条で処罰する同10条の規定に違反して登録証明書を携帯しない
者とは，その取締る事柄の本質に鑑み故意に右証明書を携帯しないものばかり
でなく，過失によりこれを携帯しないものをも包含する法意と解するのを相当
とするから原判決には所論の違法はない。」

　　[参考]　**外国人登録令**（昭和22年勅令第207号）**第10条第1項**は「外国人は，
常に登録証明書を携帯し，内務大臣の定める官公吏の請求があるときは，これ
を呈示しなければならない。」と規定していた。

222　油の排出

最決昭和57年4月2日刑集36巻4号503頁／判時1042・151，判タ470・129
(重判昭57刑3)

【事案】　被告人は，油送船に乗り組み，燃料油の補給等の船務に従事していたが，給
油船からの補油作業に際し，過失により燃料油を海面に流出させ，油を排出した。原判
決は，「排出」は原因の如何を問わない概念であること，原因の如何を問わず排出を禁
ずる国際条約の国内担保法として法律が制定されたこと，法案の審議の経緯，過失によ
る排出をも処罰しなければ規制の実効を期しがたいこと等により，過失による排出も処
罰されるとした。

【決定理由】「上告趣意第一点は，憲法31条違反をいうが，船舶の油による海

水の汚濁の防止に関する法律 36 条，5 条 1 項は過失犯をも処罰する趣旨であると解した原審の判断は正当であるから，所論は前提を欠き，その余の主張は，憲法 31 条違反をいう点を含め，実質はすべて単なる法令違反の主張であって，いずれも刑訴法 405 条の上告理由にあたらない。」

　[参考]　**船舶の油による海水の汚濁の防止に関する法律**（昭和 45 年法律第 136 号により廃止）**5 条 1 項**「船舶（次条に規定するものを除く。）は，次の海域において油を排出してはならない。〔以下略〕」

同法 36 条　「第 5 条第 1 項又は第 6 条第 1 項の規定の違反となるような行為をした者は，3 月以下の懲役又は 10 万円以下の罰金に処する。」

予見可能性の程度

223　森永ドライミルク事件

徳島地判昭和 48 年 11 月 28 日判時 721 号 7 頁／判タ 302・123

（重判昭 48 刑 5）

【事案】　M 乳業徳島工場で製造された乳児用調整粉乳に砒素が混入し，これを飲んだ乳児多数が死傷した。その原因は，原料牛乳に（安定剤として）添加する第 2 燐酸ソーダとして納入された薬品が極めて特殊な製法により製造された特殊化合物であり多量の砒素を含有していたところにあった。当時の工場長 X と製造課長 Y が業務上過失致死傷罪で起訴された。第 1 審判決は，当時第 2 燐酸ソーダとして人体に有害な量の砒素を含有するものが出回るおそれはなく，従来から問題のない納入業者の納入にかかるものであり，成分規格の明らかなものを発注する義務，納入された薬品を検査する義務はないとして無罪としていた。第 2 審判決は，注意義務を肯定し，原判決を破棄した。この破棄判決に対する上告が棄却され，本判決は差戻し後の第 1 審判決である。本判決は，製造課長である被告人 Y には，規格品の発注及び納入薬品の検査をなさしめる義務を怠った監督上の過失責任があるとして有罪とし，工場長である被告人 X には，事務系出身の工場長として，業務内容に照らし注意義務は認められないとし，無罪を言い渡した。

【判決理由】　「所論は業界人はもちろん起訴当時の検察官でさえ知らなかった N 製剤の存在を被告人らのみが知り，これを納入される虞のあることを知ってその納入を防止すべき注意義務があったとして刑事責任を問うのは不当不合理であると主張する。

　本件中毒事故は MF 粉乳中に乳児の身体に有害な程度の砒素を含有していたため発生したものであるが，右砒素が粉乳に混入したいきさつは粉乳製造の過程で安定剤に使用する第 2 燐酸ソーダの注文に対して納入されてきた有毒な N 製剤を安定剤として使用したことにある。したがって本件工場側が粉乳製造過程で N 製剤のごとき有毒品が混入するのを防止できたのに，適切な措置を怠ったために本件事故を惹起したのであれば N 製薬，K 産業などの責任とは別個に本件工場側の者の刑事責任が問われなければならない。

　ところで過失犯が成立するためには，第 1 に構成要件該当性（違法性）として過失行為の存在（客観的注意義務があるのに，その注意義務を違反した行為があること）及び過失行為と結果との間に因果関係があること，第 2 に非難可能性＝責任として右の過失行為によって発生した結果について，その行為者に非難を加えることの可能性が存することが必要である，右にいう客観的注意義務とは，個別的具体的な行為者の主観的能力を考慮しないが，現実の具体的状況の下における現実の平均人に向けて要求される注意義務であり，行為者の地位又は職業などが考慮されなければならない。刑法は保護すべき対象について精神力を集中し，法益侵害の結果を生じないように注意すべしとして注意義務を要求しているのであって，単に結果を予見すべき義務だけが注意義務なのではなく，むしろ結果回避義務が注意義務の中心でなければならない。

　結果の発生を回避するために適切な行動をとるためには，結果の発生が予見できなければならないが，この予見可能性を予見義務にまで高めて結果回避義務と併存させる必要はなく，結果回避義務の前提として結果の予見可能性を考えるべきである。

　本件において，被告人らの過失の有無につき弁護人の各所論を判断するに当っては，(イ)まず構成要件該当性ないし違法性の問題として，(i)個々人の具体的状況を捨象して本件工場の企業組織体としての行動についてその適否を客観的に考慮し，(ii)ついで本件工場の工場長あるいは製造課長たる者は，当該具体的状況の下において，客観的にいかなる注意義務を負うべきかを検討して客観的注意義務違反の有無を確かめ（別に過失と結果との因果関係の存否を検討することは当然である），(ロ)右の諸点が積極とされた被告人について更に具体的個別的に非難可能性の有無を考察する。

　従来は過失すなわち結果予見義務違反の有無というふうに考え勝ちであった

が，過失行為は何よりもまず被害発生をもたらした客観的な落度として把握されるべきである。落度があるというためには，加害行為の時点で加害者が必要と認められる負担を果さなかったことが認められなければならないが，右負担の具体的内容を定めるのが結果回避義務であり，これを課する前提として結果予見の可能性が問題となる。この場合の予見可能性は結果防止に向けられたなんらかの負担を課するのが合理的であるということを裏付ける程度のものであればよく，この場合の予見可能性は具体的な因果関係を見とおすことの可能性である必要はなく，何事かは特定できないがある種の危険が絶無であるとして無視するわけにはいかないという程度の危惧感であれば足りる。

　もっとも，具体的に結果発生の可能性が予見できるような場合は重い結果回避義務を負担させられ，一般的な危惧感があるにとどまるときは結果回避義務も軽いものにとどめるのが相当であるといい得る。

　しかし，一方ではその危険が具体化したときに予想される実害の質的な重大性の程度が考慮されるべきであって，万一にも発生する被害が特に重大なものであるとき（例えば本件のごとき広範囲，多数人の砒素中毒事故）には，結果回避措置の負担は加重されざるを得ない。

　要するに，結果回避義務は具体的には(イ)予想される危険の蓋然性，(ロ)予想される危険の重大性，(ハ)その他の事情などを考慮し，危険防止の責任をどこまで行為者に負担させるのが妥当であるかが判定されなければならない。

　本件においては，砒素を有害な程度に含有する第２燐酸ソーダの粗悪類似品（具体的には N 製剤）が粉乳に混入することが防止できれば中毒事故は回避できたはずである。

　そこでこのような粗悪有毒品の紛入防止のためいかなる措置をとることが可能であったかを検討するに，前記第一の七で判示したとおり，まず成分規格が保証された局方品あるいは試薬又は前示特別注文品等の規格品を発注使用することであり，次に工業用薬品の場合には，その品が間違いなく第２燐酸ソーダであるかどうかを確かめるための化学的検査をすることである。

　右規格品はその内容物が容器若しくは被包における表示のとおりの薬品であること及びその成分規格は所定の基準に合格するものであることを製造業者が保証しているものであるから，規格品を発注する限り容器若しくは被包における表示についての外観的検査さえ確実に行っておれば，例えば第２燐酸ソーダ

を注文したのに，納入されたものが実は非第2燐酸ソーダであり，これをそのまま使用するという類の過誤はこれを避け得たということができる。

　しかし工業用薬品は規格品に比し，一般に製造工程が粗雑で，純度が低く，不純物の含有量も多いことを免れず，製造業者も規格品についてのような保証はしていない。

　したがって，規格品を注文した場合にはそれが納入後，外観検査さえ確実に行えば，注文品以外のものが紛れ込む虞はないと考えてよいのに反し，非規格品（工業用）を注文した場合には，外観検査をしただけでは，なお注文品以外の品が紛れ込んでくる虞があるのを避け難いといわなければならない。そこで，工業用薬品の場合にはそれを原料牛乳に添加使用する前に，各容器ごとにそれが間違いなく第2燐酸ソーダであるかどうかを確認するため，適切な化学検査をしなければならないのである。

　昭和30年当時我が国の薬品業界に出回っていた第2燐酸ソーダの後記のような成分の実情にかんがみ，工業用第2燐酸ソーダとして納入された薬剤がまさしく第2燐酸ソーダであるということさえ確定できれば，当該薬剤には人体に有害な程度の砒素は含まれていないということができる。したがって，工業用第2燐酸ソーダであるとして納入された場合にはそれが間違いなく第2燐酸ソーダであるかどうかの化学的検査をなす必要があり，かつそれで足りたわけである。

　次に，このような結果回避措置を命ずることが合理的であるかどうかを考察する。

　まず予見可能性の点について考えてみるに，従来の見解によると，粗悪品すなわちN製剤の納品という本件事故の決定的原因となった事実に着目し，そのような粗悪品が存在しそれが納品される可能性が結果の予見可能性にほかならないのであるから，当該粗悪品の存在あるいは少なくとも第2燐酸ソーダとして販売されている薬剤になんらかの類似粗悪品が出回っているということについて，当時の業界一般の知識のもとで知り得たか否かが問題とされるが，当時は業者によって製造される第2燐酸ソーダについて，人体に有害な程度に砒素を含有するものが薬品業界に出回っていた事実はなく，また出回る虞もなかったから，いわゆるN製剤のごとき粗悪有毒品の存在及びそれが納入される虞があることを予見することが可能であったとはいい難いのであって，このよ

うな見解に従うと所論のような結論に至るかのように思えるが，当裁判所はかかる見解を採らない。

　当裁判所としては，結果発生を回避ならしめる措置は何であるかを考え，そのうえでどの程度の措置ならば当該行為者に命じても妥当であるかを特に絶対責任を課することにならないよう配慮して，論ずる前提としての予見可能性を考えるのである。

　この場合留意すべきは，食品製造業者は，その食品が人体に全く無害で安全であることを消費者に保証してこれを販売している立場にあり，したがって，そこで使用する原材料に不純物が混っていないこと及び製造過程で有毒物が混入しないようにする一般的義務を負う立場にある。

　化学薬品については，商取引の常態として，局方品や試薬及びその成分規格が保証されたものでない限り，万が一にも未知の類似品の混入あるいは製造過程の過誤による粗悪品混入の可能性がないとはいい切れないところ，第2燐酸ソーダは，本来清罐剤などの原料として工業用に多く用いられ，食品用としての使用は極く少量で本件事故当時，我が国の第2燐酸ソーダ製造業者のうち，相当多数の者がこれが食品に添加されることを知らなかったのであり，薬品販売業者もこれを食品用として使用するについては，本来は清罐剤などに使用されるものであるとの観念から一抹の不安を拭い切れず，食品用には規格品をすすめて販売し，工業用品の注文を受けても食品に使用することがわかっていれば製造業者に食品に使用する旨を告げて，特に品物を吟味して納入させて販売するなどして特別の注意を払っており，食品製造業者は販売業者のすすめに従って規格品を購入する者が多かったのであって，薬品販売業界，食品製造業者間においても第2燐酸ソーダの非規格品については食品用としての無害性に不安感を抱き，食品に添加使用することに危惧感を持つものが多かったといい得る。

　このように，薬品販売業者，食品製造業者にして右のような不安感，危惧感を持つというのであればそれが結果の予見可能性を意味し，したがってこの不安感を払拭するに足りる程度の回避措置を命ずることに合理性が認められる。

　そして，右の結果回避措置を講ずることによって，ある範囲までは有害物質の混入を事前に抑制防止し得ることになるが，その程度の回避措置によって回避可能な範囲の事態であって，かつ性質上その事態が予想される危険とは全く

⇒ *223*

異質のものとまではいえないといい得る場合には，予見可能性があるといって差し支えない。

　したがって，単に第2燐酸ソーダというだけで特に規格品を指定しないで注文しただけでは，非第2燐酸ソーダが，場合によっては人体に有害な物質が紛れ込む危険があり，かつその危険の予見可能性があるといい得る。

　右の次第で弁護人がいうようなN製剤そのものの存在及びそれが納入されることまでの予見可能性が要求されるわけではない。

　当裁判所のような考え方によると，従来のように予見可能性があるからといって直ちに過失責任があるとの結論には結びつかず，客観的注意義務検討の段階で結果回避措置の合理的な枠付けを考え，許された危険，信頼の原則などを考慮し，その注意義務の負担を合理的な限度にとどめるための検討がなされるわけであるし，また個人的ないわゆる主観的予見可能性，主観的結果回避可能性についても非難可能性を論じる際に別途考慮されるわけであるから，絶対責任を課するものであるとの非難は当らない。

　ただし，信頼の原則についてはそれが誰と誰との間の信頼関係についていわれるのかが問題とされるところであって，本件のような場合においても企業内の同僚相互間の信頼関係に基づく信頼の原則が適用される場合のあることは否定し得ないが，結果回避の責任を具体的にその行為により危険にさらされ被害をこうむる消費者に一部転嫁することは許されない。食品製造業者は自己の売り出した食品が安全であることを消費者に保証しているものであって，消費者に危険を転嫁するような形で手抜きすることは許されないのである。

　以上のように本件においては有害物混入の危惧感は取立てていうほど具体的ではなかったけれども，本件工場における粉乳の生産量（全国生産高の約1割），販売地域（主として西日本一帯），粉乳の飲用者が主として乳児であることに照らすと，万が一にもそのような事態が発生した際には，広汎な地域にわたる多数の乳児に中毒等に罹病させることになり，その結果が甚大であることは容易に考えられるところであり，しかも本件工場はその製造にかかる粉乳の消費者に対し保証者的立場にあるから前示結果回避措置を課することは十分合理的であり，かくて本件工場側は有毒物の混入を避けるためにまず規格品を発注使用すべき業務上の注意義務があ，これに違反して工業用第2燐酸ソーダを使用するときには，その使用前に容器ごとにそれが間違いなく第2燐酸ソーダ

であるかどうかを確認するため適切な化学的検査を実施すべき業務上の注意義務があるというべきである。

　しかも，本件工場側において，第2燐酸ソーダを発注するに際して，規格品を納入するよう注文することも，もちろん可能であったし，また単に第二燐酸ソーダとのみいって発注したため，非規格品が納入されてきた場合に，その薬剤が第2燐酸ソーダに間違いないかどうかを確認するための化学的検査を行うことも可能であったのである。

　そうだとすると，本件工場側は有毒物が粉乳に混入することを防止することが可能であり，その防止に必要な前示客観的注意義務を負っているのに右注意義務に違反して防止措置をとらなかったため，本件中毒事故を招来したものと断じなければならない。」

224　北大電気メス事件

札幌高判昭和51年3月18日高刑集29巻1号78頁／判時820・36，判タ336・172
（百選 I 51）

【事案】　H大学医学部付属病院で電気メスを使用した動脈管開存症の手術が行われたところ，手術部位でなかった右足関節直上部に熱傷が生じ，右下腿切断のやむなきに至った。電気メスは，対極板を患者の身体に装着し，出力端子・メス側ケーブル・メス先・患者の身体・対極板・対極板付ケーブル・対極端子という電気回路を形成し，メス先と人体の接触部分の電気抵抗が高くなるため発熱が生じることを利用して凝固又は切開を行うものである。本件では，ケーブルを誤接続しただけでは熱傷を生じさせるものではないが，患者の身体に心電計が装着されていたこととあいまって異常な電気回路が形成され，そのために熱傷が生じたのである。もっとも，熱傷が生じた原因は当初は不明であり，H大教授の鑑定によりようやくその原因が判明した。ケーブルの誤接続を行った看護婦Xと執刀医Yが起訴され，原判決はXにつき有罪，Yにつき無罪の判断を示している。

【判決理由】　（被告人X関係）「そこで考えてみるのに，原判決は，被告人Xに対する罪となるべき事実（第二の一）の中で，同被告人が電気手術器のメス側ケーブルと対極板側ケーブルの各プラグを電気手術器本体に接続するに際し，前者は本体の出力端子に，後者は対極端子に正しく接続して事故の発生を防止すべき業務上の注意義務があったのにかかわらず，これを怠り，右各ケーブルと各端子を互いに誤接続させたまま手術の用に供した過失を認定し，右注意義務を認める前提として所論冒頭指摘のとおり同被告人に結果の予見可能性があ

⇒ *224*

った旨判示している。およそ，過失犯が成立するためには，その要件である注意義務違反の前提として結果の発生が予見可能であることを要し，結果の発生が予見できないときは注意義務違反を認める余地がない。ところで，内容の特定しない一般的・抽象的な危惧感ないし不安感を抱く程度で直ちに結果を予見し回避するための注意義務を課するのであれば，過失犯成立の範囲が無限定に流れるおそれがあり，責任主義の見地から相当であるとはいえない。右にいう結果発生の予見とは，内容の特定しない一般的・抽象的な危惧感ないし不安感を抱く程度では足りず，特定の構成要件的結果及びその結果の発生に至る因果関係の基本的部分の予見を意味するものと解すべきである。そして，この予見可能性の有無は，当該行為者の置かれた具体的状況に，これと同様の地位・状況に置かれた通常人をあてはめてみて判断すべきものである。以下所論にかんがみ順次考察する。」

「所論は，さらに，原判決は単なる不安ないし危惧感を抱いたこともしくは抱きえたことをもって直ちに過失犯の要件である結果の予見可能性を充足するものと解したとしてその解釈の誤りである旨を力説する。すでに説示したとおり過失犯の成立要件としての結果発生に対する予見可能性は内容の特定しない一般的・抽象的な危惧感ないし不安感を抱くことでは足りないが，本件において被告人Xないしその立場には置かれた一般通常の間接介助看護婦にとって予見可能と認められるのは，上述したようにケーブルの誤接続をしたまま電気手術器を作動させるときは電気手術器の作用に変調を生じ，本体からケーブルを経て患者の身体に流入する電流の状態に異常を来し，その結果患者の身体に電流の作用による傷害を被らせるおそれがあることについてであって，その内容は，構成要件的結果及び結果発生に至る因果関係の基本的部分のいずれについても特定していると解される。従って，所論のように単なる一般的・抽象的な危惧感ないし不安感を抱く程度にとどまるものと解することはできない。もっとも，発生するかもしれない傷害の種類，態様及びケーブルの誤接続が電気手術器本体から患者の身体に流入する電流の状態に異常を生じさせる理化学的原因については予見可能の範囲外であったと考えられるけれども，過失犯成立のため必要とされる結果発生に対する予見内容の特定の程度としては，前記の限度で足りると解すべきである。通常人にとって身体に流入する電流の状態に異常を生じ，その作用により傷害を被るおそれがあることを知れば，その傷害

の種類・態様までは予見できなくても，日常の知識・経験に照らして危険の性質・程度を把握し，それに対処すべき措置を決定するのに何らの支障がないからである。前記の程度を超えて傷害の種類・態様まで特定されることが注意義務確定上欠くことのできない要素とは考えられない。またケーブルを誤接続したまま電気手術器を作動させることが電気手術器本体から患者の身体に流入する電流の状態に異常を生じさせる理化学的要因がいずれにあろうとも，右誤接続が原因となって，患者の身体に流入する電流の状態に異常を生じ，その作用により患者に傷害を被らせるに至る因果関係の基本的部分の予見が可能である以上，予見者にとってその結果が全く予想外の原因・経過により生ずることはありえない。従って，右の程度を越えて結果発生に至る因果関係の過程の詳細な予見が可能であることまで必要としないと解される。そして，このことは責任主義の要請に反するものでないというべきである。」

（被告人Ｙ関係）「右三の㈠，㈡の諸事情を総合すれば，本件の場合，チームワークによる手術の執刀医として危険性の高い重大な手術を誤りなく遂行すべき任務を負わされた被告人Ｙが，その執刀直前の時点において，極めて単純容易な補助的作業に属する電気手術器のケーブルの接続に関し，経験を積んだベテランの看護婦である被告人Ｘの作業を信頼したのは当時の具体的状況に徴し無理からぬものであったことを否定できない。なお被告人Ｙを含め当時の外科手術の執刀医一般について電気手術器のケーブルの誤接続に起因する傷害事故の発生を予見しうる可能性が必ずしも高度のものでなかったことはさきに述べたとおりである。所論は，医師は人の信頼を受けて人の生命・健康を管理することを業とする者であるからその業務の性質に照らし人に危害が及ぶことを防止するがために最善の措置を尽すべき高度の義務を課せられていると主張する。確かに医師がその業務にかんがみ診療に伴う危険を防止するため高度の注意義務を負うことは抽象的には所論のとおりであるが，その義務が無制限に課せられてよいものではなく合理的な限界があるべきことも当然である。医師の行為が刑法上の制裁に値する義務違反にあたるか否かは，当該専門医として通常用いるべき注意義務の違反があるか否かに帰着すべく，結局当該行為をめぐる具体的事情に照らして判定される外ない。執刀医である被告人Ｙにとって，前叙のとおりケーブルの誤接続のありうることについて具体的認識を欠いたことなどのため，右誤接続に起因する傷害事故発生の予見可能性が必ず

しも高度のものではなく，手術開始直前に，ベテランの看護婦である被告人
Ｘを信頼し接続の正否を点検しなかったことが当時の具体的状況のもとで無
理からぬものであったことにかんがみれば，被告人Ｙがケーブルの誤接続に
よる傷害事故発生を予見してこれを回避すべくケーブル接続の点検をする措置
をとらなかったことをとらえ，執刀医として通常用いるべき注意義務の違反が
あったものということはできない。

　本件当時，Ｈ大医学部付属病院もしくはＳ医大中央手術部における実情と
して，電気手術器のケーブルの誤接続による傷害事故の発生をおもんぱかって
執刀医ないし助手の医師が一々ケーブルの接続の正否を点検する取扱いがされ
てはいなかったことは既述のとおりであり，本件手術に際し指導医として立会
った証人Ａも，原審公判廷で，本件事故当時までの自らの手術の経験でケー
ブルの接続の正否を点検したことはなく，本件手術に際しかりに自分が執刀し
たとしても右点検は恐らくしなかったと思う旨を供述している。証人Ｂの，
外科医が麻酔の状態，機器の整備などにまで精力を分散することはチームワー
クの機能が発揮できないことになる旨の供述もさきに摘示したとおりである。
これらによれば，本件事故当時の実情として，被告人Ｙと同様の立場に置か
れた執刀医がケーブル接続の点検について一般に同被告人と同じ態度に出たで
あろうことは窺うに難くないところである。この点にかんがみても，同被告人
の態度をとらえ，執刀医として通常用いるべき注意義務の違反と目することは
相当でないといわざるをえない（所論は，原判決が，同被告人の過失を否定す
るについて，同被告人がＨ大医学部付属病院におけるケーブル接続について
の慣行に従った事実を考慮した点をとらえて，悪しき慣行は被告人を免責する
ものではない旨主張する。およそ慣行に従ったことがそれ自体で注意義務違反
から免れさせるものでないことは所論指摘のとおりであるけれども，上述のと
おりケーブル接続の点検に関する実情を把握することは，点検義務が執刀医と
して通常用うべき注意義務に属するか否かの判定に資するものというべきであ
るから，この意味において慣行を顧慮した原判決の判断は結局相当である。）。

　以上の次第で，同被告人が前記の具体的状況のもとにおいて，ケーブルの誤
接続による傷害事故の発生を予見したうえその接続の点検による結果回避の措
置をとらなかったことは，いまだ業務上過失傷害罪における過失にはあたらな
いものというべきである。従って，同被告人につき刑事上の過失責任を否定し

た原判決は結論において十分に首肯しうるところである（ケーブルの誤接続のありうることに対する同被告人の認識の可能性について原判決における上記の事実誤認は判決に影響を及ぼさない。）。」

225 ハイドロプレーニング現象

大阪高判昭和 51 年 5 月 25 日刑月 8 巻 4 = 5 号 253 頁／判時 827・123，判タ 341・147

【事案】 大型バスの運転手である被告人は，名神高速道路を雨の中高速でバスを走行させていたところ，急に車体が横滑りし，進路を立て直すことができないままバスを横転させ乗客に死傷の結果を生じさせた。本件事故の原因は，部分的ハイドロプレーニング現象であった。

【判決理由】「検察官は，湿潤した路面においては，自動車の走行速度が増大するに従って車輪タイヤと路面との摩擦係数が低下し，いわゆるすべり易い状態となることは，自動車運転者の常識となっていたところである。この摩擦係数が最も減少したいわば極限状態を完全なハイドロプレーニング現象といい，この現象の形成過程においてそれに近い状態のものとして部分的ハイドロプレーニング現象があるのであって，現象的には自動車タイヤが路面に接しているかどうかで異なったものがみられるけれども，結局は摩擦係数の度合いの違いであって両者は異質のものではない。そして，ハイドロプレーニング現象という名称あるいは現象の正確な内容についての理解がなかったにしても，それに至る道程に至るスリップ現象そのものについては，自動車運転者の知悉していたところであって，雨の日はすべり易いから高速で走行してはいけないということは，運転上の常識であったから，被告人は横滑りが発生することは当然予見できた筈である，というのである。

そこで案ずるに，一般に湿潤した路面においては，自動車の走行速度が増大するに従ってタイヤと路面との摩擦係数が低下してすべり易い状態となり，制動をかけたときに制動距離が路面の乾燥した状態のときと比較して著るしく長くなるとか，曲線走行時において遠心力にうちかつだけの充分な摩擦力がタイヤと路面にない場合に外側に横滑りすることがあるとか，急ハンドル，急ブレーキ，急発進，急加速等急激にタイヤにより湿潤路面に力を加えたときは，必ずしも前後左右のタイヤ全部が均一の加重，条件にあるとは限らないことから横滑りする事態があり得ることは，自動車運転者の常識となっていたこと，被告人も湿潤した路面がこの意味でのすべり易い状態になり得ることを認識しな

⇒ *226*

がら本件バスを運転したものであることが明らかである（以下これを「第1の場合」という。）。問題は，湿潤路面を高速走行する場合にあっても，急ハンドル，急ブレーキ，急加速のいずれをもせずに，単純に直線道路をほぼ均一の速度で直進するだけの状況下で，通常の自動車運転の際にはほとんど影響力を無視してよいような小さな外乱により横滑りを生じさせ，しかもハンドル操作によって進路を立て直させることができないほどの極度の摩擦力の低下した状態，すなわち極度にすべり易い状態が生じ得ることを認識することができたか否かということである（以下これを「第2の場合」という。）。そして，この場合，ハイドロプレーニング現象という名称，あるいは同現象の正確な内容についての理解までは必要ではないけれども，右『第1の場合』程度のすべり易い状態にとどまらず，『第2の場合』のような極度にすべり易い状態のあり得ることを認識し得たかどうかということである。しかもそれが専門家や特定の運転者が認識し，あるいは認識し得た状況にあったというのでは足らず，一般的に自動車運転者ことに高速バス運転者が，本件当時に，認識し，あるいは認識し得たものでなければならないことはいうまでもない。そこで，この見地から本件当時の時点に立ち，以下さらに検討を加えることとする。」

「以上を総合して検討するとき，本件当時，被告人のような立場におかれた自動車運転者，ことに高速バス運転者一般に，『第2の場合』のような極度にすべり易い事態までの予見可能性はなかったといわざるを得ない。」

226 福知山線脱線事故事件

最決平成 29 年 6 月 12 日刑集 71 巻 5 号 315 頁／判時 2402・101，判タ 1457・57

(百選 I 57)

【決定理由】 「1 本件公訴事実の要旨

(1) 被告人Ａは平成4年6月から平成9年3月までの間，被告人Ｂは平成9年4月から平成15年4月までの間，被告人Ｃは平成15年4月から平成18年2月までの間，それぞれ西日本旅客鉄道株式会社（JR西日本）の代表取締役社長として会社の業務執行を統括し，運転事故の防止についても経営会議等を通じて必要な指示を与えるとともに，社内に設置された総合安全対策委員会委員長として，運転事故対策についての基本方針や特に重大な事故の対策に関する審議を主導して鉄道の運行に関する安全体制を確立し，重大事故を防止するための対策を講ずるよう指揮すべき業務に従事していた。

(2) JR西日本では，東西線開業に向けて，福知山線から東西線への乗り入れを円滑にする等の目的で，福知山線と東海道線を立体交差とするなどの尼崎駅構内の配線変更

を行い，これに付帯して，福知山線上り線路の右方に湾曲する曲線（以下「本件曲線」という。）の半径を 600 m から 304 m にし，その制限時速が従前の 95 km から 70 km に変更される線形変更工事（以下「本件工事」という。）を施工した（平成 8 年 12 月完成，平成 9 年 3 月運行開始）。本件工事により，通勤時間帯の快速列車の本件曲線における転覆限界速度は時速 105 km から 110 km 程度に低減し，本件曲線手前の直線部分の制限時速 120 km を下回るに至った。加えて，前記運行開始に伴うダイヤ改正により，1 日当たりの快速列車の本数が大幅に増加し，運転士が定刻運転のため本件曲線の手前まで制限時速 120 km 又はこれに近い速度で走行する可能性が高まっていたので，運転士が何らかの原因で適切な制動措置をとらないままこのような速度で列車を本件曲線に進入させた場合には，脱線転覆する危険性が差し迫っていた。

(3) 被告人らは，以上の各事情に加え，JR 西日本では半径 450 m 未満の曲線に自動列車停止装置（ATS）を整備しており，本件工事によって本件曲線の半径がこれを大幅に下回ったことや，過去に他社の曲線において速度超過による脱線転覆事故が複数発生していたこと等を認識し，又は容易に認識することができたから，運転士が適切な制動措置をとらないまま本件曲線に進入することにより，本件曲線において列車の脱線転覆事故が発生する危険性を予見できた。

(4) したがって，被告人 A は本件工事及び前記ダイヤ改正の実施に当たり，被告人 B は平成 9 年 4 月の社長就任後速やかに，被告人 C は自ら福知山線に ATS を整備する工事計画を決定した平成 15 年 9 月 29 日の経営会議又は遅くとも同年 12 月以降に行われたダイヤ改正の際，それぞれ，JR 西日本において ATS 整備の主管部門を統括する鉄道本部長に対し，ATS を本件曲線に整備するよう（被告人 C は ATS を本件曲線に優先的に整備するよう）指示すべき業務上の注意義務があったのに，被告人らはいずれもこれを怠り，本件曲線に ATS を整備しないまま，列車の運行の用に供した。

(5) その結果，平成 17 年 4 月 25 日午前 9 時 18 分頃，福知山線の快速列車を運転していた運転士が適切な制動措置をとらないまま，転覆限界速度を超える時速約 115 km で同列車を本件曲線に進入させた際，ATS によりあらかじめ自動的に同列車を減速させることができず，同列車を脱線転覆させるなどして，同列車の乗客 106 名を死亡させ，493 名を負傷させた（以下，同事故を「本件事故」という。）。

2 前提事実

原判決及びその是認する第 1 審判決の認定並びに記録によれば，本件の事実関係は次のとおりである。

(1) 本件事故の直接の原因は，運転士が，本件曲線の制限時速 70 km を大幅に超過し，転覆限界速度をも超える時速約 115 km で本件曲線に進入したことにある。

(2) ATS は，線路上に設置された地上子と車両に装備された車上子の間で，進路前方の信号現示や速度制限箇所などの情報をやり取りし，運転室内に警報ベルを鳴らして

⇒ *226*

運転士に注意を喚起したり，自動的にブレーキを作動させたりする保安装置である。昭和37年，列車が停止信号に従わなかったため生じた重大死傷事故を契機として，かかる信号冒進を防止するため，ATS が全国的に整備された。その後，列車の速度を照査し，一定の速度を超過すれば自動的に列車の運行をブレーキ制御する速度照査機能を付加するなどした改良型 ATS が開発され，昭和62年以降，順次整備されてきた。

　速度照査機能を備えた ATS は，信号冒進のみならず，曲線等での速度超過の防止に用いることが可能であり，本件事故後に改正された国土交通省令及びその解釈基準等（以下「新省令等」という。）では，転覆危険率を指標として，駅間最高速度で進入した場合に転覆のおそれのある曲線にかかる ATS 等を整備すべきこととされたが，本件事故以前の法令上は，ATS に速度照査機能を備えることも，曲線への ATS 整備も義務付けられてはいなかった。また，本件事故以前に曲線に ATS を自主的に整備していた鉄道事業者は，JR では JR 西日本を含む3社，私鉄では113社中13社に止まっており，大半の鉄道事業者は，曲線に ATS を整備していなかった。本件事故前に曲線に ATS を整備していた鉄道事業者の設置基準はまちまちで，新省令等で示された転覆危険率のような統一的な尺度は存在せず，各鉄道事業者における本件事故以前の実際の整備対象も，転覆危険率により導かれる転覆の危険の有無とは必ずしも相関していなかった。

　(3)　JR 西日本の職掌上，保安設備である ATS の整備計画は，鉄道本部安全対策室が所管し，鉄道本部長が統括することとされており，曲線への ATS 整備も鉄道本部長に委ねられていた。鉄道本部では，改良型 ATS の整備を線区単位で順次進めてきており，福知山線についても本件曲線を対象に含めて整備が進められていたものの，本件事故当時はまだ完成しておらず，実際に供用が開始されたのは本件事故の約2か月後の平成17年6月であった。

　(4)　本件曲線の転覆危険率は，駅間最高速度で曲線に進入したときに曲線外側に転覆するおそれがあるとされる数値を上回っており，新省令等によれば，本件曲線も速度照査機能を備えた ATS を設置すべき対象に当たる。

　しかしながら，JR 西日本はもとより，本件事故以前から曲線に ATS を整備していた国内の他の鉄道事業者においても，整備対象の選定に当たり転覆危険率を用いた脱線転覆の危険性の判別は行われていなかった上，JR 西日本管内に半径300m以下の曲線は2000か所以上存在しており，それ自体珍しいものではなく，その中で特に本件曲線における脱線転覆の危険性が他の曲線に比べて高いという認識が JR 西日本の組織内で共有されたことはなく，被告人らも本件曲線を脱線転覆の危険性のある曲線として認識したことはなかった。

3　当裁判所の判断

　(1)　本件公訴事実は，JR 西日本の歴代社長である被告人らにおいて，ATS 整備の主管部門を統括する鉄道本部長に対し，ATS を本件曲線に整備するよ

う指示すべき業務上の注意義務があったのに，これを怠ったというものであり，被告人らにおいて，運転士が適切な制動措置をとらないまま本件曲線に進入することにより，本件曲線において列車の脱線転覆事故が発生する危険性を予見できたことを前提とするものである。

　しかしながら，本件事故以前の法令上，ATSに速度照査機能を備えることも，曲線にATSを整備することも義務付けられておらず，大半の鉄道事業者は曲線にATSを整備していなかった上，後に新省令等で示された転覆危険率を用いて脱線転覆の危険性を判別し，ATSの整備箇所を選別する方法は，本件事故以前において，JR西日本はもとより，国内の他の鉄道事業者でも採用されていなかった。また，JR西日本の職掌上，曲線へのATS整備は，線路の安全対策に関する事項を所管する鉄道本部長の判断に委ねられており，被告人ら代表取締役においてかかる判断の前提となる個別の曲線の危険性に関する情報に接する機会は乏しかった。JR西日本の組織内において，本件曲線における脱線転覆事故発生の危険性が他の曲線におけるそれよりも高いと認識されていた事情もうかがわれない。したがって，被告人らが，管内に2000か所以上も存在する同種曲線の中から，特に本件曲線を脱線転覆事故発生の危険性が高い曲線として認識できたとは認められない。

　(2)　なお，指定弁護士は，本件曲線において列車の脱線転覆事故が発生する危険性の認識に関し，『運転士がひとたび大幅な速度超過をすれば脱線転覆事故が発生する』という程度の認識があれば足りる旨主張するが，前記のとおり，本件事故以前の法令上，ATSに速度照査機能を備えることも，曲線にATSを整備することも義務付けられておらず，大半の鉄道事業者は曲線にATSを整備していなかったこと等の本件事実関係の下では，上記の程度の認識をもって，本件公訴事実に係る注意義務の発生根拠とすることはできない。

　(3)　以上によれば，JR西日本の歴代社長である被告人らにおいて，鉄道本部長に対しATSを本件曲線に整備するよう指示すべき業務上の注意義務があったということはできない。したがって，被告人らに無罪を言い渡した第1審判決を是認した原判断は相当である。

　よって，刑訴法414条，386条1項3号により，裁判官全員一致の意見で，主文のとおり決定する。」

　小貫芳信裁判官の補足意見　「私は，法廷意見に賛同するものであるが，所論

⇒ *227・228*

に鑑み，意見を付加しておきたい。

　……（中略）……

　3　ところで，所論は，大規模火災事例に関する当審判例を援用して，本件の原因事象に関する予見可能性も，『運転士がひとたび大幅な速度超過をすれば脱線転覆事故が発生する』という程度の危険性の認識があれば足りる旨も主張している。

　一般に，運転士の曲線における制動の懈怠はあり得ることであり，したがって，転覆事故もあり得る事態であるという程度の認識をもって，曲線にATSを整備するよう指示すべき義務が生じるとすれば，JR西日本管内の数多くの曲線が同時にATSを整備すべき曲線に該当することとなる。しかし，そのように数多くの曲線に同時にATSを整備するよう刑罰をもって強制することは，本件事故以前の法令上，曲線にATSを整備することは義務付けられていなかったこと，大半の鉄道事業者は曲線にATSを整備していなかったこと等の本件事実関係の下では，過大な義務を課すものであって相当でない。どの程度の予見可能性があれば過失が認められるかは，個々の具体的な事実関係に応じ，問われている注意義務ないし結果回避義務との関係で相対的に判断されるべきものであろう。これを所論が援用する判例との関係でみると，火災発生の危険があることを前提として法令上義務付けられた防災体制や防火設備の不備を認識しながら対策を怠っていた等，一定の義務発生の基礎となる事情が存在する大規模火災事例における予見可能性の問題と，そのような事情が存在したとは認められない本件のそれを同視することは相当ではないと思われる。」

予見可能性の対象

227　北大電気メス事件

　札幌高判昭和51年3月18日高刑集29巻1号78頁／判時820・36，判タ336・172
（百選I51）⇒*224*

228　有楽サウナ事件

　最決昭和54年11月19日刑集33巻7号728頁／判時951・132，判タ406・108
（重判昭54刑7）

【事案】　被告人らは，木製ベンチ下部に電熱炉を設置する構造の組立式サウナ風呂を

開発・製造したところ，長期間の電熱炉の加熱により木製ベンチが漸次炭化して着火し，サウナ風呂を据え付けたＹサウナの店舗を焼燬し，その際居合わせた顧客３名を一酸化炭素中毒により死亡させた。第１審判決は，木製ベンチの漸次炭化による無焔着火の予見可能性を肯定したが，原判決はこの予見可能性を否定し，ベンチ部分に火災の発生する危険の予見可能性を肯定して，業務上失火・業務上過失致死の成立を肯定した。

【決定理由】「なお，原判決の確定した事実によると，本件組立式サウナ風呂は，長期間使用するときは，電熱炉の加熱により木製ベンチ部分に火災が発生する危険があるのであり，被告人らは，その開発及び製作の担当者として，その構造につき耐火性を検討・確保して火災を未然に防止する措置をとる業務上の注意義務があるというべきであるから，被告人らが原判決の認定する経過で火を失した場合には，業務上失火罪に該当するものと解するのが相当である。」

229 具体的因果経路の予見可能性

東京高判昭和 53 年 9 月 21 日刑月 10 巻 9 = 10 号 1191 頁

【事案】 被告人は，工場で湯沸かし器加熱のため点火していたガスコンロの消火を忘れて帰宅したために，ガスコンロの加熱により下に敷いた二重のラワン材の敷板に着火発炎し，ガスホースに引火延焼して，さらにガスの引火が加わってベニヤ板壁に着火して燃え上がった。原判決は失火罪の成立を肯定した。

【判決理由】「所論は，原判決はガスコンロに点火したまま長時間放置すれば，空罐が空だきの状態となり，順次右空罐，ガスコンロ自体が過熱し，その輻射熱等により，さらに右コンロの二重の下敷ラワン材に着火発炎するに至る可能性があり，このことは容易に予見しうるところである旨認定しているが，本件起訴状の公訴事実の記載からも明らかなとおり，本件の捜査段階から原審公判の途中までは空罐の空だきにより，約 10 センチメートル離れている間仕切りのベニヤ板に直接着火する可能性があるものと考えられていたところ，原裁判所が行った前後２回の鑑定により右の可能性は全くないことが明らかになるとともに，第２回鑑定において始めて下敷のラワン材に着火する可能性があるとの鑑定結果をえたため，公訴提起から５年以上も経過した後に，その結果に沿う訴因変更手続がなされたのであって，このような経緯にかんがみれば，本件火災発生前に，被告人において下敷のラワン材への着火可能性は到底予見しうるところではなかったというべきであるにも拘らず，これを容易に予見しうるところであった旨認定している原判決は，明らかに矛盾しており，事実を誤認している，というのである。

⇒ *230*

　そこで一件記録を検討してみると，なるほど，原審公判の途中迄は，空罐の空だきによる過熱から，約10センチメートル離れた間仕切りのベニヤ板壁に直接着火する可能性があると考えられていたこと，及び，その後これが弁護人主張のような経過により，空罐の空だきによるガスコンロの過熱から下敷のラワン材に着火したと変更され，その旨の訴因変更手続がとられたものであるところ，それも公訴提起後5年以上もたってからのことであったことは，いずれも記録上明らかである。しかし，本来，結果の予見可能性の有無は，具体的な因果関係の進行について考えられるべきものではあるが，予見可能性があったというためには，行為者において，結果発生の経過のすべてにわたって逐一詳細に予見しうる場合である必要はなく，その重要な部分について予見しうれば足りるものと解すべきである。これを本件についてみるに，ガスコンロの上に水を入れた空罐を乗せ，これに点火したまま長時間放置すれば，やがて右空罐の水が沸騰蒸発して，いわゆる空だきの状態となり，順次右空罐とか，ガスコンロ自体とかが過熱し，その結果，結局約10センチメートル離れた間仕切りのベニヤ板壁に着火発炎するに至る可能性があることを予見しうれば足りるのであって，その場合，ガスコンロ脇のベニヤ板に直接着火発炎するか，あるいは，ガスコンロ下に敷いたラワン材に一旦着火発炎したのち，原判決説示のような経過により右ベニヤ板に着火発炎するかという経過の詳細までは，予見が可能である必要はないというべきである。そして，本件の場合，火災発生現場の設備，建物の状況に徴し，ガスコンロによる空罐の空だきの結果，約10センチメートルしか離れていないベニヤ板壁に着火発炎するに至るであろうことは，容易に予見できたものと考えられ，この点の原判決の判文の措辞はやや冗長に過ぎる嫌いがあるけれども，その趣旨は右に説示するところと同旨に帰するものと解せられるから，この点に関する原判決の認定には，所論のような誤りはないというべきである。」

230　熊本水俣病事件

福岡高判昭和57年9月6日高刑集35巻2号85頁／判時1059・17，判タ483・167
⇒各論 *20*

【事案】　被告人ら（Xは，昭和33年1月から昭和39年11月までの間，化学肥料製造会社の代表取締役社長であり，Yは，昭和32年1月から昭和35年5月までの間，同社水俣工場の工場長であった）は，塩化メチル水銀を含有する排水を排出させた過失に

より多数の者を成人水俣病ないし胎児性水俣病に罹患させ，死傷に至らせた。被害者7名について起訴がなされ，原判決は成人水俣病により死亡した1名及び胎児性水俣病により死亡した1名についてのみ業務上過失致死の成立を肯定し，他については公訴時効の完成を理由に免訴を言い渡している。

【判決理由】「所論は要するに，原判決は，過失犯の構成要件的結果発生の予見が可能であるというのは，当該行為と結果発生との間の基本的な因果の経過が予見可能であればたりるのであって，水俣工場の工場排水中に含有する工場原料・製品・設備等から排出される何らかの化学物質が水俣病の原因となっており，このような工場排水が流出する周辺海域で捕獲した魚介類を摂食することによって，水俣病が発症するものであることを予見できれば十分であるとし，また，水俣病の激甚な症状にかんがみ，妊婦が同じような魚介類を摂食することによって，その胎児も障害を受けて出生し，死に至る場合もあることは当然に予測できるところであるから，胎児性水俣病患者であったMの致死の結果についても予見できたものと認定するのであるが，右はいずれも事実を誤認した結果であるか，又は内容の特定しない一般的抽象的な危惧感ないし不安感を抱いたことをもって，過失犯の要件である結果の予見可能性を充足するものと解したことに因るものである。しかしながら，本件において予見可能性を肯定するためには，一定の脳症状を呈する特定の化学物質が工場排水中に含有されていることを予見しえたことを要するところ，当時その予見可能性はなかったものである。仮に，成人水俣病の発生について予見可能性があったとしても，当時判明していた水俣病はいずれも成人水俣病のみであって，胎児性水俣病については，その存在そのものが判明していなかったのであるから，胎児性水俣病についての予見可能性が存在する筈もない。原判決は予見可能性を誤解し又はこれに関する事実を誤認し，刑法211条の解釈適用を誤ったものであり，これらの誤りが判決に影響を及ぼすことは明らかである，というのである。

そこで，所論にかんがみ右の予見可能性の有無につき検討すべきところ，

先ず，所論指摘の過失犯とりわけ業務上過失致死傷罪の注意義務における結果発生の予見可能性そのものの概念内容を考察するに，先きにいわゆる構造型過失犯においても，右の予見の対象に関し内容的に特定しない一般的又は抽象的な危惧感ないし不安感を抱くだけでは足りないものである。このことは所論指摘のとおりであるが，しかし，行為者が特定の構成要件的結果及び当該結果

の発生に至る因果関係の基本的部分に関する実質的予見を有すること，これを構造型過失犯に属すべき条件に即していえば，人が水俣工場の排水中に含有される有毒物質により汚染された魚介類を摂食することによって，水俣病に罹患し，死傷の結果を受けるおそれのあることの予見があれば，業務上過失致死傷罪の注意義務構成の予見可能性として欠くところはなく，所論のようにその有毒物質が一定の脳症状を呈する特定の化学物質であることの予見までも要するものではない。けだし，右の程度の予見可能性がある以上，水俣病罹患に因る死傷の結果を防止する措置として，かかる工場廃水を企業施設外に排出すべきでないことを十分認識することができ，いわゆる結果回避義務の前提として不足はないからである。

　ところで，原判決の挙示する関係証拠によれば，

　……（中略）……

　以上の各事実が認められ，これらの事実関係に現われる予見義務の前提たるべき関係状況をみるに，

　被告人 X 及び同 Y はいずれも昭和33年7月中旬までに，同年6月24日の参議院社会労働委員会において厚生省公衆衛生局環境衛生部長が，また，同年7月7日付で厚生省公衆衛生局長がそれぞれ，水俣病は水俣工場の廃棄物中に含有されるある種の化学物質により汚染された魚介類を摂食することによって生ずることが確定又は推定される旨指摘していることを知ったのであるから，本件過失行為の始った昭和33年8月ないし同年9月初旬当時，水俣工場の排水経路を水俣川河口海域に変更することに因り，河口住民をして右排水中に含有される有毒物質により新たに汚染された魚介類を摂食することから水俣病に罹患させ，死傷の結果を生ぜしめるおそれのあることを予見することが十分できたものといわなければならない。

　次に，所論は，当時判明していた水俣病はすべて成人水俣病のみであったから，胎児性水俣病についての予見可能性を有する筈がないというのである。

　なるほど，当時において胎児性水俣病なるものが判明していたとはいえないことは，所論指摘のとおりであるけれども，しかし，原判決が第一の四において詳述するような水俣病の激甚な症状にかんがみ，かつ右の罹患は有毒物の直接使用によるものではなく，汚染魚介類の摂食を介して発生するものであることを知る限り，同じような作用により，右の汚染魚介類を摂食せる妊婦を介し

てその胎児が障害を受けるであろうことは，誰にでも容易に推知できるところであると同時に，出生しても，水俣病のため死に至る場合もあろうことも当然に予見することができるものと認められ，被告人 X，同 Y の当審公判廷における各供述中右認定に反する部分はいずれも措信することができない。」

　⇒**参考**　上告審決定として，最決昭和 63 年 2 月 29 日刑集 42 巻 2 号 314 頁（各論 *21*）がある。

231　生駒トンネル火災事件

　最決平成 12 年 12 月 20 日刑集 54 巻 9 号 1095 頁／判時 1735・142, 判タ 1051・274
　（百選 I 53, 重判平 12 刑 3）

【**事案**】　近鉄東大阪線生駒トンネル内で，電力ケーブルの接続工事のミスに起因して火災が発生し，電車の乗客ら 1 名が死亡し，43 名が負傷した。

【**決定理由**】「なお，原判決の認定するところによれば，近畿日本鉄道東大阪線生駒トンネル内における電力ケーブルの接続工事に際し，施工資格を有してその工事に当たった被告人が，ケーブルに特別高圧電流が流れる場合に発生する誘起電流を接地するための大小 2 種類の接地銅板のうちの 1 種類を Y 分岐接続器に取り付けるのを怠ったため，右誘起電流が，大地に流されずに，本来流れるべきでない Y 分岐接続器本体の半導電層部に流れて炭化導電路を形成し，長期間にわたり同部分に集中して流れ続けたことにより，本件火災が発生したものである。右事実関係の下においては，被告人は，右のような炭化導電路が形成されるという経過を具体的に予見することはできなかったとしても，右誘起電流が大地に流されずに本来流れるべきでない部分に長期間にわたり流れ続けることによって火災の発生に至る可能性があることを予見することはできたものというべきである。したがって，本件火災発生の予見可能性を認めた原判決は，相当である。」

232　認識していない客体に対する過失

　最決平成元年 3 月 14 日刑集 43 巻 3 号 262 頁／判時 1317・151, 判タ 702・85
　（百選 I 52, 重判平元刑 1）

【**決定理由**】「所論にかんがみ職権で判断するに，1，2 審判決の認定するところによると，被告人は，業務として普通貨物自動車（軽 4 輪）を運転中，制限速度を守り，ハンドル，ブレーキなどを的確に操作して進行すべき業務上の注意義務を怠り，最高速度が時速 30 キロメートルに指定されている道路を時速

約65キロメートルの高速度で進行し，対向してきた車両を認めて狼狽し，ハンドルを左に急転把した過失により，道路左側のガードレールに衝突しそうになり，あわてて右に急転把し，自車の走行の自由を失わせて暴走させ，道路左側に設置してある信号柱に自車左側後部荷台を激突させ，その衝撃により，後部荷台に同乗していたA及びBの両名を死亡するに至らせ，更に助手席に同乗していたCに対し全治約2週間の傷害を負わせたものであるが，被告人が自車の後部荷台に右両名が乗車している事実を認識していたとは認定できないというのである。しかし，被告人において，右のような無謀ともいうべき自動車運転をすれば人の死傷を伴ういかなる事故を惹起するかもしれないことは，当然認識しえたものというべきであるから，たとえ被告人が自車の後部荷台に前記両名が乗車している事実を認識していなかったとしても，右両名に関する業務上過失致死罪の成立を妨げないと解すべきであり，これと同旨の原判断は正当である。」

結果回避義務

233 薬害エイズ（A大学）事件

東京地判平成13年3月28日判時1763号17頁／判夕1076・96
（重判平13刑3）

【事案】 被告人は，昭和46年9月から同62年3月までの間，A大学医学部付属病院の第1内科長として同内科の業務を掌理し，内科所属の医師等を指導監督するとともに，同内科血液研究室の主宰者として血友病治療の方針を定め，同内科所属の医師に指示するなどして，血友病治療の適正を確保し，これに伴う血友病患者に対する危害の発生を未然に防止する業務に従事していた者であるが，同内科では血友病患者の止血治療のために外国由来の非加熱製剤を多数の血友病患者に継続投与していたところ，外国由来の非加熱製剤が少なからずHIVに汚染されているため，その投与を継続すればHIV未感染の患者をして高い確率でHIVに感染させた上，その多くにエイズを発症させて死亡させることを予見でき，かつ，生命に対する切迫した危険がないものについてはHIV感染の危険がないクリオ製剤による治療等で対処することが可能であったから，血友病患者の治療に当たる同内科医師をして，その出血が生命に対する切迫した危険がないものであるときは外国由来の非加熱製剤の投与を控えさせる措置を講じるべきであるのに，投与を継続させたため，同60年5月から6月までの間，3回にわたり，同内科所属の医師をして，生命に対する危険がない出血症状を呈しているにすぎない血友病

患者1名に対し非加熱製剤を投与させたことにより，そのころ同人をしてHIVに感染させた上，平成3年10月ころまでにエイズの症状である悪性リンパ腫を発症させ，同年同人を死亡させたとして，業務上過失致死罪により起訴された。東京地裁は，以下のような理由から，無罪判決を言い渡した。

【判決理由】「以上の検討によれば，本件当時における外国由来の非加熱製剤の投与による結果予見可能性について，『（血友病患者を）高い確率でHIVに感染させた上，その多くにエイズを発症させてこれを死亡させることを予見し得』た（本件公訴事実）とは認められない。すなわち，非加熱製剤の投与によって，血友病患者をHIVに感染させる可能性（危険性）は予見し得たといえるが，それが『高い確率』であったとは客観的に認め難いし，HIV感染者について『その多く』がエイズを発症するということは，現在の知見においてはそのように認められようが，本件当時においてそのような結果を予見することが可能であったとは認められない（これに対し，エイズを発症した場合にその多くが死亡に至ることは客観的にも予見可能であったし，被告人も現に予見していたものと認められる。）。

　しかし，他方において，こうした『高い』，『多く』といったことを別にすれば，本件当時においても，外国由来の非加熱製剤の投与によって，血友病患者を『HIVに感染させた上，エイズを発症させてこれを死亡させ得る』ことは予見し得たといえるし，被告人自身が，現実にそのような危険性の認識は有していたものと認められる。換言すれば，本件において，被告人は，結果発生の危険がないと判断したわけではなく，結果発生の危険はあるが，その可能性は低い（少なくとも，検察官が主張する程度よりははるかに低い）と判断したものと認められる。

　したがって，本件においては，関係各証拠により認められる程度の結果予見可能性を前提として，なお被告人に結果回避義務違反が認められるかどうかが，過失責任の成否を決定することになると考えられる。」

　「医薬品は，人体にとって本来異物であり，治療上の効能，効果とともに何らかの有害な副作用の生ずることを避け難いものであるが，治療上の効能，効果と副作用の両者を考慮した上で，その有用性が肯定される場合にはその使用が認められる。したがって，こうした医薬品を処方する医療行為についても，一般的に医薬品の副作用などの危険性が伴うことは当然であるが，その点を考

慮してもなお，治療上の効能，効果が優ると認められるときは，適切な医療行為として成り立ち得ると考えられる。このような場合，仮に当該医療行為によって悪しき結果が発生し，かつ，その結果が発生することの予見可能性自体は肯定されるとしても，直ちに刑法上の過失責任が課せられるものではない。医療行為の刑事責任を検討するに当たっては，この種の利益衡量が必要となることは否定し得ないものと考えられるところであり，本件における検察官の主張も，このような利益衡量を当然の前提にしているものと解される。したがって，本件においては，まずもって，外国由来の非加熱製剤を投与することに伴う『治療上の効能，効果』と『エイズの危険性』との比較衡量が問題となる。また，本件公訴事実において，検察官は，『生命に対する切迫した危険がないものについては HIV 感染の危険がないクリオ製剤による治療等で対処することが可能であった』から，そのような出血に対しては外国由来の非加熱製剤を投与すべきではなかったと主張している。したがって，本件においては，『外国由来の非加熱製剤の投与』と『クリオ製剤による治療等』との比較衡量も問題となる。すなわち，想定される各医療行為の取捨選択の適否に関しても，当該時点における医学的知見に基づいて考えられるそれぞれの治療方針のプラス面とマイナス面を考慮し，各医療行為を比較衡量して判断する必要があるものということができる。こうした医療に対する基本的な考え方は，本件訴訟において証言した医師ら及びその供述調書が提出された医師らに共通してみられるところでもあった（D 証言 472〜474 丁等）。すなわち，外国由来の非加熱製剤の投与が刑法上の過失と評価されるかどうかの判断の基本的な枠組は，当該投与と，それを中止してクリオ製剤その他の代替治療に変更すること，あるいは治療をしないことを含めたその他の方法で対処することとの，それぞれのプラス面とマイナス面を総合考慮して評価されるべきものであり，前記第 7 で詳述したエイズの危険性はもとより重要な考慮要素の一つではあるが，血友病における補充療法の必要性や，それぞれの補充療法の治療上の効果など，その他のプラス面・マイナス面に関係する諸要素と併せて総合考慮されるべきものであると考えられる。そして，こうした医療行為の選択の判断を評価するには，通常の医師であれば誰もがこう考えるであろうという判断を違えた場合などは，その誤りが法律上も指弾されることになるであろうが，利益衡量が微妙であっていずれの選択も誤りとはいえないというケースが存在すること（医療行為の

裁量性）も，また否定できないと考えられる。」

「思うに，刑法上の過失の要件として注意義務の内容を検討する場合には，一般通常人の注意能力を基準にしてこれを検討すべきことは，動かし得ないというべきである。そして，ここでいう『一般通常人』とは，問題となる注意義務を負担すべき行為者の属性（医師という職業やその専門分野等）によって類型化されるものであると考えられる。本件で審判の対象となっているのは，公訴事実自体及び前記第4（業務上過失致死罪の前提となる被告人の立場）で検討したところから明らかなとおり，A大学病院という一私立大学の附属病院において，第1内科長及び同内科血液研究室主宰者の立場にあったとされる被告人の行為である。したがって，本件においては，このような行為者の属性を類型化した『通常の血友病専門医』の注意能力が基準になるものと考えられる。なお，ここでいう『血友病専門医』は，前記7・3・8や8・5等でみてきた医師らが含まれるグループであり，大学病院や専門性の高い医療施設に所属して専門医としての立場から血友病の診療等を行うほか，その専門分野については自ら先端的研究を行って，医学雑誌に論文を発表するような医師であって，一般開業医を始めとする内科あるいは小児科の単なる臨床医よりも専門性が高いと考えられる医師の類型である。

　本件で問題となっているのは，前記8・1のような特徴を有する医療行為の選択の判断であることに照らせば，本件において刑事責任が認められるのは，通常の血友病専門医が本件当時の被告人の立場に置かれれば，およそそのような判断はしないはずであるのに，利益に比して危険の大きい医療行為を選択してしまったような場合であると考えられる。そして，通常の血友病専門医が本件当時の被告人の立場に置かれた場合の行動については，そのような能力を有するものが当該事情の下において合理性のある行動をとることを想定し，規範的な考察を加えて，認定判断すべきものと思料される。

　ところで，本件公訴事実において検察官が主張する『血友病患者の出血が生命に対する切迫した危険がないものであるときは外国由来の非加熱製剤の投与を控える』という診療方針を，本件当時の被告人が採っていなかったことは明らかであるが，他方において，我が国のほとんどの血友病専門医もまた，そのような診療方針を採用していなかったこと，さらに，本件各投与行為の対象となった本件被害者の出血，すなわち成人の重症血友病A患者の関節内出血に

⇒ *233*

関しては，本件当時，我が国のほとんどの血友病専門医が，それが外国由来であるかどうかを問わず，非加熱第Ⅷ因子製剤を投与していたことは，前記8・5で認定したところに照らして明らかである。

　したがって，本件においては，このような事情にもかかわらず，本件当時の被告人の立場に置かれたならば，通常の血友病専門医が外国由来の非加熱製剤を投与しなかったであろうと考えられるような根拠があるのかどうかが問われざるを得ないと考えられる。」

　「まず，本件における結果予見可能性の点についてみると，ギャロ博士，モンタニエ博士らのウイルス学的研究等により，本件当時，エイズの解明は，目覚ましく進展しつつあった。しかし，両博士を含む世界の研究者がそのころ公にしていた見解等に照らせば，本件当時，HIV の性質やその抗体陽性の意味については，なお不明の点が多々存在していたものであって，検察官が主張するほど明確な認識が浸透していたとはいえない。エイズや HIV に関する知見が確立されるまでには種々の曲折が存在したものであって，この間の事情を無視して，現時点において正しいとされている知見の発表経過のみを追って本件当時のあるべき認識を決定したり，また，そうした知見が最初に発表された時点でそれが事実として明らかになったなどと断定したりするのは相当でない。A 大学病院には，ギャロ博士の抗体検査結果やエイズが疑われる 2 症例など同病院に固有の情報が存在したが，これらを考慮しても，本件当時，被告人において，抗体陽性者の『多く』がエイズを発症すると予見し得たとは認められないし，非加熱製剤の投与が患者を『高い』確率で HIV に感染させるものであったという事実も認め難い。検察官の主張に沿う証拠は，本件当時から 10 数年を経過した後に得られてた関係者の供述が多いが，本件当時における供述者自身の発言や記述と対比すると看過し難い矛盾があり，あるいは供述者自身に対する責任追及を緩和するため検察官に迎合したのではないかとの疑いを払拭し難いなどの問題があり，信用性に欠ける点がある。被告人には，エイズによる血友病患者の死亡という結果発生の予見可能性はあったが，その程度は低いものであったと認められる。このような予見可能性の程度を前提として，被告人に結果回避義務違反があったと評価されるか否かが本件の帰趨を決することになる。

　次に，結果回避義務違反の点についてみると，本件においては，非加熱製剤

を投与することによる『治療上の効能，効果』と予見することが可能であった『エイズの危険性』との比較衡量，さらには『非加熱製剤の投与』という医療行為と『クリオ製剤による治療等』という他の選択肢との比較衡量が問題となる。刑事責任を問われるのは，通常の血友病専門医が本件当時の被告人の立場に置かれれば，およそそのような判断はしないはずであるのに，利益に比して危険の大きい医療行為を選択してしまったような場合であると考えられる。他方，利益衡量が微妙であっていずれの選択も誤りとはいえないというケースが存在することも，否定できない。非加熱製剤は，クリオ製剤と比較すると，止血効果に優れ，夾雑タンパク等による副作用が少なく，自己注射療法に適する等の長所があり，同療法の普及とあいまって，血友病患者の出血の後遺症を防止し，その生活を飛躍的に向上させるものと評価されていた。これに対し，非加熱製剤に代えてクリオ製剤を用いるときなどには，血友病の治療に少なからぬ支障を生ずる等の問題があった。加えて，クリオ製剤は，その入手についても困難な点があり，また，止血を求めて病院を受診した血友病患者について補充療法を行わないことは，血友病治療の観点から現実的な選択肢とは想定されなかった。このため，本件当時，我が国の大多数の血友病専門医は，各種の事情を比較衡量した結果として，血友病患者の通常の出血に対し非加熱製剤を投与していた。この治療方針は，Ａ大学病院に固有の情報が広く知られるようになり，エイズの危険性に関する情報が共有化された後も，加熱製剤の承認供給に至るまで，基本的に変わることがなかった。もとより，通常の血友病専門医が本件当時の被告人の立場に置かれた場合にとったと想定される行動については，規範的な考察を加えて認定判断されるべきものであり，他の血友病専門医がとった実際の行動をもって，直ちにこれに置き換えることはできないが，それにしても，大多数の血友病専門医にかかる以上のような実情は，当時の様々な状況を反映したものとして，軽視し得ない重みを持っていることも否定できない。以上のような諸般の事情に照らせば，被告人の本件行為をもって，『通常の血友病専門医が本件当時の被告人の立場に置かれれば，およそ非加熱製剤の投与を継続することは考えないはずであるのに，利益に比して危険の大きい治療行為を選択してしまったもの』であると認めることはできないといわざるを得ない。被告人が非加熱製剤の投与を原則的に中止しなかったことに結果回避義務違反があったと評価することはできない。

⇒ *234*

したがって，被告人に公訴事実記載のような業務上過失致死罪の刑事責任があったものとは認められない。」

234 薬害エイズ（厚生省）事件

最決平成 20 年 3 月 3 日刑集 62 巻 4 号 567 頁／判時 2004・158，判タ 1268・127

（百選Ⅰ56，重判平 20 刑 1）

【決定理由】「所論にかんがみ，業務上過失致死罪の成否について，職権で判断する。

1　本件の事実関係

原判決及びその是認する第 1 審判決の認定によると，本件の事実関係は次のとおりである。

(1)　被告人の地位

被告人は，昭和 59 年 7 月 16 日から昭和 61 年 6 月 29 日までの間，公衆衛生の向上及び増進を図ることなどを任務とする厚生省の薬務局生物製剤課長として，同課所管に係る生物学的製剤の製造業・輸入販売業の許可，製造・輸入の承認，検定及び検査等に関する事務全般を統括していた者であり，血液製剤等の生物学的製剤の安全性を確保し，その使用に伴う公衆に対する危害の発生を未然に防止すべき立場にあった。

(2)　薬務行政に関する法令上の規定

厚生省薬務局における医薬品等に関する行政事務の遂行は，薬務行政と称され，その基本法として薬事法が存在していた。同法については，サリドマイド事件，スモン事件等のいわゆる薬害事件の発生を教訓として，昭和 54 年 10 月 1 日に公布された薬事法の一部を改正する法律（昭和 54 年法律第 56 号）により，医薬品の使用による被害発生を未然に防止するとの観点からの改正が行われた。同改正後の薬事法（被告人が生物製剤課長に在任していた当時のもの。以下同じ。）には，医薬品の品質，有効性及び安全性を確保するための諸規定が置かれ，厚生大臣には，同法 74 条の 2 第 1 項の承認取消し等を前提とする同法 70 条の回収命令の権限，同法 69 条の 2 の緊急命令の権限等が与えられていた。

(3)　血友病及び血友病治療用製剤

血友病は，人体の血液凝固因子のうち第 8 因子又は第 9 因子の先天的欠乏又は活性の低下のため，出血が止まりにくい症状を呈する遺伝性疾患であり，第 8 因子の先天的欠乏等によるものを血友病 A，第 9 因子の先天的欠乏等によるものを血友病 B という。血友病には根治療法は存在せず，患者に対しその欠乏する血液凝固因子を補充するいわゆる補充療法が行われるところ，その治療用血液製剤として，血液中の血液凝固第 8 因子又は同第 9 因子を抽出精製した濃縮血液凝固因子製剤が開発され，血友病 A 患者については濃縮血液凝固第 8 因子製剤（以下「第 8 因子製剤」という。）が，血友病 B 患

者については濃縮血液凝固第9因子製剤（以下「第9因子製剤」という。）がそれぞれ使用されるようになり，我が国の医療施設でも，かねてより厚生大臣の承認を受けて製造又は輸入された米国等の外国での採取に係る人血液の血しょうを原料とする外国由来の非加熱第8因子製剤及び非加熱第9因子製剤が，血友病患者に投与されていた。また，非加熱第9因子製剤は，その承認事項である『効能又は効果』が『血液凝固第9因子欠乏症』などとされ，先天性のみならず，後天性の欠乏症にも適応があるとされており，特に，肝機能障害患者については，肝臓で産生される血液凝固因子が減少して出血しやすいことから，手術等に際して同製剤を投与することが広く行われていた。

(4) 被害者の死亡

Q株式会社（以下Qという。）は，米国から輸入した血しょうと国内血しょうとの混合血しょうを原料とした非加熱第9因子製剤であるクリスマシンを製造販売していたものであるが，昭和61年1月13日から同年2月10日までの間，商事会社に対して，上記クリスマシン合計160本を販売し，同商事会社は，同年3月27日及び同月29日，A病院に対し，これらのうち合計7本を販売した。同病院医師は，同年4月1日から同月3日までの間，同病院において，肝機能障害に伴う食道静脈りゅうの硬化術を受けた患者（以下「被害者」という。）に対し，そのうちの合計3本（合計1200単位）を投与して，そのころ，被害者をヒト免疫不全ウイルス（以下「HIV」という。）に感染させ，その結果，被害者は，平成5年9月ころまでに後天性免疫不全症候群（以下「エイズ」という。）の症状である抗酸菌感染症等を発症して，平成7年12月，同病院において死亡した。

(5) 結果予見可能性及び結果回避可能性に関する事実

ア　昭和57年に米国において予後不良の新たな疾患として定義されたエイズの患者が同国において増加の一途をたどり，血友病患者におけるエイズ発症例も増加するとともに，その後のエイズの本態に関するウイルス学的研究等の進展により，エイズが血液等を媒介とするHIVの感染による疾病であり，血友病患者のエイズり患の原因が従来の血液製剤の投与にあると考えられることなどの知見が医学界に広く受け入れられるようになった。そして，我が国においても，血友病患者中のHIV感染者の割合が相当の高率に及んでいることが知られるようになるとともに，昭和60年3月21日にはB病院の血友病患者からエイズ患者2名が発生した等の新聞報道がされ，厚生省保健医療局感染症対策課が運営するAIDS調査検討委員会においても，昭和60年5月30日には血友病患者3名（うち2名はB病院の上記患者）が，同年7月10日には血友病患者2名が，それぞれエイズ患者と認定され，うち4名は既に死亡しているという事態が生じていた。

イ　米国立衛生研究所及び米国防疫センターと国連世界保健機関（WHO）とが共同で企画したエイズに関する国際研究会議が，昭和60年4月15日から同月17日まで米

国ジョージア州アトランタ市で開催され，日本からは厚生省 AIDS 調査検討委員会会長 C 医師，同省エイズ診断基準小委員会委員長 D 医師，国立予防衛生研究所外来性ウイルス室長 E 医師が出席した。そして，同会議直後の同月 19 日，WHO は，加盟各国に対し，血友病患者に使用する血液凝固因子製剤に関しては，加熱その他，ウイルスを殺す処置の施された製剤を使用するよう勧告し，同勧告を紹介した上記 E 医師執筆に係る報告記事が，『日本医事新報』誌同年 6 月 8 日号に掲載された。また，同年 11 月，当時の厚生省薬務局長は，国会答弁で繰り返し『加熱第 9 因子製剤についても大急ぎで優先審査していること，年内には承認に至ること，そうなれば血友病患者に使用する血液凝固因子製剤はまず安全であること』等の認識にあることを表明していた。さらに，同年 12 月 19 日の中央薬事審議会血液製剤特別部会血液製剤調査会（第 8 回）において，委員の間から，『加熱製剤が承認されたときには，非加熱製剤は使用させないよう厚生省は指導すべきである』旨の意見が出されて，座長の要望により，調査会議事録にその旨の記載がされ，同月 26 日の血液製剤特別部会（第 4 回）においても，委員から同旨の意見が出され，厚生省の係官によって，議事録には『血液凝固因子については，加熱処理製剤を優先的に審査し，承認していることから，非加熱製剤は承認整理等を速やかに行うべきであり，また非加熱製剤のみの承認しかない業者には早急に加熱処理製剤を開発するよう指導するべきである』旨の意見としてまとめられ，被告人にも，各議事録は供覧されていた。

　ウ　被告人は，昭和 60 年 3 月下旬ないし同年 4 月初めころ，生物製剤課長として，HIV 不活化効果が報告され，当時臨床試験が行われていた加熱第 8 因子製剤の早期承認を図る方針を示し，その結果，同年 7 月には製薬会社 5 社の加熱第 8 因子製剤が承認された。さらに，被告人が，同月，生物製剤課長として，加熱第 9 因子製剤についても，その承認を急ぐ方針を示した結果，同年 12 月，R 株式会社（以下 R という。）及び Q の加熱第 9 因子製剤が輸入承認され，昭和 61 年 1 月までにはこの 2 社による同製剤の販売が開始された。加えて，その当時，非加熱第 9 因子製剤中には，HIV が混入していないとされていた我が国の国内で採取された血しょうのみを原料とするもの及び HIV 不活化効果が報告されていたエタノール処理がなされたものが存在していた（以下，加熱第 9 因子製剤及びこれら非加熱第 9 因子製剤の 3 者を総称して「本件加熱製剤等」といい，それ以外の非加熱第 9 因子製剤を「本件非加熱製剤」という。）。したがって，加熱第 9 因子製剤の供給が開始されるようになってからは，血液凝固第 9 因子の補充のためには本件加熱製剤等の投与で対処することが，我が国全体の供給量の面からも可能になっており，また，R 及び Q においても，それぞれ従前の非加熱第 9 因子製剤の販売量を上回る量の加熱第 9 因子製剤の供給が可能であった。しかも，肝機能障害患者等に対する止血のためには，第 9 因子製剤の投与以外の手段による治療で対処することも可能であった。

2 第1審判決及び原判決が認定した被告人の過失

前記1(5)ア，イのような事情によれば，被告人は，昭和60年末ころまでには，我が国医療施設で使用されてきた本件非加熱製剤の投与を今後もなお継続させることによって，その投与を受けるHIV未感染の患者をしてHIVに感染させた上，エイズを発症させて死亡させるおそれがあることを予見することができ，同ウのような事情は，被告人も現に認識していたか又は容易に認識することが可能なものであった。したがって，被告人には，R及びQの2社の加熱第9因子製剤の供給が可能となった時点において，自ら立案し必要があれば厚生省内の関係部局等と協議を遂げその権限行使を促すなどして，上記2社をして，非加熱第9因子製剤の販売を直ちに中止させるとともに，自社の加熱第9因子製剤と置き換える形で出庫済みの未使用非加熱第9因子製剤を可及的速やかに回収させ，さらに，第9因子製剤を使用しようとする医師をして，本件非加熱製剤の不要不急の投与を控えさせる措置を講ずることにより，本件非加熱製剤の投与によるHIV感染及びこれに起因するエイズ発症・死亡を極力防止すべき業務上の注意義務があった。しかるに，被告人は，この義務を怠り，本件非加熱製剤の取扱いを製薬会社等に任せてその販売・投与等を漫然放任した過失により，前記1(4)のとおり被害者を死亡させた。

3 当裁判所の判断

所論は，要旨，行政指導は，その性質上，任意の措置を促す事実上の措置であって，公務員がこれを義務付けられるものではないこと，薬品による被害の発生の防止は，第一次的にはこれを販売する製薬会社や処方する医師の責任であり，厚生省は，第二次的，後見的な立場にあるものであって，その権限の発動は，法律に定める要件に従って行わなければならず，また，民事的な国の損害賠償責任ではなく，公務員個人の刑事責任を問うためには，法律上の監督権限の発動が許容される場合であるなど，強度の作為義務が認められることが必要なところ，本件においては，そのような要件が充足されていないこと，本件において発動すべき薬事法上の監督権限の行使は生物製剤課の所管に属するものではないことなどを挙げて，被告人には，刑事法上の過失を認めるべき作為義務が存在しないと主張する。

確かに，行政指導自体は任意の措置を促す事実上の措置であって，これを行うことが法的に義務付けられるとはいえず，また，薬害発生の防止は，第一次的には製薬会社や医師の責任であり，国の監督権限は，第二次的，後見的なものであって，その発動については，公権力による介入であることから種々の要素を考慮して行う必要があることなどからすれば，これらの措置に関する不作

為が公務員の服務上の責任や国の賠償責任を生じさせる場合があるとしても，これを超えて公務員に個人としての刑事法上の責任を直ちに生じさせるものではないというべきである。

　しかしながら，前記事実関係によれば，本件非加熱製剤は，当時広範に使用されていたところ，同製剤中には HIV に汚染されていたものが相当量含まれており，医学的には未解明の部分があったとしても，これを使用した場合，HIV に感染してエイズを発症する者が現に出現し，かつ，いったんエイズを発症すると，有効な治療の方法がなく，多数の者が高度のがい然性をもって死に至ること自体はほぼ必然的なものとして予測されたこと，当時は同製剤の危険性についての認識が関係者に必ずしも共有されていたとはいえず，かつ，医師及び患者が同製剤を使用する場合，これが HIV に汚染されたものかどうか見分けることも不可能であって，医師や患者において HIV 感染の結果を回避することは期待できなかったこと，同製剤は，国によって承認が与えられていたものであるところ，その危険性にかんがみれば，本来その販売，使用が中止され，又は，少なくとも，医療上やむを得ない場合以外は，使用が控えられるべきものであるにもかかわらず，国が明確な方針を示さなければ，引き続き，安易な，あるいはこれに乗じた販売や使用が行われるおそれがあり，それまでの経緯に照らしても，その取扱いを製薬会社等にゆだねれば，そのおそれが現実化する具体的な危険が存在していたことなどが認められる。

　このような状況の下では，薬品による危害発生を防止するため，薬事法69条の2の緊急命令など，厚生大臣が薬事法上付与された各種の強制的な監督権限を行使することが許容される前提となるべき重大な危険の存在が認められ，薬務行政上，その防止のために必要かつ十分な措置を採るべき具体的義務が生じたといえるのみならず，刑事法上も，本件非加熱製剤の製造，使用や安全確保に係る薬務行政を担当する者には，社会生活上，薬品による危害発生の防止の業務に従事する者としての注意義務が生じたものというべきである。

　そして，防止措置の中には，必ずしも法律上の強制監督措置だけではなく，任意の措置を促すことで防止の目的を達成することが合理的に期待できるときは，これを行政指導というかどうかはともかく，そのような措置も含まれるというべきであり，本件においては，厚生大臣が監督権限を有する製薬会社等に対する措置であることからすれば，そのような措置も防止措置として合理性を

有するものと認められる。

　被告人は，エイズとの関連が問題となった本件非加熱製剤が，被告人が課長である生物製剤課の所管に係る血液製剤であることから，厚生省における同製剤に係るエイズ対策に関して中心的な立場にあったものであり，厚生大臣を補佐して，薬品による危害の防止という薬務行政を一体的に遂行すべき立場にあったのであるから，被告人には，必要に応じて他の部局等と協議して所要の措置を採ることを促すことを含め，薬務行政上必要かつ十分な対応を図るべき義務があったことも明らかであり，かつ，原判断指摘のような措置を採ることを不可能又は困難とするような重大な法律上又は事実上の支障も認められないのであって，本件被害者の死亡について専ら被告人の責任に帰すべきものでないことはもとよりとしても，被告人においてその責任を免れるものではない。

　以上と同旨の原判断は，正当なものとして是認できる。」

235　埼玉医科大事件

最決平成 17 年 11 月 15 日刑集 59 巻 9 号 1558 頁／判時 1916・154，判タ 1197・127
（百選 I 55，重判平 17 刑 3）

【決定理由】　「1　原判決の認定及び記録によると，本件の経過は，次のとおりである。
　(1)　被告人は，S 医科大学総合医療センター（以下「本センター」という。）の耳鼻咽喉科科長兼教授であり，同科の医療行為全般を統括し，同科の医師を指導監督して，診察，治療，手術等に従事させるとともに，自らも診察，治療，手術等の業務に従事していた。原審相被告人 A（以下「A」という。）は，本件当時，医師免許を取得して 9 年目の医師であり，S 医科大学助手の地位にあって，被告人の指導監督の下に，耳鼻咽喉科における医療チームのリーダー（指導医）として，同チームに属する医師を指導監督して，診察，治療，手術等に従事させるとともに，自らも診察，治療，手術等の業務に従事していた。第 1 審相被告人 B（以下「B」という。）は，本件当時，医師免許を取得して 5 年目の医師であり，本センター病院助手の地位にあって，被告人及び A の指導監督の下に，耳鼻咽喉科における診察，治療，手術等の業務に従事していた。
　(2)　本センターの耳鼻咽喉科における診療は，日本耳鼻咽喉科学会が実施する耳鼻咽喉科専門医の試験に合格した医師を指導医として，主治医，研修医各 1 名の 3 名がチームを組んで当たるという態勢が採られていた。その職制上，指導医の指導の下に主治医が中心となって治療方針を立案し，指導医がこれを了承した後，科の治療方針等の最終的決定権を有する科長に報告をし，その承諾を得ることが必要とされていた。難しい症例，まれな症例，重篤な症例等では，チームで治療方針を検討した結果を医局会議（カンファレンス）にかけて討議し，科長が最終的な判断を下していた。なお，耳鼻咽喉科

では，原則として毎週木曜日，被告人による入院患者の回診（教授回診）が行われ，それに引き続いて医局でカンファレンスが開かれていた。

(3) Xは，平成12年8月23日（以下，単に月日のみを記す場合は，いずれも平成12年中のことである。），本センターで，Bの執刀により，右顎下部腫瘍の摘出手術を受け，術後の病理組織検査により，上記腫瘍は滑膜肉腫であり，再発の危険性はかなりあるという検査結果が出た。滑膜肉腫は，四肢大関節近傍に好発する悪性軟部腫瘍であり，頭頸部領域に発生することはまれで，予後不良の傾向が高く，多くは肺に転移して死に至る難病であり，確立された治療方法はなかった。9月7日，上記検査結果がカンファレンスで報告されたが，同科には，被告人を始めとして滑膜肉腫の臨床経験のある医師はいなかった。Xの治療には，前記専門医の試験に合格しているAを指導医に，Bを主治医とし，これに研修医が加わった3名が当たることになった。

(4) その後，Xは，9月25日から再入院することとなった。9月18日か19日ころ，Bは，同科病院助手のC医師から，VAC療法が良いと言われ，同療法を実施すればよいものと考えた。VAC療法とは，横紋筋肉腫に対する効果的な化学療法と認められているもので，硫酸ビンクリスチン，アクチノマイシンD，シクロフォスファミドの3剤を投与するものである。硫酸ビンクリスチンの用法・用量，副作用，その他の特記事項は，同薬剤の添付文書に記載されているとおりであり，用法・用量として通常，成人については0.02～0.05 mg/kgを週1回静脈注射する，ただし，副作用を避けるため，1回量2 mgを超えないものとするとされており，重要な基本的事項として骨髄機能抑制等の重篤な副作用が起こることがあるので，頻回に臨床検査（血液検査，肝機能・腎機能検査等）を行うなど，患者の状態を十分に観察すること，異常が認められた場合には，減量，休薬等の適切な処置を行うこととされ，本剤の過量投与により，重篤又は致死的な結果をもたらすとの報告があるとされていた。また，各種の文献においても，その用法・用量について，最大量2 mgを週1回，ないしはそれ以上の間隔をおいて投与するものとされ，硫酸ビンクリスチンの過剰投与によって致死的な結果が生じた旨の医療過誤報告が少なからずなされていた。

(5) 9月18日か19日ころ，Bは，本センターの図書館で文献を調べ，整形外科の軟部腫瘍等に関する文献中にVAC療法のプロトコール（薬剤投与計画書）を見付けたが，そこに記載された『week』の文字を見落とし，同プロトコールが週単位で記載されているのを日単位と間違え，同プロトコールは硫酸ビンクリスチン2 mgを12日間連日投与することを示しているものと誤解した。そのころ，Bは，Aに対し，上記プロトコールの写しを渡し，自ら誤解したところに基づき，硫酸ビンクリスチン2 mgを12日間連日投与するなどの治療計画を説明して，その了承を求めたが，AもVAC療法についての文献や同療法に用いられる薬剤の添付文書を読まなかった上，上記プロトコールが週単位で記載されているのを見落とし，Bの上記治療計画を了承した。さらに，9

月20日ころ，Bは，被告人に，Xに対してVAC療法を行いたい旨報告し，被告人は
これを了承した。被告人は，その際，Bに対し，VAC療法の具体的内容やその注意点
などについては説明を求めず，投与薬剤の副作用の知識や対応方法についても確認しな
かった。

(6) 9月26日，Bは，医師注射指示伝票を作成するなどして，Xに硫酸ビンクリス
チン2mgを9月27日から10月8日まで12日間連日投与するよう指示するなどし，9
月27日からXへの硫酸ビンクリスチン2mgの連日投与が開始された。同日，
Bは，看護師から硫酸ビンクリスチン等の使用薬剤の医薬品添付文書の写しを受け取っ
たが，Xの診療録（カルテ）につづっただけで，読むこともなかった。9月28日のカ
ンファレンスにおいても，BはXにVAC療法を行っている旨報告したのみで，具体
的な治療計画は示さなかったが，被告人はそのままこれを了承した。

(7) 9月27日から10月3日までの7日間，Xに硫酸ビンクリスチン2mgが連日投
与され，10月1日には，歩行時にふらつき等の症状が生じ，10月2日には，起き上が
れない，全身けん怠感，関節痛，手指のしびれ，口腔内痛，咽頭痛，摂食不良，顔色不
良等が見られ，体温は38.2度であり，10月3日には，強度のけん怠感，手のしびれ，
トイレは車椅子で誘導，口内の荒れ，咽頭痛，前頸部に点状出血などが認められ，血液
検査の結果，血小板が急激かつ大幅に減少していることが判明した。そこで，同日，B
の判断により，血小板が輸血され，硫酸ビンクリスチンの投与は一時中止された。

(8) 被告人は，9月28日の教授回診の際，Xを診察し，10月初め（10月2，3日こ
ろと認められる。），病棟内でXが車いすに乗っているのを見かけ，抗がん剤の副作用
で身体が弱ってきたと思い，10月4日にはXの様子を見て重篤な状態に陥っているこ
とを知ったが，硫酸ビンクリスチンの過剰投与やその危険性には思い至らず，Bらに対
し何らの指示も行わなかった。

(9) 10月6日夕方，A，B，C医師が，Bが参考にしたプロトコールを再検討した結
果，週単位を日単位と間違えて硫酸ビンクリスチンを過剰に投与していたことが判明し
た。Xは，10月7日午後1時35分，硫酸ビンクリスチンの過剰投与による多臓器不全
により死亡した。

(10) 症例として18歳の女性に誤って5日間連続して1日2mgのビンクリスチンを
投与したものの生存した例があり，本センター救命救急センター教授Dは，10月1日
の5倍投与の段階であれば，応援要請があれば救命の自信があり，10月4日までなら
実際に治療してみないと分からないと供述している。

2　第1審判決及び原判決が認定した過失は，次のとおりである。

第1審判決は，Bに対し，誤った抗がん剤の投与計画を立てて連日硫酸ビンクリスチ
ンを投与した過失及び高度の副作用が出ていたのに適切な対応をとらなかった過失，A
及び被告人に対し，①誤った投与計画を漫然と承認し過剰投与させた過失，②副作用に

対する対応についてBを事前に適切に指導しなかった過失をそれぞれ認定した。これに対し、被告人と検察官が各控訴を申し立て、原判決は、A及び被告人の①の各過失については、第1審判決の認定を是認したが、第1審判決が、副作用への対応に関し、訴因に記載されていた副作用への対処義務を認めず、②の指導上の過失のみを認めたことには、事実の誤認があるとして破棄・自判し、被告人に対する犯罪事実として、次のとおりの業務上の注意義務及び過失を認定した。

(1) 科長であり、患者に対する治療方針等の最終的な決定権者である被告人としては、Bの治療計画の適否を具体的に検討し、誤りがあれば直ちにこれを是正すべき注意義務を負っていた。ところが、9月20日ころ、Bから前記化学療法計画について承認を求められた際、その策定の経緯、検討内容（副作用に関するものを含む。）の確認を怠り、前記化学療法を実施することのみの報告を受けて、具体的な薬剤投与計画を確認しなかったため、それが硫酸ビンクリスチン1日2mgを12日間連日投与するという誤ったものであることを見逃してこれを承認し、以後、Bらをして、前記薬剤の投与間隔の誤った化学療法計画に基づいて、硫酸ビンクリスチンを連日Xの体内に静脈注射させて過剰投与させた。

(2) 前記化学療法を実施した際には、Xに対する治療状況、副作用の発現状況等を的確に把握し、高度な副作用が発現した場合には、速やかに適切な対症療法を施して、Xの死傷等重大な結果の発生を未然に防止しなければならない注意義務があったのに、これを怠り、9月28日に実施された科長回診の際に同女のカルテ内容の確認を怠るなどした。

3 そこで、被告人の過失について検討する。

(1) 2(1)の過失について

右顎下の滑膜肉腫は、耳鼻咽喉科領域では極めてまれな症例であり、本センターの耳鼻咽喉科においては過去に臨床実績がなく、同科に所属する医局員はもとより被告人ですら同症例を扱った経験がなかった。また、Bが選択したVAC療法についても、B、Aはもちろん、被告人も実施した経験がなかった。しかも、VAC療法に用いる硫酸ビンクリスチンには強力な細胞毒性及び神経毒性があり、使用法を誤れば重篤な副作用が発現し、重大な結果が生ずる可能性があり、現に過剰投与による死亡例も報告されていたが、被告人を始めBらは、このようなことについての十分な知識はなかった。さらに、Bは、医師として研修医の期間を含めて4年余りの経験しかなく、被告人は、本センターの耳鼻咽喉科に勤務する医師の水準から見て、平素から同人らに対して過誤防止のため適切に指導監督する必要を感じていたものである。このような事情の

下では，被告人は，主治医のBや指導医のAらが抗がん剤の投与計画の立案を誤り，その結果として抗がん剤が過剰投与されるに至る事態は予見し得たものと認められる。そうすると，被告人としては，自らも臨床例，文献，医薬品添付文書等を調査検討するなどし，VAC療法の適否とその用法・用量・副作用などについて把握した上で，抗がん剤の投与計画案の内容についても踏み込んで具体的に検討し，これに誤りがあれば是正すべき注意義務があったというべきである。しかも，被告人は，BからVAC療法の採用について承認を求められた9月20日ころから，抗がん剤の投与開始の翌日でカンファレンスが開催された9月28日ころまでの間に，Bから投与計画の詳細を報告させるなどして，投与計画の具体的内容を把握して上記注意義務を尽くすことは容易であったのである。ところが，被告人は，これを怠り，投与計画の具体的内容を把握しその当否を検討することなく，VAC療法の選択の点のみに承認を与え，誤った投与計画を是正しなかった過失があるといわざるを得ない。したがって，これと同旨の原判断は正当である。

(2)　2(2)の過失について

　抗がん剤の投与計画が適正であっても，治療の実施過程で抗がん剤の使用量・方法を誤り，あるいは重篤な副作用が発現するなどして死傷の結果が生ずることも想定されるところ，被告人はもとよりB，Aらチームに所属する医師らにVAC療法の経験がなく，副作用の発現及びその対応に関する十分な知識もなかったなどの前記事情の下では，被告人としては，Bらが副作用の発現の把握及び対応を誤ることにより，副作用に伴う死傷の結果を生じさせる事態をも予見し得たと認められる。そうすると，少なくとも，被告人には，VAC療法の実施に当たり，自らもその副作用と対応方法について調査研究した上で，Bらの硫酸ビンクリスチンの副作用に関する知識を確かめ，副作用に的確に対応できるように事前に指導するとともに，懸念される副作用が発現した場合には直ちに被告人に報告するよう具体的に指示すべき注意義務があったというべきである。被告人は，上記注意義務を尽くせば，遅くとも，硫酸ビンクリスチンの5倍投与（10月1日）の段階で強い副作用の発現を把握して対応措置を施すことにより，Xを救命し得たはずのものである。被告人には，上記注意義務を怠った過失も認められる。

　原判決が判示する副作用への対応についての注意義務が，被告人に対して主

⇒ *236*

治医と全く同一の立場で副作用の発現状況等を把握すべきであるとの趣旨であるとすれば過大な注意義務を課したものといわざるを得ないが，原判決の判示内容からは，上記の事前指導を含む注意義務，すなわち，主治医らに対し副作用への対応について事前に指導を行うとともに，自らも主治医等からの報告を受けるなどして副作用の発現等を的確に把握し，結果の発生を未然に防止すべき注意義務があるという趣旨のものとして判示したものと理解することができるから，原判決はその限りにおいて正当として是認することができる。」

236 明石歩道橋事故事件

最決平成 22 年 5 月 31 日刑集 64 巻 4 号 447 頁／判時 2083・159，判タ 1327・80
(重判平 22 刑 1)

【事案】　平成 13 年 7 月 20 日及び同月 21 日の 2 日間にわたって兵庫県明石市において開催された第 32 回明石市民夏まつりの 2 日目に，午後 7 時 45 分ころから午後 8 時 30 分ころまでの間大蔵海岸公園で花火大会等が実施されたが，そこに参集した多数の観客が最寄りの西日本旅客鉄道株式会社朝霧駅と大蔵海岸公園とを結ぶ通称朝霧歩道橋に集中して過密な滞留状態となり，また，花火大会終了後朝霧駅から大蔵海岸公園へ向かう参集者と同公園から朝霧駅方面へ向かう参集者とが押し合うことなどにより，強度の群衆圧力が生じ，同日午後 8 時 48 分ないし 49 分ころ，歩道橋上において，多数の参集者が折り重なって転倒するいわゆる群衆なだれが発生し，その結果，11 名が全身圧迫による呼吸窮迫症候群（圧死）等により死亡し，183 名が傷害を負うという事故が発生した。

【決定理由】　「被告人 A は，明石警察署地域官かつ本件夏まつりの現地警備本部指揮官として，現場の警察官による雑踏警備を指揮する立場にあったもの，被告人 B は，明石市との契約に基づく警備員の統括責任者として，現場の警備員による雑踏警備を統括する立場にあったものであり，本件当日，被告人両名ともに，これらの立場に基づき，本件歩道橋における雑踏事故の発生を未然に防止し，参集者の安全を確保すべき業務に従事していたものである。しかるに，原判決の判示するように，遅くとも午後 8 時ころまでには，歩道橋上の混雑状態は，明石市職員及び警備員による自主警備によっては対処し得ない段階に達していたのであり，そのころまでには，前記各事情に照らしても，被告人両名ともに，直ちに機動隊の歩道橋への出動が要請され，これによって歩道橋内への流入規制等が実現することにならなければ，午後 8 時 30 分ころに予定される花火大会終了の前後から，歩道橋内において双方向に向かう参集者の流

れがぶつかり，雑踏事故が発生することを容易に予見し得たものと認められる。そうすると，被告人Ａは，午後8時ころの時点において，直ちに，配下警察官を指揮するとともに，機動隊の出動を明石警察署長らを介し又は直接要請することにより，歩道橋内への流入規制等を実現して雑踏事故の発生を未然に防止すべき業務上の注意義務があったというべきであり，また，被告人Ｂは，午後8時ころの時点において，直ちに，明石市の担当者らに警察官の出動要請を進言し，又は自ら自主警備側を代表して警察官の出動を要請することにより，歩道橋内への流入規制等を実現して雑踏事故の発生を未然に防止すべき業務上の注意義務があったというべきである。そして，前記のとおり，歩道橋周辺における機動隊員の配置状況等からは，午後8時10分ころまでにその出動指令があったならば，本件雑踏事故は回避できたと認められるところ，被告人Ａについては，前記のとおり，自己の判断により明石警察署長らを介し又は直接要請することにより機動隊の出動を実現できたものである。また，被告人Ｂについては，原判決及び第1審判決が判示するように，明石市の担当者らに警察官の出動要請を進言でき，さらに，自らが自主警備側を代表して警察官の出動を要請することもできたのであって，明石市の担当者や被告人Ｂら自主警備側において，警察側に対して，単なる打診にとどまらず，自主警備によっては対処し得ない状態であることを理由として警察官の出動を要請した場合，警察側がこれに応じないことはなかったものと認められる。したがって，被告人両名ともに，午後8時ころの時点において，上記各義務を履行していれば，歩道橋内に機動隊による流入規制等を実現して本件事故を回避することは可能であったということができる。

　そうすると，雑踏事故はないものと軽信し，上記各注意義務を怠って結果を回避する措置を講じることなく漫然放置し，本件事故を発生させて多数の参集者に死傷の結果を生じさせた被告人両名には，いずれも業務上過失致死傷罪が成立する。これと同旨の原判断は相当である。」

237 三菱自動車ハブ脱落事件

最決平成24年2月8日刑集66巻4号200頁／判時2157・133，判タ1373・90
（重判平24刑1）

【決定理由】　「1　原判決及びその是認する第1審判決の認定並びに記録によると，本件の事実関係は次のとおりである。

(1) 被告人両名の地位，職責

三菱自動車工業株式会社（以下「三菱自工」という。）の品質保証部門は，同社内で，市場品質の対応措置に関する事項等を担当する部署であり，その具体的職務内容は，販売会社等から寄せられる所定の様式の連絡文書に記載された自社製の乗用車やトラック，バスに関する品質情報を解析した上，その不具合部位及び不具合内容等により『重要度区分』や『処理区分』等を定めて担当部門に伝達し，対策又は改善を指示するほか，不具合情報の重要度に応じて，リコール等の改善に係る措置を行うべき場合に該当するか否かの判断を行うクレーム対策会議やリコール検討会（以下，併せて「関係会議」という。）を開催し，そのとりまとめ結果をリコール等の実施の要否の最終決定権者に報告するというものであった。

被告人Ｘは，後記(4)の中国JRバス事故当時，品質保証部門の部長の地位にあり，三菱自工が製造した自動車の品質保証業務を統括する業務に従事し，同社製自動車の構造，装置又は性能が道路運送車両法上要求される技術基準である『道路運送車両の保安基準』に適合しないおそれがあるなど安全性に関わる重要な不具合が生じた場合には関係会議を主宰するなど，品質保証部門の責任者であった。

被告人Ｙは，中国JRバス事故当時，三菱自工の品質保証部門のバスのボデー・シャシーを担当するグループ長の地位にあり，被告人Ｘを補佐し，品質保証業務に従事していた。

(2) 三菱自工におけるハブの開発経緯

フロントホイールハブ（以下「ハブ」という。）は，トラック・バス等の大型車両の共用部品であり，前輪のタイヤホイール等と車軸とを結合するための部品であって，道路運送車両法41条2号にいう走行装置に該当し，同条に規定する運輸省令が定める技術基準である道路運送車両の保安基準9条1項により，『堅ろうで，安全な運行を確保できるものでなければならない。』とされていた。ハブは，自動車会社関係者や運輸事業関係者等の間では，車両使用者が当該車両を廃車にするまで破損しないという意味で，『一生もの』と呼び習わされてきており，破損することが基本的に想定されていない重要保安部品であって，車検等の点検対象項目にはされていなかった。

三菱自工では，ハブは，トラック・バスの共用部品として設計，開発，製造されていて，後記(5)の本件瀬谷事故当時においては，開発された年代順にＡ，Ｂ，Ｃ，Ｄ，Ｄ′，Ｅ，Ｆの通称を付された7種類のものがあり，いずれのハブについても，フランジ部（鍔部）に亀裂が入り，これが進展して輪切り状に破損した場合（以下「輪切り破損」という。）には，前輪タイヤがタイヤホイールやブレーキドラムごと脱落する構造になっていた。三菱自工の平成2年6月施行の社内規定には，ハブ一般につき強度耐久性の評価試験方法として実走行実働応力試験が定められていたが，同規定の施行前に開発されたＡハブからＣハブだけでなく，同規定の施行後に開発されたＤハブについても，開発

当時にこの実走行実働応力試験が実施されておらず，その強度は，客観的データに基づいて確かめられてはいなかった。

(3) ハブの輪切り破損事故の発生とその処理状況

平成4年6月21日，高知山秀急送有限会社が使用していた三菱自工製のトラックの左前輪のハブ（Bハブ）が走行中に輪切り破損し，左前輪タイヤがタイヤホイール，ブレーキドラムごと脱落するという事故（以下「山秀事故」という。）が発生した。当時，品質保証部門においてトラックのシャシーを担当するグループ長であった被告人Yが同事故を担当し，その処理についての重要度区分を最重要のS1（安全特別情報）と分類した。三菱自工では，かねてから，リコール等の正式な改善措置を回避するなどの目的で，品質保証部門の判断により，品質情報を運輸省による検査等の際に開示する『オープン情報』と秘匿する『秘匿情報』とに分け，二重管理する取扱いをしていたが，被告人Yは，山秀事故に関する事故情報を秘匿情報の扱いとした。この事故については，その後クレーム対策会議が開催され，並行してハブの強度に関する調査も行われたが，事故後1年が経過するに至り，ハブの輪切り破損の原因について結論を出さないまま同会議が終了となり，事後処理の過程で，事故車両の使用者に対する説明が求められたため，ハブの輪切り破損の原因はハブの摩耗にあり，摩耗の原因は使用者側の整備不良等にあるとする設計開発部門が唱えた一つの仮説（以下「摩耗原因説」という。）に従って社内処理がされ，リコール等の改善措置は実施されなかった。

その後も，後記(4)の中国JRバス事故に至るまでの間に，三菱自工製のトラックのハブの輪切り破損事故が14件発生した。そのうちの7件は，平成5年3月頃から三菱自工製のトラック等に装備され始めたDハブに関するものであった。これら後続事故の中には，事故後に当該ハブが廃却されているためにその摩耗量が確認できないものや，平成6年6月21日に発生した2件目のハブの輪切り破損事故事案（金八運送有限会社が使用していた三菱自工製のトラックの右前輪のハブ（Aハブ）が走行中に輪切り破損したもの。以下「金八事故」という。）のように，報告されているハブの摩耗量が『0.05〜0.10 mm』にすぎない事例もあったにもかかわらず，いずれの事故についても関係会議の開催やハブの強度に関する調査が行われないまま従前どおり摩耗原因説に従った社内処理がされ，リコール等の改善措置は実施されず，事故関連の情報も秘匿情報として取り扱われた。

(4) 中国JRバス事故の発生（16件目のハブの輪切り破損事故）とその処理状況

平成11年6月27日，広島県内の高速道路上を乗客を乗せて走行していた中国ジェイアールバス株式会社の三菱自工製バスに装備された右前輪のハブ（Dハブ）が走行中に輪切り破損して，右前輪タイヤがタイヤホイール及びブレーキドラムごと脱落し，車体が大きく右に傾き，車体の一部が路面と接触したまま，何とか運転手が制御してバスを停止させたという事故（以下「中国JRバス事故」という。）が発生した。三菱自工

は，同月 28 日頃，同事故につき，リコール等の改善措置の勧告等に関する権限を有する当時の運輸省の担当官から事故原因の調査・報告を求められた。

被告人 Y は，中国 JR バス事故を担当し，事故情報を秘匿情報とした上，重要度区分を最重要の S1 と分類し，グループ長らによる会議を開催して対応を検討するなどした。被告人 Y は，過去に山秀事故及び金八事故を自ら担当し，その詳細を承知していたほか，三菱自工製トラックにつき，その後もハブの輪切り破損事故が続発していたことについても，同会議の際に報告を受け，認識していた。しかし，同被告人は，中国 JR バス事故も発生原因につき突き詰めた調査を行わずに摩耗原因説に従った処理をすることとし，関係会議の開催などの進言を被告人 X に対して行うなどはせず，さらに，同年 9 月中旬頃，他に同種不具合の発生はなく多発性はないので処置は不要と判断するなどという内容を盛り込んだ運輸省担当官宛ての報告書を作成し，被告人 X に対する説明を行った上で同被告人の了解を得て同担当官に提出し，以後も，D ハブを装備した車両についてリコール等の改善措置を実施するための措置を何ら講じなかった。

被告人 X は，中国 JR バス事故が発生した直後，被告人 Y から同事故の概要の報告を受けるとともに，過去にも三菱自工製トラックのハブの輪切り破損事故が発生していたことなどを告げられた。しかし，被告人 X は，被告人 Y らから更に具体的な報告を徴したり，具体的な指示を出したりすることはせず，被告人 Y からの説明を受けた上で上記運輸省担当官宛ての報告書についてもそのまま提出することを了承するなどし，D ハブを装備した車両についてリコール等の改善措置を実施するための措置を何ら講ずることはなかった。

(5)　本件瀬谷事故（40 件目のハブの輪切り破損事故）の発生状況

平成 14 年 1 月 10 日午後 3 時 45 分頃，横浜市瀬谷区内の片側 2 車線の道路の第 2 車線を時速約 50 km で走行中の三菱自工製大型トラクタの左前輪に装備されていたハブ（D ハブ）が輪切り破損し，左前輪がタイヤホイール及びブレーキドラムごと脱落し，脱落した左前輪が，左前方の歩道上にいた当時 29 歳の女性に背後から激突し，同女を路上に転倒させ，頭蓋底骨折等により死亡させるとともに，一緒にいた児童 2 名もその衝撃で路上に転倒させ，各全治約 7 日間の傷害を負わせるという事故（以下「本件瀬谷事故」という。）が発生した。なお，中国 JR バス事故後，本件瀬谷事故に至るまでの間にも，三菱自工製のトラック又はバスのハブの輪切り破損事故が続発しており，本件瀬谷事故は，山秀事故から数えて 40 件目，D ハブに関するものとしては 19 件目の輪切り破損事故であった。

2　原判決は，以上の事実関係を前提に，中国 JR バス事故案の処理の時点で D ハブの強度不足を疑うに足りる客観的状況にあったことが優に認定できるとした上で，被告人両名においても，その時点で，リコール等の改善措置をすることなく D ハブを装備した車両の運行を放置すれば，輪切り破損事故が発生して人身被害が生じるかも知れ

ないことは十分に予測し得たとして予見可能性を認め，また，その時点でＤハブの強
度不足の疑いによりリコールをしておけば，Ｄハブの輪切り破損による本件瀬谷事故
は確実に発生していなかったのであって，本件瀬谷事故の原因が摩耗による輪切り破損
であると仮定しても事故発生を防止できたとして結果回避可能性を認め，被告人両名に
その注意義務を課することは何ら過度の要求ではないとして結果回避義務を認め，因果
関係も肯定し，被告人両名の過失責任を認めた第１審判決を是認した。

　3　これに対し，所論は，①中国ＪＲバス事故事案の処理当時，被告人両名
がＤハブの強度不足を疑うことは不可能であり，予見可能性は認められない，
②被告人両名の実際の権限等に照らすと，被告人両名には，Ｄハブをリコー
ルすべきであるという業務上過失致死傷罪上の義務が課されていたとはいえな
い，③本件瀬谷事故車両の使用状況等に照らすと，ＤハブをリコールしてＦ
ハブを装備したところで本件瀬谷事故を回避できたとはいえないし，三菱自工
製のハブに強度不足があることまでの立証がされておらず，本件瀬谷事故を発
生させた事故車両のハブの輪切り破損原因も解明されていない以上，被告人両
名の不作為と本件瀬谷事故結果との間の因果関係も存在しない旨主張する。

　（1）　そこで，まず，所論①の予見可能性の点についてみると，前記1(2)のと
おり，三菱自工製ハブの開発に当たり客観的なデータに基づき強度が確かめら
れていなかったこと，ハブは破損することが基本的に想定されていない重要保
安部品であって，走行中にハブが輪切り破損するという事故が発生すること自
体が想定外のことであるところ，前記1(3)(4)のとおり，そのような事故が，山
秀事故以降，中国ＪＲバス事故事案の処理の時点で，同事故も含めると７年余
りの間に実に16件（うち，Ｄハブについては８件）という少なくない件数発
生していたこと，三菱自工の社内では，中国ＪＲバス事故よりも前の事故の情
報を人身事故の発生につながるおそれがある重要情報と分類しつつ，当時の運
輸省に知られないように秘匿情報の扱いとし続けていたことが認められ，これ
らの事情に照らすと，中国ＪＲバス事故事案の処理の時点において，同社製ハ
ブの強度不足のおそれが客観的に認められる状況にあったことは明らかである。

　そして，被告人Ｙは，品質保証部門のグループ長として，中国ＪＲバス事
故事案を直接担当し，同事故の内容等を詳しく承知し，過去にも山秀事故及び
金八事故という２件のハブの輪切り破損事故を担当し，その後も同様の事故が
続発していたことの報告を受けていたのであるから，中国ＪＲバス事故事案の

⇒ *237*

処理の時点で，上記事情から，三菱自工製のハブに強度不足のおそれがあることを十分認識していたと認められるし，中国JRバス事故を含む過去のハブ輪切り破損事故の事故態様の危険性等も踏まえれば，リコール等の改善措置を講じることなく強度不足のおそれがあるDハブを装備した車両の運行を放置すればDハブの輪切り破損により人身事故を発生させることがあることを容易に予測し得たといえる。

　被告人Xも，品質保証部門の部長として，中国JRバス事故事案の処理の時点で，被告人Yから報告を受けて，同事故の内容のほか，過去にも同種の輪切り破損事故が相当数発生していたことを認識していたと認められる。被告人Xとしては，その経歴及び立場からみて，中国JRバス事故事案の処理の時点で，同事故の態様の危険性等に照らし，リコール等の改善措置を講じることなく強度不足のおそれがあるDハブを装備した車両の運行を放置すれば，その後にDハブの輪切り破損により人身事故を発生させることがあることは十分予測し得たと認められる。

　所論は，中国JRバス事故については，輪切り破損したDハブに最大1.46mmという異常摩耗が認められ，それが原因であると判断されていたから，中国JRバス事故事案の処理の時点で，被告人両名においてDハブの強度不足を疑うことは不可能であったという。しかし，当時既にハブの輪切り破損事故が続発するなどしていたことは上記のとおりであって，中国JRバス事故車両について所論の程度の異常摩耗が認められたからといって，当時，Dハブに強度不足のおそれが客観的に認められず，あるいは，被告人両名がこれを認識し得なかったとの結論になるものではない。

　……（中略）……

　(2)　次に，所論②の結果回避義務の点についてみると，中国JRバス事故事案の処理の時点における三菱自工製ハブの強度不足のおそれの強さや，予測される事故の重大性，多発性に加え，その当時，三菱自工が，同社製のハブの輪切り破損事故の情報を秘匿情報として取扱い，事故関係の情報を一手に把握していたことをも踏まえると，三菱自工でリコール等の改善措置に関する業務を担当する者においては，リコール制度に関する道路運送車両法の関係規定に照らし，Dハブを装備した車両につきリコール等の改善措置の実施のために必要な措置を採ることが要請されていたにとどまらず，刑事法上も，そのような

措置を採り，強度不足に起因するDハブの輪切り破損事故の更なる発生を防止すべき注意義務があったと解される。そして，被告人Yについては，その地位や職責，権限等に照らし，関係部門に徹底した原因調査を行わせ，三菱自工製ハブに強度不足のおそれが残る以上は，被告人Xにその旨報告して，関係会議を開催するなどしてリコール等の改善措置を執り行う手続を進めるよう進言し，また，運輸省担当官の求めに対しては，調査の結果を正確に報告するよう取り計らうなどして，リコール等の改善措置の実施のために必要な措置を採り，強度不足に起因するDハブの輪切り破損事故が更に発生することを防止すべき業務上の注意義務があったといえる。また，被告人Xについても，その地位や職責，権限等に照らし，被告人Yから更に具体的な報告を徴するなどして，三菱自工製ハブに強度不足のおそれがあることを把握して，同被告人らに対し，徹底した原因調査を行わせるべく指示し，同社製ハブに強度不足のおそれが残る以上は，関係会議を開催するなどしてリコール等の改善措置を実施するための社内手続を進める一方，運輸省担当官の求めに対しては，調査の結果を正確に報告するなどして，リコール等の改善措置の実施のために必要な措置を採り，強度不足に起因するDハブの輪切り破損事故が更に発生することを防止すべき業務上の注意義務があったというべきである。

　所論は，当時の三菱自工内における品質保証部門と設計開発部門との力関係やリコール制度の実態等からすれば，被告人両名がDハブにつきリコール等の改善措置の実施のために必要な措置を採ることはできなかったというが，被告人両名の地位，権限や，中国JRバス事故当時，三菱自工が自社製品につきリコール等の改善措置を実施した例が少なからずあったことなどに照らすと，被告人両名において，上記義務を履行することができなかったとは到底いえない。

　(3)　その上で，所論③の結果回避可能性，因果関係の点について検討すると，原判決は，『一般に強度不足がDハブ輪切り破損事故の原因であると断定するだけの客観的なデータがなく，さらに，本件瀬谷事故の原因がDハブの強度不足であると断定できるだけの証拠もない』という証拠評価を前提に，三菱自工のDハブには強度不足の欠陥が存在していたと十分推認できるとした第1審判決の事実認定を『原判決の手法によるDハブ強度不足原因論は，その目的に照らしていささか過大な認定である』とする一方，『Dハブの強度不足の

疑いによりリコールをしておけば，Dハブの輪切り破損による本件瀬谷事故は確実に発生していなかったのであり，本件瀬谷事故の原因が摩耗による輪切り破損であると仮定しても，事故発生を防止できたのであるから，リコールしなかったことの過失を認めることができる』として結果回避可能性を肯定し，被告人両名の過失を認めている。そして，『本件瀬谷事故は，リコール等の改善措置を講じることなく，強度不足の疑いのあるDハブを放置したことにより発生した輪切り破損の事故であって，放置しなければ事故は防止できたといえるのであるから，仮に摩耗が認められ，これに関連する車両の利用状況があったとしても，それは問題とはならないし，因果関係に影響を与えるともいえない』などとして，Dハブに強度不足のおそれがあると認めただけで，本件瀬谷事故がDハブの強度不足に起因するものであるかどうかまでは明らかにしないまま，被告人両名の過失と本件瀬谷事故との間の因果関係をも肯定し，本件瀬谷事故の結果を被告人両名に帰責できるとしている。

　確かに，原判決が指摘するとおり，Dハブの対策品として開発されたFハブは，Dハブの強度を増大したものであって，Fハブによる輪切り破損事故の発生が，Fハブが装備された平成8年6月以降平成18年10月までに1件生じているのみであることからすれば，中国JRバス事故事案の処理の時点において，被告人両名が上記注意義務を尽くすことによってDハブにつきリコールを実施するなどの改善措置が講じられ，Fハブが装備されるなどしていれば，本件瀬谷事故車両につき，ハブの輪切り破損事故それ自体を防ぐことができたか，あるいは，輪切り破損事故が起こったとしても，その時期は本件瀬谷事故とは異なるものになったといえ，結果回避可能性自体は肯定し得る。

　しかし，被告人両名に課される注意義務は，前記のとおり，あくまで強度不足に起因するDハブの輪切り破損事故が更に発生することを防止すべき業務上の注意義務である。Dハブに強度不足があったとはいえず，本件瀬谷事故がDハブの強度不足に起因するとは認められないというのであれば，本件瀬谷事故は，被告人両名の上記義務違反に基づく危険が現実化したものとはいえないから，被告人両名の上記義務違反と本件瀬谷事故との間の因果関係を認めることはできない。そうすると，この点に関する原判決の説示は相当でない。

　もっとも，1，2審判決及び記録によれば，本件では，中国JRバス事故事案の処理の時点で存在した前記1(2)(3)(4)の事情に加え，①重要保安部品として

破損することが基本的に想定されていない部品であるハブが，本件瀬谷事故も含めると10年弱の間に40件（Dハブに限れば，6年弱の間に19件）も輪切り破損しており，その中にはハブの摩耗の程度が激しいとはいえない事故事例も含まれていたこと，②本件瀬谷事故後に行われたDハブの強度に関する実走行実働応力試験においては，半径15mの定常円を時速25kmで走行した場合に平均値で633.2MPa，ほぼ直角の交差点を旋回したときには平均値で720.5MPaと，Dハブの疲労限応力である432MPaを大きく超過した応力が測定されており，これは強度不足の欠陥があることを推認させる実験結果といえること，③三菱自工のトラック・バス部門が分社化した三菱ふそうトラック・バス株式会社は，平成16年3月24日，一連のハブ輪切り破損事故の内容やその検証結果を踏まえ，Dハブ等を装備した車両につき強度不足を理由として国土交通大臣にリコールを届け出ているが，そのリコール届出書には，『不具合状態にあると認める構造，装置又は性能の状況及び原因』欄に『フロントハブの強度が不足しているため，旋回頻度の高い走行を繰り返した場合などに，ハブのフランジ部の付け根付近に亀裂が発生するものがある。また，整備状況，積載条件などの要因が重なると，この亀裂の発生が早まる可能性がある。このため，そのままの状態で使用を続けると亀裂が進行し，最悪の場合，当該部分が破断して車輪が脱落するおそれがある。』と記載し，Dハブに強度不足があったことを自認していたことが認められる。また，一連のハブ輪切り破損事故の処理に当たって三菱自工社内で採用され続けた摩耗原因説も，Dハブの輪切り破損の原因が専ら整備不良等の使用者側の問題にあったといえるほどに合理性，説得性がある見解とはいえないことは前記3(1)のとおりである。

他方，本件瀬谷事故車両についてみても，本件瀬谷事故車両の整備，使用等の状況につき，締付けトルクの管理の欠如や過積載など適切とはいえない問題があったことは否定し難いが，車両の製造者がその設計，製造をするに当たり通常想定すべき市場の実態として考えられる程度を超えた異常，悪質な整備，使用等の状況があったとまではいえないとする第1審判決の認定は，記録によっても是認できるものである。

これらの事情を総合すれば，Dハブには，設計又は製作の過程で強度不足の欠陥があったと認定でき，本件瀬谷事故も，本件事故車両の使用者側の問題のみによって発生したものではなく，Dハブの強度不足に起因して生じたも

⇒ *238*

のと認めることができる。そうすると，本件瀬谷事故は，Ｄハブを装備した車両についてリコール等の改善措置の実施のために必要な措置を採らなかった被告人両名の上記義務違反に基づく危険が現実化したものといえるから，両者の間に因果関係を認めることができる。

(4) 以上のとおり，三菱自工製ハブの開発に当たり客観的な強度が確かめられていなかったことや，ハブの輪切り破損事故が続発していたこと，他の現実的な原因も考え難いことなどから，中国ＪＲバス事故事案の処理の時点で，Ｄハブには強度不足があり，かつ，その強度不足により本件瀬谷事故のような人身事故が生ずるおそれがあったのであり，そのおそれを予見することは被告人両名にとって十分可能であったと認められる。予測される事故の重大性，多発性，三菱自工が事故関係の情報を一手に把握していたことなども考慮すれば，同社の品質保証部門の部長又は担当グループ長の地位にあり品質保証業務を担当していた被告人両名には，その時点において，Ｄハブを装備した車両につきリコール等の改善措置の実施のために必要な措置を採り，強度不足に起因するＤハブの輪切り破損事故が更に発生することを防止すべき業務上の注意義務があったというべきである。これを怠り，Ｄハブを装備した車両につき上記措置を何ら行わずにその運行を漫然放置した被告人両名には上記業務上の注意義務に違反した過失があり，その結果，Ｄハブの強度不足に起因して本件瀬谷事故を生じさせたと認められるから，被告人両名につき業務上過失致死傷罪が成立する。同罪の成立を認めた原判断は，結論において正当である。」

信頼の原則

238　駅員の酔客に対する注意義務

最判昭和 41 年 6 月 14 日刑集 20 巻 5 号 449 頁／判時 448・14

【判決理由】　「本件公訴事実について，原判決に示された事実関係とこれに対する法律判断は，おおむね次のとおりである。すなわち，被告人は，西武鉄道株式会社池袋線保谷駅に駅務手として勤務し，本件事故発生の当夜は，乗客係をも命ぜられて旅客の誘導，案内，整理，乗降の危険防止などの業務に従事していたものであるところ，昭和36 年 5 月 11 日午前零時 33 分同駅に到着した 4 両編成の第 469 電車の後部の第 3，4 両を担当して乗客の降車整理に従事中，第 4 両目中央部座席に A（当時 29 年）が，酒の

匂いをさせて居眠りをしていたので，その肩を3回位叩いて起こすと，同人は目を覚ま
し，一寸ふらふらしながら中央ドアーからプラットホーム（以下単にホームという）に
出て行ったので，これを見送ったのみで，そのまま車両の連結部から第3両目に赴き，
居眠り客2名に降車を促し，またはこれを助けて車外に連れ出すなどして乗客の整理に
当った。右電車は，客扱い終了後同駅の車庫に入庫するものであり，後続の最終電車が
到着するのは同日午前零時43分で，深夜のため，混雑時とは異なり乗客も少なく客扱
いには充分時間的余裕があった。このような場合には，乗客係たる被告人としては，前
記のように酩酊していたAを下車させるに当っては，同人が単独でホームにある待合
室などの安全な場所に行くことができるかどうかを確認すべきであり，また客扱い終了
後車掌に対しその旨の合図をするに当っては，自己の担当する車両の連結部またはホー
ムとの近接部を点検注視して線路敷に転落者などが無いかどうかを確認すべき業務上の
注意義務があるのに，これを怠ったため，Aが第3両目と第4両目の連結部とホーム
との間隙から線路敷に転落していたのに気付かず，客扱いを終了するや，その旨の合図
を車掌Bに送り，同人をして戸閉操作をなさしめたうえ，運転士Cをして右電車を発
進させたため，右転落箇所においてホームに這い上ろうとしていたAをして，車両と
ホームとの間で圧轢死させるに至ったというのである。

　そこで，叙上の事実関係を基礎として，被告人の注意義務に関する原判断の
当否につき考えるに，原判示の職責を有する乗客係がその業務に従事するに当
って，旅客のなかに酩酊者を認めたときは，その挙措態度等に周到な注意を払
い，車両との接触，線路敷への転落などの危険を防止する義務を負うことは勿
論である。しかし，他面鉄道を利用する一般公衆も鉄道交通の社会的効用と危
険性にかんがみ，みずからその危険を防止するよう心掛けるのが当然であって，
飲酒者といえども，その例外ではない。それ故，乗客係が酔客を下車させる場
合においても，その者の酩酊の程度や歩行の姿勢，態度その他外部からたやす
く観察できる徴表に照らし電車との接触，線路敷への転落などの危険を惹起す
るものと認められるような特段の状況があるときは格別，さもないときは，一
応その者が安全維持のために必要な行動をとるものと信頼して客扱いをすれば
足りるものと解するのが相当である。また，右係員が客扱いを終了し，その旨
の合図を車掌に送るに当っても，線路敷などに転落者があることを推測させる
ような異常な状況が認められない限り，このような特殊な事態の発生をつねに
想定して，ホームから一見して見えにくい車両の連結部附近の線路敷まで逐一
点検すべき注意義務があるとまで考えるのは相当でない。これを本件について
みるに，前示事実関係に照らせば，本件被害者は，座席に眠っていて酒の匂い

をさせていたが，被告人から肩を3回位叩かれて目を覚まし，一寸ふらふらしながらもみずからホームに出て行ったというのであり，右の程度では線路敷への転落などの危険性または転落などの事実を推測させるような特段の状況があったものと断ずることはできない。しからば，被告人が原判示のように，前記Aを起こし，下車させただけで，同人の下車後の動向を注視することなく，他の乗客の整理に移り，さらにこれを終えた後にも，とくに線路敷などを点検することなく客扱い終了の合図をしたとしても，前記の如き事情の下では，本件事故の結果について，被告人に対し業務上の過失責任を認めることは酷に失するものといわねばならない。そして，原判決の指摘するように，本件電車が入庫車であり，かつ深夜であってその客扱いには，混雑時に比し時間的余裕があったとしても，このことは，右の判断を左右するに足りるほどの事由とは認められない。してみると，本件につき，被告人に対し前記の過失責任を認めた原判決および同判決の維持した第1審判決は，法律の解釈を誤り，被告事件が罪とならないのにこれを有罪とした違法があるものというべきで，右の違法は，判決に影響を及ぼすことが明らかであり，刑訴法411条1号によりこれを破棄しなければ著しく正義に反するものと認められる。」

239　交通法規を無視する車両に対する注意義務

最判昭和41年12月20日刑集20巻10号1212頁／判時467・16，判タ200・139

（重判昭41・42刑1）

【判決理由】　「原判決の維持した第1審判決が確定した事実は，被告人は自動車運転の業務に従事する者であるが，昭和37年12月24日午前9時ごろ小型貨物自動車を運転して交通整理の行なわれていない交通頻繁な場所である飯塚市昭和通り3丁目飯塚橋南端付近交差点を，吉田海産横広場方向から進入して右折しようとしたところ，右広場前車道中央付近でエンジンが停止したので，再び始動して発車しようとしたが，その際左側方のみを注意して右側方に対する安全の確認を欠いたまま発車し，時速約5粁で右折進行しかけたとき，右側方からA（当時31歳）が第2種原動機付自転車を運転して飯塚橋方面に進行してくるのを約5米の距離まで接近してから始めて気づき，直ちに急停車したが及ばず，自車の前部バンパーを右原動機付自転車の左側に衝突させて，その場に転倒させ，よって同人に対し，約100日の治療を要する左脛骨頭骨折，同大腿下腿圧挫創の傷害を与えた，というのであり，以上の事実は，第1審判決挙示の証拠を総合してこれを認めることができる（ただ，記録によると，本件交差点は，平素交通頻繁な場所であるけれども，本件事件当時は，むしろ閑散な状態であったことがうかがわれる。）。

　ところで，このような場合，右Ａのように，右側方から本件交差点に進入してくる車両の運転者は，交差点の中において被告人の車が右折の途中であることが一見して明らかであるから，道路の右側部分にはみ出し，被告人の車の前方を右側に出て進行するようなことは，決してしてはならず（道路交通法17条，35条，37条参照），たとえ被告人の車が一時停止したため通りにくい場所であっても，進行方向の左側に進み，徐行もしくは停止して進路の空くのを待つべきであり，また，被告人の車は，一時停止したけれども，歩行者の速度に等しい時速約５粁の低速で再び進行を始めていたのであるから，右側方から進入する右Ａの車両としては，あえて道路の右側に進出して通過しなければならない事情はなかったものと認められる。

　しかるに，関係証拠を総合すれば，右Ａは，交差点を直進するにあたり，あらかじめ被告人の車が右折途中であることを認めていながら，被告人の車がエンジン停止したのを，軽卒にも，自分に進路を譲るため一時停止してくれたものと即断し，被告人の車の前方をあえて通過しようと企て，被告人の車が再び動き出したのに，なおハンドルを右に切って，約５米ないし８米の至近距離から突如中央線を越え，時速12，3粁以上の速度で道路の右側部分にはみ出したため，被告人の急停車も及ばず，遂に衝突したものであることが認められる。してみれば，本件衝突事故は，主として右Ａの法規違反による重大な過失によって生じたものというべきであり，このように被害者の過失が本件事故の原因となっていることは，原判決も認めているところである。

　しかし，進んで，原判決が説示しているように，被告人にも過失があったかどうかを検討してみると，本件のように，交通整理の行なわれていない交差点において，右折途中車道中央付近で一時エンジンの停止を起こした自動車が，再び始動して時速約５粁の低速（歩行者の速度）で発車進行しようとする際には，自動車運転者としては，特別な事情のないかぎり，右側方からくる他の車両が交通法規を守り自車との衝突を回避するため適切な行動に出ることを信頼して運転すれば足りるのであって，本件Ａの車両のように，あえて交通法規に違反し，自車の前面を突破しようとする車両のありうることまでも予想して右側方に対する安全を確認し，もって事故の発生を未然に防止すべき業務上の注意義務はないものと解するのが相当であり，原判決が強調する，被告人の車の一時停止のため，右側方からくる車両が道路の左側部分を通行することは困

⇒ *240*

難な状況にあったとか，本件現場が交通頻繁な場所であることなどの事情は，かりにそれが認められるとしても，それだけでは，まだ前記の特別な事情にあたるものとは解されない。

　そして，原判決は，他に何ら特別な事情にあたる事実を認定していないにかかわらず，被告人に本件業務上の注意義務があることを前提として，被告人の過失を認めた第1審判決を是認しているのであるから，原判決には法令の解釈の誤りまたは審理不尽の違法があり，この違法は判決に影響を及ぼすことが明らかであるから，原判決を破棄しなければ著しく正義に反するものと認める。」

240　交通法規の違反と信頼の原則

最判昭和42年10月13日刑集21巻8号1097頁／判時499・20, 判タ211・210, 220・102, 120
（百選 I 54，重判昭 41・42 刑 3）

【判決理由】「ところで，車両の運転者は，互に他の運転者が交通法規に従って適切な行動に出るであろうことを信頼して運転すべきものであり，そのような信頼がなければ，一時といえども安心して運転をすることはできないものである。そして，すべての運転者が，交通法規に従って適切な行動に出るとともに，そのことを互に信頼し合って運転することになれば，事故の発生が未然に防止され，車両等の高速度交通機関の効用が十分に発揮されるに至るものと考えられる。したがって，車両の運転者の注意義務を考えるに当っては，この点を十分配慮しなければならないわけである。

　このようにみてくると，本件被告人のように，センターラインの若干左側から，右折の合図をしながら，右折を始めようとする原動機付自転車の運転者としては，後方からくる他の車両の運転者が，交通法規を守り，速度をおとして自車の右折を待って進行する等，安全な速度と方法で進行するであろうことを信頼して運転すれば足り，本件Aのように，あえて交通法規に違反して，高速度で，センターラインの右側にはみ出してまで自車を追越そうとする車両のありうることまでも予想して，右後方に対する安全を確認し，もって事故の発生を未然に防止すべき業務上の注意義務はないものと解するのが相当である（なお，本件当時の道路交通法34条3項によると，第一種原動機付自転車は，右折するときは，あらかじめその前からできる限り道路の左端に寄り，かつ，交差点の側端に沿って徐行しなければならなかったのにかかわらず，被告人は，第一種原動機付自転車を運転して，センターラインの若干左側からそのまま右

折を始めたのであるから，これが同条項に違反し，同一 21 条 1 項 5 号の罪を構成するものであることはいうまでもないが，このことは，右注意義務の存否とは関係のないことである）。」

241 信頼の原則の適用が否定された事例

最決昭和 45 年 7 月 28 日判時 605 号 97 頁／判タ 252・227
（重判昭 45 刑 1）

【事案】 被告人は，自動車を運転して走行中，前方のバス停に対向してきたバスが停車中であることを認めたが，時速 45 キロに減速したのみでバスとすれ違ったところ，バスから降りて道路を横断しようとした 4 歳の女児に自車を衝突させて即死させた。

【決定理由】 「なお，記録によれば，被告人がバスを下車した被害者の姿を衝突の直前まで発見していなかったことが認められるし，また，幼児のとび出しを予見しべき具体的状況が存在したことを認めるに足りる証拠もないのであるから，原審が，被害者が 4 歳の幼児であることを理由にして，信頼の原則の適用を否定したのは，正当ではない。しかし，記録によれば，本件事故現場付近の道路および交通の状況からみて，バスを下車した人がその直後において道路を横断しようとすることがありうるのを予見することが，客観的にみて，不可能ではなかったものと認められるのであるから，かりに，被告人が右のような交通秩序に従わない者はいないであろうという信頼をもっていたとしても，その信頼は，右の具体的交通事情からみて，客観的に相当であるとはいえないというべきである。したがって，本件において信頼の原則の適用を否定した原判断は，その結論において，相当であるといわなければならない。」

242 対向車両の対面信号と信頼の原則

最決平成 16 年 7 月 13 日刑集 58 巻 5 号 360 頁／判時 1877・152，判タ 1167・146

【決定理由】 「なお，原判決の認定によれば，被告人は，普通乗用自動車を運転し，本件交差点を右折するため，同交差点手前の片側 2 車線の幹線道路中央線寄り車線を進行中，対面する同交差点の信号が青色表示から黄色表示に変わるのを認め，さらに，自車の前輪が同交差点の停止線を越えた辺りで同信号が赤色表示に変わるのを認めるとともに，対向車線上を時速約 70 ないし 80 km で進行してくる A 運転の自動 2 輪車（以下「A 車」という。）のライトを，前方 50 m 余りの地点に一瞬だけ見たが，対向車線の対面信号も赤色表示に変わっており A 車がこれに従って停止するものと即断し，A 車の動静に注意する

ことなく右折進行し，実際には対面する青色信号に従って進行してきた A 車と衝突したというのである。以上のような事実関係の下において，被告人は A 車が本件交差点に進入してくると予見することが可能であり，その動静を注視すべき注意義務を負うとした原判断は，相当である。所論は，本件交差点に設置されていた信号機がいわゆる時差式信号機であるにもかかわらず，その旨の標示がなかったため，被告人は，その対面信号と同時に A 車の対面信号も赤色表示に変わり A 車がこれに従って停止するものと信頼して右折進行したのであり，そう信頼したことに落ち度はなかったのであるから，被告人には過失がないと主張する。しかし，自動車運転者が，本件のような交差点を右折進行するに当たり，自己の対面する信号機の表示を根拠として，対向車両の対面信号の表示を判断し，それに基づき対向車両の運転者がこれに従って運転すると信頼することは許されないものというべきである。」

管理・監督過失

243 千日デパートビル事件

最決平成 2 年 11 月 29 日刑集 44 巻 8 号 871 頁／判時 1368・42，判タ 744・94
（重判平 2 刑 4）

【決定理由】 「一　本件事件の概要

原判決の認定によれば，次の事実が認められる。

(1)　S デパートビル（以下「本件ビル」という。）は，D 観光株式会社（以下「D 観光」という。）が所有・管理する地下 1 階，地上 7 階，塔屋 3 階建の建物（延床面積 2 万 7514.64 平方メートル。屋上を含む。）であり，同社が直営する店舗と同社からの賃借人（いわゆる「テナント」）が経営する店舗とが混在する雑居ビルであって，同社が 6 階以下を『S デパート』として使用し，同社の子会社である S 土地観光株式会社が D 観光から 7 階（床面積 1780 平方メートル）の大部分を賃借して，キャバレー『P タウン』を経営していた。(2)　D 観光とテナントとの間の賃貸借契約等によれば，テナント側の当直は禁じられ，D 観光が営業時間外のテナントの売場設備及び商品の警備を含む防火，防犯に関する業務を行うこととされ，右業務は，D 観光の S デパート管理部が担当していた。(3)　被告人 X（以下「被告人 X」という。）は，同管理部管理課長として，本件ビルの維持管理を統括する同管理部次長 A（第 1 審相被告人，第 1 審当時死亡）を補佐する立場にあるとともに，『S デパート』の消防法 8 条 1 項（昭和 49 年

法律第 64 号による改正前のもの）に規定する防火管理者（以下「防火管理者」という。）の地位にあった。(4)　被告人 Z（以下「被告人 Z」という。）は，右 S 土地観光株式会社の代表取締役であって，『P タウン』の同項に規定する『管理について権原を有する者』（以下「管理権原者」という。）に当たり，被告人 Y（以下「被告人 Y」という。）は，『P タウン』の支配人であって，同店の防火管理者の地位にあった。(5)　『S デパート』の各売場は，午後 9 時に閉店し，その後は多量の可燃物が置かれた各売場には従業員は全く不在になり，通常，S デパート管理部保安係員の 5 名のみで防火，防犯等の保安管理に当たっており，7 階の『P タウン』だけが午後 11 時まで営業し，多数の従業員や客が在店しているという状況にあった。(6)　『S デパート』の各売場内には防火区画シャッター及び防火扉（以下「防火区画シャッター等」という。）が設置されていたが，これらは閉店後閉鎖されておらず，また，その 6 階以下の全館に一斉通報のできる防災アンプが設置されていたが，7 階の『P タウン』に通報する設備はなく，午後 9 時以降は 1 階の保安室から外線によって電話をする以外に同店に連絡する方法はなかった。(7)　本件ビルの構造上，『P タウン』のある 7 階より下の階から出火した場合，『S デパート』の各売場から完全に遮断された安全な避難階段は，7 階南側の『P タウン』専用エレベーター脇のクローク奥にある，平素は従業員が使用していた階段（別紙図面の B 階段。以下，階段の符号は同図面による。）のみであったが，同階段を利用しての避難誘導訓練はもとより，階下からの出火を想定した訓練は一切行われていなかった。(8)　『P タウン』に設置されている救助袋は 1 個であり，それも一部破損しており，また，これを利用した避難訓練も行われていなかった。(9)　このような状況の下で，昭和 47 年 5 月 13 日午後 10 時 25 分ころ，当時本件ビル 3 階（床面積 3665 平方メートル）の大部分を賃借していた株式会社 N から電気工事を請け負っていた業者の従業員らが同階売場内で工事をしていた際に，その原因は不明であるが，本件火災が同階東側の右 N 寝具売場から発生し，2 階ないし 4 階はほぼ全焼した上，火災の拡大による多量の煙が，『P タウン』専用の南側エレベーターの昇降路，E 階段，F 階段及び本件ビル北側の換気ダクトを通って上昇し，7 階の『P タウン』店内に流入した。(10)　当夜本件ビルの宿直勤務についていた保安係員は，欠勤者が 1 名出たため，4 名であったが，火煙の勢いが激しかったため，消火作業をすることができないまま全員避難せざるを得なかった。その際，保安係員らは，いずれも『P タウン』に電話で火災の発生を通報することを全く失念しており，右通報をした者はいなかった。(11)　被告人 Y は，右換気ダクトや南側エレベーターの 7 階乗降口から煙が流入してきた初期の段階で，従業員らを指揮し，客等を誘導して安全な B 階段から避難させる機会があったのに，これを失し，また，救助袋が地上に投下されたのに，従業員が救助袋の入口を開ける方法を知らなかったため，結局それを利用することもできなかった。(12)　本件火災の結果，一酸化炭素中毒や救助袋の外側を滑り降りる途中の転落等により，客及び従業員 118 名が死亡し，42

名が傷害を負った。

二　被告人Ｘの過失について

1　原判決は，本件火災の拡大を防止するためには，『Ｓデパート』閉店後は本件ビル１階ないし４階の各売場内の防火区画シャッター等のうち，３階の自動降下式の防火区画シャッター４枚を除く，その余の全部の防火区画シャッター等を閉め，工事が行われている場合は，その工事との関係で最小限開けておく必要のある防火区画シャッター等のみを開け，保安係員を立ち会わせ，開けたものについてはいつでも閉めることができるような体制を整えておくべきであり，被告人Ｘが右義務を履行できなかったような事情は認められないとして，その過失責任を肯定した。

2　所論は，Ｄ観光としては，防火区画シャッター等は，本来，火災の発生時に閉鎖できるようにしておけばよいのであって，閉店後に全部の防火区画シャッター等を閉鎖すべき法令上の根拠はなく，また，工事の際の立会いについても，工事をするテナント側で立会いを付けるべきであって，Ｓデパート管理部の保安係員を立ち会わせるべき義務はない旨主張する。

3　そこで，検討するに，閉店後の『Ｓデパート』内で火災が発生した場合，前記15の状況の下では，容易にそれが拡大するおそれがあったから，Ｄ観光としては，火災の拡大を防止するため，法令上の規定の有無を問わず，可能な限り種々の措置を講ずべき注意義務があったことは，明らかである（最高裁昭和30年㈤第2822号同32年12月17日第三小法廷決定・刑集11巻13号3246頁参照)。そして，そのための一つの措置として，平素から防火区画シャッター等を全面的に閉鎖することも十分考えられるところであるが，本件火災に限定して考えると，当夜工事の行われていた本件ビル３階の防火区画シャッター等（自動降下式のものを除く防火区画シャッター11枚及び防火扉２箇所）のうち，工事のため最小限開けておく必要のある南端の２枚の防火区画シャッターを除く，その余の全部の防火区画シャッター等を閉め，保安係員又はこれに代わる者を工事に立ち会わせ，出火に際して直ちに出火場所側の南端東側の防火区画シャッター１枚を閉める措置を講じさせるとともに，『Ｐタウン』側に火災発生を連絡する体制を採っておきさえすれば，煙は，東西を区画する東側の防火区画シャッターによって区画された部分にほぼ封じ込められるため，ほとんど『Ｐタウン』専用の南側エレベーターの昇降路からのみ上昇することに

なり，全面的な閉鎖の措置を採った場合と同様，『Ｐタウン』への煙の流入を減少させることができたはずであり，保安係員又はこれに代わる者から１階の保安室を経由して『Ｐタウン』側に火災発生の連絡がされることとあいまって，同店の客及び従業員を避難させることができたと認められるのである。そうすると，Ｄ観光としては，少なくとも右の限度において，注意義務を負っていたというべきであり，このことは，原判決も肯定しているところと解される。

4　そうであれば，Ｄ観光のＳデパート管理部管理課長であり，かつ，『Ｓデパート』の防火管理者である被告人Ｘとしては，自らの権限により，あるいは上司である管理部次長のＡの指示を求め，工事が行われる本件ビル３階の防火区画シャッター等を可能な範囲で閉鎖し，保安係員又はこれに代わる者を立ち会わせる措置を採るべき注意義務を履行すべき立場にあったというべきであり，右義務に違反し，本件結果を招来した被告人Ｘには過失責任がある。

三　被告人Ｙの過失について

1　原判決は，被告人Ｙにおいて，『Ｐタウン』の防火管理者として，平素から救助袋の維持管理に努め，従業員を指揮して客等に対する避難誘導訓練を実施し，煙が侵入した場合，速やかに従業員をして客等を前記Ｂ階段に誘導し，あるいは救助袋を利用して避難させることにより，客等の避難の遅延による事故の発生を未然に防止すべき注意義務があったとする。

2　所論は，本件の前年の７月に１回行われた消防訓練の際にも，消防当局の係員からは，Ｂ階段からの避難が最も安全であるという指導はなく，それに沿う訓練も指示されていないし，被告人Ｙとしては火の気のない６階以下からの出火を日常絶えず心配している必要はない旨主張する。

3　そこで，検討するに，原判決の判示するように，被告人Ｙにおいて，あらかじめ階下からの出火を想定し，避難のための適切な経路の点検を行ってさえいれば，Ｂ階段が安全確実に地上に避難することができる唯一の通路であるとの結論に到達することは十分可能であったと認められる。そして，被告人Ｙは，建物の高層部で多数の遊興客等を扱う『Ｐタウン』の防火管理者として，本件ビルの階下において火災が発生した場合，適切に客等を避難誘導できるように，平素から避難誘導訓練を実施しておくべき注意義務を負っていたというべきである。したがって，保安係員らがいずれも『Ｐタウン』に火災の発生を通報することを全く失念していたという事情を考慮しても，右注意義務を怠っ

た被告人Yの過失は明らかである。

　四　被告人Zの過失について

　1　原判決は，被告人Zについても，『Pタウン』の管理権原者として，防火管理者である被告人Yともども，前記三1の注意義務があったとする。

　2　所論は，被告人YについてB階段を利用した避難誘導訓練をしておくべき注意義務はないから，被告人Zについても，右の点の注意義務は認められない旨主張する。

　3　そこで，検討するに，被告人Yには，前述のとおり，避難誘導訓練をしておくべき注意義務があったと認められるところ，被告人Zは，救助袋の修理又は取替えが放置されていたことなどから，適切な避難誘導訓練が平素から十分に実施されていないことを知っていたにもかかわらず，管理権原者として，防火管理者である被告人Yが右の防火管理業務を適切に実施しているかどうかを具体的に監督すべき注意義務を果たしていなかったのであるから，この点の被告人Zの過失は明らかである。」

244　ホテル・ニュージャパン事件

最決平成5年11月25日刑集47巻9号242頁／判時1481・15，判タ835・54

(百選Ⅰ58)

【決定理由】　「一　本件事案の概要

　1　原判決及びその是認する第1審判決の認定する本件の事実関係は，次のとおりである。

　㈠　ホテルN（以下「本件ホテル」という。）の建物は，いわゆるY字3差型の複雑な基本構造を有する鉄骨鉄筋コンクリート造り陸屋根，地下2階，地上10階，塔屋4階建の建物（延べ床面積約4万5876平方メートル）のうち，9階のF事務所及び10階のF邸を除く部分（以下「本件建物」という。）であり，本件火災当時の客室数は4階から10階までを中心に約420室，宿泊定員は約782名であった。

　㈡　被告人は，本件建物を所有して本件ホテルを経営していた株式会社ホテルN（以下「N」という。）の代表取締役社長として（昭和54年5月28日就任），本件ホテルの経営，管理事務を統括する地位にあり，従業員らを指揮監督し，防火，消防関係を含む本件建物の改修，諸設備の設置及び維持管理並びに従業員の配置，組織及び管理等の業務についてもこれを統括掌理する権限及び職責を有していた者で，消防法上の防火対象物である本件建物に関する同法17条1項の『関係者』及び同法8条1項の『管理について権原を有する者』でもあった。

　また，支配人兼総務部長H（以下「H」という。）が，本件ホテルの業務全般にわた

って，被告人及び副社長Yの下で従業員らの指揮監督に当たるとともに，消防法8条1項の防火管理者に選任されて，本件建物について同条項所定の防火管理業務に従事していた。

　　㈢　消防法17条の2第2項4号，昭和49年法律第64号消防法の一部を改正する法律附則1項4号等の法令などにより，本件建物については，昭和54年3月31日までに地下2階電気室等を除くほぼ全館にスプリンクラー設備を設置すべきものとされ，一定の防火区画（以下「代替防火区画」という。）を設けることによってこれに代えることもできることとなっていた（以下，スプリンクラー設備又は代替防火区画の設置に必要な工事を「そ及工事」という。）が，本件火災当時，主として客室，貸事務所として利用されていた4階から10階までの部分については，スプリンクラー設備は設置されておらず，4階及び7階に代替防火区画が設けられていただけで，右各階を除き，客室及び廊下の壁面及び天井にはベニヤ板や可燃性のクロスが使用され，大半の客室出入口扉は木製であったほか，隣室との境が一部木製板等で仕切られ，客室，廊下，パイプシャフトスペース等の区画及び既設の防火区画には，ブロック積み不完全，配管部分の埋め戻し不完全等による大小多数の貫通孔があった。加えて，防火戸及び非常放送設備については，被告人が少額の支出に至るまで社長決裁を要求し，極端な支出削減方針を採っていたことなどから，専門業者による定期点検，整備，不良箇所の改修がされなかったため，防火戸は火災時に自動的に閉鎖しないものが多く，非常放送設備も故障等により一部使用不能の状態にあり，また，従業員の大幅な削減や配置転換を行ったにもかかわらず，これに即応した消防計画の変更，自衛消防隊の編成替えが行われず，被告人の社長就任後は，消防当局の再三の指摘により昭和56年10月に形式的な訓練を行った以外は，消火，通報及び避難の訓練（以下「消防訓練」という。）も全く行われていなかった。

　　㈣　消防当局においては，ほぼ半年に1回立入検査を実施し，その都度，Hらに対し，そ及工事未了，防火戸機能不良，パイプシャフトスペースや防火区画の配管貫通部周囲の埋め戻し不完全，感知器の感知障害，消防計画未修正，自衛消防隊編成の現状不適合，消防訓練の不十分ないし不実施，従業員への教育訓練不適等を指摘して，それらの改修，改善を求めていたほか，昭和54年7月以降は，毎月のようにそ及工事の促進を指導していたが，被告人は，社長就任当時から本件建物についてそ及工事が完了していないことを認識していたほか，立入検査結果通知書の交付を含む消防当局の指導やHの報告等によって，右のように本件建物に防火用・消防用設備の不備その他の防火管理上の問題点が数多く存在することを十分に認識していたにもかかわらず，営利の追求を重視するあまり，防火管理には消極的な姿勢に終始し，資金的にもその実施が十分可能であったそ及工事を行わなかった上，前記のような防火管理体制の不備を放置していた。

　㈤　このような状態の中で，昭和57年2月8日午前3時16，7分ころ，9階938号室の宿泊客のたばこの不始末により同室ベッドから出火し，駆けつけた当直従業員が消化器を噴射したことによりベッド表層ではいったん火炎が消失したが，約1分後に再燃し，同室ドアが開放されていたため火勢が拡大して，同3時24分ないし26分ころには，同室及び前面の廊下でフラッシュオーバー現象が起こり，以後，フラッシュオーバー現象を繰り返しながら，9，10階の大部分の範囲にわたり，廊下，天井裏，客室壁面及びパイプシャフトスペースのすき間等を通じて，火煙が急速に伝走して延焼が拡大した。右出火は当直従業員らによって早期に発見されたが，当直従業員らは，自衛消防組織として編成されておらず，加えて，消防訓練等が不十分で，責任者も含めて火災発生時の心構えや対応措置をほとんど身につけていなかったため，組織的な対応ができなかった上，各個人の対応としても，初期消火活動や出火階，直上階での火事触れ，避難誘導等をほとんど行うことができず，非常ベルの鳴動操作，防火戸の閉鎖に思いつく者もなく，119番通報も大幅に遅れるなど，本件火災の拡大防止，被災者の救出のための効果的な行動を取ることができなかった。そのため，就寝中などの理由で逃げ遅れた9，10階を中心とする宿泊客らは，激しい火災や多量の煙を浴び若しくは吸引し，又は窓等から階下へ転落し若しくは飛び降りるなどのやむなきに至り，その結果，うち32名が火傷，一酸化炭素中毒，頭蓋骨骨折等により死亡し，24名が全治約3日間ないし全治不明の火傷，気道熱傷，骨折等の傷害を負った。

　2㈠　原判決及びその是認する第1審判決は，更に，本件結果回避の蓋然性について次のとおり判示する。

　本件建物にスプリンクラー設備が消防法令上の基準に従って設置されていれば，938号室で出火した炎が同室天井に沿って伝ぱし始めたころには，スプリンクラーが作動してその火を鎮圧し，特段の事情がない限り同室以外の区域に火災が拡大することはなかったものと認められる。また，代替防火区画が設置されていた場合には，9，10階客室は，100平方メートル以内ごとに耐火構造の壁，床又は防火戸で区画されて，出火室を含む3室程度が耐火構造で囲まれ，廊下との区画やパイプシャフトスペース，配管引込み部等の埋め戻しも完全にされるとともに，各室出入口扉は自動閉鎖式甲種防火戸（ドアチェック付鉄扉等）とされることとなり，廊下は，400平方メートル以内ごとに同様の耐火構造の壁等で区画されるとともに，その内装には難燃措置が施され，区画部分には煙感知器連動式甲種防火戸が設置されることとなるので，938号室の火が，廊下を通じて，同室と同一防火区画を形成することになると認められる940号室及び942号室に延焼する事態は起こり得ず，廊下を通じないで右両室に早期に延焼する蓋然性も低く，右両室に延焼した後もその火は当該防火区画内に閉じ込められ，本件において発生したような累次のフラッシュオーバー現象も生じないから，これらに基づくパイプシャフトスペースを通じての火炎の伝走による他階への延焼はなかったし，避難を全く困難にす

るような濃度の煙が廊下に流出することもなかったと認められるほか，窓からの火炎の吹き上げによる10階への延焼には相当時間を要し，10階に延焼した場合においても同階の代替防火区画が効果を発揮したと考えられる。そして，右スプリンクラー設備又は代替防火区画の設置に加えて，防火用・消防用設備等の点検，維持管理が適切に行われ，消防計画が作成され，これが従業員らに周知徹底されるとともに，右消防計画に基づく消防訓練が十分に行われていれば，従業員らによる適切な初期消火活動や宿泊客らに対する通報，避難誘導等の措置が容易となり，本件死傷の結果の発生を避けることができた蓋然性が高い。

　　㈡　右判示は，その推論の前提及び過程に不自然，不合理な点はなく，これを是認することができる。

　二　被告人の過失の有無

　そこで検討するに，被告人は，代表取締役社長として，本件ホテルの経営，管理事務を統括する地位にあり，その実質的権限を有していたのであるから，多数人を収容する本件建物の火災の発生を防止し，火災による被害を軽減するための防火管理上の注意義務を負っていたものであることは明らかであり，Nにおいては，消防法8条1項の防火管理者であり，支配人兼総務部長の職にあったHに同条項所定の防火管理業務を行わせることとしていたから，同人の権限に属さない措置については被告人自らこれを行うとともに，右防火管理業務についてはHにおいて適切にこれを遂行するよう同人を指揮監督すべき立場にあったというべきである。そして，昼夜を問わず不特定多数の人に宿泊等の利便を提供するホテルにおいては火災発生の危険を常にはらんでいる上，被告人は，昭和54年5月代表取締役社長に就任した当時から本件建物の9，10階等にはスプリンクラー設備も代替防火区画も設置されていないことを認識しており，また，本件火災の相当以前から，既存の防火区画が不完全である上，防火管理者であるHが行うべき消防計画の作成，これに基づく消防訓練，防火用・消防用設備等の点検，維持管理その他の防火防災対策も不備であることを認識していたのであるから，自ら又はHを指揮してこれらの防火管理体制の不備を解消しない限り，いったん火災が起これば，発見の遅れや従業員らによる初期消火の失敗等により本格的な火災に発展し，従業員らにおいて適切な通報や避難誘導を行うことができないまま，建物の構造，避難経路等に不案内の宿泊客らに死傷の危険の及ぶおそれがあることを容易に予見できたことが明らかである。したがって，被告人は，本件ホテル内から出火した場合，早期に

⇒ *245*

これを消火し，又は火災の拡大を防止するとともに宿泊客らに対する適切な通報，避難誘導等を行うことにより，宿泊客らの死傷の結果を回避するため，消防法令上の基準に従って本件建物の9階及び10階にスプリンクラー設備又は代替防火区画を設置するとともに，防火管理者であるHを指揮監督して，消防計画を作成させ，従業員らにこれを周知徹底させ，これに基づく消防訓練及び防火用・消防用設置等の点検，維持管理等を行わせるなどして，あらかじめ防火管理体制を確立しておくべき義務を負っていたというべきである。そして，被告人がこれらの措置を採ることを困難にさせる事情はなかったのであるから，被告人において右義務を怠らなければ，これらの措置があいまって，本件火災による宿泊客らの死傷の結果を回避することができたということができる。

　以上によれば，右義務を怠りこれらの措置を講じなかった被告人に，本件火災による宿泊客らの死傷の結果について過失があることは明らかであり，被告人に対し業務上過失致死傷罪の成立を認めた原判断は，正当である。」

危険の引受け

245　危険の引受け

千葉地判平成7年12月13日判時1565号144頁
（百選Ⅰ59，重判平8刑4）

【事案】 被告人は，ダートトライアルの練習走行中に運転操作を誤り，自車を暴走させて防護柵に激突・転覆させ，同乗者を死亡させた。本判決は，以下のように述べて，業務上過失致死罪の成立を否定した。

【判決理由】「1　本件における車両の暴走の原因は，被告人が自己の運転技術（旋回技術や危急時の対応能力）を超えて，高速のまま下り坂の急カーブに入ったことにあると考えられ，同乗者がいる以上，被告人は同乗者の死傷を回避するために速度の調整等を行うべきであったとする検察官の主張にも理由があるように思われる。

　しかしながら，前記のとおり，被告人の本件走行はモータースポーツであるダートトライアル競技の練習過程であり，弁護人が主張するように，この側面から考察する必要もある。ダートトライアル競技には，運転技術等を駆使して

スピードを競うという競技の性質上，転倒や衝突等によって乗員の生命，身体に重大な損害が生じる危険が内在している。その練習においても，技術の向上のために，競技に準じた走行をしたり，技術の限界に近い運転を試み，あるいは一段上の技術に挑戦する場合があり，その過程で競技時と同様の危険が伴うことは否定できない。

ところで，練習走行に同乗する場合としては，①上級者が初心者の運転を指導する，②上級者がより高度な技術を修得するために更に上級の者に運転を指導してもらう，③初心者が上級者の運転を見学する，④未経験者が同乗して走行を体験する等，様々な場合があるようである（Ｃ証言，被告人供述参照）。

これらのうち，少なくとも，①②のような場合では，同乗者の側で，ダートトライアル走行の前記危険性についての知識を有しており，技術の向上を目指す運転者が自己の技術の限界に近い，あるいはこれをある程度上回る運転を試みて，暴走，転倒等の一定の危険を冒すことを予見していることもある。また，そのような同乗者には，運転者への助言を通じて一定限度でその危険を制御する機会もある。

したがって，このような認識，予見等の事情の下で同乗していた者については，運転者が右予見の範囲内にある運転方法をとることを容認した上で（技術と隔絶した運転をしたり，走行上の基本的ルールに反すること——前車との間隔を開けずにスタートして追突，逆走して衝突等——は容認していない。），それに伴う危険（ダートトライアル走行では死亡の危険も含む）を自己の危険として引き受けたとみることができ，右危険が現実化した事態については違法性の阻却を認める根拠がある。もっとも，そのような同乗者でも，死亡や重大な傷害についての意識は薄いかもしれないが，それはコースや車両に対する信頼から死亡等には至らないと期待しているにすぎず，直接的な原因となる転倒や衝突を予測しているのであれば，死亡等の結果発生の危険をも引き受けたものと認めうる。

（なお，例えば野球のデッドボールについては，打者が万一の場合としか考えていないとしても，死亡や重大な傷害が生じることはあり，かつ，そこに投手の「落ち度」を見い出せることもあるが，通常は（業務上）過失致死傷の責任は認め難い。危険を内在しながらも勝負を争う競技は，相手が一定の危険を冒すことを容認することによって成り立っており，打者は，デッドボールが一

定限度までの「落ち度」によるものであれば，それによる死傷の危険は引き受けている。練習においても，競技に向けて技術の向上を図るために，互いにこうした危険を容認している場合がある。この点，競争の契機がないゲレンデスキーは，たまたま同じ場所でスキーを楽しむために危険が生じているもので，安全を最優先させてもスポーツが成り立つ。）

　2　そこで，本件被害者の同乗についてみると，前記第2の各事実によれば，被害者は7年くらいのダートトライアル経験があり，同乗に伴う一般的な危険は認識しており，その上で自らもヘルメット等を着用し，シートベルトを装着して同乗したものと考えられる。

　そして，被害者は，半年余り前に本件コースで被告人の運転に同乗したことがあり，当日は，スタート前に被告人に何速まで入れるか尋ねられて自分は3速で走ると答え，スタート後も，2速，3速へのギアチェンジ，次いでブレーキ操作を指示している（これらの点は被告人の捜査公判供述だけであるが，特に疑問を差し挟むべき点はない。）。被害者において被告人が3速に入れるのが初めてであることを知っていたかは不明であるが，右事実からすれば，少なくとも，被害者には，被告人は初心者のレベルにあり，本件コースにおける（具体的にはCD間，すなわち①②間）3速での高速走行に不慣れであるという認識はあったと認められる。そうすると，被害者は，同所において被告人が自己の技術を上回りうる3速での高速走行を試みて，一定の危険を冒すことを容認していたものと認められ，他方，右運転方法が被告人の技術と隔絶したものとまでは認められない。

　したがって，被害者は，3速での高速走行の結果生じうる事態，すなわち，その後の対応が上中級者からみれば不手際と評価しうる運転操作となり，転倒や衝突，そして死傷の結果が生ずることについては，被告人の重大な落ち度による場合を除き，自己の危険として引き受けた上で同乗していたと認めることができる。そして，3速走行に入った後の被告人は，見取図②から④の間の減速措置が足りなかったことも一因となって，ハンドルの自由を失って暴走し，本件事故を引き起こしているが，この経過は被害者が引き受けていた危険の範囲内にあり，他方，その過程に被告人の重大な落ち度があったとまではいえない。

　3　右の理由から，本件については違法性の阻却が考えられるが，更に，被

害者を同乗させた本件走行の社会的相当性について検討する。

　前述のとおり，ダートトライアル競技は既に社会的に定着したモータースポーツで，JAFが定めた安全確保に関する諸ルールに従って実施されており，被告人の走行を含む本件走行会も一面右競技の練習過程として，JAF公認のコースにおいて，車両，走行方法及び服装もJAFの定めたルールに準じて行われていたものである。そして，同乗については，競技においては認められておらず，その当否に議論のありうるところではあるが，他面，競技においても公道上を走るいわゆる『ラリー』では同乗者が存在しており（E証言），また，ダートトライアル走行の練習においては，指導としての意味があることから他のコースも含めてかなり一般的に行われ，容認されてきた実情がある。競技に準じた形態でヘルメット着用等をした上で同乗する限り，他のスポーツに比べて格段に危険性が高いものともいえない。また，スポーツ活動においては，引き受けた危険の中に死亡や重大な傷害が含まれていても，必ずしも相当性を否定することはできない。

　これらの点によれば，被害者を同乗させた本件走行は，社会的相当性を欠くものではないといえる。

　4　以上のとおり，本件事故の原因となった被告人の運転方法及びこれによる被害者の死亡の結果は，同乗した被害者が引き受けていた危険の現実化というべき事態であり，また，社会的相当性を欠くものではないといえるから，被告人の本件走行は違法性が阻却されることになる。」

[6]　責任能力

246　責任能力の意義

大判昭和6年12月3日刑集10巻682頁

【事案】　被告人は，自己が借り受けて耕作する田の隣地所有者Aと折り合いが悪く，田の草刈りに赴いた折，Aが草刈りをやめて昼食のため帰宅しようと被告人の耕作する田付近に登るのを見て，同所の草刈りをしていたものと誤信し，日頃の反感が一時に激発してAの背後から柴刈り鎌で頭部を殴打し，驚いて駆けつけたAの長男Bの頭部等を殴打し，傷害を負わせた。原判決は，心神耗弱を認めた。

⇒ 247

【判決理由】「案するに心神喪失と心神耗弱とは孰れも精神障礙の態様に属するものなりと雖其の程度を異にするものにして即ち前者は精神の障礙に因り事物の理非善悪を弁識するの能力なく又は此の弁識に従て行動する能力なき状態を指称し後者は精神の障礙未た上叙の能力を欠如する程度に達せさるも其の能力著しく減退せる状態を指称するものなりとす所論鑑定人遠藤義雄の鑑定書には被告人の犯行当時に於ける心神障礙の程度の是非弁別判断能力の欠如せる状態にありたりとは認められす精神稍興奮状態にあり妄覚ありて妄想に近き被害的念慮を懐き知覚及判断力の不充分の状態にあり感情刺戟性にして瑣事に異常に反応して激昂し衝動性行為に近き乃至は常軌を逸する暴行に出つるか如き感情の障礙の症状存したりとの趣旨の記載ありて右に依れは本件犯行当時に於ける被告人の心神障礙の程度は普通人の有する程度の精神作用を全然欠如せるものにはあらす唯其の程度に比し著しく減退せるものなりと謂ふにあるか故に其の精神状態は刑法に所謂心神耗弱の程度にありと認むへきものにして所論の如く心神喪失の程度にありと認むへからさるものとす果して然らは所論の鑑定の結論は相当にして又原判決か右鑑定書の記載を引用して被告人か本件犯行当時心神耗弱の状況にありたりと判断したるは正当なりと謂ふへく記録を精査するも此の点に付原判決に重大なる事実の誤認あることを疑ふに足るへき顕著なる事由を見さるを以て論旨は理由なし」

247 鑑定の評価

最決昭和58年9月13日裁判集刑232号95頁／判時1100・156，判タ513・168

【事案】 覚せい剤の使用歴及び窃盗常習歴のある被告人による窃盗事件について，原審の鑑定人は被告人に幻聴を認め，心神耗弱の鑑定を行った。これに対し，原判決は幻聴に襲われたことを認めずに完全責任能力を認めている。

【決定理由】「被告人本人及び弁護人Aの各上告趣意は，いずれも，原判決が被告人の犯行当時の精神状態に関する鑑定結果を否定し被告人の刑事責任能力を肯定したことは重大な事実誤認であるというのであって，刑訴法405条の上告理由にあたらない。

　なお，被告人の精神状態が刑法39条にいう心神喪失又は心神耗弱に該当するかどうかは法律判断であって専ら裁判所に委ねられるべき問題であることはもとより，その前提となる生物学的，心理学的要素についても，右法律判断との関係で究極的には裁判所の評価に委ねられるべき問題であるところ，記録に

よれば，本件犯行当時被告人がその述べているような幻聴に襲われたということは甚だ疑わしいとしてその刑事責任能力を肯定した原審の判断は，正当として是認することができる。」

248 精神医学者の鑑定意見と裁判所の判断

最判平成 20 年 4 月 25 日刑集 62 巻 5 号 1559 頁／判時 2013・156，判タ 1274・84
（重判平 20 刑 4）

【判決理由】「被告人の精神状態が刑法 39 条にいう心神喪失又は心神耗弱に該当するかどうかは法律判断であって専ら裁判所にゆだねられるべき問題であることはもとより，その前提となる生物学的，心理学的要素についても，上記法律判断との関係で究極的には裁判所の評価にゆだねられるべき問題である（最高裁昭和 58 年(あ)第 753 号同年 9 月 13 日第三小法廷決定・裁判集刑事 232 号 95 頁）。しかしながら，生物学的要素である精神障害の有無及び程度並びにこれが心理学的要素に与えた影響の有無及び程度については，その診断が臨床精神医学の本分であることにかんがみれば，専門家たる精神医学者の意見が鑑定等として証拠となっている場合には，鑑定人の公正さや能力に疑いが生じたり，鑑定の前提条件に問題があったりするなど，これを採用し得ない合理的な事情が認められるのでない限り，その意見を十分に尊重して認定すべきものというべきである。」

249 精神医学者の鑑定意見と裁判所の判断

最決平成 21 年 12 月 8 日刑集 63 巻 11 号 2829 頁／判時 2070・156，判タ 1318・100
（百選 I 35，重判平 22 刑 5）

【決定理由】「責任能力の有無・程度の判断は，法律判断であって，専ら裁判所にゆだねられるべき問題であり，その前提となる生物学的，心理学的要素についても，上記法律判断との関係で究極的には裁判所の評価にゆだねられるべき問題である。したがって，専門家たる精神医学者の精神鑑定等が証拠となっている場合においても，鑑定の前提条件に問題があるなど，合理的な事情が認められれば，裁判所は，その意見を採用せずに，責任能力の有無・程度について，被告人の犯行当時の病状，犯行前の生活状態，犯行の動機・態様等を総合して判定することができる（最高裁昭和 58 年(あ)第 753 号同年 9 月 13 日第三小法廷決定・裁判集刑事 232 号 95 頁，最高裁昭和 58 年(あ)第 1761 号同 59 年 7 月 3 日第三小法廷決定・刑集 38 巻 8 号 2783 頁，最高裁平成 18 年(あ)第 876 号同

⇒ *250*

20 年 4 月 25 日第二小法廷判決・刑集 62 巻 5 号 1559 頁参照）。そうすると，裁判所は，特定の精神鑑定の意見の一部を採用した場合においても，責任能力の有無・程度について，当該意見の他の部分に事実上拘束されることなく，上記事情等を総合して判定することができるというべきである。」

250 統合失調症（精神分裂病）

最判昭和 53 年 3 月 24 日刑集 32 巻 2 号 408 頁／判時 889・103，判タ 364・203
（百選 I 34，重判昭 53 刑 2）

【判決理由】「所論にかんがみ職権により調査すると，原判決には，以下に述べるとおり，被告人の責任能力に関する事実誤認の疑いがある。

すなわち，記録によれば，次のような問題点がある。

㈠　被告人は，海上自衛隊に勤務中の昭和 42 年 6 月ころ医師から精神分裂病と診断され，同年 7 月下旬国立呉病院精神科に入院し，同 43 年 1 月下旬に軽快・退院したのちも，工員として働きながら同年 10 月下旬（本件犯行の約 2 か月前）まで通院治療を受けていた。

㈡　原判決は，被告人が T・A（公社職員）に結婚を断わられた不満と自衛隊に好意を持たない同女及びその兄・B（会社員・被告人の高校同級生）に対する反感から T 家の人びとを憎悪し本件犯行を計画，実行した旨認定している。しかし，被告人と A との間には具体的な交際があったわけではないし，B らとの自衛隊をめぐる議論も前年の新年会における座興類似のものであって，普通ならば謀殺の動機に発展するほどの深刻な問題を含むものではなく，犯行態様においても，人質同然に T 方へ連行したハイヤー運転手，就寝中のいたいけな幼児 3 名，急を聞いて同家に駆けつけた近隣者 2 名及び戸外に助けを求め戻ってきた A の姉・C（教員）に対し，順次，所携の鉄棒で頭部を強打して 5 名を殺害し 2 名に重傷を負わせている反面，被告人のいる前でハイヤー運転手の手当をしたり駐在所への連絡に外出しようとした A の父・D に対しては何ら手出しをしておらず，前記の動機のみでは説明のできないような奇異な行動を示している。

㈢　第 1 審の鑑定人 K 作成の鑑定書及び原審の鑑定人 I 作成の鑑定書（同人に対する原審の証人尋問調書を含む。以下「I 鑑定」という。）には，いずれも，本件犯行が被告人の精神分裂病に基づく妄想などの病的体験に支配された行動ではなく，被告人は是非善悪の判断が可能な精神状態にあった旨の意見

が記載されている。しかし，両鑑定は，本件犯行時に被告人が精神分裂病（破瓜型）の欠陥状態（人格水準低下，感情鈍麻）にあったこと，破瓜型の精神分裂病は予後が悪く，軽快を示しても一過性のもので，次第に人格の荒廃状態に陥っていく例が多いこと及び各鑑定当時でも被告人に精神分裂病の症状が認められることを指摘しており，さらに，Ⅰ鑑定は，本件犯行を決意するに至る動機には精神分裂病に基づく妄想が関与していたこと及び公判段階における被告人の奇異な言動は詐病ではなく精神分裂病の症状の現われであることを肯定している。

　右のような，被告人の病歴，犯行態様にみられる奇異な行動及び犯行以後の病状などを総合考察すると，被告人は本件犯行時に精神分裂病の影響により，行為の是非善悪を弁識する能力又はその弁識に従って行動する能力が著しく減退していたとの疑いを抱かざるをえない。

　ところが，原判決は，本件犯行が被告人の精神分裂病の寛解期になされたことのほか，犯行の動機の存在，右犯行が病的体験と直接のつながりをもたず周到な準備のもとに計画的に行われたこと及び犯行後の証拠隠滅工作を含む一連の行動を重視し，Ⅰ鑑定を裏付けとして，被告人の精神状態の著しい欠陥，障害はなかったものと認定している。

　そうすると，原判決は，被告人の限定責任能力を認めなかった点において判決に影響を及ぼすべき重大な事実誤認の疑いがあり，これを破棄しなければ著しく正義に反するものと認められる。」

251　統合失調症（精神分裂病）

最決昭和 59 年 7 月 3 日刑集 38 巻 8 号 2783 頁／判時 1128・38，判タ 535・204

（重判昭 59 刑 2）

【事案】⇒差戻し前の判決の **249** 参照。

【決定理由】「なお，被告人の精神状態が刑法 39 条にいう心神喪失又は心神耗弱に該当するかどうかは法律判断であるから専ら裁判所の判断に委ねられているのであって，原判決が，所論精神鑑定書（鑑定人に対する証人尋問調書を含む。）の結論の部分に被告人が犯行当時心神喪失の情況にあった旨の記載があるのにその部分を採用せず，右鑑定書全体の記載内容とその余の精神鑑定の結果，並びに記録により認められる被告人の犯行当時の病状，犯行前の生活状態，犯行の動機・態様等を総合して，被告人が本件犯行当時精神分裂病の影響によ

⇒ *252・253*

り心神耗弱の状態にあったと認定したのは，正当として是認することができる。」

252 覚せい剤中毒

東京高判昭和 59 年 11 月 27 日判時 1158 号 249 頁

【事案】　被告人は，覚せい剤使用の影響により幻覚・妄想の現れた異常な精神状態で，監禁や殺人等の犯罪行為を行った。原判決は完全責任能力を認めている。

【判決理由】「以上の事実を総合して考察すると，本件犯行を通じ，被告人は前記のとおり妄想や幻覚の現れた異常な精神状態にあったが，なお被告人は，自己の行為の意味やその反規範性を認識する能力，他人に対する配慮をし，事態に応じ自己の意思により行為する能力をある程度保持していたと認められ，被告人の人格が妄想や幻覚に完全に支配されていたとは認められない。そして被告人は，前記のとおり精神病質の傾向があり，疑い深く物事に拘泥したり一方的に邪推しやすく，自信に欠け敏感で傷つきやすく被害妄想を持ちやすい，しかも些細なことで激昂し暴力行為に及びやすいなどの性格の持主であることがうかがわれるのであるから，本件犯行は，6 月 22 日以来のめまぐるしい行動による心身の疲労のもとで生じたこのような被告人の本来の性格の現れとして理解できる面も多いように思われ，妄想幻覚に支配された平素とは全く異なる錯乱状態における行動とは認められないのである。したがって，被告人は，本件犯行当時，是非を弁別する能力及びこれに従って行動する能力をいまだ失ってはいなかったものと認められる。とはいえ，被告人は前記のとおりその当時覚せい剤使用の影響により異常な精神状態に陥っており，妄想幻覚に影響された異常な行動も多かったのであるから，本件犯行当時，被告人は是非を弁別する能力及びこれに従って行動する能力が著しく減弱した心神耗弱の状態にあったものと認めるのが相当である。」

253　行動制御能力が否定された事例

東京地立川支判平成 27 年 4 月 14 日判時 2283 号 142 頁

【事案】　被告人は，店舗において，ヘッドホン，ゲームソフト，ニッパーツメキリ各 1 個を盗み取ったとして起訴されたが，本判決は，以下のように述べて，被告人の行為は心神喪失者の行為として罪とならないと判示した。

【判決理由】「1　本件行為時の被告人の行動をみると，なるほど，検察官指摘のように，被告人が 5 階ゲーム売場の NINTENDO3DS 用ソフトコーナーに

現れ，その後同コーナーに設置された防犯カメラの撮影範囲外に立ち去る前の場面（第2の2の(2)）において，他の客の様子を気にしたり，客が近付いてくるとクリアケースをこじ開けようとする動作を中断したりする状況が認められることから，被告人に違法性の認識が一定程度あったことは否定できない。

しかしながら，被告人がこじ開けようとする動作を続けていた通路は客の往来がかなり多い場所であり，かつ，その動作は一見して不自然な目立つものであるところ，この場面でも，周囲に客がいながらクリアケースをこじ開けようとしている時もあるし，その後再び同コーナーに現れてからの場面（同(3)）では，店員や客を認識しながらもこじ開けようとする動作を継続する状況もある。被告人の行動に明らかに不審の目を向ける客もおり，現に本件行為は客の一人が店員に通報したことにより発覚しているが，このように他の客が不審がる様子があった後も，被告人はクリアケースをこじ開けようとする行為をやめていない。また，被告人は，3階ヘッドホン売場に行ってから再び5階ゲーム売場に戻った場面（同(6)）でも，再度別のクリアケースをこじ開けようとしているが，一方で，万引きに成功したゲームソフトのタイトルすら覚えておらず，そこまでゲームソフトの万引きに執着した合理的な事情はうかがえない。不特定多数の人が往来するゲーム売場に長時間滞在し，クリアケースを執拗にこじ開けようとした被告人の行動は異常，不自然というほかない。

また，被告人は，2階理美容売場に現れた場面（同(4)）では，少し移動すれば人目につかない場所があるにもかかわらず，他の客の真横でわざわざケースからニッパーツメキリを取出し，さらに空のケースを商品棚に戻すという行動に出ており，その後5階ゲーム売場に戻った場面（同(6)）では，万引きしたヘッドホンを堂々と頭に装着してうろついているのであり，これらの行動も大胆というよりはむしろ異常，不自然というべきである。さらに，盗品を隠匿するためのバッグ等も持参していないことからすれば，本件行為に計画性は認められず，ゲームソフトやヘッドホンを盗むためにニッパーツメキリを盗むという行動も合理的，合目的的というよりは場当たり的な行動と評価できる。

2　また，被告人が書いた前記上申書の内容（第2の2の(8)）も，客観的に認められる入店時刻や行為の順序と矛盾しており，本件行為を含めた前後の記憶を正確に保持していなかった疑いがある。

そして，てんかんにり患する前の被告人は社会適応も良好だったといえ，本

件の行為と病前性格との親和性は乏しい。被告人は，窃盗による前科を有するものの，いずれもてんかんを発症した頃以降の行為であり，行為態様もかなり大胆なものであったと見受けられる上，P医師も発作の影響によるものととらえて違和感がないと述べており，かかる評価を左右しない。さらに，被告人が犯行発覚を回避しようとする行動をとっている点も，P医師の意見を踏まえれば，本件行為時の被告人の責任能力に影響を及ぼすものではない。

3　以上によれば，P鑑定のとおり，被告人は，本件行為時NCSE〔非けいれん性てんかん重積〕による意識障害の状態（分別もうろう状態）にあった可能性が高いと認められる……。

そして，周囲に不特定多数の客や店員がおり，反対動機を形成し，それに従って犯行を思いとどまる機会がいくらでもあった上，現に，被告人が他の客の存在に反応しており，明らかに被告人の行動を不審がる客もいたことからすれば，ある程度の行動制御能力を有していれば途中で犯行を思いとどまってしかるべきといえよう。そうであるにもかかわらず，本件行為を成し遂げているということは，被告人が，前記意識障害の影響により，もはや善悪の判断に基づき欲求や衝動を抑えることができない状態に陥っていたことを示しているとも考えられる。よって，被告人は，本件行為当時，事理弁識能力はある程度備わっていたと評価できなくもないが，少なくとも行動制御能力はないに等しい状態であったとの合理的な疑いが払拭できない。」

［7］　原因において自由な行為

254　酒酔い運転
最決昭和43年2月27日刑集22巻2号67頁／判時513・83, 判タ219・136
（百選 I 39）

【事案】　被告人は，自己所有の自動車を運転してバーに行き，3，4時間飲酒した後，自動車の駐車場所に引き返そうとしたが，他人所有の自動車を乗り出して酒酔い運転を行った。このとき，被告人は心神耗弱の状態にあったとされている。第1審判決は，39条2項により刑の減軽を行ったが，原判決は，心神に異常のない時に酒酔い運転の意思があり，それによって結局酒酔い運転をしているのであるから，運転時には心神耗弱の状態にあったとしても，39条2項を適用する限りでないとした。

【決定理由】「なお，本件のように，酒酔い運転の行為当時に飲酒酩酊により心神耗弱の状態にあったとしても，飲酒の際酒酔い運転の意思が認められる場合には，刑法39条2項を適用して刑の減軽をすべきではないと解するのが相当である。」

255 覚せい剤の使用・所持

大阪高判昭和56年9月30日高刑集34巻3号385頁／判時1028・133，判タ463・146

（重判昭57刑4）

【判決理由】「さて，原判示第1事実は，昭和52年12月中旬ころ覚せい剤を使用したというものであるが，原審における訴訟の全経過にかんがみると，右は最終の使用事実を指すものであることが明らかであり，前示のような覚せい剤の入手時期及び使用状況を考慮すれば，16日以降であると認められるところ，この時期における被告人は，覚せい剤による急性中毒症にアルコールによる病的酩酊が付加され，少なくとも心神耗弱状態にあったといわねばならない。原判決は，被告人は覚せい剤使用に対する抑制力を失っておらず，それが著しく減弱してもいなかったとするけれども，K鑑定に徴し相当でない。しかしながら，被告人は反復して覚せい剤を使用する意思のもとに，昭和52年12月15日夕刻すぎ4.81グラムを上回る量を譲り受けて注射したのであって，右の一部を使用した原判示第1の所為は右の犯意がそのまま実現されたものということができ，譲り受け及び当初の使用時には責任能力が認められるから，実行行為のときに覚せい剤等の影響で少なくとも心神耗弱状態にあっても，被告人に対し刑法39条を適用すべきではないと考える。原判示第2事実についても同様であって，犯行日時である昭和52年12月19日午後9時半すぎころは少なくとも心神耗弱状態にあり，原判決は相当でないが，被告人は覚せい剤の使用残量を継続して所持する意思のもとに所持をはじめたものであり，責任能力があった当時の犯意が継続実現されたものといえるから，これまた刑法39条を適用すべきではない。そうすると，被告人に責任能力を認めた原判決は結論において正当であって，原判決には所論のような判決に影響を及ぼすべき事実誤認はなく，論旨は理由がない。」

256 過失致死

最大判昭和 26 年 1 月 17 日刑集 5 巻 1 号 20 頁／判タ 10・56

（百選 I 37）

【事案】 被告人は，飲食店において同店使用人 A と飲食を共にし，女給 B 女より「いい機嫌だね」と言われるや同女の肩に手を掛け顔を近寄せたのにすげなく拒絶されたため同女を殴打すると A らから制止されたことに憤慨し，A を刺して即死させた。

【判決理由】「本件殺人の点に関する公訴事実に対し，原判決の判示によれば『然しながら……被告人には精神病の遺伝的素質が潜在すると共に，著しい回帰性精神病者的顕在症状を有するため，犯時甚しく多量に飲酒したことによって病的酩酊に陥り，ついに心神喪失の状態において右殺人の犯罪を行ったことが認められる』旨認定判断し，もってこの点に対し無罪の言渡をしているのである。しかしながら，本件被告人の如く，多量に飲酒するときは病的酩酊に陥り，因って心神喪失の状態において他人に犯罪の害悪を及ぼす危険ある素質を有する者は居常右心神喪失の原因となる飲酒を抑止又は制限する等前示危険の発生を未然に防止するよう注意する義務あるものといわねばならない。しからば，たとえ原判決認定のように，本件殺人の所為は被告人の心神喪失時の所為であったとしても⑴被告人にして既に前示のような己れの素質を自覚していたものであり且つ⑵本件事前の飲酒につき前示注意義務を怠ったがためであるとするならば，被告人は過失致死の罪責を免れ得ないものといわねばならない。そして，本件殺人の公訴事実中には過失致死の事実をも包含するものと解するを至当とすべきである。しからば原審は本件殺人の点に関する公訴事実に対し，単に被告人の犯時における精神状態のみによってその責任の有無を決することなく，進んで上示⑴⑵の各点につき審理判断し，もってその罪責の有無を決せねばならないものであるにかかわらず，原審は以上の点につき判断を加えているものと認められないことは，その判文に照し明瞭である。しからば原判決には，以上の点において判断遺脱又は審判の請求を受けた事件につき判決をなさなかった，何れかの違法ありというの外なく，即ち論旨はこの点において理由ありといわねばならない。」

257 傷害致死

名古屋高判昭和 31 年 4 月 19 日高刑集 9 巻 5 号 411 頁

【判決理由】「被告人の検察官に対する第 1 回乃至第 7 回供述調書並原審及当

審の証人 H に対する各証人尋問調書中の供述記載によれば被告人は原判示の
如く昭和 28 年 2 月頃からヒロポンの施用を知り同年 8 月頃その中毒患者とな
り幻覚妄想等の症状を呈するに至ったので医療を受けると共にヒロポンの施用
を中止した結果一旦治癒したが生来忍耐性乏しく家庭に居住するのを好まず同
29 年 3 月頃家出を為し其の後諸所を転々の上同年 5 月下旬姉 A の結婚先であ
る原判示 B 方に至り同家に寄寓中同年 6 月 5 日頃塩酸エフェドリンの水溶液
を自己の身体に注射しその結果中枢神経が過度に興奮し幻覚妄想を起し自己及
H 一家が世間から怨まれて復讐されるが如く思惟して生甲斐なく感ずると共
に厭世観に陥り先づ自己の身近におり日頃最も敬愛する姉 A を殺害して自殺
しようと決意し同月 7 日原判示の如く短刀を以て右 A を突刺し同女を死に至
らしめたことが明であるが被告人が右の如く A を殺害する決意をしたことが
果してその自由なる意思決定の能力を有しないから右の如き決意をしたかどう
かを考へると原審鑑定人医師 I 同 J 当審鑑定人医師 K 各作成名義の鑑定書並
原審証人 I 同 J に対する各証人尋問調書の各記載を綜合すれば被告人は生来異
常性格者でヒロポン中毒の為その変質の度を増し本件行為当時は薬剤注射によ
り症候性精神病を発しおり本件犯行は該病の部分現象である妄想の推進下に遂
行されたものであって通常人としての自由なる意思決定をすることが全く不能
であったことを認めることが出来るし以上の各証拠を信用出来ない事由は一と
して存在しないので被告人の本件犯行の殺意の点については法律上心神喪失の
状態に於て決意されたものと認めざるを得ない。果して然らば本件犯行を心神
喪失者の行為として刑法第 39 条第 1 項により無罪の言渡を為すべきか否かに
つき更に審究するに薬物注射により症候性精神病を発しそれに基く妄想を起し
心神喪失の状態に陥り他人に対し暴行傷害を加へ死に至らしめた場合に於て注
射を為すに先だち薬物注射をすれば精神異常を招来して幻覚妄想を起し或は他
人に暴行を加へることがあるかも知れないことを予想しながら敢て之を容認し
て薬物注射を為した時は暴行の未必の故意が成立するものと解するを相当とす
る。而して本件の場合原審証人 N に対する証人尋問調書並被告人の検察官に
対する昭和 29 年 6 月 17 日附及同月 25 日附各供述調書の各記載に依れば被告
人は平素素行悪く昭和 28 年 1 月頃からヒロポンを施用したが精神状態の異常
を招来し如何なる事態となり又如何なる暴行をなすやも知れざりし為に同年 8
月以降之が施用を中止した処翌 29 年 6 月 5 日頃原判示 N 方に於て薬剤エフェ

ドリンを買受け之が水溶液を自己の身体に注射したのであるが其の際該薬物を注射するときは精神上の不安と妄想を招来し所携の短刀（証第4号）を以って他人に暴行等如何なる危害を加へるかも知れなかったので之を懸念し乍ら敢て之を容認して右薬剤を自己の身体に注射し其の結果原判示の如き幻覚妄想に捉われて同判示日時前記短刀を以て前記Aを突刺し因て同女を死亡するに至らしめた事実を認めることが出来るから被告人は本件につき暴行の未必の故意を以てAを原判示短刀で突刺し死に至らしめたものと謂うべく従って傷害致死の罪責を免れ得ないものと謂わなければならない。従って原判決が被告人の前記犯行を殺人罪とし当時被告人は心神耗弱の状況にあったものと認定したのは証拠の価値判断を誤り採証の法則に反し事実を誤認した違法がありこの違法は判決に影響を及ぼすものと謂わなければならない。」

258 実行開始後の心神耗弱

東京高判昭和54年5月15日判時937号123頁／判タ394・161

【事案】 被告人は，殺人の実行の途中で，興奮により情動性朦朧状態により心神耗弱状態となり，その状態下で確定的故意によりAを殺害した。

【判決理由】 「所論は被告人は犯当心神耗弱の状態にあった旨主張する。

この点に関する弁護人の原審における主張は，被告人は犯行開始時には意図的に防衛行為に出たものであるが，それが中途から心神喪失乃至心神耗弱におちいったものであるというのであり，原認定は，鑑定人Nの鑑定結果等を参酌し，被告人は犯行開始後その中途において情動性朦朧状態となり，その段階で心神耗弱の状態に転じたが，少なくとも実行開始時において責任能力に欠けるところがない以上は刑法39条2項を適用すべきものではない旨判示した。

まず，被告人が犯行開始後その中途において心神耗弱の状態におちいったものの，いまだ心神喪失にはいたらなかった旨の原認定は，前記鑑定結果にも沿うものであって，これを肯認することができる。そしてまた，かかる場合に刑法39条2項が適用されない旨の原判断も，本件の具体的事案に即してなおこれを是認すべきものであると考える。即ち，本件事実関係に見る被告人の実行開始時の行為は，鋭利な洋鋏をもって相手方の上体部等を数回連続してそれもかなりの力で突き刺すというものであり，当然その加害の程度も重大である。すなわち，被告人はその責任能力に特段の減弱のない状態において既に未必的殺意をもって積極的に重大な加害行為に及んだものであって，以後の実行行為

は右殺意のおのずからなる継続発展として，かつ主としては右と同じ態様の加害行為をひたすら反覆継続したという関係なのである。本件犯行行為中右開始当初の部分が，被告人に対する本件行為全体の非難可能性の有無，程度を判定するうえに無視して差支えないほどの，或は見るべき意味をもたない程の軽微僅少なものであるとはとうていいえない。そしてまた，被告人が行為中途でおちいった情動性朦朧状態も，それは被告人が相手方に対して意図的に右のような重大な加害を開始してしまったことによる激しい精神的昂奮が少なからず起因しているものであることは容易に窺知できるところであり，それならば，その精神的昂奮状態は被告人において自ら招いた面が多いという関係もそこに認められるのである。被告人に対し非難可能性の減弱を認めるべき実質的根拠はますます薄弱とならざるを得ない。

　結局，この点に関する原判断はこれを肯認するに足り，被告人の心神耗弱の事実は本件においては量刑上の事情として参酌されるにとどまるものである。」

259　実行開始後の心神耗弱

長崎地判平成 4 年 1 月 14 日判時 1415 号 142 頁／判タ 795・266
（百選 I 36，重判平 4 刑 2）

【事案】　被告人は，妻 A と口論となり，焼酎を飲んで酩酊の度を深めながら A に暴行を執拗に加え続け，その結果 A を死亡させた。被告人は，犯行初期には単純酩酊状態で完全責任能力があったが，本件犯行の中核的な行為を行った時期には複雑酩酊状態になっていて，心神耗弱の状態にあったとされている。

【判決理由】　「そこで，更に検討するに，本件は，同一の機会に同一の意思の発動にでたもので，実行行為は継続的あるいは断続的に行われたものであるところ，被告人は，心神耗弱下において犯行を開始したのではなく，犯行開始時において責任能力に問題はなかったが，犯行を開始した後に更に自ら飲酒を継続したために，その実行行為の途中において複雑酩酊となり心神耗弱の状態に陥ったにすぎないものであるから，このような場合に，右事情を量刑上斟酌すべきことは格別，被告人に対し非難可能性の減弱を認め，その刑を必要的に減軽すべき実質的根拠があるとは言いがたい。そうすると，刑法 39 条 2 項を適用すべきではないと解するのが相当である。」

⇒ *260・261*

[*8*]　期待可能性

260　暴　行

福岡高判昭和 30 年 6 月 14 日判時 61 号 28 頁

【事案】　労働組合の幹部である被告人らは，労働争議に際し，会社側幹部の不誠意に対し激昂した組合員らの暴行を阻止し得ず，自らもこれに加わった。

【判決理由】　「本件所為のうち判示第一の各行為により相手方に加えた危害及び自由抑圧の程度が左程に高度のものとはいえないことがいずれも明かであり，右の諸事情に加えて一般に労働組合の白熱化した争議中においては組合員が興奮し，感情の激しい勢の赴くところ，それはもとより好ましからざる不幸なことではあるが，ある程度の暴力沙汰は往々にして起り勝ちなことであること等を参酌して，被告人両名の職員クラブ内における行為を判断すれば，前叙の如き主観的，客観的諸条件の下に被告人等に対しまたこれと同様の立場における何人に対しても，右の如き所為に出でないことを期待することは可能であるとは認め難く被告人等に責任を負わしめることは相当でないと解するので，判示第一の各所為につきその責任を阻却すべき事由があるものと認める。」

261　失業保険の保険料不納付

最判昭和 33 年 7 月 10 日刑集 12 巻 11 号 2471 頁／判時 155・8

【事案】　会社の工場長である被告人 X は，被告会社の代理人として失業保険の保険料を納付期日に納付しなかった。原判決は，これは，会社の経理状況が終戦のインフレーション等さまざまな事情によりますます悪化し，会社の本店からの送金が遅れていた反面，被告人の自由裁量を許される手許資金もなく，独自の権限で融資を受ける方法等もなかった状態の下に起こったとして，納付義務の履行を期待することは不可能であったとし，失業保険法違反の成立を否定した。

【判決理由】　「失業保険法（昭和 24 年法律 87 号による改正前のもの）32 条は『事業主は，その雇用する被保険者の負担する保険料を納付しなければならない』と規定し，同条の規定に違反した者に対する罰則規定として，同法 53 条は，事業主が同条 2 号の『第 32 条の規定に違反して被保険者の賃金から控除した保険料をその納付期日に納付しなかった場合』に該当するときは，6 箇月以下の懲役又は 1 万円以下の罰金に処することを定め，同法 55 条は，法人の

代表者又は法人若しくは人の代理人，使用人その他の従業者が，その法人又は
人の事業に関し，前記の違反行為をしたときは，行為者を罰するの外，その法
人又は人に対し，前記本条の罰金刑を科する旨を定めている。そして，右 53
条が，右 55 条により本件のごとき法人又は人の代理人，使用人その他の従業
者に適用せられる場合の法意を考えてみるに，53 条 2 号『被保険者の賃金
から控除した保険料をその納付期日に納付しなかった場合』というのは，法人
又は人の代理人，使用人その他の従業者が，事業主から保険料の納付期日まで
に被保険者に支払うべき賃金を受けとり，その中から保険料を控除したか，又
はすくなくとも事業主が保険料の納付期日までに，右代理人等に，納付すべき
保険料を交付する等，事業主において，右代理人等が納付期日に保険料を現実
に納付しうる状態に置いたに拘わらず，これをその納付期日に納付しなかった
場合をいうものと解するを相当とし，そのような事実の認められない以上は，
事業主本人，事業主が法人であるときはその代表者が，53 条 2 号，55 条によ
り 32 条違反の刑責を負う場合のあるのは格別，その代理人，使用人その他の
従業者については，前記 53 条に規定する犯罪の構成要件を欠くものというべ
きである。しかるに，原審が引用し，そしてそれを是認した第 1 審判決の認定
事実によれば，『被告人 X が，被告人会社の代理人として，判示の如く納付期
日に右保険料を納付しなかったのは，本件発生当時の被告人会社の経理状況が
終戦後のインフレーションと統制経済による原料価格と，製品価格との不均衡，
過剰従業員による人件費の増大等に基く事業採算の困難，一般生活費の高騰に
基因する従業員の賃上要求による長期間のストライキから生じた生産低下等に
より，唯さえ経理の困難さが存在したのに，之が延いては金融機関よりの融資
の円滑を妨げる材料となり，益々経理状況に悪化を加えられていた事情もあっ
て，被告人会社の本店からの送金が遅れていた反面，前記工場長たる被告人
X の自由裁量を許される手許資金もなく，又独自の権限で融資を受ける方法
等もなかった状態の下に起ったことが認められる』というのであって，右のよ
うな事実関係の下においては，被告人会社は，その代理人たる被告人 X に，
本件保険料を，その納付期日までに交付したことも認められず，その他被告人
会社において被告人 X が，右保険料を納付期日に現実に納付しうる状態に置
いたことも認められない。しからば，被告人 X が本件保険料をその納付期日
までに納付しなかったとしても，それが失業保険法 32 条違反として，同法 53

⇒ *261*

条2号，55条に該当するものと認められないことは，既に説示した同条項の法意に照らし明らかであって，被告人Xは，犯罪構成要件を欠き無罪たるべきものであり，行為者たる同被告人が無罪である以上，被告人会社も同法55条の適用を受くべき限りでなく，これまた無罪たるべきものである。原判決は，その理由において当裁判所の判断と異なるところがあるが，その結論は結局正当たるに帰する。」

V 未 遂 犯

[1] 実行の着手

262 実行に移す意思

【事案】 被告人は，自宅家屋を燃やすと共に焼身自殺をしようとして，家屋内にガソリンを撒布し，死ぬ前に最後のタバコを吸おうとライターで点火したところ，撒布したガソリンの蒸気に引火し，爆発して火災に至った。

【判決理由】「しかしながら，関係各証拠によれば，本件家屋は木造平屋建であり，内部も特に不燃性の材料が用いられているとは見受けられず，和室にはカーペットが敷かれていたこと，本件犯行当時，本件家屋は雨戸や窓が全部閉められ密閉された状態にあったこと，被告人によって撒布されたガソリンの量は，約 64 リットルに達し，しかも 6 畳及び 4 畳半の各和室，廊下，台所，便所など本件家屋の床面の大部分に満遍無く撒布されたこと，右撒布の結果，ガソリンの臭気が室内に充満し，被告人は鼻が痛くなり，目もまばたきしなければ開けていられないほどであったことが認められるのであり，ガソリンの強い引火性を考慮すると，そこに何らかの火気が発すれば本件家屋に撒布されたガソリンに引火し，火災が起こることは必定の状況にあったのであるから，被告人はガソリンを撒布することによって放火について企図したところの大半を終えたものといってよく，この段階において法益の侵害即ち本件家屋の焼燬を惹起する切迫した危険が生じるに至ったものと認められるから，右行為により放火罪の実行の着手があったものと解するのが相当である。

　よって，右の点に関する弁護人の主張は採用できない。

　（なお，前記のとおり本件焼燬の結果は被告人自身がタバコを吸おうとして点火したライターの火に引火して生じたものではあるが，前記の状況の下でライターを点火すれば引火するであろうことは一般人に容易に理解されるところ

であって予想し得ないような事柄ではなく，被告人はライターを点火する時に本件家屋を焼燬する意思を翻したわけでもないから，右のような経緯で引火したことにより本件の結果が生じたからといって因果関係が否定されるものではなく，被告人は放火既遂罪の刑責を免れない。）」

263　早すぎた結果の発生

最決平成 16 年 3 月 22 日刑集 58 巻 3 号 187 頁／判時 1856・158，判タ 1148・185

（百選 I 64，重判平 16 刑 4）

【決定理由】「1　1，2 審判決の認定及び記録によると，本件の事実関係は，次のとおりである。

(1)　被告人 X は，夫の A を事故死に見せ掛けて殺害し生命保険金を詐取しようと考え，被告人 Y に殺害の実行を依頼し，被告人 Y は，報酬欲しさからこれを引き受けた。そして，被告人 Y は，他の者に殺害を実行させようと考え，P，Q 及び R（以下「実行犯 3 名」という。）を仲間に加えた。被告人 X は，殺人の実行の方法については被告人 Y らにゆだねていた。

(2)　被告人 Y は，実行犯 3 名の乗った自動車（以下「犯人使用車」という。）を A の運転する自動車（以下「A 使用車」という。）に衝突させ，示談交渉を装って A を犯人使用車に誘い込み，クロロホルムを使って A を失神させた上，最上川付近まで運び A 使用車ごと崖から川に転落させてでき死させるという計画を立て，平成 7 年 8 月 18 日，実行犯 3 名にこれを実行するよう指示した。実行犯 3 名は，助手席側ドアを内側から開けることのできないように改造した犯人使用車にクロロホルム等を積んで出発したが，A をでき死させる場所を自動車で 1 時間以上かかる当初の予定地から近くの石巻工業港に変更した。

(3)　同日夜，被告人 Y は，被告人 X から，A が自宅を出たとの連絡を受け，これを実行犯 3 名に電話で伝えた。実行犯 3 名は，宮城県石巻市内の路上において，計画どおり，犯人使用車を A 使用車に追突させた上，示談交渉を装って A を犯人使用車の助手席に誘い入れた。同日午後 9 時 30 分ころ，Q が，多量のクロロホルムを染み込ませてあるタオルを A の背後からその鼻口部に押し当て，P もその腕を押さえるなどして，クロロホルムの吸引を続けさせて A を昏倒させた（以下，この行為を「第 1 行為」という。）。その後，実行犯 3 名は，A を約 2 km 離れた石巻工業港まで運んだが，被告人 Y を呼び寄せた上で A を海中に転落させることとし，被告人 Y に電話をかけてその旨伝えた。同日午後 11 時 30 分ころ，被告人 Y が到着したので，被告人 Y 及び実行犯 3 名は，ぐったりとして動かない A を A 使用車の運転席に運び入れた上，同車を岸壁から海中に転落させて沈めた（以下，この行為を「第 2 行為」という。）。

(4)　A の死因は，でき水に基づく窒息であるか，そうでなければ，クロロホルム摂

取に基づく呼吸停止，心停止，窒息，ショック又は肺機能不全であるが，いずれである
かは特定できない。Aは，第2行為の前の時点で，第1行為により死亡していた可能
性がある。

　(5)　被告人Y及び実行犯3名は，第1行為自体によってAが死亡する可能性がある
との認識を有していなかった。しかし，客観的にみれば，第1行為は，人を死に至らし
める危険性の相当高い行為であった。

　2　上記1の認定事実によれば，実行犯3名の殺害計画は，クロロホルムを
吸引させてAを失神させた上，その失神状態を利用して，Aを港まで運び自
動車ごと海中に転落させてでき死させるというものであって，第1行為は第2
行為を確実かつ容易に行うために必要不可欠なものであったといえること，第
1行為に成功した場合，それ以降の殺害計画を遂行する上で障害となるような
特段の事情が存しなかったと認められることや，第1行為と第2行為との間の
時間的場所的近接性などに照らすと，第1行為は第2行為に密接な行為であり，
実行犯3名が第1行為を開始した時点で既に殺人に至る客観的な危険性が明ら
かに認められるから，その時点において殺人罪の実行の着手があったものと解
するのが相当である。また，実行犯3名は，クロロホルムを吸引させてAを
失神させた上自動車ごと海中に転落させるという一連の殺人行為に着手して，
その目的を遂げたのであるから，たとえ，実行犯3名の認識と異なり，第2行
為の前の時点でAが第1行為により死亡していたとしても，殺人の故意に欠
けるところはなく，実行犯3名については殺人既遂の共同正犯が成立するもの
と認められる。そして，実行犯3名は被告人両名との共謀に基づいて上記殺人
行為に及んだものであるから，被告人両名もまた殺人既遂の共同正犯の罪責を
負うものといわねばならない。したがって，被告人両名について殺人罪の成立
を認めた原判断は，正当である。」

264　窃盗罪の実行の着手

大判昭和9年10月19日刑集13巻1473頁

【判決理由】「家宅侵入の行為は窃盗罪の構成要素に属せす単に其の遂行手段
に外ならさるか故に家宅に侵入したるの一事を以て窃盗罪の著手と謂ふ能はさ
るは勿論なりと雖窃盗の目的を以て家宅に侵入し他人の財物に対する事実上の
支配を犯すに付密接なる行為を為したるときは窃盗罪に著手したるものと謂ふ
を得へし故に窃盗犯人か家宅に侵入して金品物色の為簞笥に近寄りたるか如き

は右事実上の支配を侵すに付密接なる行為を為したるものにして即ち窃盗罪の著手ありたるものと云ふを得へく其の際家人に誰何せられ逮捕を免るる為人を傷けたるときは準強盗傷人罪を以て論すへきこと更に絮説を要せす原判示に依れは被告人は金員窃取の目的を以てA方に忍入り同人及其の妻Bの就寝せる同家6畳間に到り金円物色の為其の北東隅の三重簞笥に近寄りたる際Aか眼を覚まし誰何したるより逮捕を免るる為其の場に於て日本刀を以て右両人に斬付け各切創を負はしめたる趣旨なるを以て準強盗傷人罪に該当すること洵に明なり」

265 財物の物色

最判昭和23年4月17日刑集2巻4号399頁

【判決理由】「原判決の認定するところによれば，被告人等は，共謀の上馬鈴薯その他食料品を窃取しようと企て，A方養蚕室に侵入し，懐中電燈を利用して，食料品等を物色中，警察官等に発見せられて，その目的を遂げなかったというのであって，被告人等は，窃盗の目的で他人の屋内に侵入し，財物を物色したというのであるから，このとき既に，窃盗の着手があったとみるのは当然である。従って，如上判示の事実をもって，住居侵入，窃盗未遂の罪にあたると判断した原判決は正当である。」

266 家屋への侵入

東京高判昭和24年12月10日高刑集2巻3号292頁

【判決理由】「刑法第238条の窃盗が逮捕を免れるため暴行脅迫を加えたという準強盗罪の成立には犯人が少くとも窃盗の実行行為に着手したことを要するのである。しかして窃盗の目的で他人の家に侵入してもこれだけでは窃盗の実行着手ではない。其の着手というがためには侵入後金品物色の行為がなければならない。原判決が認定した事実は被告人は昭和24年1月29日午後11時頃判示のような事情から窃盗の目的で判示A方に赴き同家北側の窓に足を掛け屋根に登り屋根伝いに2階南側の雨戸の開いていた箇所から同居宅に侵入した折柄同家2階6畳間に就寝中の前記Aが其の物音に目覚めて起き上り飛び掛って来たので其の逮捕を免れる為矢庭に同人を力委せに突き倒して其の後頭部を後方の障子に打ちつけ因って同人をして右ショックに因る心臓麻痺のため即死するに至らしめたのである。而して右事実（死因の点を包含する）は記録並

びに原審の取調べた証拠（殊に死因については鑑定書）によっても誤認がない
のである。なお被害者に所論のように心臓病患があったとしても右事情は普通
あり得る事情であるから被告人の行為の因果関係を中断することはない。故に
因果関係中断に関する論旨は理由ないのであるが右の様に A 方に侵入しただ
けでは未だ窃盗の実行行為の着手とは認められない。従って右事実は準強盗で
なく従って A を現場で死に致しても強盗致死罪の成立がない。単に傷害致死
罪の成立があるだけである。」

267 タバコ売場事件

最決昭和 40 年 3 月 9 日刑集 19 巻 2 号 69 頁／判時 407・63，判タ 175・150
（百選 I 61）

【決定理由】「被告人は昭和 38 年 11 月 27 日午前零時 40 分頃電気器具商たる
本件被害者方店舗内において，所携の懐中電燈により真暗な店内を照らしたと
ころ，電気器具類が積んであることが判ったが，なるべく金を盗りたいので自
己の左側に認めた煙草売場の方に行きかけた際，本件被害者らが帰宅した事実
が認められるというのであるから，原判決が被告人に窃盗の着手行為があった
ものと認め，刑法 238 条の『窃盗』犯人にあたるものと判断したのは相当であ
る。」

268 土蔵への侵入

名古屋高判昭和 25 年 11 月 14 日高刑集 3 巻 4 号 748 頁

【事案】 被告人は，窃盗の目的で，A 方の土蔵に侵入しようとして土蔵の壁の一部を
破壊したが，家人に発見され逃走し，また B 方の土蔵に侵入しようとして扉の南京錠
を破壊し外扉を開いたが，夜が明けて家人に発見されることを虞れ逃走した。

【判決理由】「一般に窃盗の目的で，他人の住家に侵入しようとしたときは，
窃盗の著手があったものと認むることはできないけれども，土蔵内の品物を窃
取しようと思って，土蔵に侵入しようとしたときは，窃盗の著手があったもの
と解すべきである。『実行の著手』について，主観説をとるときは，何れの場
合にも著手があったものと解することができるが，主観説即ち他人の財物の事
実上の支配を侵すにつき，密接せる程度に達せる場合には，著手があるものと
解するときは，住家の場合は，被告人の主観を除けば，窃盗するのか暴行する
のか姦淫するのか客観的には判明しないので，窃盗の著手をしたものと認める
ことはできないが，土蔵の場合には，通常窃取すべき財物のみがあって人が住

んでいないのが通常であるから，これに侵入しようとすれば，右の財物を窃取しようと企てていることが客観的にも看取することができる。これは，たんすの中の物を取る積りで，抽斗に手を掛けて開きかけた場合や，トランクの中の物を取る積りで，その錠を破壊して開きかけた場合に窃盗の著手があったものと解するのと全く同様であると解すべきである。従って本件において被告人等が窃盗の目的で土蔵に侵入しようとして土蔵の壁の一部を破壊したり，又は外扉の錠を破壊してこれを開いたことは，窃盗の著手をしたものと解すべきである。」

269 車上荒らし

東京地判平成 2 年 11 月 15 日判時 1373 号 144 頁

【判決理由】 （罪となるべき事実）「被告人は，……平成 2 年 9 月 29 日午後 9 時 43 分ころ，東京都文京区《番地略》先路上において，同所に駐車中の A 所有の普通乗用自動車内から金員を窃取すべく，助手席側ドアの鍵穴に所携のドライバーを差し込んで開け，車内にある金員を窃取しようとしたが，その場で警察官に発見されて逮捕されたため，その目的をとげなかったものである。」

270 券売機釣銭窃盗

東京高判平成 22 年 4 月 20 日判タ 1371 号 251 頁

【事案】 被告人は，現金窃取の目的で，新橋駅改札口切符売場において，自動券売機の硬貨釣銭返却口に接着剤を塗り付け，釣銭を接着させる方法で同駅駅長管理の現金を窃取しようとしたが，駅員に発見されて現行犯逮捕されたため，その目的を遂げなかった。原判決は窃盗未遂罪の成立を否定したが，本判決は以下のように述べて同罪の成立を肯定した。

【判決理由】 「窃盗罪における実行の着手は，構成要件該当行為自体の開始時点に限定されず，これに密接な行為であって，既遂に至る客観的危険性が発生した時点に認められると解されるところ，本件においては，本件接着剤を各券売機の釣銭返却口に塗布した時点において，実行の着手があったというべきである。すなわち，被告人の本件接着剤塗布行為は，券売機の釣銭等を取得するためには，最も重要かつ必要不可欠な行為であり，釣銭の占有取得に密接に結びついた行為である。また，被告人において，本件接着剤塗布行為に 1 回でも成功すれば，本件接着剤の効能，乗客の乗車券購入行為等による釣銭の出現の頻度，釣銭が接着剤に付着する確率等を踏まえると，券売機の管理者が占有す

る釣銭用硬貨を十分に取得することができる状態に至った，換言すれば，硬貨の窃取に至る客観的危険性が生じたということができるというべきである。」

271 キャッシュカードすり替え型窃盗

最決令和4年2月14日刑集76巻2号101頁

【決定理由】　「3　記録によると，本件の事実関係は，次のとおりである。

（1）　警察官になりすました氏名不詳者は，令和元年6月8日午後2時過ぎ頃，被害者宅に電話をかけ，被害者に対し，『詐欺の被害に遭っている可能性があります。』『被害額を返します。』『それにはキャッシュカードが必要です。』『金融庁の職員があなたの家に向かっています。』『これ以上の被害が出ないように，口座を凍結します。』『金融庁の職員が封筒を準備していますので，その封筒の中にキャッシュカードを入れてください。』『金融庁の職員が，その場でキャッシュカードを確認します。』『その場で確認したら，すぐにキャッシュカードはお返ししますので，3日間は自宅で保管してください。』『封筒に入れたキャッシュカードは，3日間は使わないでください。』『3日間は口座からのお金の引出しはできません。』などと告げた（以下，これらの文言を「本件うそ」という。）。

（2）　指示役の指示に基づき山形県西村山郡a町内の量販店で待機していた被告人は，同日午後4時10分頃，指示役の合図により，徒歩で，同町内の被害者宅の方に向かった。しかし，被告人は，同日午後4時18分頃，被害者宅まで約140mの路上まで赴いた時点で，警察官が後をつけていることに気付き，指示役に指示を求めるなどして犯行を断念した。

（3）　氏名不詳者らは，警察官を装う者が，被害者に電話をかけ，被害者のキャッシュカードを封筒に入れて保管することが必要であり，これから訪れる金融庁職員がこれに関する作業を行う旨信じさせるうそを言う一方，金融庁職員を装う被告人が，すり替えに用いるポイントカードを入れた封筒（以下「偽封筒」という。）を用意して被害者宅を訪れ，被害者に用意させたキャッシュカードを空の封筒に入れて封をした上，割り印をするための印鑑が必要である旨言って被害者にそれを取りに行かせ，被害者が離れた隙にキャッシュカード入りの封筒と偽封筒とをすり替え，キャッシュカード入りの封筒を持ち去って窃取することを計画していた（以下，この計画を「本件犯行計画」という。）。警察官になりすました氏名不詳者は，本件犯行計画に基づいて，被害者に対し本件うそを述べたものであり，被告人も，同計画に基づいて，被害者宅付近路上まで赴いたものである。

4　本件犯行計画上，キャッシュカード入りの封筒と偽封筒とをすり替えてキャッシュカードを窃取するには，被害者が，金融庁職員を装って来訪した被告人の虚偽の説明や指示を信じてこれに従い，封筒にキャッシュカードを入れ

[1]　実行の着手　　*365*

たまま，割り印をするための印鑑を取りに行くことによって，すり替えの隙を
生じさせることが必要であり，本件うそはその前提となるものである。そして，
本件うそには，金融庁職員のキャッシュカードに関する説明や指示に従う必要
性に関係するうそや，間もなくその金融庁職員が被害者宅を訪問することを予
告するうそなど，被告人が被害者宅を訪問し，虚偽の説明や指示を行うことに
直接つながるとともに，被害者に被告人の説明や指示に疑問を抱かせることな
く，すり替えの隙を生じさせる状況を作り出すようなうそが含まれている。こ
のような本件うそが述べられ，金融庁職員を装いすり替えによってキャッシュ
カードを窃取する予定の被告人が被害者宅付近路上まで赴いた時点では，被害
者が間もなく被害者宅を訪問しようとしていた被告人の説明や指示に従うなど
してキャッシュカード入りの封筒から注意をそらし，その隙に被告人がキャッ
シュカード入りの封筒と偽封筒とをすり替えてキャッシュカードの占有を侵害
するに至る危険性が明らかに認められる。

　このような事実関係の下においては，被告人が被害者に対して印鑑を取りに
行かせるなどしてキャッシュカード入りの封筒から注意をそらすための行為を
していないとしても，本件うそが述べられ，被告人が被害者宅付近路上まで赴
いた時点では，窃盗罪の実行の着手が既にあったと認められる。したがって，
被告人について窃盗未遂罪の成立を認めた第1審判決を是認した原判断は正当
である。」

272　詐欺罪の実行の着手時期
　　　　　最判平成30年3月22日刑集72巻1号82頁／判時2452・90，判タ1473・5
【判決理由】　「⑴　本件の事実関係

　第1審判決及び原判決の認定並びに記録によると，本件の事実関係は，次のとおりで
ある。

　ア　長野市内に居住する被害者は，平成28年6月8日，甥になりすました氏名不詳
者からの電話で，仕事の関係で現金を至急必要としている旨の嘘を言われ，その旨誤信
し，甥の勤務する会社の系列社員と称する者に現金100万円を交付した。

　イ　被害者は，平成28年6月9日午前11時20分頃，警察官を名乗る氏名不詳者か
らの電話で，『昨日，駅の所で，不審な男を捕まえたんですが，その犯人が被害者の名
前を言っています。』『昨日，詐欺の被害に遭っていないですか。』『口座にはまだどのく
らいの金額が残っているんですか。』『銀行に今すぐ行って全部下ろした方がいいです
よ。』『前日の100万円を取り返すので協力してほしい。』などと言われ（1回目の電話），

同日午後１時１分頃，警察官を名乗る氏名不詳者らからの電話で，『僕，向かいますから。』『２時前には到着できるよう僕の方で態勢整えますので。』などと言われた（２回目の電話）。

　ウ　被告人は，平成28年６月８日夜，氏名不詳者から，長野市内に行くよう指示を受け，同月９日朝，詐取金の受取役であることを認識した上で長野市内へ移動し，同日午後１時11分頃，氏名不詳者から，被害者宅住所を告げられ，『お婆ちゃんから金を受け取ってこい。』『29歳，刑事役って設定で金を取りに行ってくれ。』などと指示を受け，その指示に従って被害者宅に向かったが，被害者宅に到着する前に警察官から職務質問を受けて逮捕された。

　エ　警察官を名乗って上記イ記載の２回の電話をかけた氏名不詳者らは，上記ア記載の被害を回復するための協力名下に，警察官であると誤信させた被害者に預金口座から現金を払い戻させた上で，警察官を装って被害者宅を訪問する予定でいた被告人にその現金を交付させ，これをだまし取ることを計画し，その計画に基づいて，被害者に対し，上記イ記載の各文言を述べたものであり，被告人も，その計画に基づいて，被害者宅付近まで赴いたものである。

(2)　本件における詐欺罪の実行の着手の有無

　本件における，上記(1)イ記載の各文言は，警察官を装って被害者に対して直接述べられたものであって，預金を下ろして現金化する必要があるとの嘘（１回目の電話），前日の詐欺の被害金を取り戻すためには被害者が警察に協力する必要があるとの嘘（１回目の電話），これから間もなく警察官が被害者宅を訪問するとの嘘（２回目の電話）を含むものである。上記認定事実によれば，これらの嘘（以下「本件嘘」という。）を述べた行為は，被害者をして，本件嘘が真実であると誤信させることによって，あらかじめ現金を被害者宅に移動させた上で，後に被害者宅を訪問して警察官を装って現金の交付を求める予定であった被告人に対して現金を交付させるための計画の一環として行われたものであり，本件嘘の内容は，その犯行計画上，被害者が現金を交付するか否かを判断する前提となるよう予定された事項に係る重要なものであったと認められる。そして，このように段階を踏んで嘘を重ねながら現金を交付させるための犯行計画の下において述べられた本件嘘には，預金口座から現金を下ろして被害者宅に移動させることを求める趣旨の文言や，間もなく警察官が被害者宅を訪問することを予告する文言といった，被害者に現金の交付を求める行為に直接つながる嘘が含まれており，既に100万円の詐欺被害に遭っていた被害者

⇒ *272*

に対し，本件嘘を真実であると誤信させることは，被害者において，間もなく被害者宅を訪問しようとしていた被告人の求めに応じて即座に現金を交付してしまう危険性を著しく高めるものといえる。このような事実関係の下においては，本件嘘を一連のものとして被害者に対して述べた段階において，被害者に現金の交付を求める文言を述べていないとしても，詐欺罪の実行の着手があったと認められる。」

　山口厚裁判官の補足意見　「詐欺の実行行為である『人を欺く行為』が認められるためには，財物等を交付させる目的で，交付の判断の基礎となる重要な事項について欺くことが必要である。詐欺未遂罪はこのような『人を欺く行為』に着手すれば成立し得るが，そうでなければ成立し得ないわけではない。従来の当審判例によれば，犯罪の実行行為自体ではなくとも，実行行為に密接であって，被害を生じさせる客観的な危険性が認められる行為に着手することによっても未遂罪は成立し得るのである（最高裁平成15年（あ）第1625号同16年3月22日第一小法廷決定・刑集58巻3号187頁参照）。したがって，財物の交付を求める行為が行われていないということは，詐欺の実行行為である『人を欺く行為』自体への着手がいまだ認められないとはいえても，詐欺未遂罪が成立しないということを必ずしも意味するものではない。未遂罪の成否において問題となるのは，実行行為に『密接』で『客観的な危険性』が認められる行為への着手が認められるかであり，この判断に当たっては『密接』性と『客観的な危険性』とを，相互に関連させながらも，それらが重畳的に求められている趣旨を踏まえて検討することが必要である。特に重要なのは，無限定な未遂罪処罰を避け，処罰範囲を適切かつ明確に画定するという観点から，上記『密接』性を判断することである。

　本件では，預金口座から現金を下ろすように求める1回目の電話があり，現金が被害者宅に移動した後に，間もなく警察官が被害者宅を訪問することを予告する2回目の電話が行われている。このように，本件では，警察官になりすました被告人が被害者宅において現金の交付を求めることが計画され，その段階で詐欺の実行行為としての『人を欺く行為』がなされることが予定されているが，警察官の訪問を予告する上記2回目の電話により，その行為に『密接』な行為が行われていると解することができる。また，前日詐欺被害にあった被害者が本件の一連の嘘により欺かれて現金を交付する危険性は，上記2回目の

電話により著しく高まったものと認められる。こうして，預金口座から下ろした現金の被害者宅への移動を挟んで2回の電話が一連のものとして行われた本件事案においては，1回目の電話の時点で未遂罪が成立し得るかどうかはともかく，2回目の電話によって，詐欺の実行行為に密接な行為がなされたと明らかにいえ，詐欺未遂罪の成立を肯定することができると解されるのである。」

273　強制性交（強姦）の実行の着手

最決昭和 45 年 7 月 28 日刑集 24 巻 7 号 585 頁／判時 599・98，判タ 251・271

(百選 I 62)

【決定理由】「原判決ならびにその維持する第1審判決の各判示によれば，被告人は，昭和 43 年 1 月 26 日午後 7 時 30 分頃，ダンプカーに友人の Y を同乗させ，ともに女性を物色して情交を結ぼうとの意図のもとに防府市内を徘徊走行中，同市八王寺 1 丁目付近にさしかかった際，一人で通行中の T（当時 23 歳）を認め，『車に乗せてやろう。』等と声をかけながら約 100 メートル尾行したものの，相手にされないことにいら立った Y が下車して，同女に近づいて行くのを認めると，付近の同市佐波 1 丁目赤間交差点西側の空地に車をとめて待ち受け，Y が同女を背後から抱きすくめてダンプカーの助手席前まで連行して来るや，Y が同女を強いて姦淫する意思を有することを察知し，ここに Y と強姦の意思を相通じたうえ，必死に抵抗する同女を Y とともに運転席に引きずり込み，発進して同所より約 5,000 メートル西方にある佐波川大橋の北方約 800 メートルの護岸工事現場に至り，同所において，運転席内で同女の反抗を抑圧して Y，被告人の順に姦淫したが，前記ダンプカー運転席に同女を引きずり込む際の暴行により，同女に全治まで約 10 日間を要した左膝蓋部打撲症等の傷害を負わせたというのであって，かかる事実関係のもとにおいては，被告人が同女をダンプカーの運転席に引きずり込もうとした段階においてすでに強姦に至る客観的な危険性が明らかに認められるから，その時点において強姦行為の着手があったと解するのが相当であり，また，T に負わせた右打撲症等は，傷害に該当すること明らかであって（当裁判所昭和 38 年 6 月 25 日第三小法廷決定，裁判集刑事 147 号 507 頁参照），以上と同趣旨の見解のもとに被告人の所為を強姦致傷罪にあたるとした原判断は，相当である。」

274 軽4輪自動車に引きずり込もうとした事例

京都地判昭和43年11月26日判時543号91頁

【事案】 被告人は，友人3名と共に，通行中の婦女を強制性交（強姦）しようとして，A女を認めるや姦淫のため郊外へ連行しようと自動車の助手席に引きずり込もうとして暴行を加えたが，仲間が「人が来た」と告げたので，同女を突き飛ばして逃走した。同女は暴行により傷害を負った。

【判決理由】 「即ち，本件犯行に供された軽4輪乗用車（ホンダN360）の定員は，前部座席2人，後部座席2人の計4人であって，同車に大人4人が乗車すれば車内はかなり狭隘となり座席に余裕はない。本件犯行当時Yら3名は運転席及び後部座席に残り，助手席に乗車していた被告人のみが下車して右Aの腰部に抱きつくなど判示所為に及び，同女とともに助手席に乗車しようとしたのであるが，右のような車内の状況では助手席に2名も乗車することは極めて困難なことであると言わねばならない。従って，右の如き状況の下においては，Aの反抗を著しく困難ならしめるような極めて強度な暴行脅迫を加えなければ，同女を無理に乗車させることは困難である。ところが，本件ではYら3名は車中において被告人の行為を拱手傍観していたのであって，暴行を加えたのは被告人のみであるうえ，その暴行もAの腰部に抱きつき，或いは助けを求める同女の口を手で覆い，車内に引ずり込もうとひっぱった程度である。してみると，右の如き被告人の暴行では，前記の自動車の狭隘さを考え併せると，抵抗するAを車内に引ずり込むことすら極めて不可能な状況にあったもので，同女が姦淫される具体的危険性はその段階では生じていたものとは認められないので，強姦の実行の着手があったものとは言えない。」

275 ホテル内に連れ込もうとした事例

東京高判昭和57年9月21日判タ489号130頁

【事案】 被告人は，A女と肉体関係を結ぼうとして，同女を乗せたタクシーをラブ・ホテル前に停車させて下車し，ホテルに連れ込んで無理矢理肉体関係を結ぼうと決意して，その場から逃げ出した同女を追いかけ，ホテル裏手出入口から敷地内に引っぱり込み，暴行を加えた。A女は付近を警ら中の警察官に救出されたが，暴行により傷害を負った。

【判決理由】 「右の事実関係に徴すると，被告人は被害者が逃げ出すのを見るや，力づくでホテル内の一室に連れ込んで強姦しようと決意し，右犯意に基づき，同女を路上からホテルの裏門内に引っ張り込み，同所において，大声で泣

き叫んで助けを求めて強く抵抗する同女に対し，前叙のような強力かつ執拗な暴行を加えて，遮二無二同女に抵抗を断念させようとしたものであって，被告人にはあくまでも強姦の目的を遂げようとする強固な犯意のあったことは明らかであり，しかも，被告人の前示暴行は，強姦のための反抗抑圧の手段たる行為として定型性に欠けるところはなく，強姦罪の実行の着手があったと認めるのになんら妨げがないものといわなければならない。もっとも，本件は，被告人においてその場で姦淫に及ぼうとしたのではなく，ホテル内の一室に連れ込んだうえ，その目的を遂げる意図であったから，右の暴行は直接姦淫行為の一部に属するものではなく，また，暴行を加えた場所からホテル内の一室に至るには，若干の時間的・場所的な間隔があり，この間従業員に顔を合わすことなども避けられないであろうことは所論のとおりである。しかしながら，被害者が暴行を受けた場所は，右ホテルの敷地内であり，右場所からホテルの裏口自動扉までは僅か5メートルしかないうえ，被告人が被害者に加えた暴行脅迫が極めて強力かつ執拗であったことからすると，もしもそのような状況がいま少し継続していれば，被害者の抗拒が著しく困難な状態に陥り，諦めの心境も加わって被告人によってホテル内に連れ込まれる事態に至る蓋然性が高く，そうであれば，同ホテルが普通のホテルではなく，従業員らにおいて顧客の男女関係について容喙を差し控えるであろうラブ・ホテルであることとあいまち，密室同然のホテルの一室で強姦の結果が発生する客観的危険性が高度に存在していたと認めるのが相当である。

してみると，被告人が原判示暴行を加えた段階においてすでに強姦行為の着手があったと解するのが相当であり，原判決が被告人の本件所為を強姦致傷罪に問擬したのは正当というべきである。」

276 覚せい剤密輸入の実行の着手

最決平成 20 年 3 月 4 日刑集 62 巻 3 号 123 頁／判時 2003・159，判タ 1266・140
（重判平 20 刑 5）

【決定理由】　「(1)　原判決の認定及び記録によれば，本件の事実関係は，以下のとおりである。

ア　被告人らは，北朝鮮において覚せい剤を密輸船に積み込んだ上，本邦近海まで航行させ，同船から海上に投下した覚せい剤を小型船舶で回収して本邦に陸揚げするという方法で覚せい剤を輸入することを計画し，平成 14 年 6 月及び同年 10 月の 2 回にわたり，原判示美保関灯台から北北東約 25 km の日本海海上において覚せい剤を投下して

これを回収，陸揚げし，覚せい剤を輸入していた。

　イ　被告人らは，再び上記方法で覚せい剤を輸入することを企て，同年11月25日，覚せい剤を積み込んだ密輸船を北朝鮮から出港させ，一方で，日本側の回収担当者において，同月26日から同月28日までの間に陸揚げを実行するよう準備した。

　ウ　上記密輸船は，同月27日，島根県沖に到達したが，同日は荒天で風波が激しかったことから，被告人らは，日本側の回収担当者と密輸船側の関係者との間で連絡を取り，覚せい剤の投下地点を，当初予定していた前同様の日本海海上から，より陸地に近い内海の美保関灯台から南西約2.7kmの美保湾内海上に変更し，遅くとも同日午前7時ころ，1個約30kgの覚せい剤の包み8個を，ロープでつなぎ，目印のブイを付けた上，簡単に流されないよう重しを付けるなどして，密輸船から海上に投下した。

　エ　回収担当者は，投下地点等の連絡を受けたものの，悪天候のため，GPS（衛星航法装置）を備えた回収のための小型船舶を原判示境港中野岸壁から出港させることができず，同日午後3時過ぎころ，いったんは出港したものの，同岸壁と投下地点との中間辺りまでしかたどり着けず，覚せい剤を発見できないまま，同岸壁に引き返し，結局，同日，再度出港することはできなかった。

　オ　密輸船から投下された覚せい剤8個のうちの4個は，遅くとも翌28日午前5時30分ころまでに，上記投下地点から20km程度東方に位置する美保湾東岸に漂着し，さらに，その余のうち3個が，同日午前11時ころまでに，同海岸に漂着し，これらすべてが，そのころ，通行人に発見されて警察に押収された。

　カ　一方，回収担当者は，そのことを知らないまま，同日午後，覚せい剤を回収するため，再度，上記境港中野岸壁から小型船舶で出港したが，海上保安庁の船舶がしょう戒するなどしていたことから，覚せい剤の発見，回収を断念して港に戻った。その後，被告人らは，同日中に，本件覚せい剤の一部が上記のとおり海岸に漂着して警察に発見されたことを知って，最終的に犯行を断念した。

　キ　同年12月27日，前記覚せい剤の包みのうちの最後の1個が，美保湾東岸に漂着しているのが通行人によって発見され，警察に押収された。

　(2)　以上の事実関係に照らせば，本件においては，回収担当者が覚せい剤をその実力的支配の下に置いていないばかりか，その可能性にも乏しく，覚せい剤が陸揚げされる客観的な危険性が発生したとはいえないから，本件各輸入罪の実行の着手があったものとは解されない。これと同旨の原判断は相当であり，所論は理由がない。」

277 無許可輸出罪の実行の着手時期

最判平成 26 年 11 月 7 日刑集 68 巻 9 号 963 頁／判時 2247・126，判タ 1409・131

（重判平 27 刑 1）

【判決理由】「1　1，2 審判決の認定及び記録によると，本件の事実関係は，次のとおりである。

(1)　A は，平成 18 年 2 月頃から，氏名不詳者より，日本から香港へのうなぎの稚魚の密輸出を持ちかけられ，報酬欲しさに，これを引受け，繰り返し密輸出を行っていたが，その後，被告人らを仲間に勧誘した。

(2)　本件当時の成田国際空港における日航の航空機への機内預託手荷物については，チェックインカウンターエリア入口に設けられたエックス線検査装置による保安検査が行われ，検査が終わった手荷物には検査済みシールが貼付された。また，同エリアは，当日の搭乗券，航空券を所持している旅客以外は立入りできないよう，チェックインカウンター及び仕切り柵等により周囲から区画されており，同エリアに入るには，エックス線検査装置が設けられた入口を通る必要があった。そして，チェックインカウンターの職員は，同エリア内にある検査済みシールが貼付された荷物については，保安検査を終了して問題がなかった手荷物と判断し，そのまま機内預託手荷物として預かって航空機に積み込む扱いとなっていた。一方，機内持込手荷物については，出発エリアの手前にある保安検査場においてエックス線検査を行うため，チェックインカウンターエリア入口での保安検査は行われていなかった。

(3)　A らによる密輸出の犯行手口は，①衣類在中のダミーのスーツケースについて，機内預託手荷物と偽って，同エリア入口でエックス線検査装置による保安検査を受け，そのスーツケースに検査済みシールを貼付してもらった後，そのまま同エリアを出て，検査済みシールを剥がし，②無許可での輸出が禁じられたうなぎの稚魚が隠匿されたスーツケースについて，機内持込手荷物と偽って，上記エックス線検査を回避して同エリアに入り，先に入手した検査済みシールをそのスーツケースに貼付し，③これをチェックインカウンターで機内預託手荷物として預け，航空機に乗り込むなどというもので，被告人らは，A の指示で適宜役割分担をしていた。

(4)　A は，氏名不詳者から，『本件当日に 15 か 16 ケースのうなぎの稚魚を運んでもらいたい。そのため 5 人か 6 人を用意してほしい。』などと依頼され，被告人，D，B 及び E の 4 名について，本件当日発の日航 731 便の搭乗予約をしていたが，前日になって，『明日は 2 名で 6 ケースになった』旨伝えられ，被告人らに対し，被告人，E 及び D が本件スーツケース 6 個を同エリア内に持ち込み，C と B が香港までの運搬役を担当するよう指示した。A は，C 分の同便の搭乗予約をしていなかったが，他の予約分を C に切り替えるつもりでいた。

(5)　本件当日，A 及び被告人を含む総勢 6 名は，ダミーのスーツケースを持参して

⇒ *278*

成田国際空港に赴き，手分けして同エリア入口での保安検査を受け，検査済みシール6枚の貼付を受けてこれを入手した。そして，被告人らは，同空港で，氏名不詳者から本件スーツケース6個を受け取り，1個ずつ携行して機内持込手荷物と偽って同エリア内に持ち込んだ上，手に入れていた検査済みシール6枚を本件スーツケース6個にそれぞれ貼付した。

(6)　その後，AとCは，本件スーツケースを1個ずつ携え，日航のチェックインカウンターに赴き，Cの航空券購入の手続をしていたところ，張り込んでいた税関職員から質問検査を受け，本件犯行が発覚した。

2　本件における実行の着手の有無

(1)　上記認定事実によれば，入口にエックス線検査装置が設けられ，周囲から区画されたチェックインカウンターエリア内にある検査済みシールを貼付された手荷物は，航空機積載に向けた一連の手続のうち，無許可輸出が発覚する可能性が最も高い保安検査で問題のないことが確認されたものとして，チェックインカウンターでの運送委託の際にも再確認されることなく，通常，そのまま機内預託手荷物として航空機に積載される扱いとなっていたのである。そうすると，本件スーツケース6個を，機内預託手荷物として搭乗予約済みの航空機に積載させる意図の下，機内持込手荷物と偽って保安検査を回避して同エリア内に持ち込み，不正に入手した検査済みシールを貼付した時点では，既に航空機に積載するに至る客観的な危険性が明らかに認められるから，関税法111条3項，1項1号の無許可輸出罪の実行の着手があったものと解するのが相当である。」

278　加重逃走罪の実行の着手

最判昭和54年12月25日刑集33巻7号1105頁／判時952・135，判タ401・92

【判決理由】「所論にかんがみ，職権により判断すると，刑法98条のいわゆる加重逃走罪のうち拘禁場又は械具の損壊によるものについては，逃走の手段としての損壊が開始されたときには，逃走行為自体に着手した事実がなくとも，右加重逃走罪の実行の着手があるものと解するのが相当である。これを本件についてみると，原判決の認定によれば，被告人ほか3名は，いずれも未決の囚人として松戸拘置支所第3舎第31房に収容されていたところ，共謀のうえ，逃走の目的をもって，右第31房の一隅にある便所の外部中庭側が下見板張りで内側がモルタル塗りの木造の房壁（厚さ約14.2センチメートル）に設置さ

れている換気孔（縦横各約 13 センチメートルで，パンチングメタルが張られ
ている。）の周辺のモルタル部分（厚さ約 1.2 センチメートル）3 か所を，ド
ライバー状に研いだ鉄製の蝶番の芯棒で，最大幅約 5 センチメートル，最長約
13 センチメートルにわたって削り取り損壊したが，右房壁の芯部に木の間柱
があったため，脱出可能な穴を開けることができず，逃走の目的を遂げなかっ
た，というのであり，右の事実関係のもとにおいて刑法 98 条のいわゆる加重
逃走罪の実行の着手があったものとした原審の判断は，正当である。」

279　毒入り砂糖の郵送

大判大正 7 年 11 月 16 日刑録 24 輯 1352 頁
（百選 I 65）

【判決理由】「他人か食用の結果中毒死に至ることあるへきを予見しなから毒
物を其飲食し得へき状態に置きたる事実あるときは是れ毒殺行為に著手したる
ものに外ならさるものとす原判示に依れは被告は毒薬混入の砂糖を A に送付
するときは A 又は其家族に於て之を純粋の砂糖なりと誤信して之を食用し中
毒死に至ることあるを予見せしに拘らす猛毒薬昇汞 1 封度を白砂糖 1 斤に混し
其 1 匙（10 グラム）は人の致死量 15 倍以上の効力あるものと為し歳暮の贈品
たる白砂糖なるか如く装ひ小包郵便に付して之を A に送付し同人は之を純粋
の砂糖なりと思惟し受領したる後調味の為め其 1 匙を薩摩煮に投したる際毒薬
の混入し居ることを発見したる為め同人及其家族は之を食するに至らさりし事
実なるを以て右毒薬混入の砂糖は A か之を受領したる時に於て同人又は其家
族の食用し得へき状態の下に置かれたるものにして既に毒殺行為の著手ありた
るものと云ふを得へきこと上文説明の趣旨に照し寸毫も疑なき所なりとす」

280　毒入りジュース事件

宇都宮地判昭和 40 年 12 月 9 日下刑集 7 巻 12 号 2189 頁／判時 437・62
【事案】　被告人は，父及び家族兄弟が日常通行する農道の道端に毒入りジュースを置
き，同人らに拾得飲用させて殺害し，自らも飲用して自殺する一家心中を企て，農道の
道端等に毒入りジュースを分散配置したところ，同所を通行した A らが拾得して自宅
で飲用したために中毒死し，父らは死亡するに至らなかった。
【判決理由】「まず被告人が父親および母親を含む家族全員を殺害せんとして
毒薬入りジュースの袋を判示のように道路に分散配置した行為は尊属殺および
普通殺人罪の単なる予備行為に過ぎないのかそれとも実行の着手まで進んだと

いい得るかの問題がある。もし実行の着手があったものとするならば未遂犯となる尊属殺については検察官が予備に止まるものと主張する以上あらたに訴因の追加を命じなければならないこととなる。

　実行の着手については従来学説上種々の対立があり判例また学説と必ずしも軌を一にしないけれども，当裁判所としては，行為が結果発生のおそれある客観的状態に至った場合，換言すれば保護客体を直接危険ならしめるような法益侵害に対する現実的危険性を発生せしめた場合をもって実行の着手があったと解するもので，この考えは殺人罪における実行の着手に関する左記諸判例から必然的に帰納されたものである。

　(1)　『毒殺罪に付ては殺意を以て毒薬を調合し其之を服用せしめんとする人に渡したる所為は未だ実行に着手したものに非ず。現に毒薬を服用せしめ又は目的の人が服用すべき状況に毒薬を供した時に於て始めて実行の着手あるものとす』（大審院明治 36 年 6 月 23 日判決，録第 9 輯 1, 149 頁）

　(2)　『刑法第 293 条（旧法）の罪を構成するには被害者に対して毒物を施用したる事実あるを必要とする。而して本件被告が選びたる塩酸モルヒネは人をして服用せしむるに因て殺害の目的を達すべきものなるを以て被告に於て之を被害者の服用すべき状態に置きたる事実即ち例へば人に対し飲食物として贈与するか然らざれば其使用すべき食器に之を装置し或は飲食物を措くべき場所に之を提供するか其何れの場合を問はず必然人の飲食すべき状態に毒物を提供する事実あるを要す』（大審院明治 37 年 6 月 24 日判決，録第 10 輯 1, 403 頁）

　(3)　『特定人を殺す目的を以て人を殺すに足る毒物を含有せる饅頭を其の者の家に持参し毒物含有の事実を秘して其の者に交付したる場合に在りては犯人に於て毒殺の実行手段を尽したるものなれば其の者が未だ現実該饅頭を食せずとするも既に殺人の着手ありたりと謂うべく従て本件に於て原判決が被告人が毒薬黄燐を含有する猫いらずと称する殺鼠剤定価 10 銭のもの約 3 分の 1 を饅頭 7 箇に混入し A 方へ赴き A 及其の家人の食することあるべきを認識しながら之を A に交付したるところ A が之を食せざるに先ち事発覚して同人殺害の目的を遂げざりし事実を認定し被告人の行為を刑法第 203 条，第 199 条に問擬したるは正当にして……』（大審院昭和 7 年 12 月 12 日判決，刑集 11 巻 1, 881 頁）

　(4)　『被告は毒薬混入の砂糖を A に送付するときは A 又は其家族に於て之

を純粋の砂糖なりと誤信して之を食用し中毒死に至ることあるを予見せしに拘らず猛毒薬昇汞1封度を白砂糖1斤に混じ……歳暮の贈品たる白砂糖なるが如く装い小包郵便に付して之をＡに送付し同人は之を純粋の砂糖なりと思惟し受領したる後調味の為其1匙を薩摩煮に投じたる際毒薬の混入し居ることを発見したる為め同人及其家族は之を食するに至らざりし』（事実につき）『他人が食用の結果中毒死に至ることあるべきを予見しながら毒物を其飲食し得べき状態に置きたる事実あるときは是れ毒殺行為に着手したるものに外ならざるものとす』『右毒薬混入の砂糖はＡが之を受領したる時に於て同人又は其家族の食用し得べき状態の下に置かれたるものにして既に毒殺行為の着手ありたるものと云うを得べきこと上文説明の趣旨に照し寸毫も疑なき所なりとす』（大審院大正7年11月16日判決，録第24輯1,352頁）

　ところで『実行の着手』なる概念については行為が犯罪構成要件の一部を実現することであるとし，また法益侵害の一般的，抽象的な危険の発生をもって実行の着手があるとする説もある。かような見地からすれば本件の場合は被告人が毒入りジュースを農道に分散配置した時において既に犯罪の実行の着手ありとすることになろうしまた常識も一般的にこれを肯認するであろう。しかしながら，農道に単に食品が配置されたというだけではそれが直ちに他人の食用に供されたといえないことは明らかである。すなわち農村においては野ねずみ，害虫等の駆除のため毒物混入の食品を農道に配置することもあるであろうし，道に棄てた物を必ずしも人が食用に供するとは限らないからである。尤も本件のようにビニール袋入りのジュースではこれを他人が発見した場合右のような目的に使用された毒物混入食品とは思わないであろうから比較的に拾得飲用される危険は成人はともかく幼児などについては相当大きいといわなければならない。被告人は自分の家族なればこそ以前に他人の棄てた食品を拾得して食用に供した経験があるからこれを拾得するだろうが自分の家族以外の他人がかようなことをするはずはないと述べるけれども本件毒物を配置した場所は自分の居宅敷地内ではなく道路であり，前記(い)，(ろ)の箇所こそ居宅の附近であるが(は)の箇所は弟妹らが平素よく遊びに出掛ける箇所であるとはいえ居宅から約400米も離れておりまた以上いずれの箇所も他人が通行する場所であるのだから他人にも拾得される危険の存することは論をまたないところである。ただ左様な危険の存するからといってただちに本件被告人の行為をもって犯罪実行の着手

⇒ *281*

と認めることができないのは前示のとおりであるばかりでなく前記引用の諸判例に示された法律上の見解からすればなおさら本件被告人の行為をもって他人の食用に供されたと見ることはできないからである。

　以上の次第で本件においては毒入りジュースの配置をもって尊属殺および普通殺人の各予備行為と解し（しかる以上は尊属殺につき検察官に対し訴因の追加を命ずる必要もない），ただ本件被害者らによって右ジュースが拾得飲用される直前に普通殺人について実行の着手があり（被害者らの祖母が味を試すため口をつけた点は未遂罪となるが本件では訴因となっていない），殺害によって普通殺人罪が既遂に達しこれと尊属殺人の予備罪とは観念的競合となると解する。」

281　宛名書き換え事件

東京高判昭和 42 年 3 月 24 日高刑集 20 巻 3 号 229 頁／判時 488・80，判タ 208・144

【判決理由】「被告人の原判示第二及び第三の㈠乃至㈢の各所為は，孰れも被告人が世田谷郵便局郵便課に勤務し郵便物区分の業務に従事していた際，原判示各差出人名義の郵便物在中の現金，郵便切手或は雑誌等を領得しようと企て，同局郵便課事務室においてひそかに，それら郵便物の各受取名義人の記載を，被告人の当時の住居であった東京都世田谷区……の同姓虚無人である M と加筆訂正したうえ郵便物区分棚に差し置き，以て情を知らない配達担当者の配達によりそれら郵便物を自己に入手しうるよう工作を施し，原判示第 2 の各郵便物は自宅に配達されて所期の目的を遂げたが，原判示第三の㈠乃至㈢の各郵便物は上司に怪しまれて配達されるに至らず目的を遂げなかったことが明らかであり，孰れも各郵便物の管理者である世田谷郵便局長の処分意思に基かずしてその占有を離脱せしめ或は離脱せしめんとして遂げなかったもので，それらの所為が窃盗罪の既遂及び未遂に該ることもとよりであって（最高裁判所昭和 26 年㈠第 1116 号窃盗・同未遂被告事件，昭和 27 年 11 月 11 日第三小法廷判決，最高裁判所裁判集刑事 69 巻 175 頁参照），原判決には何ら所論の如き法令適用の誤があるとは認め難く，論旨は理由がない。」

[**2**]　不 能 犯

方法の不能

肯 定 例

282　硫黄による殺人

大判大正 6 年 9 月 10 日刑録 23 輯 999 頁

【判決理由】「殺意を以て 2 箇の異なれる殺害方法を他人に施したる処第 1 の方法を以てしては殺害の結果を惹起すること絶対に不能にして単た他人を傷害したるに止まり第 2 の方法を用ゐ始めて殺害の目的を達したるときは右 2 箇の行為か孰れも同一の殺意に出てたりとするも第 1 の方法に依る行為か殺人罪として純然たる不能犯に属する場合に於ては殺人罪に問擬すへからさるは勿論にして若し又該行為の結果か傷害罪に該当するに於ては殺人罪としては不能犯なるも傷害罪を以て之を処断すへく第 2 の方法に依る殺人罪の既遂と連続犯の関係を有する殺人罪の未遂を以て論すへきに非す今原判決の認定せる事実を其証拠説明に対照し之を按するに被告両名は殺害の意思を以て 2 回に硫黄粉末を飲食物中若くは水薬中に混和し之を Y の内縁夫たる A に服用せしめ之を毒殺せんと為したるも其方法か絶対に殺害の結果を惹起するに足らす目的を達する能はさるに因り更に当初の殺意を遂行するか為に被告 X は被告 Y の教唆に応し A を絞殺したりと云ふに在り 1 箇の殺意を継続実行したる事実なるも第 1 の方法か殺害の目的を達するに付き絶対不能にして第 1 の行為か殺人罪として不能に属する以上は其結果たる傷害罪のみを論する場合に於て右傷害罪は罪名を異にせる第 2 の方法に依りて行ひたる殺人罪とは全然連続犯の関係を有せさるものと謂はさるへからす故に原判決に於て最初 2 回に連続して硫黄粉末を施用し A を殺害せんとしたるも其方法絶対不能に属し単た之を傷害したるに止りたる事実を認め之を原判示殺人既遂罪の連続行為の一部たる殺人未遂罪と為さす別に其結果たる傷害罪の事実に対して刑法第 204 条第 55 条を適用処断したるは相当にして所論の如く擬律錯誤の違法あるものにあらす」

283 地中に埋没していた手榴弾

東京高判昭和 29 年 6 月 16 日高刑集 7 巻 7 号 1053 頁

【事案】 被告人は，殺意をもって，A 方に安全栓を抜いた手榴弾を投げ込んだ。

【判決理由】 「本件記録によれば右手榴弾なるものは元陸軍の兵器で 91 式曳火手榴弾と称せられるもので原審相被告人 Y が昭和 20 年 12 月頃横浜市内に於て 4 個買い受けたが，その後人に見られるのを恐れ箱につめて永らく地中に埋汲しておいたところ，偶々本件 A との間の険悪な空気に備え，昭和 24 年 12 月 20 日頃地中より掘り出していたのであるが原審並当審証人 B，同 C の証言に明らかなようにその円筒内の主爆薬たるピクリン酸は格別変質してはいなかったけれど点火雷管と導火線との結合も悪く又導火線自体が湿気を吸収して質的変化を起しそのため手榴弾本来の性能を欠いており，たとえ安全装置を外し撃針に衝撃を与えても爆発力を誘起し得ないもので，これを爆発せしめるは工場用の巨大なハンマーを使用し急激な摩擦を与えるか或は摂氏 200 度以上の熱を加えるに非ざれば到底不可能であると認められる。してみればそれは鉄筒の内部にピクリン酸を包蔵し，強烈な爆発力を秘めている 1 個の爆発物には相違ないが，本来の手榴弾としての構造を失っている以上，人力で投げたりした位では，これを爆発させることができないものである。いうまでもなく爆発物取締罰則第 1 条の爆発物を使用するというのは，爆発物を爆発し得る状態に置くことをいうのである。然るに前記のように手榴弾たる性能を失い単に鉄筒内に爆薬があるだけのものを，手榴弾としての普通の用法に従い安全栓を外し，撃針に衝撃を与えて投げても爆発させることができず，従ってこれを以って爆発物を使用したものということができないと同時にその爆発力を利用し人を殺害せんとしても，その目的とした危険状態を発生する虞はないわけであり爆発物取締罰則第 1 条及び殺人未遂罪の成立する根拠なく単に右爆発物を所持した罪が成立するのみである。」

284 不真正な原料による覚せい剤の製造

東京高判昭和 37 年 4 月 24 日高刑集 15 巻 4 号 210 頁／判タ 132・51

【判決理由】 「原判決の挙示する対応証拠を総合考察すると，右事実のうち別表（一），（四），（一一）及び（一六）を除くその余の事実は優にこれを肯認することができるけれども，右（一），（四），（一一）及び（一六）の各事実については，覚せい剤を製造した事実は認められない。右各証拠によれば却っ

て，右4個の事実については，一応所定の製造工程を経て製品を製造したけれども，これに用いた原末が真のフエニルメチルプロパン，又はフエニルメチルアミノプロパンを含有していなかったので，その製品全部を廃棄したことがうかがわれ，記録に現われた爾余の証拠をもってしても，覚せい剤を製造したとの事実を認めるに足りない。しかも右のように覚せい剤の主原料が真正の原料でなかったため，覚せい剤を製造することができなかった場合は，結果発生の危険は絶対に存しないのであるから，覚せい剤製造の未遂罪をも構成しないものというべきである。」

否 定 例

285 空気注射事件

最判昭和37年3月23日刑集16巻3号305頁／判時292・6
（百選Ⅰ66）

【事案】　被告人は，保険を掛けたA女を殺害して保険金を取得しようと考え，注射器で同女の両腕の静脈内に蒸留水とともに空気を注射したのであるが，その量が致死量にまで至らなかったので同女殺害の目的を遂げなかった。

【判決理由】　「所論は，人体に空気を注射し，いわゆる空気栓塞による殺人は絶対に不可能であるというが，原判決並びにその是認する第1審判決は，本件のように静脈内に注射された空気の量が致死量以下であっても被注射者の身体的条件その他の事情の如何によっては死の結果発生の危険が絶対にないとはいえないと判示しており，右判断は，原判示挙示の各鑑定書に照らし肯認するに十分であるから，結局，この点に関する所論原判示は，相当であるというべきである。」

286 不十分な量の触媒を用いた覚せい剤製造

最決昭和35年10月18日刑集14巻12号1559頁

【決定理由】　「いやしくも覚せい剤の製造を企て，それに用いた方法が科学的根拠を有し，当該薬品を使用し，当該工程を実施すれば本来覚せい剤の製造が可能であるが，ただその工程中において使用せる或る種の薬品の量が必要量以下であったため成品を得るに至らず，もしこれを2倍量ないし3倍量用うれば覚せい剤の製造が可能であったと認められる場合には，被告人の所為は覚せい

⇒ *287・288*

剤製造の未遂犯をもって論ずべく，不能犯と解すべきではないから，この点についての原判示は相当であり，論旨は理由がない。」

287 空ピストル事件

福岡高判昭和 28 年 11 月 10 日判特 26 号 58 頁

【事案】　被告人は，巡査 A により緊急逮捕されるに際し，A が腰に着装していた拳銃を奪取し，A の脇腹に銃口を当て引き金を引いたが，たまたま実弾が装てんされていなかったので，殺害の目的を達しなかった。A は，多忙のため，たまたま当夜に限り実弾の装てんを忘れていたのであった。

【判決理由】　「案ずるに，制服を着用した警察官が勤務中，右腰に着装している拳銃には，常時たまが装てんされているべきものであることは一般社会に認められていることであるから，勤務中の警察官から右拳銃を奪取し，苟しくも殺害の目的で，これを人に向けて発射するためその引鉄を引く行為は，その殺害の結果を発生する可能性を有するものであって，実害を生ずる危険があるので右行為の当時，たまたまその拳銃にたまが装てんされていなかったとしても，殺人未遂罪の成立に影響なく，これを以て不能犯ということはできない。」

288 天然ガスの漏出による殺人

岐阜地判昭和 62 年 10 月 15 日判タ 654 号 261 頁
（百選 I 68）

【事案】　被告人は，子ども 2 名を道連れに無理心中を企て，両名を寝かしつけた後，都市ガスを部屋に充満させ，両名を殺害しようとしたが，訪問して来た友人に発見されて目的を遂げなかった。

【判決理由】　「本件で被告人が漏出させた都市ガスは天然ガスであり，天然ガスには一酸化炭素が含まれていないから，これによる中毒死のおそれはないことが認められるけれども，他方，前掲証拠によれば，この都市ガスの漏出によって室内の空気中のガス濃度が 4.7 パーセントから 13.5 パーセントの範囲内にあった際には，冷蔵庫のサーモスタットなどの電気器具や衣類などから発する静電気を引火源としてガス爆発事故が発生する可能性があったのであり，さらにガス濃度が高まれば，室内の空気が都市ガスに置換されることにより酸素濃度が低下して酸素欠乏症となること，すなわち空気中の酸素濃度が 16 パーセント以下になれば，人体に脈拍，呼吸数増加，頭痛などの症状が現われ，酸素濃度が 10 パーセントから 6 パーセントを持続するか，またはそれ以下になれば，6 分ないし 8 分後には窒息死するに至ることが認められるのであるから，

約 4 時間 50 分にわたって都市ガスが漏出させられて室内に充満した本件においては，ガス爆発事故や酸素欠乏症により室内における人の死の結果発生の危険が十分生じうるものであることは明らかである。そのうえ，本件において被告人自身が自殺の用に都市ガスを供したこと，判示犯行の発見者である乙野花子は，ドアなどに内側から目張りがされているのを見，さらに，被告人ら親子 3 人が室内で川の字に寝ているということを聞いたとき，被告人がガス自殺を図ったものと思ったと供述し，被告人宅の家主である丙野次郎は室内に入った後，親子 3 人の中のいずれかの頭部付近が少し動いたのを見て，まだ死んでいないなと思ったと供述していることなどに照らすと，一般人はそれが天然ガスの場合であっても，都市ガスを判示のような態様をもって漏出させることは，その室内に寝ている者を死に致すに足りる極めて危険な行為であると認識しているものと認められ，従って社会通念上右のような行為は人を死に致すに足りる危険な行為であると評価されているものと解するのが相当である。さすれば，被告人の判示所為は，到底不能犯であるということはできない。」

客体の不能

289 空ポケット事件

大判大正 3 年 7 月 24 日刑録 20 輯 1546 頁

【判決理由】「原院は被告か市内青山墓地を通行せる A を引倒し其懐中物を奪取せんとしたる事実を認めながら A か懐中物を所持し居りたる事実の証拠を示ささること寔に所論の如し然れとも通行人か懐中物を所持するか如きは普通予想し得へき事実なれは之を奪取せんとする行為は其結果を発生する可能性を有するものにして実害を生する危険あるを以て行為の当時偶々被害者か懐中物を所持せさりしか為め犯人か其奪取の目的を達する能はさりしとするも开は犯人意外の障礙に因り其著手したる行為か予想の結果を生せさりしに過きすして未遂犯を以て処断するに妨けなきものなるを以て本件に於て被害者 A か懐中物を所持し居りたると否とは強盗未遂犯の構成に何等影響を及ほすものに非す」

290 死体殺人事件

広島高判昭和 36 年 7 月 10 日高刑集 14 巻 5 号 310 頁／判時 269・17, 判タ 121・136

(百選 I 67)

【判決理由】「論旨は被告人 X は A の死体に対し損傷を加えたに過ぎないから, その所為は死体損壊罪に該当すると主張するのである。なるほど同被告人 が A に対し原判示傷害を加えたときには同人は既に死亡していたものである ことは前認定のとおりであるが, 原判決挙示の証拠によれば, 被告人 X は原 判示 B 組事務所玄関に荷物を運び入れていた際屋外で拳銃音がしたので, 被 告人 Y が A を銃撃したものと直感し, 玄関外に出てみたところ, 被告人 Y が A を追いかけており, 次いで両名が同事務所東北方約 30 米のところに所在す る C 歯科医院邸内に飛び込んだ途端 2 発の銃声が聞えたが, 被告人 Y の銃撃 が急所を外れている場合を慮り, 同被告人に加勢して A にいわゆる止めを刺 そうと企て, 即座に右玄関付近にあった日本刀を携えて右医院に急行し, 被告 人 Y の銃撃により同医院玄関前に倒れていた A に対し同人がまだ生命を保っ ているものと信じ殺意を以てその左右腹部, 前胸部その他を日本刀で突き刺し たものであることが認められる。そして原審鑑定人 U の鑑定書によれば『A の直接の死因は頭部貫通銃創による脳挫創であるが, 通常同種創傷の受傷者は 意識が消失しても文字どおり即死するものでなく, 真死に至るまでには少くと も数分ないし十数分を要し, 時によってはそれより稍長い時間を要することが あり, A の身体に存する刺, 切創は死後のものとは認め難く生前の頻死時近 くに発生したものと推測される』旨の記載があり, 一方当審鑑定人 O の鑑定 書によれば『A の死因は C 歯科医院前で加えられた第 2 弾による頭部貫通銃 創であり, その後受傷した刺, 切創には単なる細胞の生的反応は認められると しても, いわゆる生活反応が認め難いから, これら創傷の加えられたときには 同人は死に 1 歩踏み入れていたもの即ち医学的には既に死亡していたものと認 める』旨の記載があり, 当裁判所が後者の鑑定を採用したものであることは前 に記述したとおりである。

このように, A の生死については専門家の間においても見解が岐れる程医 学的にも生死の限界が微妙な案件であるから, 単に被告人 X が加害当時被害 者の生存を信じていたという丈けでなく, 一般人も亦当時その死亡を知り得な かったであろうこと, 従って又被告人 X の前記のような加害行為により A が

死亡するであろうとの危険を感ずるであろうことはいづれも極めて当然というべく，かかる場合において被告人Ｘの加害行為の寸前にＡが死亡していたとしても，それは意外の障害により予期の結果を生ぜしめ得なかったに止り，行為の性質上結果発生の危険がないとは云えないから，同被告人の所為は殺人の不能犯と解すべきでなく，その未遂罪を以て論ずるのが相当である。」

291　騙されたふり作戦

福岡高判平成29年5月31日判タ1442号65頁

【事案】　被告人は，氏名不詳者らと共謀の上，当時84歳の女性が宝くじに必ず当選する「特別抽選」に選ばれて当選金を受け取れると誤信しているのに乗じて，同人から現金を騙し取ろうと考え，平成27年3月16日頃，同人に対して，真実は同人が「特別抽選」に選ばれたことがなく，違約金を支払う必要もないのに，Ａを名乗る氏名不詳者が，電話で，今回の特別抽選はなくなり297万円の違約金を支払わないといけなくなった，半分の150万円を準備できますかなどと嘘を告げて現金150万円の交付方を要求し，被害者を誤信させ，大阪市城東区内所在の空き部屋に現金120万円を配送させて被告人が受け取る方法によって現金を騙し取ろうとしたが，警察官に相談をした被害者が嘘を見破り，現金が入っていない箱を発送したために未遂に終わった，という公訴事実で起訴された。原判決は，事前共謀の成立を認めず，被告人が共謀・加担したのは本件欺罔行為より後の時点であるから，承継的共同正犯の成否が問題となるとした上で，本件荷物は被害者が「騙されたふり作戦」として発送したものであるから，その受領は詐欺の実行行為には該当せず，被告人が詐欺の結果発生の危険性に寄与したとはいえないなどと判示して，被告人を無罪とした。本判決も，事前共謀の成立は否定したが，以下のように述べて，詐欺未遂罪の成立を認めた。本判決の上告審（⇒*376*）は，結果発生の危険性については特に判示することなく上告を棄却している。

【判決理由】　「1　原審及び当審における弁護人の主張は，本件欺罔行為の以後についてみても被告人に詐欺の故意はなく，本件共犯者との共謀もないという趣旨と解されるので，先にこの点を確認すると，被告人は，後難を恐れて名前を明らかにできない知人の依頼により，空き部屋に送られてくる荷物を偽名で受領し，それを上記知人に渡すという役割を引受けて報酬を約束され，現に本件受領場所において偽名で本件荷物を受領したものである。かかる特異な依頼内容等に照らせば，被告人は，それが詐欺の被害金を受け取る役割である可能性を十分認識していたと認められるから，少なくとも未必的な故意に欠けるところはなく，受領の時点では本件共犯者との共謀が成立していたことも認定できる。

⇒ *291*

2 他方，本件では，被告人と本件共犯者との共謀が最終の欺罔行為に先立って成立していたことを認めるだけの証拠はないから，被告人は，詐欺罪における構成要件該当事実のうち財物交付の部分のみに関与したという前提で犯罪の成否を検討せざるを得ない。

したがって，問題は，①財物交付の部分のみに関与した被告人につき，いわゆる承継的共同正犯として詐欺罪の成立を認めうるか，②認めうるとして，『騙されたふり作戦』が実行されたことが同罪の成否に影響するか，の2点ということになる。

3 先ず，①の点についてみると，このような時期・方法による加担であっても，先行する欺罔行為と相俟って，財産的損害の発生に寄与しうることは明らかである。また，詐欺罪における本質的な保護法益は個人の財産であって，欺罔行為はこれを直接侵害するものではなく，錯誤に陥った者から財物の交付を受ける点に，同罪の法益侵害性があるというべきである。そうすると，欺罔行為の終了後，財物交付の部分のみに関与した者についても，本質的法益の侵害について因果性を有する以上，詐欺罪の共犯と認めてよいし，その役割の重要度等に照らせば正犯性も肯定できる。

次に②の点をみる。原判決は，被害者が詐欺を見破って『騙されたふり作戦』に協力した結果，本件欺罔行為と被告人による本件荷物の受領との間には因果関係が認められず，被告人が詐欺罪の結果発生の危険性に寄与したとはいえなくなるから，同罪は成立しないという。そして，その危険性を判断するに際しては，『犯人側の状況と共に，それに対応する被害者側の状況をも観察し得る一般人』を想定した上，そのような一般人の認識内容を基礎とするという基準を設けるのである。

しかし，この危険性に関する原判決の判断は是認することができない。本件では，被告人が加担した段階において，法益侵害に至る現実的危険性があったといえるか，換言すれば，未遂犯として処罰すべき法益侵害の危険性があったか否かが問題とされるところ，その判断に際しては，当該行為時点でその場に置かれた一般人が認識し得た事情と，行為者が特に認識していた事情とを基礎とすべきである。この点における危険性の判定は規範的観点から行われるものであるから，一般人が，その認識し得た事情に基づけば結果発生の不安感を抱くであろう場合には，法益侵害の危険性があるとして未遂犯の当罰性を肯定し

てよく，敢えて被害者固有の事情まで観察し得るとの条件を付加する必然性は認められない。

そうすると，本件で『騙されたふり作戦』が行われていることは一般人において認識し得ず，被告人ないし本件共犯者も認識していなかったから，これを法益侵害の危険性の判断に際しての基礎とすることは許されない。被告人が本件荷物を受領した行為を外形的に観察すれば，詐欺の既遂に至る現実的危険性があったということができる。そして，被告人に詐欺の故意，本件共犯者との共謀及び正犯性が認められることはいずれも前記のとおりであり，被告人については詐欺未遂罪の共同正犯が成立する。」

[**3**] 中 止 犯

「中止した」の意義

292 日本刀による一撃後の中止

東京高判昭和 51 年 7 月 14 日判時 834 号 106 頁
（重判昭 51 刑 3）

【**判決理由**】「中止未遂は，犯罪の実行に着手した未遂犯人が自己の自発的な任意行為によって結果の発生を阻止して既遂に至らしめないことを要件とするが，中止未遂はもとより犯人の中止行為を内容とするものであるところ，その中止行為は，着手未遂の段階においては，実行行為の終了までに自発的に犯意を放棄してそれ以上の実行を行わないことで足りるが，実行未遂の場合にあっては，犯人の実行行為は終っているのであるから，中止行為といいうるためには任意に結果の発生を妨げることによって，既遂の状態に至らせないことが必要であり，そのため結果発生回避のための真しな努力が要求される所以である。

本件についてこれをみてみると，原判示関係証拠に，当審における事実調の結果を併せ考えれば被告人らは，原判示の動機から原判示 A を殺害することを共謀し，被告人 X の意をうけた被告人 Y が，原判示刃渡り約 52 センチメートルの日本刀を振り上げて被告人らの前に正座している A の右肩辺りを 1 回切りつけたところ，同人が前かがみに倒れたので，更に引き続き二の太刀を

加えて同人の息の根を止めようとして次の攻撃に移ろうとした折，被告人 X
が，同 Y に対し，『もういい，安（被告人 Y の意）いくぞ』と申し向け，次
の攻撃を止めさせ，被告人 Y もこれに応じて A に対し二の太刀を振り降ろす
ことを断念している事実が認定できるのである。そして，右証拠によれば，被
告人らとしても，右被告人 Y が A に加えた最初の一撃で同人を殺害できたと
は考えず，さればこそ Y は続けて次の攻撃に移ろうとしたものであり，A が
受けた傷害の程度も右肩部の長さ約 22 センチメートルの切創で，その傷の深
さは骨に達しない程度のものであった（医師 M 作成の A に対する診断書）の
であるから，被告人らの A に対する殺害の実行行為が原判示 Y の加えた一撃
をもって終了したものとはとうてい考えられない（なお，原判決は，右 Y の
加えた一撃により A は出血多量による死の危険があったというがこれを認め
るに足りる証拠はない。）。してみれば，本件はまさに前記着手未遂の事案に当
たる場合であり，被告人らとしては，A を殺害するため更に次の攻撃を加え
ようとすれば容易にこれをなしえたことは原判決もこれを認定しているとおり
であるのに，被告人らは次の攻撃を自ら止めているのである。そして，被告人
X が，被告人 Y に二の太刀を加えることを止めさせた理由として，被告人 X
は，司法警察員及び検察官に対し，『A の息の根を止め，とどめをさすのを見
るにしのびなかった』『A を殺してはいけない……懲役に行った後で，子供 4
人と狂っている妻をめんどうみさせるのは A しかいない，A を殺してはいけ
ないと思い……とどめを刺すのをやめさせた』と述べているのであって，かか
る動機に基づく攻撃の中止は，法にいわゆる自己の意思による中止といわざる
をえない。又，被告人 Y においても，被告人 X にいわれるままに直ちに次の
攻撃に出ることを止めているのである（なお，被告人 X が原説示の K らに A
を病院に連れていくよう指示し，A が直ちに国立埼玉病院に運ばれ治療を受
けたことは原判決に示すとおりである。）。

　してみれば，被告人らの原判示第一の殺人未遂の所為は刑法 43 条但書にい
わゆる中止未遂に当たる場合である。」

293　牛刀による一撃後の中止

東京高判昭和 62 年 7 月 16 日判時 1247 号 140 頁／判タ 653・205
(百選 I 70)

【判決理由】「職権をもって，原判決を調査するに，原判決が，その罪となる

べき事実において，被告人は殺意をもって，前記牛刀でＡの左側頭部付近を切りつけたが，とっさに同人がこれを左腕で防ぐなどしたため，同人に全治約2週間の左前腕切傷を負わせたにとどまり，殺害の目的を遂げなかった旨認定し，かつ，その法令の適用において，殺人未遂に関する法条を適用し，所定刑中有期懲役刑に選択しただけで，中止未遂及び法律上の減軽に関する刑法43条但書及び68条3号を適用していないことに徴すると，原判決は，被告人のＡに対する右の一撃によって殺人の実行行為は終了したが，同人の防御などの障害により，殺害の結果が発生しなかったとして，本件がいわゆる実行未遂で，しかも障害未遂に当たる事案であると認定していることが明らかである。

　しかし，前記の被告人の捜査段階における供述にもあるように，被告人は，Ａを右牛刀でぶった切り，あるいはめった切りにして殺害する意図を有していたものであって，最初の一撃で殺害の目的が達せられなかった場合には，その目的を完遂するため，更に，二撃，三撃というふうに追撃に及ぶ意図が被告人にあったことが明らかであるから，原判示のように，被告人が同牛刀でＡに一撃を加えたものの，その殺害に奏功しなかったという段階では，いまだ殺人の実行行為は終了しておらず，従って，本件はいわゆる着手未遂に該当する事案であるといわねばならない。

　そして，いわゆる着手未遂の事案にあっては，犯人がそれ以上の実行行為をせずに犯行を中止し，かつ，その中止が犯人の任意に出たと認められる場合には，中止未遂が成立することになるので，この観点から，原判決の掲げる証拠に当審における被告人質問の結果なども参酌して，本件を考察すると，原判示のように，被告人は確定的殺意のもとに，Ａの左側頭部付近を目掛けて，右牛刀で一撃し，これを左腕で防いだ同人に左前腕切傷の傷害を負わせたが，その直後に，同人から両腰付近に抱きつくように取りすがられて，『勘弁して下さい。私が悪かった。命だけは助けて下さい。』などと何度も哀願されたため，かわいそうとのれんびんの情を催して，同牛刀で更に二撃，三撃というふうに追撃に及んで，殺害の目的を遂げることも決して困難ではなかったのに，そのような行為には出ずに犯行を中止したうえ，自らも本件の所為について同人に謝罪し，受傷した同人に治療を受けさせるため，通り掛かりのタクシーを呼び止めて，同人を病院に運んだことなどの事実が明らかである。

　右によると，たしかに，Ａが被告人の一撃を防御したうえ，被告人に取り

すがって謝罪し，助命を哀願したことが，被告人が殺人の実行行為を中止した契機にはなっているけれども，一般的にみて，そのような契機があったからといって，被告人のように強固な確定的殺意を有する犯人が，その実行行為を中止するものとは必ずしもいえず，殺害行為を更に継続するのがむしろ通例であるとも考えられる。

　ところが，被告人は前記のように，Aの哀願にれんびんの情を催して，あえて殺人の実行行為を中止したものであり，加えて，被告人が前記のように，自らもAに謝罪して，同人を病院に運び込んだ行為には，本件所為に対する被告人の反省，後悔の念も作用していたことが看取されるのである。

　以上によると，本件殺人が未遂に終ったのは，被告人が任意に，すなわち自己の意思によって，その実行行為をやめたことによるものであるから，右の未遂は，中止未遂に当たるといわねばならない。」

294　「宜しく頼む」事件

大判昭和 12 年 6 月 25 日刑集 16 巻 998 頁

【判決理由】「刑法第 43 条但書に所謂中止犯は犯人か犯罪の実行に著手したる後其の継続中任意に之を中止し若は結果の発生を防止するに由り成立するものにして結果発生に付ての防止は必すしも犯人単独にて之に当るの要なきこと勿論なりと雖其の自ら之に当らさる場合は少くとも犯人自身之か防止に当りたると同視するに足るへき程度の努力を払ふの要あるものとす今本件を観るに原判決の確定したる事実に依れは被告人は本件放火の実行に著手後逃走の際火勢を認め遽に恐怖心を生し判示 A に対し放火したるに依り宜敷頼むと叫ひなから走り去りたりと云ふに在るを以て被告人に於て放火の結果発生の防止に付自ら之に当りたると同視するに足るへき努力を尽したるものと認むるを得さる故に被告人の逃走後該 A 等の消火行為に依り放火の結果発生を防止し得たりとするも被告人の前示行為を以て本件犯罪の中止犯なりと認むるを得す」

295　警察への通報

東京地判昭和 37 年 3 月 17 日下刑集 4 巻 3 = 4 号 224 頁／判時 298・32

【判決理由】「本件のような犯罪の実行行為終了後におけるいわゆる実行中止による中止未遂の成立要件とされる結果発生の防止は，必ずしも犯人単独で，これに当る必要はないのであって，結果発生の防止について他人の助力を受け

ても，犯人自身が防止に当ったと同視するに足る程度の真摯な努力が払われたと認められる場合は，やはり，中止未遂の成立が認められるのである（大判昭和 12 年 6 月 25 日刑集 16 巻 998 頁）。ところで本件においては，被告人は，判示のように，A を殺害しようとして，一たん睡眠薬を飲ませたものの，間もなく大変な事をしたと悟り，そのまま放置すれば，A が当然死に至るべきを，自らその結果を防止しようと，あれこれ焦慮したのであるが，A の苦悶の様相を見て，もはや独力では，いかんともし難いと観念した被告人は，警察官に自ら犯行を告げ，その助力を得て A を病院に収容するほか A の生命を助ける手段はないものと考え，付近の警察署派出所を探し回ったが，見当らなかったので，判示のように緊急電話をもって事態を警察官に通報連絡した結果，直ちに A は病院に収容され，医療処置が講ぜられたことにより，A の一命を取り止めたのである。A は，当時既に睡眠薬中毒のため生死の境にあったのであって，もとより，かような場合における医療知識のない被告人に応急の救護処置を期待し得べくもなく，A の生命を助けるため，被告人が右のような処置を採ったのは，被告人として精一杯の努力を尽したものというべきであり，その処置は，当時の差し迫った状況下において，被告人として採り得べき最も適切な善後処置であったといわなければならない。

もっとも，前記の警察官に対する緊急電話による通報が犯行時より約一時間後になされているが，それは，日常留守勝ちな K 家の家庭内にとどまって，ほとんど外出する機会もなかったため付近の地理にも不案内な被告人が，前記のように警察署派出所を探し回ったことなどのため時間を経過したことによるものであって，被告人の結果防止の努力の真摯性を失わせるものではない。そして，被告人の当公判廷（第 3 回公判）における供述，被告人の司法警察員に対する自首調書及び証人 I の証言によれば，駆けつけた警察官に対しても，被告人は率直に自己の犯行を告げて A を寝かせた 2 階に案内するなど，速やかに A に対する救護処置が講ぜられるよう必死になって協力していたことがうかがわれ，被告人が前記の応急処置を採った前後における被告人の態度もまた極めて真摯であったことなど諸般の情況を総合考察すれば，本件の場合，被害者 A が死の結果を免れ得たのは，警察官及び医師の協力を得たことによるものではあるけれども，被告人としては，A の死の結果を防止するため，被告人自身その防止に当ったと同視するに足るべき程度の真摯な努力を払ったもの

⇒ 296

というべきであり，被告人の判示所為は，殺人の中止未遂と認めるのが相当である。」

296　病院への搬送

大阪高判昭和44年10月17日判タ244号290頁

【判決理由】「よって考察すると，被告人は，計画的に被害者を殺害しようという意図を抱いていたのではなく，犯行直前突嗟の間に未必の殺意を生じたのであるから，刺身庖丁で被害者を何回も突き刺そうなどという予謀があったとは到底考えられず，刺突行為は事実上1回で終了しているのみでなく，その刺突行為たるや，被害者の左腹部をめがけて突刺し，肝臓に達する深さ約12センチメートルの刺創を負わせたものであって，右1回の刺突行為それ自体において殺害の結果を発生せしめる可能性を有するものである。従ってそれだけで被告人の実行行為は終了したものというべく，被告人の本件殺人未遂の所為はいわゆる実行未遂の類型に属するものと解するのが相当である。

　ところで，被害者が腹部を突き刺され庖丁の取り合いをした後腹部の激痛に耐えかね，『痛い痛い』と言って泣きながら『病院へ連れて行ってくれ』と哀願したので，被告人は被害者に対する憐憫の情を発すると共に今更ながら事の重大さに恐怖驚愕して被害者の死亡の結果が発生するのを食い止めるため出血しつつある同人を自己運転の自動車に抱き入れて直ちに近くの高島町所在の高島病院に連れて行き医師の手に引き渡した事実は原判決引用の被害者A及び被告人の各供述調書により明らかである。そこで進んで被告人が右のように未必の故意であったにせよ殺害の意図を放擲し被害者救助の行動に出でたのが，いわゆる外部的障がいの原因によるものと解すべきか，あるいは内部的原因により任意に結果発生を防止したものと評価すべきであるかを考えると，被害者の流血痛苦の状態を目前にして憐憫の情を催しかつ事の重大性に驚愕恐怖し殺害意思を抑圧せられたことは外部的障がいに基くものといい得るであろうが，この点はいずれにしても実行未遂である本件において実行行為終了後の不作為は問題ではなく，むしろ殺意の放棄に随伴して被害者の一命を取り止めるための救助活動を開始した点は，被告人がその内心の意思により任意に結果の発生を防止するに努めたものと評価してこの点に着目する必要があると思われる。そして右のように外部的障がいと任意の内部的原因とが微妙に交錯していると

はいえ，被告人の任意による爾後の救助活動が存在する以上，直ちに中止未遂にあたらないものと断定し去るのは，いささか早計に過ぎるであろう。

　然しながら，本件のように実行行為終了後重傷に呻吟する被害者をそのまま放置すれば致死の結果が発生する可能性はきわめて大きいのであるから，被告人の爾後の救助活動が中止未遂としての認定を受けるためには，死亡の結果発生を防止するため被告人が真摯な努力を傾注したと評価しうることを必要とするものと解すべきである。そこで救助の段階における被告人の言動を検討すると，被害者の捜査段階における司法警察職員及び検察官に対する供述によると，被害者を高島病院へ運ぶ途中自動車内において，被告人は被害者に対し『わしに刺されたといわんようにしてくれ』と言ったところ，被害者はそれを断ってはまた刺されて殺されると思い，かつ一刻も早く病院へ運んでほしかったので，『お前のよいように言うておけ』と返事した，というのであり，被告人の司法警察職員に対する自供によると，被害者を病院へ担ぎ込んだ時同人が被告人に『お前がやったと警察へは言うなよ』と言ったのでその好意に甘えた，というのであって，その動機は何れとも断定しがたいが，被告人が被害者を病院へ担ぎ込み，医師の手術施行中病院に居た間に被告人，被害者の共通の友人数名や被害者の母等に犯人は自分ではなく，被害者が誰か判らないが他の者に刺されていたと嘘言を弄していたこと及び病院に到着する直前に兇器を川に投げ捨てて犯跡を隠蔽しようとしたことは動かし得ない事実であって，被告人が被害者を病院へ運び入れた際，その病院の医師に対し，犯人が自分であることを打明けいつどこでどのような兇器でどのように突刺したとか及び医師の手術，治療等に対し自己が経済的負担を約するとかの救助のための万全の行動を採ったものとはいいがたく，単に被害者を病院へ運ぶという一応の努力をしたに過ぎないものであって，この程度の行動では，未だ以て結果発生防止のため被告人が真摯な努力をしたものと認めるに足りないものといわなければならない。

　従って本件が中止未遂にあたるとする所論は採用するに由なく本論旨は失当である。」

297　犯行から長時間経過後の救護要請

札幌地判令和元年11月29日裁判所ウェブサイト

【事実】　被告人は，元交際相手であるA（以下「被害者」という。）と被告人の長年の親友であるBが男女関係にあることを知り，被害者を殺害して自分も死のうと決意し，

⇒ *298*

令和元年6月24日午後10時頃，駐車場に駐車中の自動車内において，被害者に対し，殺意をもって，右手に持っていた包丁で左胸を突き刺したが，被害者に加療約1か月間を要する傷害を負わせたにとどまり，殺害の目的を遂げなかった。裁判では，被告人が，本件犯行から約1時間半後に，被害者の命を助けようと思って，約5.7キロメートル離れた交番まで自動車で向かい，同交番に備付けの電話から警察署に電話を掛け，救急車を要請した行為について中止未遂が成立するかが争点となったが，本判決は，以下のように述べて，中止未遂の成立を否定した。

【判決理由】「被告人は，本件犯行後，約1時間半もの時間，呼吸が弱まっていく被害者の様子を目にしながら，助けることをせず，被害者の死を見届けて自分も死ぬ場所を探しながら，包丁が左胸部に深く刺さったままの被害者を自動車に乗せて連れ回した後に，被害者の『ごめんね。』といった発言等から翻意して被害者の命を助けることにしたものである。翻意するまでにあまりに時間が経っており，その間に被害者が死亡する危険性がさらに高まったのであり，被告人の行為があったとしても，被害者が最終的に一命をとりとめたのは，その他の要素に助けられた面もある。このような状況も踏まえると，少し離れた交番に行き，警察署に電話を掛け，救急車を要請した程度では，被害者の死亡という結果の発生を防止するに足りる真摯な行為と評価することはできない。」

任 意 性

298 流血による恐怖心からの中止

大判昭和12年3月6日刑集16巻272頁

【事案】　被告人は，殺意をもって短刀でAの胸部を突き刺したが，流血が迸るのを見て恐怖心にかられ我に返り，済まぬことをしたと詫びをいった後，死んで詫びるつもりで短刀を自己の腹に突き刺した。Aの傷は急所をはずれ，死亡には至らなかった。

【判決理由】「犯人か人を殺さんとして短刀を抜き其の胸部を突刺したるも流血の迸るを見て翻然之を止めたるときは障碍未遂犯にして中止犯と為らさるものとす蓋中止犯たるには外部的障碍の原因存せさるに拘らす内部的原因に由り任意に実行を中止し若は結果の発生を防止したる場合なれは流血の迸るを見て止むるは意外の障碍に外ならされはなり故に原判決は敍上の見解に基き本件を障碍未遂犯と認定したるは相当なれは被告人の行為は刑法第43条前段の未遂

を以て論すへく同条但書の中止犯を以て擬律すへきものに非す」

299 犯行の発覚をおそれた消火

大判昭和 12 年 9 月 21 日刑集 16 巻 1303 頁

【判決理由】 「原判決挙示の証拠に徴すれは原判示の如く被告人 X か放火の媒介物を取除き之を消止めたるは放火の時刻遅く発火払暁に及ふ虞ありし為犯罪の発覚を恐れたるに因るものなることを認むるに足るへく犯罪の発覚を恐るることは経験上一般に犯罪の遂行を妨くるの事情たり得へきものなるを以て右被告人の所為は障礙未遂にして之を任意中止を以て目すへきものにあらす」

300 驚愕恐怖による中止

最決昭和 32 年 9 月 10 日刑集 11 巻 9 号 2202 頁

【決定理由】 「原判決の認定するところとその挙示する証拠によれば，本件の事実関係は，被告人はかねて賭博等に耽って借財が嵩んだ結果，実母 A や姉 B 等にも一方ならず心配をかけているので苦悩の末，服毒自殺を決意すると共に，自己の亡き後に悲歎しながら生き残るであらう母親に行末が不憫であるからむしろ同時に母をも殺害して同女の現世の苦悩を除いてやるに如かずと考え，昭和 28 年 10 月 18 日午前零時頃自宅 6 畳間において電燈を消して就寝中の同女の頭部を野球用バットで力強く 1 回殴打したところ，同女がうーんと呻き声をあげたので早くも死亡したものと思い，バットをその場に置いたまま自己が就寝していた隣室 3 畳間に入ったが，間もなく同女が二郎二郎と自己の名を呼ぶ声を聞き再び右 6 畳間に戻り，同女の頭部を手探りし電燈をつけて見ると，母が頭部より血を流し痛苦していたので，その姿を見て俄かに驚愕恐怖し，その後の殺害行為を続行することができず，所期の殺害の目的を遂げなかったというのである。右によれば，被告人は母に対し何ら怨恨等の害悪的感情をいだいていたものではなく，いわば憐憫の情から自殺の道伴れとして殺害しようとしたものであり，従ってその殺害方法も実母にできるだけ痛苦の念を感ぜしめないようにと意図し，その熟睡中を見計い前記のように強打したものであると認められる。しかるに，母は右打撃のため間もなく眠りからさめ意識も判然として被告人の名を続けて呼び，被告人はその母の流血痛苦している姿を眼前に目撃したのであって，このような事態は被告人の全く予期しなかったところであり，いわんや，これ以上更に殺害行為を続行し母に痛苦を与えることは自己

⇒ *301*

当初の意図にも反するところであるから，所論のように被告人において更に殺害行為を継続するのがむしろ一般の通例であるというわけにはいかない。すなわち被告人は，原判決認定のように，前記母の流血痛苦の様子を見て今さらの如く事の重大性に驚愕恐怖するとともに，自己当初の意図どおりに実母殺害の実行完遂ができないことを知り，これらのため殺害行為続行の意力を抑圧せられ，他面事態をそのままにしておけば，当然犯人は自己であることが直に発覚することを怖れ，原判示のように，ことさらに便所の戸や高窓を開いたり等して外部からの侵入者の犯行であるかのように偽装することに努めたものと認めるのが相当である。右意力の抑圧が論旨主張のように被告人の良心の回復又は悔悟の念に出でたものであることは原判決の認定しないところであるのみならず，前記のような被告人の偽装行為に徴しても首肯し難い。そして右のような事情原因の下に被告人が犯行完成の意力を抑圧せしめられて本件犯行を中止した場合は，犯罪の完成を妨害するに足る性質の障がいに基くものと認むべきであって，刑法 43 条但書にいわゆる自己の意思により犯行を止めたる場合に当らないものと解するを相当とする。されば，原判決が本件被告人の所為を中止未遂ではなく障がい未遂であるとしたのは，以上と理由を異にするが，結論においては正当である。」

301　欲情の減退による強制性交（強姦）の中止

東京高判昭和 39 年 8 月 5 日高刑集 17 巻 6 号 557 頁／判タ 166・145

【判決理由】「被告人は昭和 39 年 1 月 28 日午後 4 時 30 分ころ，小雪の降るなかを，下校途中の A 子（当時 16 才）を認め，同女を強いて姦淫する目的で原判示松林の中に連れ込み，同女の下着を脱がせたうえ，その場に仰向けに倒し同女の陰部に手指を押入する等して，やがて同女を姦淫しようとしたが，原判示の如く同女の露出した肌が寒気のため鳥肌たっているのを見て欲情が減退したため，その行為を止めるにいたった事実が認められるのである。ところで，被告人が姦淫行為を中止するに至った右の如き事情は，一般の経験上，この種の行為においては，行為者の意思決定に相当強度の支配力を及ぼすべき外部的事情が存したものというべく，そのため被告人は性慾が減退して姦淫行為に出ることを止めたというのであるから，この場合，犯行中止について，被告人の任意性を欠くものであって，原判決が本件は外部的障碍により犯罪の遂行に至

らなかったものである，として中止未遂の主張を容れなかったことは洵に相当
である。」

302　驚愕と悔悟の情からの中止

福岡高判昭和 61 年 3 月 6 日高刑集 39 巻 1 号 1 頁／判時 1193・152，判タ 600・143
（百選 I 69）

【判決理由】　「本件は，被告人が，未必的殺意をもって A 子の頸部を果物ナイフで 1
回突き刺したが，同女に加療約 8 週間を要する頸部刺傷等の傷害を負わせたにとどまっ
たという事案であるところ，被告人は，A 子の頸部を果物ナイフで 1 回突き刺した直
後，同女が大量の血を口から吐き出し，呼吸のたびに血が流れ出るのをみて，驚愕する
と同時に大変なことをしたと思い，直ちにタオルを同女の頸部に当てて血が吹き出ない
ようにしたり，同女に『動くな，じっとしとけ。』と声をかけたりなどしたうえ，『ナイ
トパブカトレア』の店内から消防署に架電し，傷害事件を起こした旨告げて救急車の派
遣と警察署への通報を依頼したこと，被告人は，その後『救急車がきよるけん心配せん
でいいよ。』と A 子を励ましたりしながら救急車の到着を待ち，救急車が到着するや，
1 階出入口のシャッターの内側から鍵を差し出して消防署員にシャッターを開けてもら
い，消防署員とともに A 子を担架に乗せて救急車に運び込み，そのころ駆け付けた警
察官に『別れ話がこじれて A 子の首筋をナイフで刺した』旨自ら告げてその場で現行
犯逮捕されたこと，A 子は直ちに T 外科医院に搬送されて昇圧剤の投与を受けたのち，
同日午前 7 時すぎころ H 医院に転送されて H 医師により手術を受けたものであるが，
本件の頸部刺傷は深さ約 5 センチメートルで気管内に達し，多量の出血と皮下気腫を伴
うもので，出血多量による失血死や出血が気道内に入って窒息死する危険があったこと，
以上の事実が認められ，右認定を左右するに足る証拠は存しない。
　　ところで，中止未遂における中止行為は，実行行為終了前のいわゆる着手未
遂においては，実行行為を中止すること自体で足りるが，実行行為終了後のい
わゆる実行未遂においては，自己の行為もしくはこれと同視できる程度の真摯
な行為によって結果の発生を防止することを要すると解すべきところ，本件犯
行は，A 子の頸部にナイフを突きつけて同女を脅していた際，一時的な激情
にかられて未必的殺意を生じ，とっさに右ナイフで同女の頸部を 1 回突き刺し
たというものであって，2 度，3 度と続けて攻撃を加えることを意図していた
ものではなく，右の一撃によって同女に失血死，窒息死の危険を生じさせてい
ることに照らすと，本件は実行未遂の事案というべきである。そして，前記認
定事実によれば，被告人が，本件犯行後，A 子が死に至ることを防止すべく，
消防署に架電して救急車の派遣を要請し，A 子の頸部にタオルを当てて出血

を多少でもくい止めようと試みるなどの真摯な努力を払い，これが消防署員や医師らによる早期かつ適切な措置とあいまってＡ子の死の結果を回避せしめたことは疑いないところであり，したがって，被告人の犯行後における前記所為は中止未遂にいう中止行為に当たるとみることができる。

次に，中止未遂における中止行為は『自己の意思に因り』（刑法43条但書）なされることを要するが，右の『自己の意思に因り』とは，外部的障碍によってではなく，犯人の任意の意思によってなされることをいうと解すべきところ，本件において，被告人が中止行為に出た契機が，Ａ子の口から多量の血が吐き出されるのを目のあたりにして驚愕したことにあることは前記認定のとおりであるが，中止行為が流血等の外部的事実の表象を契機とする場合のすべてについて，いわゆる外部的障碍によるものとして中止未遂の成立を否定するのは相当ではなく，外部的事実の表象が中止行為の契機となっている場合であっても，犯人がその表象によって必ずしも中止行為に出るとは限らない場合に敢えて中止行為に出たときには，任意の意思によるものとみるべきである。これを本件についてみるに，本件犯行が早朝，第三者のいない飲食店内でなされたものであることに徴すると，被告人が自己の罪責を免れるために，Ａ子を放置したまま犯行現場から逃走することも十分に考えられ，通常人であれば，本件の如き流血のさまを見ると，被告人の前記中止行為と同様の措置をとるとは限らないというべきであり，また，前記認定のとおり，被告人は，Ａ子の流血を目のあたりにして，驚愕すると同時に，『大変なことをした。』との思いから，同女の死の結果を回避すべく中止行為に出たものであるが，本件犯行直後から逮捕されるまでにおける被告人の真摯な行動やＡ子に対する言葉などに照らして考察すると，『大変なことをした。』との思いには，本件犯行に対する反省，悔悟の情が込められていると考えられ，以上によると，本件の中止行為は，流血という外部的事実の表象を契機としつつ，犯行に対する反省，悔悟の情などから，任意の意思に基づいてなされたと認めるのが相当である。

以上の次第で本件については中止未遂の成立を認めるのが相当であり，原判決は中止未遂を障碍未遂と誤認し，その結果刑法43条但書，68条3号を適用しなかったもので，これらの誤りが判決に影響を及ぼすことは明らかであるから，破棄を免れない。」

303 哀願による中止

浦和地判平成 4 年 2 月 27 日判夕 795 号 263 頁

【事案】 被告人は，強制性交（強姦）の意思で，公衆電話ボックスから A 女を引きずりだし，押し倒して着衣を脱がせて下半身を完全に裸にするなどの暴行・脅迫を加えたが，同女から「やめて下さい」と哀願されたのを契機に，姦淫を中止した。

【判決理由】「そこで，検討するのに，前掲各証拠によると，被告人は，判示認定のとおり，被害者から『やめて下さい。』などと哀願されたことを契機として，姦淫の遂行を断念したことが明らかであるが，右断念の際の被告人の気持ちとして，被告人は，①同女がまだ 20 歳位で若く，かわいそうになったことと，②強姦までしてしまうと警察に被害を申告されて捕まってしまうのがこわかったということの 2 点を挙げ，右②が主たる理由であるとしている。従って，中止未遂の成立要件である中止の任意性につき，主観的な反省・悔悟の情を重視する立場からは，右の点だけからでも，中止未遂の成立は否定されることとなろう。

　三　しかし，ひるがえって，本件犯行当時の状況を証拠によってみると，①本件は，周囲に田圃が広がり，かつ，民家もなく，しかも付近の人通りの全くない深夜の小学校敷地内における犯行であり，右犯行が通行人や付近の住民に発見されて未遂に終わる等の蓋然性は，まず存在しない状況であったこと（換言すれば，本件については，犯行を未遂に導くような客観的，物理的ないし実質的障害事由は存在しなかったこと），②被告人は，被害者に哀願された時点では，既に，判示のような暴行・脅迫により被害者の反抗を抑圧した上，下半身の着衣を全て脱がせた状態にまでしてしまっていたこと，③被害者は，当初は悲鳴をあげて必死に抵抗したが，下半身裸にされたのちにおいては，大声をあげることもなく，ただ，『やめて下さい。』などと哀願しながら，姦淫を嫌がっていただけであることが明らかである。そして，右のような状況のもとにおいては，25 歳の屈強の若者である被告人が，17 歳の少女である被害者を強いて姦淫することは，比較的容易なことであったと認められる。その上，強姦罪は，男性の性的本能に基づく犯罪であるため，一旦これを決意して実行に着手した者は，客観的ないし物理的障害に遭遇しない限り，犯意を放棄しないのが通常であるから，右認定のような状況のもとに被害者の反抗を抑圧した強姦犯人が，被害者から『やめて下さい。』などと哀願されたからといって，犯行を

断念するのはむしろ稀有の事例と思われる。

　四　そして，右のように，一旦犯罪の実行に着手した犯人が，犯罪遂行の実質的障害となる事情に遭遇したわけではなく，通常であればこれを継続して所期の目的を達したであろうと考えられる場合において，犯人が，被害者の態度に触発されたとはいえ，自己の意思で犯罪の遂行を中止したときは，障害未遂ではなく中止未遂が成立すると解するのが相当であり，右中止の際の犯人の主観が，憐憫の情にあったか犯行の発覚を怖れた点にあったかによって，中止未遂の成否が左右されるという見解は，当裁判所の採らないところである（のみならず，本件においては，被告人の犯行中止の動機の中に，従たるものとしてではあっても，被害者に対する憐憫の情ないし反省・悔悟の情の存したことは，前認定のとおりである。）。なお，付言するに，判例・学説上，『犯罪の発覚を怖れて犯行を中止しても中止未遂は成立しない。』と説かれるのが一般であるが，右は，犯罪の遂行中，第三者に発見されそうになったことを犯人が認識し，これを怖れた場合のように，犯罪の遂行上実質的な障害となる事由を犯人が認識した場合に関する議論と解すべきであり，本件のように，外部的障害事由は何ら発生しておらず，また，犯人もこれを認識していないのに，犯人が，単に，被害者の哀願の態度に触発されて，にわかに，後刻の被害申告等の事態に思い至って中止したというような場合を念頭に置いたものではないと解するのが相当である。」

Ⅵ 共　犯

［*1*］　教唆犯・幇助犯

304　教唆の因果性

最判昭和 25 年 7 月 11 日刑集 4 巻 7 号 1261 頁／判タ 4・47
（百選Ⅰ 91）

【判決理由】「原判決によれば，被告人 X は Y に対して判示 A 方に侵入して金品を盗取することを使嗾し，以て窃盗を教唆したものであって，判示 B 商会に侵入して窃盗をすることを教唆したものでないことは正に所論の通りであり，しかも，右 Y は，判示 Z 等 3 名と共謀して判示 B 商会に侵入して強盗をしたものである。しかし，犯罪の故意ありとなすには，必ずしも犯人が認識した事実と，現に発生した事実とが，具体的に一致（符合）することを要するものではなく，右両者が犯罪の類型（定型）として規定している範囲において一致（符合）することを以て足るものと解すべきものであるから，いやしくも右 Y の判示住居侵入強盗の所為が，被告人 X の教唆に基いてなされたものと認められる限り，被告人 X は住居侵入窃盗の範囲において，右 Y の強盗の所為について教唆犯としての責任を負うべきは当然であって，被告人 X の教唆行為において指示した犯罪の被害者と，本犯たる Y のなした犯罪の被害者とが異なる一事を以て，直ちに被告人 X に判示 Y の犯罪について何等の責任なきものと速断することを得ないものと言わなければならない。しかし，被告人 X の本件教唆に基いて，判示 Y の犯行がなされたものと言い得るか否か，換言すれば右両者間に因果関係が認められるか否かという点について検討するに，原判決によれば，Y は被告人 X の教唆により強盗をなすことを決意し，昭和 22 年 5 月 13 日午後 11 時頃 Z 外 2 名と共に日本刀，短刀各 1 振，バール 1 個等を携え，強盗の目的で A 方奥手口から施錠を所携のバールで破壊して屋内に侵入したが，母屋に侵入する方法を発見し得なかったので断念し，更に，同人等は犯意を継続し，其の隣家の B 商会に押入ることを謀議し，Y は同家附

⇒ *305*

近で見張をなし，Z等3名は屋内に侵入して強盗をしたというのであって，原判文中に『更に同人等は犯意を継続し』とあることに徴すれば，原判決は被告人Xの判示教唆行為と，Y等の判示住居侵入強盗の行為との間に因果関係ある旨を判示する趣旨と解すべきが如くであるが，他面原判決引用の第1審公判調書中のYの供述記載によれば，Yの本件犯行の共犯者たるZ等3名は，A方裏口から屋内に侵入したが，やがてZ等3名は母屋に入ることができないといって出て来たので，諦めて帰りかけたが，右3名は，吾々はゴットン師であるからただでは帰れないと言い出し，隣のラヂヲ屋に這入って行ったので自分は外で待っておった旨の記載があり，これによればYのF方における犯行は，被告人Xの教唆に基いたものというよりむしろYは一旦右教唆に基く犯意は障碍の為め放棄したが，たまたま，共犯者3名が強硬に判示B商会に押入らうと主張したことに動かされて決意を新たにして遂にこれを敢行したものであるとの事実を窺われないでもないのであって，彼是綜合するときは，原判決の趣旨が果して明確に被告人Xの判示教唆行為と，Yの判示所為との間に，因果関係があるものと認定したものであるか否かは頗る疑問であると言わなければならないから，原判決は結局罪となるべき事実を確定せずして法令の適用をなし，被告人Xの罪責を認めた理由不備の違法あることに帰し，論旨は理由がある。」

305 鳥打帽子事件

大判大正4年8月25日刑録21輯1249頁

【判決理由】「短刀は強盗罪の用に供し得へき器具にして従て之れか交付は強盗罪を容易ならしむるものなること自ら明かなるを以て特に其理由を説示するの要なしと雖も鳥打帽子又は足袋の如きは然らす其性質上強盗罪を容易ならしむることは特殊の場合に属するか故に其理由を説示するにあらされは之れか交付を以て直ちに強盗罪の幇助を為したるものと速断するを許さす然るに原判決は単に被告Xか強盗犯人Aに鳥打帽子1箇を同Bに足袋1足を与へ以て強盗罪を幇助したりと説示したるのみにして毫も該帽子又は足袋の交付か如何なる関係に於て強盗罪を容易ならしむるやの理由を説示せさるを以て原判決は所論の如く理由不備の不法あるものにして全部破毀を免れさるものとす」

306 精神的激励

大判昭和 7 年 6 月 14 日刑集 11 巻 797 号

【事案】 被告人 X は，Y が A を殺害するつもりであることを聞き，「男というものはやるときにはやらねばならぬ。もし A を殺害することがあれば，自分が差し入れはしてやる」といって激励した。

【判決理由】 「被告人か原判示の如く原審相被告人 Y より殺人行為を為さんとするの決意を聴き所論原判示の如き言辞を以て同人を激励して其の決意を強固ならしめ同相被告人に於て右の決意を実行し殺人未遂罪を犯したる以上即被告人は精神的に同相被告人の犯行を幇助したるものなるを以て原判決か紋上事実を判示し被告人の行為を同罪の従犯を以て論したるは相当にして所論の如く理由不備の違法あるものに非す」

307 塩まき行為

名古屋地判昭和 33 年 8 月 27 日一審刑集 1 巻 8 号 1288 頁／判時 167・35

【事案】 被告人 X は，Y が賭博場を開帳するに際し，同賭博場において景気をそえるため塩まきをして Y の犯行を容易ならしめた幇助犯として起訴された。

【判決理由】 「抑々丁半賭博においては 1 と 6 或は 2 と 6 の目が出た場合開帳図利をなす者が賭銭の幾割かを寺銭として徴収する例のようであるところ，右の目が出ない場がつづくと縁起のためその目が出るよう塩をまくことがたまたま行われること及び被告人 X が右賭博場において塩まきをなしたことは証拠上認めうるのであるが，右塩まきは単に縁起のものであってその行為が直ちに賭博開帳図利行為を容易ならしめるもの，即ち本件起訴にかかるような当該犯罪構成要件に該当するものとは到底認めがたい。従って右公訴事実についてはその証明は不十分なりといわねばならないから，刑事訴訟法第 336 条により被告人 X に対し無罪を言渡す次第である。」

308 教唆の成立が認められた事例

最決平成 18 年 11 月 21 日刑集 60 巻 9 号 770 頁／判時 1954・155，判タ 1228・133

(重判平 19 刑 4)

【決定理由】 「1 原判決及びその是認する第 1 審判決の認定並びに記録によれば，第 1 審判決判示第 2 の事実に関する事実関係は，以下のとおりであると認められる。

(1) 被告人は，スポーツイベントの企画及び興行等を目的とする株式会社 K の代表取締役として同社の業務全般を総括していたものであるが，同社の平成 9 年 9 月期から同 12 年 9 月期までの 4 事業年度にわたり，架空仕入れを計上するなどの方法により所

⇒ *308*

得を秘匿し，虚偽過少申告を行って法人税をほ脱していたところ，同社に国税局の査察調査が入るに及び，これによる逮捕や処罰を免れるため，知人の A に対応を相談した。

(2)　A は，被告人に対し，脱税額を少なく見せかけるため，架空の簿外経費を作って国税局に認めてもらうしかないとして，K が主宰するボクシング・ショーに著名な外国人プロボクサーを出場させるという計画に絡めて，同プロボクサーの招へいに関する架空経費を作出するため，契約不履行に基づく違約金が経費として認められることを利用して違約金条項を盛り込んだ契約書を作ればよい旨教示し，この方法でないと所得金額の大きい平成 11 年 9 月期と同 12 年 9 月期の利益を消すことができないなどと，この提案を受け入れることを強く勧めた。

(3)　被告人は，A の提案を受け入れることとし，A に対し，その提案内容を架空経費作出工作の協力者の一人である B に説明するように求め，被告人，A 及び B が一堂に会する場で，A が B に提案内容を説明し，その了解を得た上で，被告人が A 及び B に対し，内容虚偽の契約書を作成することを依頼し，A 及び B は，これを承諾した。

(4)　かくして，A 及び B は，共謀の上，B が K に対し上記プロボクサーを上記ボクシング・ショーに出場させること，K は B に対し，同プロボクサーのファイトマネー 1000 万ドルのうち 500 万ドルを前払すること，さらに，契約不履行をした当事者は違約金 500 万ドルを支払うことなどを合意した旨の K と B との間の内容虚偽の契約書及び補足契約書を用意し，B がこれら書面に署名した後，K 代表者たる被告人にも署名させて，内容虚偽の各契約書を完成させ，K の法人税法違反事件に関する証拠偽造を遂げた。

(5)　なお，A は，被告人から，上記証拠偽造その他の工作資金の名目で多額の資金を引き出し，その多くを自ら利得していることが記録上うかがわれるが，A において，上記法人税法違反事件の犯人である被告人が証拠偽造に関する提案を受け入れなかったり，その実行を自分に依頼してこなかった場合にまで，なお本件証拠偽造を遂行しようとするような動機その他の事情があったことをうかがうことはできない。

2　このような事実関係の下で，被告人は，A 及び B に対し，内容虚偽の各契約書を作成させ，K の法人税法違反事件に関する証拠偽造を教唆した旨の公訴事実により訴追されたものであるところ，所論は，A は被告人の証拠偽造の依頼により新たに犯意を生じたものではないから，A に対する教唆は成立しないというのである。

なるほど，A は，被告人の相談相手というにとどまらず，自らも実行に深く関与することを前提に，K の法人税法違反事件に関し，違約金条項を盛り込んだ虚偽の契約書を作出するという具体的な証拠偽造を考案し，これを被告人に積極的に提案していたものである。しかし，本件において，A は，被告

人の意向にかかわりなく本件犯罪を遂行するまでの意思を形成していたわけではないから，Aの本件証拠偽造の提案に対し，被告人がこれを承諾して提案に係る工作の実行を依頼したことによって，その提案どおりに犯罪を遂行しようというAの意思を確定させたものと認められるのであり，被告人の行為は，人に特定の犯罪を実行する決意を生じさせたものとして，教唆に当たるというべきである。したがって，原判決が維持した第1審判決が，Bに対してだけでなく，Aに対しても，被告人が本件証拠偽造を教唆したものとして，公訴事実に係る証拠隠滅教唆罪の成立を認めたことは正当である。」

309　了解と黙認による幇助

最決平成 25 年 4 月 15 日刑集 67 巻 4 号 437 頁／判時 2202・144，判タ 1394・139
（重判平 25 刑 3）

【決定理由】　「1　原判決及びその是認する第1審判決の認定によれば，本件の事実関係は，次のとおりである。

(1)　被告人A（当時 45 歳）及び被告人B（当時 43 歳）は，運送会社に勤務する同僚運転手であり，同社に勤務するC（当時 32 歳）とは，仕事の指導等をする先輩の関係にあるのみならず，職場内の遊び仲間でもあった。

(2)　被告人両名は，平成 20 年 2 月 17 日午後 1 時 30 分頃から同日午後 6 時 20 分頃までの間，飲食店でCらと共に飲酒をしたところ，Cが高度に酩酊した様子をその場で認識したばかりでなく，更に飲酒をするため，別の場所に向かってCがスポーツカータイプの普通乗用自動車（以下「本件車両」という。）で疾走する様子を後から追う車内から見て，『あんなに飛ばして大丈夫かな』などと話し，Cの運転を心配するほどであった。

(3)　被告人両名は，目的の店に到着後，同店駐車場に駐車中の本件車両に乗り込んで，Cと共に同店の開店を待つうち，同日午後 7 時 10 分前後頃，Cから，『まだ時間あるんですよね。一回りしてきましょうか』などと，開店までの待ち時間に，本件車両に被告人両名を同乗させて付近の道路を走行させることの了解を求められた折，被告人Aが，顔をCに向けて頷くなどし，被告人Bが，『そうしようか』などと答え，それぞれ了解を与えた。

(4)　これを受けて，Cは，アルコールの影響により正常な運転が困難な状態で，上記駐車場から本件車両を発進させてこれを走行させ，これにより，同日午後 7 時 25 分頃，埼玉県熊谷市内の道路において，本件車両を時速 100 ないし 120 km で走行させて対向車線に進出させ，対向車 2 台に順次衝突させて，その乗員のうち 2 名を死亡させ，4 名に傷害を負わせる本件事故を起こした。被告人両名は，その間，先に了解を与えた際の態度を変えず，Cの運転を制止することなく本件車両に同乗し，これを黙認し続けてい

た。

2 所論は，被告人両名がCによる本件車両の運転を了解し，その走行を黙認しただけでは被告人両名に危険運転致死傷幇助罪は成立しないという。

そこで検討するに，刑法62条1項の従犯とは，他人の犯罪に加功する意思をもって，有形，無形の方法によりこれを幇助し，他人の犯罪を容易ならしむるものである（最高裁昭和24年(れ)第1506号同年10月1日第二小法廷判決・刑集3巻10号1629頁参照）ところ，前記1のとおりのCと被告人両名との関係，Cが被告人両名に本件車両発進につき了解を求めるに至った経緯及び状況，これに対する被告人両名の応答態度等に照らせば，Cが本件車両を運転するについては，先輩であり，同乗している被告人両名の意向を確認し，了解を得られたことが重要な契機となっている一方，被告人両名は，Cがアルコールの影響により正常な運転が困難な状態であることを認識しながら，本件車両発進に了解を与え，そのCの運転を制止することなくそのまま本件車両に同乗してこれを黙認し続けたと認められるのであるから，上記の被告人両名の了解とこれに続く黙認という行為が，Cの運転の意思をより強固なものにすることにより，Cの危険運転致死傷罪を容易にしたことは明らかであって，被告人両名に危険運転致死傷幇助罪が成立するというべきである。」

310 幇助は促進関係でたりるとした事例

大判大正2年7月9日刑録19輯771頁

【判決理由】「所謂犯罪の幇助行為ありとするには犯罪あることを知りて犯人に犯罪遂行の便宜を与へ之を容易ならしめたるのみを以て足り其遂行に必要不可欠なる助力を与ふることを必要とせず而して賭場開帳を為すに付きて房屋を供することは其遂行上開帳者に開帳の便宜を与ふるものなることは疑なきを以て苟くも賭場開帳の情を知りて居宅を賃貸し其行為を容易ならしめたる事実ある以上は賭場開帳罪の幇助として処断せらるへきは当然なれは原裁判所か右の事実あるものと認定したる被告に対し刑法第186条第2項第62条第1項を適用処断したるは相当にして本論旨は理由なし」

311 宝石商殺害事件

東京高判平成2年2月21日判タ733号232頁

（百選I 88，重判平2刑5）

【事案】　被告人Xは，Yが宝石商Aから預かっていた宝石の返還を免れるためAを

殺害した強盗殺人罪の幇助として起訴された。幇助行為の内容は，①Ｙが当初ビルの地下室でピストルにより殺害する計画であったため，Ｘは，ピストルの音が外部に漏れないように目張りを行った。②しかし，その後計画が変更され，Ｙは自動車にＡを乗せ走行中に殺害したが，Ｘは，別の自動車でＹの自動車に追従した，というものであった。原審は「Ｘの右目張り行為等は，Ｙの同日の一連の計画に基づく被害者の生命等の侵害を現実化する危険性を高めたものと評価できるのであって，幇助犯の成立に必要な因果関係において欠けるところはないというべきである。」として，前記①②とも幇助行為にあたるとしたが，本判決は，②の行為のみを幇助とした。

【判決理由】「思うに，Ｙは，現実には，当初の計画どおり地下室で本件被害者を射殺することをせず，同人を車で連れ出して，地下室から遠く離れた場所を走行中の車内で実行に及んだのであるから，被告人の地下室における目張り等の行為がＹの現実の強盗殺人の実行行為との関係では全く役に立たなかったことは，原判決も認めているとおりであるところ，このような場合，それにもかかわらず，被告人の地下室における目張り等の行為がＹの現実の強盗殺人の実行行為を幇助したといい得るには，被告人の目張り等の行為が，それ自体，Ｙを精神的に力づけ，その強盗殺人の意図を維持ないし強化することに役立ったことを要すると解さなければならない。しかしながら，原審の証拠及び当審の事実取調べの結果上，Ｙが被告人に対し地下室の目張り等の行為を指示し，被告人がこれを承諾し，被告人の協力ぶりがＹの意を強くさせたというような事実を認めるに足りる証拠はなく，また，被告人が，地下室の目張り等の行為をしたことを，自ら直接に，もしくはＢらを介して，Ｙに報告したこと，又は，Ｙがその報告を受けて，あるいは自ら地下室に赴いて被告人が目張り等をしてくれたのを現認したこと，すなわち，そもそも被告人の目張り等の行為がＹに認識された事実すらこれを認めるに足りる証拠もなく，したがって，被告人の目張り等の行為がそれ自体Ｙを精神的に力づけ，その強盗殺人の意図を維持ないし強化することに役立ったことを認めることはできないのである。」

312 不法残留の幇助

東京高判令和元年7月12日高刑速（令1）号197頁

【事案】 被告人は，平成26年春頃，インターネットを通じて大韓民国の国籍を有する甲と知り合い，間もなく交際を開始した。甲は，同年8月5日に本邦に入国し，被告人が居住するアパートで被告人と同居するようになった。なお，同居後の同アパートの家

⇒ *312*

賃は2か月分を除き，被告人が負担していた。甲は，在留期限が到来する直前の平成27年1月29日に一旦出国した上，同年2月25日に「短期滞在」（90日）の在留資格で本邦に再び入国して被告人との同居を再開し，有効期限である同年5月26日が経過した後も，そのまま本邦に不法残留した。被告人は，甲の在留期間が経過したことを認識しながら，甲との同居を継続した。その後，被告人は，甲と飲食店を経営することとし，平成28年4月頃，被告人名義で店舗の賃貸借契約を締結し，同年6月20日から飲食店の営業を開始し，甲も同店で稼働した。また，被告人は，同年5月頃，同区内のマンションを被告人名義で賃借し，同所に転居して甲との同居を継続した。なお，被告人らは，同店舗の家賃や光熱費等は同店の売上金から拠出し，同マンションの家賃や駐車場代は同店の営業により得た利益の中から拠出していた。被告人は，甲が来日した平成26年8月頃以降，甲と交際関係にあることを周囲に隠すことはなく，ブログにも甲と内縁関係にあることを前提とした書き込みをするなどしていた。第1審判決は，被告人の行為が，適法な在留資格を有しない者が通常困難を伴う住居及び生活資金を得るための手段を提供するものとして，甲の正犯行為の実行を容易にしたことは明らかであり，被告人について，甲の不法残留に対する幇助犯が成立する，と判示したが，本判決は，以下のように判示して，同罪の成立を否定した。

【判決理由】「(1) 被告人が本件行為に至る経緯やその実態をみると，甲が不法残留となる約9か月前から，被告人と甲は，同居し，生計を共にしていたものであるところ，甲は資産を有しており，被告人が離職した際の家賃等を甲が負担していたことからも認められるように，被告人によって一方的に扶養されるという関係にはなかった。また，甲が不法残留となった後に二人が転居し，飲食店経営を始めたという事情はあるものの，転居によって，以前から継続していた同居の性質が変容したとはいえず，飲食店経営は甲及び被告人の生計の手段として行われていたものであるから，本件行為は，甲と内縁関係にある被告人が，同居して生計を共にする従来からの状態を継続していたものにすぎないと評価することができる。他方で，被告人は，一定の場所に居住し，公然と甲と共に飲食店を切り盛りし，ブログに甲との内縁関係を前提とする記事を載せ，家族や知人に紹介するなど，甲の存在を殊更隠そうとしていたような状況は認められないし，公務所に虚偽の文書を提出するなどして当局に不法残留の発覚を妨害するなどしたことも認められない。

(2) 他方，正犯である甲の不法残留は，在留期間の更新又は変更を受けないで在留期間を経過して本邦に残留した，という不作為犯であるから，前記(1)のような実態の本件行為が，甲の正犯行為を促進する危険性を備えたものと評価

することは困難というべきである。

(3) そうすると，原判決が，被告人につき，甲の不法残留に対する幇助罪の成立を認めたのは，正犯行為の性質を的確に踏まえないまま，幇助行為の要件を形式的に捉え，本件行為の性質を誤認して，それが幇助犯に当たるとする不合理な判断をしたもので，ひいては，刑法62条1項の解釈適用を誤ったものというべきである。」

[2] 共 同 正 犯

共謀共同正犯

313 強盗罪の謀議への関与

大連判昭和11年5月28日刑集15巻715頁

【判決理由】「仍て按上論旨窃盗罪又は強盗罪に付ては其の謀議に与るも実行行為を分担せさる者は正犯たるの責を負ふへきものに非すとする点に付て案するに凡そ共同正犯の本質は2人以上の者一心同体の如く互に相倚り相援けて各自の犯意を共同的に実現し以て特定の犯罪を実行するに在り共同者か皆既成の事実に対し全責任を負担せさるへからさる理由兹に存す若し夫れ其の共同実現の手段に至りては必すしも一律に非す或は倶に手を下して犯意を遂行することあり或は又共に謀議を凝したる上其の一部の者に於て之か遂行の衝に当ることあり其の態様同しからすと雖二者均しく協心協力の作用たるに於て其の価値異なるところなし従て其の孰れの場合に於ても共同正犯の関係を認むへきを以て原則なりとす但し各本条の特別の規定に依り之と異なりたる解釈を下すへき場合の存するは言を須たさるところなり而して窃盗罪並強盗罪の共同正犯関係は殺人傷害及放火等の罪に於けると同しく上叙原則に従ふへきものにして之か例外を為すへき特質を存するものに非す即ち2人以上の者窃盗又は強盗の罪を犯さんことを謀議し其の中或者に於て之を実行したるときは爾余の者亦由て以て自己の犯意を実現したるものとして共同正犯たるの責を負ふへきものと解せさるへからす本院従来の判例は初め所謂知能犯と実力犯とを区別し前者に付ては実行を分担せさる共謀者をも共同正犯とし後者に付ては実行を分担したる者に

⇒　*314*

非されは共同正犯と為ささるの見解を採りたるも近来放火罪殺人罪等の如き所
謂実力犯に付ても概ね上紋原則の趣旨を宣明せるに拘らす窃盗罪並強盗罪の共
同正犯に付ては寧ろ例外的見地を採用し実行分担者に非されは之か共同正犯た
るを得さるものと為したること所論の如しと雖之を維持すへきに非す然れは則
ち原判決か被告人に対し所論の如き事実を認定し窃盗罪の共同正犯及強盗罪の
共同正犯として処断したるは寔に正当にして之を攻撃する論旨は理由なきもの
なりとす仍て主文の如く判決す」

314　練馬事件

最大判昭和 33 年 5 月 28 日刑集 12 巻 8 号 1718 頁／判時 150・6

（百選 I 75）

【事案】　被告人 X は，某団体の軍事組織の地区委員長であったが，Y と練馬警察署の
巡査 A の襲撃を謀議し，Y が具体的実行を指導することとした。その後，Y の指導の
もとで Z ほか数名が A を襲撃して傷害を加えまもなく現場で死亡するに至らしめた。

【判決理由】　「共謀共同正犯が成立するには，2 人以上の者が，特定の犯罪を
行うため，共同意思の下に一体となって互に他人の行為を利用し，各自の意思
を実行に移すことを内容とする謀議をなし，よって犯罪を実行した事実が認め
られなければならない。したがって右のような関係において共謀に参加した事
実が認められる以上，直接実行行為に関与しない者でも，他人の行為をいわば
自己の手段として犯罪を行ったという意味において，その間刑責の成立に差異
を生ずると解すべき理由はない。さればこの関係において実行行為に直接関与
したかどうか，その分担または役割のいかんは右共犯の刑責じたいの成立を左
右するものではないと解するを相当とする。他面ここにいう『共謀』または
『謀議』は，共謀共同正犯における『罪となるべき事実』にほかならないから，
これを認めるためには厳格な証明によらなければならないというまでもない。
しかし『共謀』の事実が厳格な証明によって認められ，その証拠が判決に挙示
されている以上，共謀の判示は，前示の趣旨において成立したことが明らかに
されれば足り，さらに進んで，謀議の行われた日時，場所またはその内容の詳
細，すなわち実行の方法，各人の行為の分担役割等についていちいち具体的に
判示することを要するものではない。」

315　大麻密輸入事件

最決昭和 57 年 7 月 16 日刑集 36 巻 6 号 695 頁／判時 1052・152，判タ 477・100
（百選 I 77）

【決定理由】「原判決の認定したところによれば，被告人は，タイ国からの大麻密輸入を計画した A からその実行担当者になって欲しい旨頼まれるや，大麻を入手したい欲求にかられ，執行猶予中の身であることを理由にこれを断ったものの，知人の B に対し事情を明かして協力を求め，同人を自己の身代りとして A に引き合わせるとともに，密輸入した大麻の一部をもらい受ける約束のもとにその資金の一部（金 20 万円）を A に提供したというのであるから，これらの行為を通じ被告人が右 A 及び B らと本件大麻密輸入の謀議を遂げたと認めた原判断は，正当である。」

団藤重光裁判官の意見「わたくしは，もともと共謀共同正犯の判例に対して強い否定的態度をとっていた（団藤・刑法綱要総論・初版・302 頁以下）。しかし，社会事象の実態に即してみるときは，実務が共謀共同正犯の考え方に固執していることにも，すくなくとも一定の限度において，それなりの理由がある。一般的にいって，法の根底にあって法を動かす力として働いている社会的因子は刑法の領域においても度外視することはできないのであり（団藤・法学入門 129-138 頁，206 頁参照），共謀共同正犯の判例に固執する実務的感覚がこのような社会事象の中に深く根ざしたものであるからには，従来の判例を単純に否定するだけで済むものではないであろう。もちろん，罪刑法定主義の支配する刑法の領域においては，軽々に条文の解釈をゆるめることは許されるべくもないが，共同正犯についての刑法 60 条は，改めて考えてみると，一定の限度において共謀共同正犯をみとめる解釈上の余地が充分にあるようにおもわれる。そうだとすれば，むしろ，共謀共同正犯を正当な限度において是認するとともに，その適用が行きすぎにならないように引き締めて行くことこそが，われわれのとるべき途ではないかと考える。

おもうに，正犯とは，基本的構成要件該当事実を実現した者である。これは，単独正犯にも共同正犯にも同じように妥当する。ただ，単独正犯のばあいには，みずから実行行為（基本的構成要件に該当し当の構成要件的特徴を示す行為）そのものを行った者でなければ，この要件を満たすことはありえないが，共同正犯のばあいには，そうでなくても基本的構成要件該当事実を実現した者とい

えるばあいがある。すなわち，本人が共同者に実行行為をさせるについて自分の思うように行動させ本人自身がその犯罪実現の主体となったものといえるようなばあいには，利用された共同者が実行行為者として正犯となるのはもちろんであるが，実行行為をさせた本人も，基本的構成要件該当事実の共同実現者として，共同正犯となるものというべきである。わたくしが，『基本的構成要件該当事実について支配をもった者——つまり構成要件該当事実の実現についてみずから主となった者——が正犯である』としているのは（団藤・刑法綱要総論・改訂版・347-348 頁参照），この趣旨にほかならない。以上は，刑法の理論体系の見地から考えて到達する結論であるが，それは同時に，刑法 60 条の運用についての実務的要求の観点からみて，ほぼ必要にして充分な限界線を画することになるものといってよいのではないかとおもう。」

316　スワット事件

最決平成 15 年 5 月 1 日刑集 57 巻 5 号 507 頁／判時 1832・174，判タ 1131・111
（百選 I 76，重判平 15 刑 2）

【決定理由】　「1　原判決及びその是認する第 1 審判決の認定並びに記録によれば，本件に関する事実関係は，以下のとおりである。

(1)　被告人は，兵庫，大阪を本拠地とする三代目 J 組組長兼五代目 K 組若頭補佐の地位にあり，配下に総勢約 3100 名余りの組員を抱えていた。J 組には，被告人を専属で警護するボディガードが複数名おり，この者たちは，アメリカ合衆国の警察の特殊部隊に由来するスワットという名称で呼ばれていた。スワットは，襲撃してきた相手に対抗できるように，けん銃等の装備を持ち，被告人が外出して帰宅するまで終始被告人と行動を共にし，警護する役割を担っていた。

被告人とスワットらとの間には，スワットたる者は個々の任務の実行に際しては，親分である被告人に指示されて動くのではなく，その気持ちを酌んで自分の器量で自分が責任をとれるやり方で警護の役を果たすものであるという共通の認識があった。

(2)　被告人は，秘書やスワットらを伴って上京することも多く，警視庁が内偵して把握していただけでも，本件の摘発がなされた平成 9 年中に，既に 7 回上京していた。東京において被告人の接待等をする責任者は J 組 L 会会長の A（以下「A」という。）であり，A は，被告人が上京する旨の連絡を受けると，配下の組員らとともに車 5，6 台で羽田空港に被告人を迎えに行き，A の指示の下に，おおむね，先頭の車に被告人らの行く先での駐車スペース確保や不審者の有無の確認等を担当する者を乗せ（先乗り車），2 台目には A が乗って被告人の乗った車を誘導し（先導車），3 台目には被告人と秘書を乗せ（被告人車），4 台目にはスワットらが乗り（スワット車），5 台目以降には雑用係が乗る（雑用車）という隊列を組んで，被告人を警護しつつ一団となって移動す

るのを常としていた。

　(3)　同年 12 月下旬ころ，被告人は，遊興等の目的で上京することを決め，これを J 組組長秘書見習い B（以下「B」という。）に伝えた。B は，スワットの C（以下「C」という。）に上京を命じ，C と相談の上，これまで 3 名であったスワットを 4 名とし，被告人には組長秘書ら 2 名と J 組本部のスワット 4 名が随行することになった。この上京に際し，同スワットらは，同年 8 月 28 日に K 組若頭兼 M 組組長が殺害される事件があったことから，被告人に対する襲撃を懸念していたが，J 組の地元である兵庫や大阪などでは，警察の警備も厳しく，けん銃を携行して上京するのは危険と考え，被告人を防御するためのけん銃等は東京側で準備してもらうこととし，大阪からは被告人用の防弾盾を持参することにした。そこで，B から被告人の上京について連絡を受けた A は，同人の実兄である N 連合会 O 二代目 P 組組長の D（以下「D」という。）に電話をして，けん銃等の用意をも含む一切の準備をするようにという趣旨の依頼をし，また，C も，前記 L 会の組員にけん銃等の用意を依頼し，同組員は，D にその旨を伝えた。連絡を受けた D は，P 組の組員である E とともに，本件けん銃 5 丁を用意して実包を装てんするなどして，スワットらに渡すための準備を調えた。

　(4)　同年 12 月 25 日夕方，被告人が B や C らとともに羽田空港に到着すると，これを A や P 組関係者と，先に新幹線で上京していたスワット 3 名が 5 台の車を用意して出迎えた。その後は，(2)で述べたようなそれぞれの役割区分に従って分乗し，被告人車のすぐ後ろにスワット車が続くなどの隊列を組んで移動し始め，最初に立ち寄った店を出るころからは，次のような態勢となった。

　①　先乗り車には，J 組本部のスワット 1 名と同組 L 会のスワット 1 名が，各自実包の装てんされたけん銃 1 丁を携帯して乗車した。

　②　先導車には，A らが乗車した。

　③　被告人車には，被告人のほか B らが乗車し，被告人は前記防弾盾が置かれた後部座席に座った。

　④　スワット車には，J 組本部のスワット 3 名が，各自実包の装てんされたけん銃 1 丁を携帯して乗車した。

　⑤　雑用車は，当初 1 台で，途中から 2 台に増えたが，これらに東京側の組関係者が乗車した。

　そして，被告人らは，先乗り車が他の車より少し先に次の目的場所に向かうときのほかは，この車列を崩すことなく，一体となって都内を移動していた。また，遊興先の店付近に到着して，被告人が車と店の間を行き来する際には，被告人の直近を組長秘書らがガードし，その外側を本件けん銃等を携帯するスワットらが警戒しながら一団となって移動し，店内では，組長秘書らが不審な者がいないか確認するなどして警戒し，店外では，その出入口付近で，本件けん銃等を携帯するスワットらが警戒して待機していた。

⇒ *316*

(5) 被告人らは，翌26日午前4時過ぎころ，最後の遊興先である港区六本木に所在する飲食店を出て宿泊先に向かうことになった。その際，先乗り車は，他車より先に，同区六本木1丁目……所在のホテルQ別館に向かい，その後，残りの5台が出発した。そして，後続の5台が，同区六本木1丁目……付近路上に至ったところで，警察官らがその車列に停止を求め，各車両に対し，あらかじめ発付を得ていた捜索差押許可状による捜索差押えを実施し，被告人車のすぐ後方に続いていたスワット車の中から，けん銃3丁等を発見，押収し，被告人らは現行犯逮捕された。また，そのころ，先乗り車でホテルQ別館前にその役割に従って一足先に到着していたJ組本部のスワットと同組L会のスワットは，同所に警察官が来たことを察知して，所持していた各けん銃1丁等を，自ら，又は他の組員を介して，同区虎ノ門4丁目……の民家の敷地や同区赤坂1丁目……所在のビルディング植え込み付近に投棄したが，間もなく，これらが警察官に発見された。

(6) スワットらは，いずれも，被告人を警護する目的で実包の装てんされた本件各けん銃を所持していたものであり，被告人も，スワットらによる警護態様，被告人自身の過去におけるボディガードとしての経験等から，スワットらが被告人を警護するためけん銃等を携行していることを概括的とはいえ確定的に認識していた。また，被告人は，スワットらにけん銃を持たないように指示命令することもできる地位，立場にいながら，そのような警護をむしろ当然のこととして受け入れ，これを認容し，スワットらも，被告人のこのような意思を察していた。

2 本件では，前記1(5)の捜索による差押えや投棄の直前の時点におけるスワットらのけん銃5丁とこれに適合する実包等の所持について，被告人に共謀共同正犯が成立するかどうかが問題となるところ，被告人は，スワットらに対してけん銃等を携行して警護するように直接指示を下さなくても，スワットらが自発的に被告人を警護するために本件けん銃等を所持していることを確定的に認識しながら，それを当然のこととして受け入れて認容していたものであり，そのことをスワットらも承知していたことは，前記1(6)で述べたとおりである。なお，弁護人らが主張するように，被告人が幹部組員に対してけん銃を持つなという指示をしていた事実が仮にあったとしても，前記認定事実に徴すれば，それは自らがけん銃等の不法所持の罪に問われることのないように，自分が乗っている車の中など至近距離の範囲内で持つことを禁じていたにすぎないものとしか認められない。また，前記の事実関係によれば，被告人とスワットらとの間にけん銃等の所持につき黙示的に意思の連絡があったといえる。そして，スワットらは被告人の警護のために本件けん銃等を所持しながら終始被告人の

近辺にいて被告人と行動を共にしていたものであり，彼らを指揮命令する権限を有する被告人の地位と彼らによって警護を受けるという被告人の立場を併せ考えれば，実質的には，正に被告人がスワットらに本件けん銃等を所持させていたと評し得るのである。したがって，被告人には本件けん銃等の所持について，B，A，D及びCらスワット5名等との間に共謀共同正犯が成立するとした第1審判決を維持した原判決の判断は，正当である。」

317 投稿サイト管理運営者と動画投稿者との共同正犯

最決令和3年2月1日刑集75巻2号123頁／判タ1494・47

【決定理由】 「(1) 原判決及びその是認する第1審判決の認定並びに記録によれば，上記各罪に関する事実関係は，次のとおりである。

ア X，INC.（以下「X社」という。），X動画及びXライブの概要等

(ア) X社は，アメリカ合衆国所在の会社であり，前記サイト『X』を管理・運営し，X内において，平成19年11月以降，投稿サイト『X動画』のサービスを，平成22年8月以降，配信サイト『Xライブ』のサービスをそれぞれ提供していた（以下，上記投稿サイト及び配信サイトを「本件各サイト」という。）。

(イ) X動画では，インターネットを通じてX社が契約するサーバに動画データを投稿することができ，投稿された動画データは，無料会員用と有料会員用等の用途に合わせて変換された後，X社が管理する配信サーバに送られ，不特定多数の視聴者がそのサーバにアクセスすることで，その動画の内容を視聴できる。X動画では，有料会員については無料会員と比較して種々の特典が設けられており，視聴者に有料会員登録を促す措置が講じられている。

また，X動画においては，視聴者が投稿動画を介して新規に有料会員登録をした場合には，投稿者は登録料の一定割合に相当するポイントを報酬として得て，現金化することができるなどの仕組みや，投稿された動画を視聴者に評価させる仕組みなど，投稿者により多くの動画を投稿するよう促す措置が講じられている。

X動画は，『一般』と『アダルト』のカテゴリに分けられ，X動画アダルトへの投稿動画には，本件以前から，男女の性器等を露骨に表した無修正のわいせつ動画（以下「無修正わいせつ動画」という。）が相当数含まれており，X動画アダルトのサイト上には，『注目ワード』内に『無修正』（無修正わいせつ動画の意味）というキーワードが表示されたり，『おすすめ動画』内に無修正わいせつ動画のサムネイルが多数表示されたりしていた。

(ウ) Xライブでは，ウェブカメラ等で撮影した動画データをインターネットを通じて生中継でX社管理のサーバに配信することができ，不特定多数の視聴者が当該サーバにアクセスすることで，その動画をリアルタイムで視聴できる。

⇒ *317*

　Xライブでは，無料配信形態と有料配信形態があり，有料配信形態の動画が視聴された場合には，その動画の配信者は，視聴者が支払ったポイントのうちXに手数料として支払われる分を除いた分を報酬として得て，現金化することができる仕組み，Xライブの出演者（パフォーマー）を管理する会社又は個人（エージェント）が視聴料を設定し，前同様に，ポイントを報酬として受け取ることができる仕組み，Xライブの画面上に売上上位者の名前や金額を表示する仕組みなど，配信者により多くの動画を配信するよう促す措置が講じられている。

　Xライブにも，『一般』と『アダルト』のカテゴリがあり，Xライブアダルトについても，本件以前から相当数の無修正わいせつ動画が配信されていた。

　イ　Yの業務内容及び被告人両名らの関与の状況等

　㈦　Yは，本件当時，Xに関する業務の大半を行っており，X社と共にX動画やXライブを含むXの業務全般を管理・運営していた。

　㈧　本件当時，被告人両名は，X社の代表者であるZ（以下，同人と被告人両名を併せて「被告人両名ら」ともいう。）と共に，Y従業員を介して，X社の業務全般を管理・運営していた。

　X動画のアダルトカテゴリは，被告人甲とZの方針で設けられた。

　Xライブは，Zの方針で，ブログ，動画に続く収益の柱に据えるように開発され，X動画と同様にアダルトカテゴリが設けられた。Xライブの売上上位者の名前や金額等のランキング等は被告人両名らに報告されていたが，売上げの90％以上をアダルトカテゴリが占めるようになり，被告人両名らは，多額の利益を上げていたエージェントを『セックス配信中心』などと称して把握していた。

　㈩　本件各サイトでは，児童ポルノ，獣姦，死体写真，ひどい暴力等のコンテンツについては，一定の基準で凍結等の措置が採られ，特に前二者については監視体制を設けて積極的に削除するなどの措置が講じられていた一方，無修正わいせつ動画については，アダルトカテゴリでは基本的に放置する方針が採られており，その結果，本件各サイトには前記のとおり相当数の無修正わいせつ動画が投稿・配信され，X動画アダルトでは無修正わいせつ動画が削除されずに長期間閲覧ができる状態となっていた。

　被告人両名らは，アメリカ合衆国の法律では問題がないとして無修正わいせつ動画の投稿や配信を許可してきたことに関し，弁護士から，日本国内では刑事責任を問われる可能性がある旨を繰り返し指摘されていた。しかし，被告人両名らは，X動画のアップロード画面上の投稿者に対する警告文から『無修正ポルノ』の文言を削除し，公然わいせつ被疑事件について捜査照会を受けていたXライブアダルトの配信者が逮捕された後も，他の動画投稿サイトでは削除等がされている無修正わいせつ動画を放置するなど，上記方針を維持していた。

ウ　本件における投稿等の状況等

Bは，過去に何度も投稿した動画が削除されることはなく，視聴者の反応を楽しむ等の欲求を満たすために，第1審判決判示第1の無修正わいせつ動画の投稿（わいせつ電磁的記録記録媒体陳列の犯行）に及んだ。

Cは，Xライブアダルトは視聴者がコンスタントに入り稼ぎやすいこと，前記ア(ウ)の料金設定の仕組みがあることなどを理由にエージェント登録し，利益を得る目的で，有料設定で，Dと共謀の上，第1審判決判示第2の無修正わいせつ動画の配信（公然わいせつの犯行）に及んだ。Eは，他のサイトでは制限されている無修正わいせつ動画を配信しているXライブアダルトの存在を知り，エージェント登録し，利益を得る目的で，有料設定で，パフォーマーと共謀の上，第1審判決判示第3の無修正わいせつ動画の配信（公然わいせつの犯行）に及んだ（以下，B，C，D及びEらを併せて「本件各投稿者ら」という。）。

(2)　前記の事実関係によれば，被告人両名及びZは，本件各サイトに無修正わいせつ動画が投稿・配信される蓋然性があることを認識した上で，投稿・配信された動画が無修正わいせつ動画であったとしても，これを利用して利益を上げる目的で，本件各サイトにおいて不特定多数の利用者の閲覧又は観覧に供するという意図を有しており，前記のような本件各サイトの仕組みや内容，運営状況等を通じて動画の投稿・配信を勧誘することにより，被告人両名及びZの上記意図は本件各投稿者らに示されていたといえる。他方，本件各投稿者らは，上記の働きかけを受け，不特定多数の利用者の閲覧又は観覧に供するという意図に基づき，本件各サイトのシステムに従って前記投稿又は配信を行ったものであり，本件各投稿者らの上記意図も，本件各サイトの管理・運営を行う被告人両名及びZに対し表明されていたということができる。そうすると，被告人両名及びZと本件各投稿者らの間には，無修正わいせつ動画を投稿・配信することについて，黙示の意思連絡があったと評価することができる。

そして，本件わいせつ電磁的記録記録媒体陳列罪及び公然わいせつ罪は，本件各投稿者らが無修正わいせつ動画を本件各サイトに投稿又は配信することによって初めて成立するものであり，他方，本件各投稿者らも，被告人両名及びZによる上記勧誘及び本件各サイトの管理・運営行為がなければ，無修正わいせつ動画を不特定多数の者が認識できる状態に置くことがなかったことは明らかである。加えて，被告人両名及びZは，本件公然わいせつの各犯行については，より多くの視聴料を獲得することについて，C，D及びEらとその意図

⇒ *318*

を共有していたことも認められる。

　以上の事情によれば，被告人両名について，Z及び本件各投稿者らとの共謀を認め，わいせつ電磁的記録記録媒体陳列罪及び公然わいせつ罪の各共同正犯が成立するとした原判断は正当である。」

318　共謀共同正犯でなく不作為犯としての共同正犯とされた事例

東京高判平成 20 年 10 月 6 日判タ 1309 号 292 頁

【判決理由】「原判決は，小見川区事務所駐車場での暴行については，被告人両名が，暴行を認容しつつ，Aら6名と共に自動車等に分乗して，被害者を連行して暴行を加えるべき同場所に移動することで，順次，被害者に対して集団で暴行を加える旨の共謀を成立させ，神栖海浜運動公園駐車場での暴行については，前記暴行と一連のものであり，同駐車場に移動するまでに，互いに暗黙のうちに意思を相通じて共謀したものであり，殺害については，Aら6名らと車に分乗して日川公民館跡地から下飯田堰まで被害者を運搬する行為を共同することにより，暗黙のうちに相互の犯意を認識し，殺害を共謀したものであり，そして，ミラの共同損壊については，相互に犯意を認識し，暗にミラの処分に係る謀議を遂げたものであると，それぞれ認定した。……

　ところで，本件においては，被告人両名自身は，各犯行の実行行為を何ら行っておらず，その一部の分担すらしていない。そこで，被告人両名に刑事責任を負わせるには，共謀に加わっていたことが必要であり，原判決もその共謀の内容を具体的に判示したのであるが，故意の内容となる犯行への認識・認容に加えて主観的な要素としての共謀の認定は必ずしも内実のあるものにはなっていない。そこに，所論が種々論難しようとする手掛かりがあるといえる。本件のように，現場に同行し，実行行為を行わなかった者について共同正犯としての責任を追及するには，その者について不作為犯が成立するか否かを検討し，その成立が認められる場合には，他の作為犯との意思の連絡による共同正犯の成立を認めるほうが，事案にふさわしい場合があるというべきである。この場合の意思の連絡を現場共謀と呼ぶことは実務上一向に構わないが，その実質は，意思の連絡で足り，共謀者による支配型や対等関与型を根拠付けるようなある意味で内容の濃い共謀は必要でないというべきである。その代わり，不作為犯といえるためには，不作為によって犯行を実現したといえなければならず，そ

の点で作為義務があったかどうかが重要となるし，不作為犯構成により犯罪の成立を限定するほうが，共謀内容をいわば薄める手法よりもより適切であるといえる。このような新たな観点から，本件を見直すと，原判決があまり重視しているとはいえない被告人Xの当初の言動，すなわち，被害者を呼び出した時の状況等が重要となる。すなわち，本件は，被告人Xが被害者に『やられはぐった』と被告人Yに話したことを端緒とし，嘘の口実を設けて被害者を呼び出したことに始まる。被告人Xは，上記の話を聞き付けたAやBが憤激し，実際には被告人Xは強姦などされていなかったのに，そう誤解したAが『1回ぶっとばされないと分からないのかな』などと言い，Bが執拗に被害者の呼び出しを迫るなどしている姿を見，また，被告人Xとかつて交際していたAが被害者を快く思っていなかったことを知っており，被害者に会う相手のなかに，Aも入っていたことからすると，少なくともAにおいて，場合によっては被害者に暴力を振るう可能性があることを十分認識していたということができる。被告人Xは，かかる認識を有しながら呼び出し行為に及んでいるものであって，これは身体に危険の及ぶ可能性のある場所に被害者を誘い入れたものといえる。そして，被害者に会う相手であるA，B，被告人Yのいずれもが，呼び出す前の段階で被害者に対して怒りを持っていたことを考えると，危険が生じた際に被害者を救うことのできる者は被告人Xのほかにはいなかったといえる。この点につき，所論（被告人X）は，呼び出しはBに逆らえずにやむなく承諾したものであるし，呼び出したのは話合いをするためであるなどというが，仮にそうだとしても，被害者が暴力を受ける危険性はやはり否定しきれないから，被害者の身体に対する危険を作り出したことに変わりはないといえる。また，所論（被告人X）がいうように，AとCに，被告人Xに好意を抱いていたという事情があったとしても，被告人Xがやられたという話がなければ被害者への怒りを発しなかったことも確かなところであるから，被告人Xの言動が，Aらの暴行の犯意の発生に寄与した点は動かない。また，所論（被告人X）は，共犯者らは被害者が逃げたことで怒りに達し，もはや他人の説得による抑制の効かない状況にあった，暴行が自分に向けられる危険があったなどという。しかし，被告人Xが最年少であるという立場を考慮に入れても，『お前がやられたって言ったから俺ら動いたんだよ』というAの発言にみられるように，共犯者らは，仲間である被告人Xのために被害

⇒ *318*

者に怒りを発していたといえるから，本当は強姦などされていないという事実を説明すべきであったのである。被害者の逃走によって，Ａらの怒りがさらに増幅されたのであるから，なお一層，被告人Ｘは本当のところを言うべきであったといえる。Ａらの怒りの理由は，被告人Ｘが強姦されたというからであって，だからこそ，被害者を呼びつけて被告人Ｘに謝らせるという大義名分があったのである。Ａの前記発言は，このことを如実に示している。その事実がなければ，Ａらですら，被害者に本件のような執拗・残虐な暴行を加えた上，殺害するまでの動機も理由もなく，そうはしなかったはずであろう。まして，被告人Ｘが本当は被害者が好きだったというなら，なおのことそのことを言うべきで，そう言われてしまえば，他の共犯者は被害者に手を出す理由はなくなってしまうのである。しかも，被告人Ｘが実はこうですと言えない理由は全くない。そういうことが恐ろしかったとしても，一番肝心なことなのだから，意を決して，本件一連の暴行等のいかなる段階でも言うべきであったのである。それを言わないといういい加減な態度は法の立場からすれば，到底許されないところなのである。

　被告人Ｙについては，若干立場を異にする。被告人Ｙは，被告人Ｘの言葉が本当だと思っていたのであり，事実でないのにこれを述べなかった被告人Ｘとは異なる。しかしながら，被告人Ｙは，被害者の逃走後には，被害者が一度痛い目にあったほうがいいと積極的に思っていたものであって，他方で，被告人Ｘから話を聞いて，まず自らが被害者に怒りを感じたものであるし，被告人Ｘを大声で叱るなどしてＡ，Ｂが聞き付ける素地を作り出した上，Ａの怒る言動等を認識しながらも，被害者の呼び出しを求めるなどして，これを押し進めたことからすると，被告人Ｘと同様に，身体に危険の及ぶ可能性のある場所に被害者を積極的に誘い入れたものということができる。そうすると，被告人Ｙは，被害者が暴行を加えられている場面で，被害者への暴行を制止する行為をしていることが認められるものの，これは，被告人Ｙが予想した以上の暴行が加えられていたためと考えられ，身体に危険の及ぶ可能性のある場所に被害者を誘い入れた者としては，警察や知人等に通報するなどして犯行の阻止に努めるべきであったことに変わりはない。なお，Ｚは，Ｄの交際相手として，終始Ｄと行動を共にし，犯行現場にも立ち会うなどしているものの，本件各犯行について刑事責任を問われていないが，被害者の呼び出し等に関わ

っていない点で被告人両名とは異なっているといえる。

　以上の次第で，被告人両名には，本件各犯行について不作為犯としての共同正犯が成立する。」

319　役割を重視した事例

長崎地佐世保支判昭和 60 年 11 月 6 日判タ 623 号 212 頁

【事案】　被告人 X は，強盗を計画した Y らから襲撃用の漁船の貸与を依頼され，チャーター料 60 万円で承諾した。しかし，X は，その後怖くなって承諾を撤回した。しかし，実行の前日になって，再度 Y らから頼まれた X は従前から Y らに恩義を受けていることから断りきれず，やむなく，待ち伏せのために使う漁船を犯行現場まで回航させた。

【判決理由】「共同正犯関係が成立するには，2 人以上の者が相互の意思連絡の下に対等な行為主体として一体となり，互いに自己の役割を分担し合って遂行し，かつ，他人の役割分担行為を実質的にも支配又は利用し合って，各自の犯罪意思を実行に移し，もって特定の犯罪を共同で実行したと認められることが必要であり，特定の犯罪の共同謀議に参加した者が，直接実行行為に関与しなかった場合に，いわゆる共謀共同正犯としてなお正犯者としての責任を負うためには，当該共同謀議の結果，各当事者間に互いに相手の行為を利用し合う実質的な一体的相互利用関係が形成されるとともに，当該謀議参加者において，実行行為こそ分担してはいないものの，当該犯罪の計画及び準備段階から最終的な実行段階までの全体の犯罪遂行過程を通して見たとき，自らも当該犯罪遂行の対等又は対等以上の行為主体として加功し，かつ，実行行為者の行為と等価的と評価される重要な役割を自己の分担した行為によって果たしていると認められる場合（等価的分担関係が存在する場合）であるか，若しくは，当該謀議参加者において，他人である実行行為者の行為を自己の手段として実質的にも支配又は利用して当該犯罪を共に実行したと認められる場合，即ち，当該謀議参加者において，自らも当該犯罪遂行の対等又は対等以上の行為主体として加功し，かつ，共同謀議などの際において，自ら又は他人を介して，実行行為者に対し当該犯罪の実行を自己に代わって遂行するよう指揮命令又は委託し，あるいは，利益誘導などの方法で誘導するなど自らの意思に従って支配又は利用すべく働きかけの行為を為し，その結果，当該実行行為者をして自らの代行者として実行行為の遂行をなすことを事実上引受けせしめ，その引受に基いて

⇒ *320*

当該実行行為者をして当該犯罪を実行せしめたと認められる場合（実質的支配又は利用関係が存在する場合）であることが必要と解すべきである。」

　「右の見地よりすれば，被告人 X の本件強盗致傷の犯行に対する関与度合は，同 Y₁，同 Y₂，同 Y₃，同 Y₄ 及び同 Y₅ ら他の共謀者のそれに比して著しく低い程度にとどまっているうえ，終始専ら同 Y₁ や同 Y₂ らに一方的に従属した関係にあって，単純な機械的幇助行為を分担したにとどまり，また，強取計画の実行を同 Y₁ らに委託するなどして自らの代りにこれをなさしめるなどの関係にはおよそなく，右犯行によって受ける利益の分配も，自己所有の船を密輸出に使用するために提供したことによるチャーター料の 60 万円位のみしか約束されていなかったものであり，しかも，右約束も X の共謀関係からの離脱により反古となり，その後実質的に共同実行意思が形成された事実も認められないので，共謀共同正犯として認めるに足る実質的な相互利用関係の存在はおよそ認められず，その責任は幇助犯たるにとどまるというべきである。」

320　正犯意思の有無

千葉地松戸支判昭和 55 年 11 月 20 日判時 1015 号 143 頁

【事案】　被告人 X は，Y₁，Y₂，Y₃ が現金輸送車を襲撃して現金 4700 万円余を強取した際，逃走のための車を運転して 200 万円を受領した。

【判決理由】　「検察官の主張は，その主張自体から明らかなように，被告人は本件の実行行為自体には関与していないから，被告人について共謀共同正犯としての刑事責任を追求するものであるが，共謀共同正犯が成立するためには『特定の犯罪を行うため，共同意思の下に一体となって互に他人の行為を利用し，各自の意思を実行に移すことを内容とする謀議』の成立したことが必要であり，他人の行為を利用して特定の犯罪行為を遂行しようとする意思までを有せず，単に非実行行為に加担するだけの意思しか有しない者には未だ共謀による正犯の責任を負わせることはできないと解すべきである。」

　「被告人が Y₁ の依頼により 1 月 9 日，10 日，11 日と同人及び D の両名を乗車させて Y₁ 宅からイトーヨーカ堂柏店付近まで運転走行し，柏隧道上で待っていたこと，9 日には喫茶店『コンパル』で Y₁ から報酬として 100 万円を貰える旨告げられ，被告人自身も Y₁ らが麻薬取引などの犯罪をしようと企てていることを了知していたことなどを総合すると，被告人は，本件犯行直前に，Y₁ からの打明け話などにより，Y₁ らが本件犯行を敢行することを認識してい

たものと認めることができ，この認識の下に，判示のとおり Y_1 らを乗車させて本件山林内から Y_1 宅まで運転走行して逃走させたものということができるが，被告人が，Y_1 らの行為を利用して自らも強盗をする意思であったかどうかについては更に他の事実をも総合して認定されるべきであるところ，なるほど検察官主張のとおり，本件において被告人が果たした役割は軽微なものではなく，むしろ必要不可欠なものであったこと，また，被告人が受領した金額は200万円であり，強取金額からすればさほどのものではないが，その役割分担に照らせば，それ相応の金額であるということもできないわけではないことが認められるものの，他方，被告人は前記のとおり1月12日の謀議，本件山林内の下見には全く参加させられておらず，常に Y_1 ら3名において決定されていること，また，被告人が受領した200万円についても，本件強取金員を Y_1 ら3名で3等分し，Y_1 の取分から出されたものにすぎないこと，Y_1 らにおいても，被告人を単に逃走用車両の運転手としてしか考えていなかったことなどの事実が認められ，これらの事実を総合検討すると，被告人に Y_1 らの行為を利用して自らも強盗をする意思があったとは認め難く，この点については証明不十分であるといわざるを得ず，結局，判示のとおり強盗幇助罪を認定した次第である。」

321　自己の犯罪か否か

大阪地判昭和58年11月30日判時1123号141頁

【判決理由】「以上認定の事実によると，被告人が本件けん銃等の密輸入に関して行った具体的行為のうち主なものは，㈠AとBの間を取り持って両名がけん銃等密輸入の話合をする機会を作ったこと，㈡帰国後AからBへの連絡を取り次いだこと，㈢Aが入手した融通手形の割引を金融業者に依頼し，その割引金をBを介してAに届けたこと，㈣AとBがバンコク市へ渡航するための航空券を手配したことであるところ，これらはA及びBが行ったけん銃等の密輸入に対して少なからざる役割を果たしており，被告人のかかる協力によって右両名の犯行が円滑になされたことは明らかである。

　しかしながら，本件けん銃等の密輸入を計画し，主導的な立場に立ってこれを積極的に推進したのはAであること，被告人とA及びBとの地位関係ないし間柄は前記認定のとおりであるところ，被告人の前記㈠ないし㈣の各行為は

⇒ *322*

いずれも A の依頼に基づくものであり，その動機は主として同人への義理を立てることにあったのであって，本件けん銃等の密輸入計画に対する被告人の意向ないし態度は，義理である程度の協力はするが，自ら進んで積極的に関与しようとはしないというものであったと見られること（密輸入するけん銃の数量，密輸入の具体的方法，密輸入したけん銃の処分方法等について，なんらA に対して質問していないこと，前記のとおり融通手形の割引金の中から A に対する立替金をいち早く差し引いたことなどは，右密輸入計画に対する被告人の非積極的態度の現われである。），前記㈢の資金調達面での協力に際し，被告人が自己の資金を拠出することが予定されていたか否か，裏書による法律上の責任はともかくとして事実上どの程度の危険を負担する立場にあったかは必ずしも明らかでないことなどの諸点を併せ考えると，本件においては，被告人の前記各行為によって A 及び B が行ったけん銃等の密輸入が円滑かつ容易になったとは言いえても，いまだ被告人において右 A らと，右密輸入へ向けての共同意思の下に一体となって，同人らの行為を利用して自己の意思を実行に移すことを内容とする謀議を遂げたと認定することはできないものというべきである。」

322 危険運転致死傷罪の共同正犯

最決平成 30 年 10 月 23 日刑集 72 巻 5 号 471 頁／判時 2405・100，判タ 1458・110

【決定理由】 「1 第 1 審判決が認定した本件危険運転致死傷罪の犯罪事実の要旨は，以下のとおりである。

被告人は，平成 27 年 6 月 6 日午後 10 時 34 分頃，北海道砂川市内の片側 2 車線道路において，第 1 車線を進行する A 運転の普通乗用自動車（以下「A 車」という。）のすぐ後方の第 2 車線を，普通貨物自動車（以下「被告人車」という。）を運転して追走し，信号機により交通整理が行われている交差点（以下「本件交差点」という。）を 2 台で直進するに当たり，互いの自動車の速度を競うように高速度で走行するため，本件交差点に設置された対面信号機（以下「本件信号機」という。）の表示を意に介することなく，本件信号機が赤色を表示していたとしてもこれを無視して進行しようと考え，Aと共謀の上，本件信号機が約 32 秒前から赤色を表示していたのに，いずれもこれを殊更に無視し，A が，重大な交通の危険を生じさせる速度である時速約 111 km で本件交差点内に A 車を進入させ，その直後に，被告人が，重大な交通の危険を生じさせる速度である時速 100 km を超える速度で本件交差点内に被告人車を進入させたことにより，左方道路から信号に従い進行してきた B 運転の普通貨物自動車（C，D，E 及び F 同

乗）にAがA車を衝突させて，C及びDを車外に放出させて路上に転倒させた上，被告人が被告人車でDをれき跨し，そのまま車底部で引きずるなどし，よって，B，C，D及びEを死亡させ，Fに加療期間不明のびまん性軸索損傷及び頭蓋底骨折等の傷害を負わせた。

2　原判決は，被告人及びAが，……自動車の運転により人を死傷させる行為等の処罰に関する法律（以下「法」という。）2条5号にいう赤色信号を『殊更に無視し』たことが推認できるとした上，被告人及びAは，本件交差点に至るに先立ち，赤色信号を殊更に無視する意思で両車が本件交差点に進入することを相互に認識し合い，そのような意思を暗黙に相通じて共謀を遂げた上，各自が高速度による走行を継続して本件交差点に進入し，前記1の危険運転の実行行為に及んだことが，優に肯認できるとして，前記1のとおりA車との衝突のみによって生じたB，C，E及びFに対する死傷結果を含む危険運転致死傷罪の共同正犯の犯罪事実を認定した第1審判決を是認した。

　……（中略）……

4　……原判決が是認する第1審判決の認定及び記録によれば，被告人とAは，本件交差点の2km以上手前の交差点において，赤色信号に従い停止した第三者運転の自動車の後ろにそれぞれ自車を停止させた後，信号表示が青色に変わると，共に自車を急激に加速させ，強引な車線変更により前記先行車両を追い越し，制限時速60kmの道路を時速約130km以上の高速度で連なって走行し続けた末，本件交差点において赤色信号を殊更に無視する意思で時速100kmを上回る高速度でA車，被告人車の順に連続して本件交差点に進入させ，前記1の事故に至ったものと認められる。

上記の行為態様に照らせば，被告人とAは，互いに，相手が本件交差点において赤色信号を殊更に無視する意思であることを認識しながら，相手の運転行為にも触発され，速度を競うように高速度のまま本件交差点を通過する意図の下に赤色信号を殊更に無視する意思を強め合い，時速100kmを上回る高速度で一体となって自車を本件交差点に進入させたといえる。

以上の事実関係によれば，被告人とAは，赤色信号を殊更に無視し，かつ，重大な交通の危険を生じさせる速度で自動車を運転する意思を暗黙に相通じた上，共同して危険運転行為を行ったものといえるから，被告人には，A車による死傷の結果も含め，法2条5号の危険運転致死傷罪の共同正犯が成立するというべきである。」

323 故意ある幇助的道具

横浜地川崎支判昭和 51 年 11 月 25 日判時 842 号 127 頁
（重判昭 51 刑 2）

【判決理由】「被告人が覚せい剤 50 グラムを A に手渡した客観的事実は動かしえないものであるところ，右所為における被告人は，覚せい剤譲渡の正犯意思を欠き，B の A に対する右譲渡行為を幇助する意思のみを有したに過ぎないと認めざるをえないので，いわゆる正犯の犯行を容易ならしめる故意のある幇助的道具と認むべく（東京地方裁判所昭和 43 年刑㈠5762 号，同 44 年刑㈠1633 号事件判決。同年刑㈠3003 号，3191 号，同 45 年刑㈠2101 号事件判決。最高裁判所昭和 25 年 7 月 6 日判決，集 4 巻 7 号 1178 頁。同判決の参考とされたのではないかと思われる独大審院 1928 年 11 月 23 日判決，RG 判決集 62 巻 369 頁以下特に 390 頁と同院 1929 年 11 月 8 日判決，RG 判決集 63 巻 313 頁以下特に 314–315 頁等独国において確立された判決及び学説参照），これを正犯に問擬することはできない。」

324 故意ある幇助的道具

大津地判昭和 53 年 12 月 26 日判時 924 号 145 頁

【判決理由】「覚せい剤取締法 19 条にいう覚せい剤の使用は，自己使用に限定されるものではなく，他人に使用させる場合も含まれると解されるし，覚せい剤の水溶液を注射器で人の身体に注射することは，それ自体が覚せい剤の使用と目される場合もありえようが，前記認定の事実によれば，被告人は，A において自ら覚せい剤の水溶液を注射しようと試みる途中で，同人に頼まれるまゝその手で同人に注射をしてやったというもので，結局，同人の身体に注射をしたのは被告人自身であるけれども，しかし右所為における被告人は，自ら又は他人に覚せい剤を使用させようとの積極的意図を有していたとは認め難いのであって，覚せい剤使用の正犯意思を欠き，A の覚せい剤使用行為を幇助する意思を有したにすぎないと認めざるをえないから，いわゆる正犯の犯行を容易ならしめる故意のある幇助的道具と認めるべく，これを正犯に問擬することはできないと解さなければならない。」

325 故意ある幇助的道具

福岡地判昭和 59 年 8 月 30 日判時 1152 号 182 頁

（百選 I 78）

【事案】 被告人 X は，Y ほか 3 名と A を殺害して覚せい剤を強取することを計画した。X は Y とともに売買の取り次ぎ役を装い，客に見せるからと偽って A から覚せい剤を受取り，そのまま現場から逃走した。他の共犯者が A を殺害しようとしたが未遂に終わった。

【判決理由】「右認定の事実によれば，①被告人は，Y から騙され，知らぬ間に本件犯行に巻き込まれたものであって，Y らの犯行計画を知った時（前示㈤の段階）には，既に犯行から離脱することがかなり困難な状態にまで陥っていたものであること，②被告人自身，Y に対し恩義を被っていたとか，特に深い付き合いがあったとかの事実はなく，他の共犯者とも本件犯行前は全く面識がなく，さらに本件被害者たる A に対しては何の恨みもなかったことはもとより，被害者が何者であるかさえ知らなかったのであり，また，覚せい剤自体を必要とする事情があったわけでもないのであるから，被告人には，Y らとともに A に対し強盗殺人を働かねばならぬ理由は全くなかったものといわざるをえないのであって，それにもかかわらず，被告人が本件犯行に加担したのは，そうしないと自己やその内妻にも危害が加えられるおそれを感じたからであること，③他方，他の共犯者にとっても，被告人はせいぜい Y の手下程度の者にすぎないのであって，謀議の際にも何等その役割が定められなかったし，被告人自身も行きがかり上仕方なくその場にいたにすぎず自ら進んで謀議に加わる意思があったとも思われないこと，④被告人に対しては，Y からも，他の共犯者からも，本件犯行への加担に対する報酬付与の約束は全くなされなかったし，現実に報酬が与えられた形跡もないこと，⑤本件犯行に際しても，被告人は，自己の意思に基づいて行動したのではなく，すべて Y のその場その場の命令に従って，Y から言われるままに，判示の加担行為を行なったこと，⑥覚せい剤を 303 号室から搬出した行為について見ても，それは，被告人がたまたまその時 303 号室に居合わせたから，Y が被告人に対し右搬出を命じたにすぎないのであって，仮に被告人が居合わせなければ，当然 Y 自身が右搬出行為を行なったものと考えられ，Y が前記謀議の際及び A への実行方法変更の指示の際に，覚せい剤は自ら搬出する旨明言していたことをも考慮す

⇒ *326*

ると，右搬出行為が被告人によって行なわれること自体にさほど重要な意義があったとも認められず，本件犯行を全体として見れば，被告人は本件犯行において不可欠の存在であったとは考えられないこと，などの諸事情を窺うことができるのであって，これら諸事情を総合的に検討する限り，被告人自身，実行行為の一部を担当した事実があるにもかかわらず，Yら他の共犯者と共同して本件強盗殺人を遂行しようとするような正犯意思，すなわち共同実行の意思は到底認めることができない。

　そうすると，結局，被告人には，前記推認を覆すに足りる特段の事情があったというべきであって，前記認定の諸事実を総合すると，被告人は幇助の意思で判示の幇助行為を行なったものと認められるから，被告人には，共同正犯の成立を否定して，幇助犯の成立を認めるのが相当である。」

片面的共同正犯

326 片面的幇助を肯定した事例

大判大正 14 年 1 月 22 日刑集 3 巻 921 頁

【判決理由】「共同正犯の成立には其の主観的要件として共犯者間に意思の連絡即ち共犯者か相互に共同犯罪の認識あることを必要とすれとも従犯成立の主観的要件としては従犯者に於て正犯の行為を認識し之を幇助するの意思あるを以て足り従犯者と正犯者との間に相互的意思連絡あることを必要とせさるを以て正犯者か従犯の幇助行為を認識するの必要なきものとす故に所論の如く正犯 X か被告 Y の本件幇助行為を認識せさりしとするも被告 Y にして正犯 X の行為を認識し之を幇助するの意思を有するときは其の従犯としての主観的要件に欠くる所なきものとす而して原判示の事実に依れは本件被告か正犯 X の賭博開帳行為を認識し之を幇助するか為に賭者を誘引し賭博を為さしめたる事実明白なるを以て被告 Y の従犯としての主観的及客観的要件に於て何等の不備あることなしされは原判決か被告 Y を賭場開帳の従犯として処断したるは相当にして論旨は理由なし」

327 片面的共同正犯を否定した事例

大判大正 11 年 2 月 25 日刑集 1 巻 79 頁

【判決理由】「刑法第 60 条に 2 人以上共同して犯罪を実行したる者は皆正犯と
すと規定し行為者各自か犯罪要素の一部を実行するに拘らす其の実行部分に応
して責任を負担することなく各自犯罪全部の責任を負ふ所以は共同正犯か単独
正犯と異り行為者相互間に意思の連絡即共同犯行の認識ありて互に他の一方の
行為を利用し全員協力して犯罪事実を発現せしむるに由る然るに若し行為者間
に意思の連絡を欠かんか縦令其の 1 人か他の者と共同犯行の意思を以て其の犯
罪に参加したりとするも全員の協力に因りて犯罪事実を実行したるものと謂ふ
を得さるか故に共同正犯の成立を認むるを得さるものとす故に共同正犯として
問擬するには判文中行為者相互の間に意思の連絡ありたることを認むるに足る
へき事実理由の明示なかるへからす然るに原判示に依れは被告 X に対し刑法
第 60 条を適用し脅迫住居侵入建造物損壊器物毀棄傷害罪の法条により同被告
を処分したるに拘らす其の事実理由には単に『被告 X は被告 Y 等か A 方へ押
寄せたることを聞知し其の襲撃に参加し右被告等と共に A 方住宅内に石煉瓦
等を投込み且抜刀を振つて屋内に侵入し之を畳に突き立てなから A 等に対し
（以下中略）脅迫し前記被告等の犯行に加担したり』とあるのみにして被告 X
と他の被告との間に叙上脅迫侵入建造物損壊器物毀棄及傷害の各犯行を共同実
行すへき意思連絡ありたるや否詳かならす従て被告 X の行為か共同正犯とし
て前記各罪を構成するや否之を知るに由なきを以て原判決は此の点に於て理由
不備の不法あり同判決中被告 X に関する部分は破毀を免れす」

328 片面的幇助を肯定した事例

大判昭和 3 年 3 月 9 日刑集 7 巻 172 頁

【事案】 被告人 X は，町会議員選挙の選挙長であったが，Y が中風の A に付添い投
票場に入り，正当な理由なく A の依頼に応じ A の投票を代行した際，これを目撃しな
がらも制止しなかった。原審は，X を Y の選挙干渉罪の不作為による幇助として有罪
とした。

【判決理由】「法律の不知は其の無識軽卒に因ると否とを問はす犯意を阻却す
る事由とならす又不作為に因る幇助犯は他人の犯罪行為を認識しなから法律上
の義務に違背し自己の不作為に因りて其実行を容易ならしむるにより成立し犯
罪の実行に付相互間に意思の連絡又は共同の認識あることを必要とするものに

⇒ *329*

非す而して原判示の事実に依れは被告人はAの判示投票関渉を現認しなから法律上の義務に違背し之を制止せす因て右Aの関渉行為の遂行を容易ならしめたるものなれは罪となるへき事実に付認識ありしは勿論其の不作為たるや過失に出てたるものと認むへからさること言ふを俟たす記録を査するも判示幇助罪を認定したる原判決に重大なる事実の誤認あることを疑ふに足るへき顕著なる事由なきか故に論旨は理由なし」

329 けん銃密輸入の片面的幇助

東京地判昭和 63 年 7 月 27 日判時 1300 号 153 頁
(百選 I 87)

【判決理由】「被告人は，本件テーブルの発送手続時点において，右テーブル内にけん銃及びその実包が隠されているかもしれす，Cらがこれを日本に密輸して売り捌くつもりなのかもしれない旨の認識を，未必的に持つに至ったものと認められ，発送手続前においてかかる認識を持っていたものと認めるに足りる証拠はない。一方，被告人がけん銃等の隠匿を未必的に認識した後発送手続終了までの間，C，Aの両名はその場におらず，またE社に同行したAが，この僅かな時間内に被告人の右未必的認識を察知して，けん銃等の密輸行為につき被告人と互いに意思を相通じたと認めるに足りる証拠はなく，被告人の片面的，未必的認識の限度に止まると言うべきである。そして，被告人が本件密輸入に果たした役割をみると，被告人は，本件において，最終的にはC，Aから，DからFへの本件テーブルの受け継ぎと，けん銃等の代金回収という重要な役割を依頼されているが，これを初めて打診されたのは，本件テーブルの発送手続後であり，被告人の来日が最終的に決まり，被告人がけん銃等の隠匿のことをAらから初めて告げられたのは，証拠上は日本国で既に判示密輸入行為を発覚した後であって，本件テーブルの発送手続時には，被告人は右のような重要な役割まで担うことについては認識がなかった。そして，右の来日後の役割を除くと，被告人がけん銃等の調達，隠匿等の実質的行為に関与したという証拠はなく，単に，貨物輸出入運送業者での本件テーブルの発送手続にかかわったのみであり，右発送手続自体もB名義で行われているのであって，被告人の本件への関与は，重要な部分に関するものではあるが，特に被告人でなくともなし得る形式的・機械的行為を行ったにすぎない。加えて，被告人が，

発送手続後，来日の報酬として告げられた額も 500 ドルで，けん銃等の代金総額 375 万円と比較するとごく一部にすぎないのであって，これらの諸点を併せ考えると，判示けん銃・実包の密輸入行為に際し，これにつき被告人が C らと共謀していたと認めるには未だ証拠十分とは言い難く，むしろ，被告人は，C や A らに利用され，本件テーブルの形式的な発送手続を行おうとしたが，右手続中 C らの密輸入行為につき未必的な認識を持つに至ったものの，実兄からの依頼ということもあって，これを幇助する意思のもとに，そのまま右発送手続を完了させたものと認められる。したがって，被告人には，判示のとおり，検察官が予備的訴因として主張する幇助犯を認めるのが相当である。」

過失の共同正犯

330 過失の共同正犯を否定した事例

大判明治 44 年 3 月 16 日刑録 17 輯 380 頁

【判決理由】「刑法第 207 条の 2 人以上にて暴行を加へ人を傷害したる場合に於て傷害の軽重を知ること能はさるときは共犯の例に依るとあれは刑法第 60 条の共犯の法条の適用明示を要するは勿論第二の所為に付ても同法条の適示を要するものなるに原判決か該法条の援用を為ささりしは是亦法則を適用せさる違法の判決なりと云ふに在り然れとも原判決中第一判示事実に拠れは被告等は共謀に出てすして同時に他人に対して暴行を加へ因て之を傷害し而して其傷害の軽重を知ること能はさるものなれは刑法第 207 条に従ひ共犯の例に依り処断すへきものに該当す故に原判決に於て第一判示事実に付き同条及第 204 条を適用し共犯を以て被告等を論せる以上は判文上共犯に関する同法第 60 条を援用せさるも違法に非す又第二判示事実に拠れは被告等は共同的過失行為に因りて他人を死に致したるものなれとも共犯に関する総則は過失犯に適用すへきものに非さるを以て原判決に於て被告等の過失致死罪を処断するに付き刑法第 60 条を適用せさりしは相当なり本論旨は理由なし」

331 世田谷ケーブル事件

東京地判平成 4 年 1 月 23 日判時 1419 号 133 頁

(重判平 4 刑 3)

【判決理由】「本件火災における出火原因は，以上判示したとおり，被告人両

⇒ *331*

名が第2現場で解鉛作業に使用した2個のうち1個のトーチランプの火が完全に消火されなかったため，この火が同所の電話ケーブルを覆っていた防護シートに着火した点にあると認定されるところであるが，以下，この点に関する被告人両名の注意義務と過失行為の有無について検討する。」

「本件の被告人両名においては，第2現場でトーチランプを使用して解鉛作業を行い，断線箇所を発見した後，その修理方法等につき上司の指示を仰ぐべく，第3棟局舎へ赴くために第2現場を立ち去るに当たり，被告人両名が各使用した2個のトーチランプの火が完全に消火しているか否かにつき，相互に指差し呼称して確認し合うべき業務上の注意義務があり，被告人両名がこの点を十分認識していたものであることは，両名の作業経験等に徴して明らかである。

しかるに，被告人両名は，右の断線箇所を発見した後，その修理方法等を検討するため，一時，第2現場を立ち去るに当たり，被告人Aにおいて，前回の探索の際に断線箇所を発見できなかった責任を感じ，精神的に動揺した状態にあったとはいえ，なお被告人両名においては，冷静に前記共同の注意義務を履行すべき立場に置かれていたにも拘らず，これを怠り，前記2個のトーチランプの火が完全に消火しているか否かにつき，なんら相互の確認をすることなく，トーチランプをIYケーブルの下段の電話ケーブルを保護するための防護シートに近接する位置に置いたまま，被告人両名が共に同所を立ち去ったものであり，この点において，被告人両名が過失行為を共同して行ったことが明らかであるといわなければならない。

以上の理由により，もとよりいわゆる過失犯の共同正犯の成否等に関しては議論の存するところであるが，本件のごとく，社会生活上危険かつ重大な結果の発生することが予想される場合においては，相互利用，補充による共同の注意義務を負う共同作業者が現に存在するところであり，しかもその共同作業者間において，その注意義務を怠った共同の行為があると認められる場合には，その共同作業者全員に対し過失犯の共同正犯の成立を認めた上，発生した結果全体につき共同正犯者としての刑事責任を負わしめることは，なんら刑法上の責任主義に反するものではないと思料する。」

332 明石歩道橋事件

最決平成 28 年 7 月 12 日刑集 70 巻 6 号 411 頁／判時 2372・126，判タ 1448・72
（重判平 28 刑 3）

【決定理由】「1　本件は，平成 13 年 7 月 21 日兵庫県明石市の大蔵海岸公園と最寄り駅とを結ぶ通称朝霧歩道橋（以下「本件歩道橋」という。）上で発生した雑踏事故（以下「本件事故」という。）に関するものである。被告人は，当時兵庫県明石警察署副署長であった者であり，平成 22 年 4 月 20 日に起訴されたが，本件事故については，最終の死傷結果が生じた平成 13 年 7 月 28 日から公訴時効が進行し，公訴時効停止事由がない限り，同日から 5 年の経過によって公訴時効が完成していることになる。

　もっとも，本件事故については，当時明石警察署地域官であった B（以下「B 地域官」という。）が平成 14 年 12 月 26 日に業務上過失致死傷罪で起訴され，平成 22 年 6 月 18 日に同人に対する有罪判決が確定している。

　このため，検察官の職務を行う指定弁護士は，被告人と B 地域官は刑訴法 254 条 2 項にいう『共犯』に該当し，被告人に対する関係でも公訴時効が停止していると主張した。

　以上のような経緯に鑑み，被告人に対して刑訴法 254 条 2 項に基づき公訴時効の停止が認められるか否かにつき，職権で判断する。

　2　第 1 審判決及び原判決の認定によれば，本件の事実関係は，次のとおりである。

　(1)　平成 13 年 7 月 21 日午後 7 時 45 分頃から午後 8 時 30 分頃までの間，大蔵海岸公園において，第 32 回明石市民夏まつり（以下「本件夏まつり」という。）の行事である花火大会等が実施されたが，その際，最寄りの西日本旅客鉄道株式会社朝霧駅と同公園とを結ぶ本件歩道橋に多数の参集者が集中して過密な滞留状態となった上，花火大会終了後朝霧駅から同公園へ向かう参集者と同公園から朝霧駅へ向かう参集者が押し合ったことなどにより，強度の群衆圧力が生じ，同日午後 8 時 48 分ないし 49 分頃，同歩道橋上において，多数の参集者が折り重なって転倒し，その結果，11 名が全身圧迫による呼吸窮迫症候群（圧死）等により死亡し，183 名が傷害を負うという本件事故が発生した。

　(2)　当時明石警察署署長であった C（以下「C 署長」という。）は，同警察署管轄区域内における警察の事務を処理し，所属の警察職員を指揮監督するものとされており，同警察署管内で行われる本件夏まつりにおける同警察署の警備計画（以下「本件警備計画」という。）の策定に関しても最終的な決定権限を有していた。

　B 地域官は，地域官として，明石警察署の雑踏警備を分掌事務とする係の責任者を務めていたところ，平成 13 年 4 月下旬頃，C 署長に本件警備計画の策定の責任者となるよう指示され，これを受けて，明石市側との 1 回目及び 2 回目の検討会に出席し，配下警察官を指揮して本件警備計画を作成させるなどした。B 地域官は，C 署長の直接の指

揮監督下にあり，本件警備計画についても具体的な指示を受けていた。

　被告人は，明石警察署副署長として，同警察署内の警察事務全般にわたって，C署長を補佐するとともに，その命を受けて同警察署内を調整するため配下警察官を指揮監督する権限を有していた。被告人は，本件警備計画の策定に当たって，いずれもC署長の指示に基づき，B地域官の指揮下で本件警備計画を作成していた警察官に助言し，明石市側との3回目の検討会に出席するなどした。また，被告人が同警察署の幹部連絡会において，本件警備計画の問題点を指摘し，C署長がこれに賛成したこともあった。

　(3)　本件事故当日，C署長は，明石警察署内に設置された署警備本部の警備本部長として，雑踏対策に加え，暴走族対策，事件対策を含めた本件夏まつりの警備全般が適切に実施されるよう，現場に配置された各部隊を指揮監督し，警備実施を統括する権限及び義務を有していた。C署長は，本件事故当日のほとんどの場面において，自ら現場の警察官からの無線報告を聞き，指示命令を出していた。

　被告人は，本件事故当日，署警備本部の警備副本部長として，本件夏まつりの警備実施全般についてC署長を補佐する立場にあり，情報を収集してC署長に提供するなどした上，不測の事態が発生した場合やこれが発生するおそれがあると判断した場合には，積極的にC署長に進言するなどして，C署長の指揮権を適正に行使させる義務を負っており，実際に，署警備本部内において，現場の警察官との電話等により情報を収集し，C署長に報告，進言するなどしていた。

　なお，署警備本部にいたC署長や被告人が本件歩道橋付近に関する情報を収集するには，現場の警察官からの無線等による連絡や，テレビモニター（本件歩道橋から約200m離れたホテルの屋上に設置された監視カメラからの映像を映すもので，リモコン操作により本件歩道橋内の人の動き等をある程度認識することはできるもの）によるしかなかった。

　一方，B地域官は，本件事故当日，大蔵海岸公園の現場に設けられた現地警備本部の指揮官として，雑踏警戒班指揮官ら配下警察官を指揮し，参集者の安全を確保すべき業務に従事しており，現場の警察官に会って直接報告を受け，また，明石市が契約した警備会社の警備員の統括責任者らと連携して情報収集することができ，現場付近に配置された機動隊の出動についても，自己の判断で，C署長を介する方法又は緊急を要する場合は自ら直接要請する方法により実現できる立場にあった。

3　当裁判所の判断

　本件において，被告人とB地域官が刑訴法254条2項にいう『共犯』に該当するというためには，被告人とB地域官に業務上過失致死傷罪の共同正犯が成立する必要がある。

　そして，業務上過失致死傷罪の共同正犯が成立するためには，共同の業務上

の注意義務に共同して違反したことが必要であると解されるところ，以上のような明石警察署の職制及び職務執行状況等に照らせば，B地域官が本件警備計画の策定の第一次的責任者ないし現地警備本部の指揮官という立場にあったのに対し，被告人は，副署長ないし署警備本部の警備副本部長として，C署長が同警察署の組織全体を指揮監督するのを補佐する立場にあったもので，B地域官及び被告人がそれぞれ分担する役割は基本的に異なっていた。本件事故発生の防止のために要求され得る行為も，B地域官については，本件事故当日午後8時頃の時点では，配下警察官を指揮するとともに，C署長を介し又は自ら直接機動隊の出動を要請して，本件歩道橋内への流入規制等を実施すること，本件警備計画の策定段階では，自ら又は配下警察官を指揮して本件警備計画を適切に策定することであったのに対し，被告人については，各時点を通じて，基本的にはC署長に進言することなどにより，B地域官らに対する指揮監督が適切に行われるよう補佐することであったといえ，本件事故を回避するために両者が負うべき具体的注意義務が共同のものであったということはできない。被告人につき，B地域官との業務上過失致死傷罪の共同正犯が成立する余地はないというべきである。

　そうすると，B地域官に対する公訴提起によって刑訴法254条2項に基づき被告人に対する公訴時効が停止するものではなく，原判決が被告人を免訴とした第1審判決を維持したことは正当である。」

[**3**]　共犯の従属性

実行従属性

再間接教唆・間接幇助

333　再間接教唆

大判大正11年3月1日刑集1巻99頁

【**事案**】　被告人XはYに市会議員Aほか3名に職務行為を強要するため脅迫を加えることを教唆したところ，YはさらにZほか5名と共謀し，各自手分けをしてAほかの市会議員を脅迫した。

【**判決理由**】　「刑法第61条第2項は教唆者を教唆したる者亦教唆者と等しく正

犯に準し処罰すへきを規定すと雖其の適用範囲に付ては議論の岐るるところにして所論の如く右規定を以て教唆者を教唆したる者即ち間接教唆の処罰を明にしたるものにして更に其の教唆者を教唆したる者即ち再間接教唆の責任を否定するものと為す論者は主とし刑法上の因果関係を基礎とし教唆は結果に対する原因に非す従て間接教唆と正犯の犯罪決意との因果関係は直接教唆の行為に因り中断せらるるか故に特に明文を以て間接教唆の処断を規定する要あり而して同条項以外の再間接教唆は之を処断する限に在らすと為すものの如し然れとも教唆者を教唆したる者亦一の教唆者に外ならさるを以て之を教唆したる者亦同条項に所謂教唆者を教唆したる者に該当するのみならす元来教唆者は正犯者に犯意を惹起せしめたるものにして事実上犯罪の根源と云ふを得へく再間接教唆の場合と雖其の教唆行為無かりせは正犯の犯罪行為行はれさりしものにして前者は後者に対する一の条件を成し事実上相当なる因果の連絡あるか故に之を不問に付するか如きは法の精神に適合せさるものと謂はさるへからす要之同条項は教唆関係を間接教唆の限度に制限せんとする旨趣に非すして再間接教唆以上の場合をも包含せしめて処罰すへきものと解するは毫も失当に非す」

334 間接幇助

最決昭和 44 年 7 月 17 日刑集 23 巻 8 号 1061 頁／判時 567・90, 判タ 238・195
（百選 I 86）

【決定理由】「被告人が，A またはその得意先の者において不特定の多数人に観覧せしめるであろうことを知りながら，本件の猥せつ映画フイルムを右 A に貸与し，A からその得意先である B に右フイルムが貸与され，B においてこれを映写し十数名の者に観覧させて公然陳列するに至ったという本件事案につき，被告人は正犯たる B の犯行を間接に幇助したものとして，従犯の成立を認めた原判決の判断は相当である。」

予備罪の共犯

335 通貨偽造準備罪の幇助

大判昭和 4 年 2 月 19 日刑集 8 巻 84 頁

【判決理由】「犯罪の幇助は犯罪あることを知りて犯人に直接又は間接に犯罪

遂行の便宜を与へ之を容易ならしめたるのみを以て足り其の遂行に必要欠くへからさる行為なることを要せす原判決の認定したる事実に依れは被告は犯人か兌換券偽造の情を知り之に対し偽造用に供する機具類買入れの為に金員を提供し以て犯人の通貨偽造準備の犯行を容易ならしめたりと云ふに在るを以て被告の金員提供は右準備罪の幇助行為たること勿論なり加之刑法第153条は通貨偽造準備罪を独立罪として規定したるものなれは所論の如く被告か通貨偽造の完成に必要なる機械器具其の他の直接必要欠くへからさる物件を提供したりとせんか却て前記準備罪を以て問擬すへきものにして準備罪の幇助行為を以て論すへきものに非す」

336 殺人予備の共同正犯

最決昭和 37 年 11 月 8 日刑集 16 巻 11 号 1522 頁
（百選 I 80）

【事案】 被告人 X は，Y が A を殺害する目的であることを知りながら，Y の依頼により青酸カリを入手して Y に交付した。検察官は X を殺人予備で起訴したが，第 1 審は X を Y の殺人予備の幇助とした。控訴審は，次のように述べてこれを破棄し，X，Y を殺人予備の共同正犯とした。最高裁は上告を棄却した。

「このように予備罪の実行行為を観念できるとして，刑法 62 条の従犯の成立要件としての正犯の実行行為というのは，右に述べた意味における正犯＝予備罪の正犯＝のいわゆる実行行為をも含むものであろうか。

すなわち，刑法総則の従犯に関する規定は，予備罪が独立に処罰される場合のその予備罪についても適用されるのであろうか，同法 64 条によれば教唆犯，従犯が処罰されないのは，拘留又は科料にのみ処すべき特別の犯罪の場合（但し，その場合でも教唆犯，従犯を処罰する特別の規定がある場合は除かれる）に限られるもののようにも解される。もし，そうだとすれば，予備罪＝本件では殺人予備罪＝の実行行為を考え，それが独立して処罰される限り，予備罪の従犯も又処罰されるということになり，文理解釈上の支障も生じないわけである。然し，仔細に検討してみると，この解釈には賛成することができない。思うに，犯罪の予備行為は，一般に基本的構成要件的結果を発生せしめる蓋然性は極めて少なく，従って法益侵害の危険性も小さいわけであるから，通常可罰性はなく，特に，法益が国家的，社会的にすぐれて高いものと評価される特殊の犯罪に限って，これが準備行為，すなわち，右の犯罪の実行を準備する行為までを，法益侵害の危険性が看過できないものとして，刑法は，例外的にこれを処罰の対象としているのである。本件の殺人の予備罪の如きもそうである。然し，犯罪の予備行為というものは，実行行為に着手する以前の，犯罪の準備行為を含めて，犯罪への発展段階にあるすべての行為を指称するものであり，基本的犯罪構成要件の場合の如く，特に，それが定型的行

[3] 共犯の従属性 437

為として限定されていないところに特色がある。従って，予備罪の実行行為は無定型，無限定な行為であり，その態様も複雑，雑多であるから，たとえ，国家的，社会的にその危険性が極めて高い犯罪であっても，その予備罪を処罰することになれば，その処罰の範囲が著しく拡張され，社会的には殆ど無視しても差支えない行為，延いては又言論活動の多くのものまでが予備罪として処罰される虞れもないわけではない。そこで，刑法はこのように処罰の範囲が徒らに拡張されることを警戒して，広範な予備行為の範囲を限定して，予備罪を構成すべき行為を限定的に列挙する場合もあり（例えば，刑法第153条，なお特別法として爆発物取締罰則3条の如きもそうである。），更に又予備罪については，情状に因りその刑を免除することにもしているわけである。ところで，従犯の行為も又同様無限定，無定型である。従って，もし，予備罪の従犯（正犯が予備罪に終った場合の従犯）をも処罰するものとすれば，その従犯として処罰される場合が，前の予備罪の正犯の場合にもまして著しく拡張される危険のあることは極めて明らかである。かの助言従犯の場合の如きを考えれば，言論活動の多くの場合までが，直ちに予備罪の従犯として処罰される危険性が，高度である。従って，予備罪の従犯を処罰するかどうかについては，特に厳正な解釈態度が要求されるのである。しかも又，従犯の刑は正犯の刑に照して減軽されているわけであり（刑法63条），従犯の違法性，可罰性は，正犯のそれに比し軽減されているものであることも又否定できない。してみると，予備罪が特に明文の規定をまって処罰される場合においても，その刑は，既遂，未遂のそれに比し極めて軽いのであるから（殺人予備罪の場合も2年以下の懲役であり，情状に因りその刑が免除される。刑法201条），これより違法性，可罰性の更に軽減されるその従犯までを処罰するについては，これを解釈に一任することなく，法の明文を以って特に明確にすべきである。予備を独立に処罰する旨の規定があるからといって，それを理由として，予備の背後関係にあって，予備罪の正犯に比べその違法性，可罰性のより減少したその従犯までを処罰しなければならない必要性，合理性は少しも正当化されるものではなく，予備罪の従犯を処罰するかどうかは，やはり刑法全体の精神から論定すべきことがらである。ところで，刑法79条は，内乱罪の予備罪について特に明文を設けてこれを処罰する旨を明らかにし，内乱の如く国の政治の基本組織を破壊するような国家の存在そのものに関する極めて重大な犯罪の予備罪については，特に，その幇助行為までを処罰する旨を成文上明定しているのであり（この意味で右刑法の条規は内乱罪の予備の従犯について特に刑を加重した趣旨とは解されない）爆発物取締罰則5条の如きも，特にその第1条所定の犯罪者のための特定の幇助行為のみを処罰し，その4条も，同条所定の予備行為の共謀者に限りこれを特に処罰することとし，そして又かの破壊活動防止法38条ないし40条の各規定の如きも，同条所定の各犯罪の予備以外の背後行為が処罰される場合について，特に行為の種類を限定してこれを明定しているのである。これらのいわゆる政治犯罪とされる特殊の犯罪についてすら，刑法（広義の）予備罪の

従犯の処罰されることを特に明文の規定を設けてこれを明確にしているのであるし，そして又このような予備罪の従犯の処罰する法律の特別の規定がこれらのいわゆる政治犯罪に限って設けられていることも看過してはならない。以上述べたいろいろの理由を綜合して考えてくれば，わが刑法は，予備罪の従犯を処罰するのは，特に明文の規定がある場合にこれを制限し，その旨の明文の規定のない場合は，一般にこれを不処罰にしたものと解すべきである。」（名古屋高判昭和 36 年 11 月 27 日高刑集 14 巻 9 号 635 頁）

【決定理由】「被告人の判示所為を殺人予備罪の共同正犯に問擬した原判決の判断は正当と認める。」

337 密出国企図罪の予備の幇助

大阪高判昭和 38 年 1 月 22 日高刑集 16 巻 2 号 177 頁／判時 342・38，判タ 146・69

【判決理由】「密出国予備の幇助につき刑法 62 条の適用があるかどうかを審究するのに，予備罪についても共同正犯ないし正犯と従犯との区別が考えられることはさきに説示したところにより明らかであるから，その従犯の行為（幇助）も，刑法 64 条の如き除外規定にあたらない以上，同法 62 条，63 条により処罰の対象となるものと解すべきはむしろ当然である。そして，この見解は，予備罪である通貨偽造準備罪（刑法 153 条）の幇助を認めこれに対して右 62条，63 条を適用した大審院判例（昭和 4 年 2 月 19 日宣告，同院刑事判例集 8巻 84 頁）の趣旨にもそうものである。従って，刑法 64 条の除外規定の適用のないことの明らかな本件密出国予備の幇助をした者も同法 62 条にいわゆる従犯として同法 63 条により法律上の減軽のされた刑の範囲内で処罰を免れないのであって，これと反対の見解を採り密出国予備の幇助につき同法 62 条の適用のないことを理由に被告人 X に対して無罪の言渡をした原判決には所論の如き法令の解釈適用上の誤りがあり，かつその誤りが判決に影響を及ぼすことが明らかであるから，原判決中この点に関する部分も破棄を免れない。（結局，当裁判所は，検察官の論旨とその結論を同じくするものではあるが，しかし密出国予備罪が殺人予備罪等の如き基本的構成要件の拡張ないし修正形式としての予備罪とは類型を異にするものであることを前提として，その可罰性を主張する所論は採用しない。）」

⇒ *338*

要素従属性

間 接 正 犯

338　証拠隠滅の教唆

大判昭和 9 年 11 月 26 日刑集 13 巻 1598 頁

【事案】　被告人 X は，横領罪の被疑者 Y の妻 Z を教唆して証憑を隠滅（湮滅）させた。昭和 22 年改正前の刑法 105 条は「本章の罪は犯人又は逃走者の親族にして犯人又は逃走者の利益の為に犯したるときは之を罰せす」と規定していた。このため，正犯者 Z の行為が罪とならない場合に，X を処罰しうるかが問題となった。

【判決理由】「依て按するに犯人の親族か犯人の利益の為に為したる証憑湮滅の行為は之を罰すへきものにあらさること刑法第 105 条の規定する所なり而して法律か右行為を罰せさるは犯罪の主観的要素たる責任能力又は事実認識を欠如する為にあらさるは勿論犯罪の客観的要素たる行為自体を適法のものと認めたるか故にもあらすして刑事政策上犯人自身か自己の犯罪の証憑を湮滅すると同しく証憑湮滅罪の特別構成要件を具備せさるものとなし之を可罰行為外に放任したるものと解するを相当とす詳言すれは此の場合に於ては犯人の親族を以て犯人の人格の延長となし其の行為は法律上の価値に於て犯人自身の行為と全く同一のものと看做し其の行為を以て証憑湮滅罪の構成要件を充たす能はさるものと為し斯かる特殊の犯罪に付其の絶対的不可罰性を認めんとする趣旨にして犯意なき者又は責任無能力者の行為に於ける如く犯罪の主観的要素を具備せさる為其の者に限り相対的に不可罰行為と為す場合と其の趣を異にするのみならす又親族相盗の場合とも厳に之を区別すへきものにして彼此混同せさることを要す而して間接正犯の観念は責任無能力者若は犯意なき者又は意思の自由を抑圧せられたる者の行為を利用して或犯罪の特別構成要件たる事実を実現せしむる場合に存すへきものなれは犯罪の特別構成要件を事実上又は法律上充足することを得さる者を利用して間接正犯を成立せしむるの余地なきものとす従て法律上証憑湮滅罪の構成要件を充たす能はさる犯人の親族を利用して同罪の間接正犯を遂行することは絶対に不能なりと謂はさるへからす加之不可罰行為は之を利用する行為を罰する特別規定存せさる限り其の法律上の価値に於て適法行為と選ふことなきを以て適法行為に対し間接正犯の成立を認むへからさると同様不可罰行為に対しても間接正犯の成立を認容するを得さるものと解すへき

ものとす又犯人の親族を示唆慫慂して親族に証憑湮滅の行為を為さしむるも教唆犯の成立を認むへきものにあらす何となれは親族の証憑湮滅行為は不可罰行為にして犯罪を構成せさること前述の如くなるを以て正犯の成立を条件とする教唆犯を認むるに由なけれはなり然り而して親族相盗に関する刑法第244条第1項は親族間の窃盗行為は之を可罰行為となし単に其の刑を免除するに過きさるを以て非親族の共犯は之を罰すへきは当然なるも尚且同条第2項を以て其の趣旨を明かにしたるに拘らす親族に依る証憑湮滅行為に付ては同法第105条に於て之を不可罰行為となしなから非親族の共犯に対して何等の規定を設けさるに鑑みれは両者は厳然区別せらるへきものにして之を同趣旨のものと為すへきにあらす此の点より見るも法律は親族に依る証憑湮滅を非親族たる第三者か教唆する場合は罪責より放任し之を罰せさる趣旨なりと解すへきものとす」

339 13歳未満の少年の利用

仙台高判昭和27年9月27日判特22号178頁

【判決理由】「被告人は満13歳に満たない少年を利用して原判示第二の(1)については判示A方より瓶に入った煙草光50箇を盗らせた。同(2)については判示B方より売って金になるような物を盗って来いと言いつけ盗るのを見ていてジャンバー1枚を盗らせた。同(3)については判示のところにおいて判示の角巻を持ってこいと言付けて盗らせた。同(4)については判示K呉服店より格子縞夜具地3反位を盗らせた。同(5)についてはL呉服店より何か品物を盗って来いと言付けて綿絣1反を盗らせた各事実を確認しうるのであって，被告人は刑事責任なき少年を利用して自己の罪を遂行したものと認むべきであるから，右は窃盗正犯をもって，論ずべきこと言を俟たない。所論は該少年に特定せざる物を窃取せしめた案件だから，窃盗の正犯も教唆も成立しないというのであるから，前記(2)(5)以外は孰れも特定物件を窃取せしめたことが窺われるが，(2)(5)は孰れも場所を指定し売って金になるような物を盗って来いと命じただけであるが，斯かる場合にも窃盗の間接正犯が成立するものと解すべきである。」

340 12歳の少女の利用

最決昭和58年9月21日刑集37巻7号1070頁／判時1093・149，判タ509・126
(百選I74，重判昭58刑1)

【決定理由】「原判決及びその是認する第1審判決の認定したところによれば，被告人は，当時12歳の養女Aを連れて四国88ヶ所札所等を巡礼中，日頃被

⇒ *341*

告人の言動に逆らう素振りを見せる都度顔面にタバコの火を押しつけたりドライバーで顔をこすったりするなどの暴行を加えて自己の意のままに従わせていた同女に対し，本件各窃盗を命じてこれを行わせたというのであり，これによれば，被告人が，自己の日頃の言動に畏怖し意思を抑圧されている同女を利用して右各窃盗を行ったと認められるのであるから，たとえ所論のように同女が是非善悪の判断能力を有する者であったとしても，被告人については本件各窃盗の間接正犯が成立すると認めるべきである。」

341 12歳の少年との共同正犯の成立を認めた事例

最決平成 13 年 10 月 25 日刑集 55 巻 6 号 519 頁／判時 1768・157，判タ 1077・176
(重判平 13 刑 4)

【決定理由】 「原判決及びその是認する第 1 審判決の認定によると，本件の事実関係は，次のとおりである。

スナックのホステスであった被告人は，生活費に窮したため，同スナックの経営者 C 子から金品を強取しようと企て，自宅にいた長男 B（当時 12 歳 10 か月，中学 1 年生）に対し，『ママのところに行ってお金をとってきて。映画でやっているように，金だ，とか言って，モデルガンを見せなさい。』などと申し向け，覆面をしエアーガンを突き付けて脅迫するなどの方法により同女から金品を奪い取ってくるよう指示命令した。B は嫌がっていたが，被告人は，『大丈夫。お前は，体も大きいから子供には見えないよ。』などと言って説得し，犯行に使用するためあらかじめ用意した覆面用のビニール袋，エアーガン等を交付した。これを承諾した B は，上記エアーガン等を携えて 1 人で同スナックに赴いた上，上記ビニール袋で覆面をして，被告人から指示された方法により同女を脅迫したほか，自己の判断により，同スナック出入口のシャッターを下ろしたり，『トイレに入れ。殺さないから入れ。』などと申し向けて脅迫し，同スナック内のトイレに閉じ込めたりするなどしてその反抗を抑圧し，同女所有に係る現金約 40 万 1000 円及びショルダーバッグ 1 個等を強取した。被告人は，自宅に戻って来た B からそれらを受け取り，現金を生活費等に費消した。

上記認定事実によれば，本件当時 B には是非弁別の能力があり，被告人の指示命令は B の意思を抑圧するに足る程度のものではなく，B は自らの意思により本件強盗の実行を決意した上，臨機応変に対処して本件強盗を完遂したことなどが明らかである。これらの事情に照らすと，所論のように被告人につき本件強盗の間接正犯が成立するものとは，認められない。そして，被告人は，生活費欲しさから本件強盗を計画し，B に対し犯行方法を教示するとともに犯行道具を与えるなどして本件強盗の実行を指示命令した上，B が奪ってきた金

品をすべて自ら領得したことなどからすると，被告人については，本件強盗の教唆犯ではなくて共同正犯が成立するものと認められる。したがって，これと同旨の第1審判決を維持した原判決の判断は，正当である。」

342 情を知らない者の利用

最決昭和31年7月3日刑集10巻7号955頁／判タ62・60

【決定理由】「原判示大和炭坑構内に判示会社において採炭運搬のため据えつけた，同会社の所有管理にかかる本件ドラグライン1基につき，何等管理処分権なき被告人が他人と売買契約を締結しても，ただそれだけの事実に止まるならば，所論の如く，被告人に窃盗罪の成立を認めることはできないけれども，第1審判決挙示の証拠によれば，被告人は原判示の如く9月11日頃屑鉄類を取扱っているその情を知らないAに，自己に処分権がある如く装い，屑鉄として，解体運搬費等を差引いた価額，即ち，買主において解体の上これを引き取る約定で売却し，その翌日頃右Aは情を知らない古鉄回収業Bに右物件を前同様古鉄として売却し，同人において，その翌日頃から数日を要して，ガス切断等の方法により，解体の上順次搬出したものであることが明らかであるから，右解体搬出された物件につき被告人は窃盗罪の刑事責任を免れることはできないものというべく，第1審判決の事実摘示も，原判決の判示も，結局，右と同趣旨に帰着する以上，所論は結局において，その理由がないといわなければならない。」

343 医師の正当行為の利用

大判大正10年5月7日刑録27輯257頁

【判決理由】「妊婦より堕胎の嘱託を受けたる者か自ら堕胎手段を施したる為め堕胎の結果を生せさるに先ち妊婦の身体に異常を生し医術に因り胎児を排出するにあらされは妊婦の生命に危険を及ほすへき虞あるに至らしめたるに乗し堕胎を遂行せんか為め医師に対して胎児の排出を求め因て医師をして妊婦の生命に対する緊急避難の必要上已むことを得すして胎児排出するに至らしめたる場合に於ては医師に対しては堕胎罪成立せさること勿論なりと雖も堕胎受託者は犯法行為たる自己の堕胎手段に因り叙上緊急危難の状態を発生せしめ其発生を機として医師に胎児の排出を求めたるものにして其行為と胎児の排出との間に因果関係あり換言すれは医師の前記正当業務行為を利用して堕胎を遂行した

る者に外ならさるか故に堕胎罪の間接正犯を以て論すへきものとす」

344 情を知る第三者の利用

最判昭和25年7月6日刑集4巻7号1178頁

【判決理由】「原判決の認定事実は，判示会社の代表取締役である被告人がA
と共謀の上被告人の娘Bを介して会社の使用人Cに命じて同人を自己の手足
として判示米を自ら運搬輸送した趣旨であって，Cを教唆し又は同人と共謀し
た趣旨でないことが明白である。そして，かく認めることは，挙示の証拠に照
し社会通念上適正妥当である。従って，C等がその情を知ると否とにかゝわら
ず被告人の行為が運搬輸送の実行正犯たることに変りはないのである。されば,
原判決には，罪となるべき事実を確定しない理由不備の違法は認められないか
ら，論旨は採ることができない。」

345 コントロールド・デリバリー

最決平成9年10月30日刑集51巻9号816頁／判時1620・152，判タ955・154

（重判平9刑4）

【決定理由】「原判決の認定によれば，被告人は，フィリピン人と共謀の上，輸入禁
制品の大麻を輸入しようと企て，フィリピン共和国マニラ市内から本件大麻を隠匿した
航空貨物を被告人が共同経営する東京都内の居酒屋あてに発送し，平成7年7月21日,
右貨物が新東京国際空港に到着した後，情を知らない通関業者が輸入申告をし，同月
24日税関検査が行われたが，その結果，大麻の隠匿が判明したことから，成田税関支
署，千葉県警察本部生活安全部保安及び新東京空港警察署の協議により，国際的な協
力の下に規制薬物に係る不正行為を助長する行為等の防止を図るための麻薬及び向精神
薬取締法等の特例等に関する法律4条等に基づいていわゆるコントロールド・デリバリ
ーが実施されることになり，同月27日午前に税関長の輸入許可がされ，その後，捜査
当局の監視の下，配送業者が，捜査当局と打合せの上，右貨物を受け取って前記居酒屋
に配達し，同日午後に被告人がこれを受け取ったというのである。

　関税法上の輸入とは，外国から本邦に到着した貨物を本邦に（本件のように
保税地域を経由するものについては，保税地域を経て本邦に）引き取ることを
いうところ（同法2条1項1号），その引取りは，申告，検査，関税の賦課徴
収及び輸入許可という一連の行為を経て行われることが予定されたものである。
そして，本件においては，情を知らない通関業者が輸入申告をし，申告に係る
貨物についての税関長の輸入許可を経た後，配送業者が，捜査当局等から右貨
物に大麻が隠匿されていることを知らされ，コントロールド・デリバリーによ

る捜査への協力要請を受けてこれを承諾し，捜査当局の監視下において右貨物を保税地域から本邦に引き取った上，捜査当局との間で配達の日時を打ち合わせ，被告人が貨物を受領すれば捜査当局において直ちに大麻所持の現行犯人として逮捕する態勢が整った後，右貨物を被告人に配達したことが明らかである。

　右事実関係によれば，被告人らは，通関業者や配送業者が通常の業務の遂行として右貨物の輸入申告をし，保税地域から引き取って配達するであろうことを予期し，運送契約上の義務を履行する配送業者らを自己の犯罪実現のための道具として利用しようとしたものであり，他方，通関業者による申告はもとより，配送業者による引取り及び配達も，被告人らの依頼の趣旨に沿うものであって，配送業者が，捜査機関から事情を知らされ，捜査協力を要請されてその監視の下に置かれたからといって，それが被告人らからの依頼に基づく運送契約上の義務の履行としての性格を失うものということはできず，被告人らは，その意図したとおり，第三者の行為を自己の犯罪実現のための道具として利用したというに妨げないものと解される。そうすると，本件禁制品輸入罪は既遂に達したものと認めるのが相当であり，これと同趣旨の原判断は，正当である。」

346　被害者の利用

　　　　鹿児島地判昭和 59 年 5 月 31 日判時 1139 号 157 頁／判タ 531・251

【判決理由】「右認定の事実によると，被告 X_1 は A を終始『今日は殺す』などと脅迫し，特に被告人 X_2 をして A に対し執拗かつ強力なリンチを 2 時間以上にもわたって行なわせているものであって，こうした徹底したリンチによって A が当時肉体的にも精神的にも死という極限に近い状況に追い詰められていたことは十分に推認することができるし，そのような状況下で A が被告人 X_1 の命令に従って自己の右第 5 指を歯でかみ切ったのは，指 1 本をかみ切ればそれと引き替えに命が助かるという絶対的命題のもとに，自己の自由意思の存立を失い，その限りで自己を被告人 X_1 の道具と化したからにほかならず，反面，被告人 X_1 の側からしてみれば，自己の脅迫等により生か死かの選択を迫られ抗拒不能の状態に陥っている A を利用してその指をかみ切らせたと認めるのが相当である。」

　「以上の次第で，A が自己の右第 5 指を歯でかみ切った点につき被告人らに傷害の間接正犯の成立を認めるべきであるから，弁護人の主張は採用すること

⇒　*347*

ができない。」

347　不作為による殺人罪の間接正犯

最決令和2年8月24日刑集74巻5号517頁

【決定理由】　「1　第1審判決及び原判決の認定並びに記録によれば，本件の経緯は，次のとおりである。

(1)　被害者（平成19年生）は，平成26年11月中旬頃，1型糖尿病と診断され，病院に入院した。1型糖尿病の患者は，生命維持に必要なインスリンが体内でほとんど生成されないことから，体外からインスリンを定期的に摂取しなければ，多飲多尿，筋肉の痛み，身体の衰弱，意識もうろう等の症状を来し，糖尿病性ケトアシドーシスを併発し，やがて死に至る。現代の医学では完治することはないとされるが，インスリンを定期的に摂取することにより，通常の生活を送ることができる。

(2)　被害者の退院後，両親は被害者にインスリンを定期的に投与し，被害者は通常の生活を送ることができていたが，母親は，被害者が難治性疾患である1型糖尿病にり患したことに強い精神的衝撃を受け，何とか完治させたいと考え，わらにもすがる思いで，非科学的な力による難病治療を標ぼうしていた被告人に被害者の治療を依頼した。被告人は，1型糖尿病に関する医学的知識はなかったが，被害者を完治させられる旨断言し，同年12月末頃，両親との間で，被害者の治療契約を締結した。被告人は，その頃，母親から被害者はインスリンを投与しなければ生きられない旨説明を受けるなどして，その旨認識していた。被告人による治療と称する行為は，被害者の状態を透視し，遠隔操作をするなどというものであったが，母親は，被害者を完治させられる旨断言されたことなどから，被告人を信頼し，その指示に従うようになった。被告人は，被害者の治療に関する指示を，主に母親に対し，メールや電話等で伝えていた。

(3)　被告人は，平成27年2月上旬頃，母親に対し，インスリンは毒であるなどとして被害者にインスリンを投与しないよう指示し，両親は，被害者へのインスリン投与を中止した。その後，被害者は，症状が悪化し，同年3月中旬頃，糖尿病性ケトアシドーシスの症状を来していると診断されて再入院した。医師の指導を受けた両親は，被害者の退院後，インスリンの投与を再開し，被害者は，通常の生活に戻ることができた。しかし，被告人は，メールや電話等で，母親に対し，被害者を病院に連れて行き，インスリンの投与を再開したことを強く非難し，被害者の症状が悪化したのは被告人の指導を無視した結果であり，被告人の指導に従わず，病院の指導に従うのであれば被害者は助からない旨繰り返し述べるなどした。このような被告人の働きかけを受け，母親は，被害者の生命を救い，1型糖尿病を完治させるためには，被告人を信じてインスリンの不投与等の指導に従う以外にないと一途に考え，被告人の治療法に半信半疑の状態であった被害者の父親を説得し，同年4月6日，被告人に対し，改めて父親と共に指導に従う

旨約束し，同日を最後に，両親は，被害者へのインスリンの投与を中止した。

(4)　その後，被害者は，多飲多尿，体の痛みを訴える，身体がやせ細るなどの症状を来し，母親は，被害者の状態を随時被告人に報告していたが，被告人は，自身による治療の効果は出ているなどとして，インスリンの不投与の指示を継続した。同月 26 日，被害者は，自力で動くこともままならない状態に陥り，被告人は母親の依頼により母親の実家で被害者の状態を直接見たが，病院で治療させようとせず，むしろ，被告人の治療により被害者は完治したかのように母親に伝えるなどした。母親は，被害者の容態が深刻となった段階に至っても，被告人の指示を仰ぐことに必死で，被害者を病院に連れて行こうとはしなかった。

(5)　同月 27 日早朝，被害者は，母親の妹が呼んだ救急車で病院に搬送され，同日午前 6 時 33 分頃，糖尿病性ケトアシドーシスを併発した 1 型糖尿病に基づく衰弱により死亡した。

2　上記認定事実によれば，被告人は，生命維持のためにインスリンの投与が必要な 1 型糖尿病にり患している幼年の被害者の治療をその両親から依頼され，インスリンを投与しなければ被害者が死亡する現実的な危険性があることを認識しながら，医学的根拠もないのに，自身を信頼して指示に従っている母親に対し，インスリンは毒であり，被告人の指導に従わなければ被害者は助からないなどとして，被害者にインスリンを投与しないよう脅しめいた文言を交えた執ようかつ強度の働きかけを行い，父親に対しても，母親を介して被害者へのインスリンの不投与を指示し，両親をして，被害者へのインスリンの投与をさせず，その結果，被害者が死亡するに至ったものである。母親は，被害者が難治性疾患の 1 型糖尿病にり患したことに強い精神的衝撃を受けていたところ，被告人による上記のような働きかけを受け，被害者を何とか完治させたいとの必死な思いとあいまって，被害者の生命を救い，1 型糖尿病を完治させるためには，インスリンの不投与等の被告人の指導に従う以外にないと一途に考えるなどして，本件当時，被害者へのインスリンの投与という期待された作為に出ることができない精神状態に陥っていたものであり，被告人もこれを認識していたと認められる。また，被告人は，被告人の治療法に半信半疑の状態ながらこれに従っていた父親との間で，母親を介し，被害者へのインスリンの不投与について相互に意思を通じていたものと認められる。

以上のような本件の事実関係に照らすと，被告人は，未必的な殺意をもって，母親を道具として利用するとともに，不保護の故意のある父親と共謀の上，被

⇒ *348*

害者の生命維持に必要なインスリンを投与せず，被害者を死亡させたものと認められ，被告人には殺人罪が成立する。」

過失犯への共犯の成立

348　重過失致死罪の正犯と殺人の幇助

京都地舞鶴支判昭和 54 年 1 月 24 日判時 958 号 135 頁

【事案】　被告人 X は，Y が多量の覚せい剤を自己使用した結果妄想に支配されて日本刀で内妻 A を切り殺したが，その際，Y が同女を殺害するとの認識のもとに，Y に日本刀を手渡した。検察官は，Y を殺人罪で起訴したが，本判決は，原因行為の時点では故意が認められないとして重過失致死罪の成立を認めた。しかし，X については殺人の幇助を認めた。

【判決理由】「被告人は，第 1，昭和 48 年 2 月 23 日，京都府与謝郡○○町△△△△△△△×××番地所在暴力団仲間の Y の居宅において，同人が同日午後 11 時ごろから翌 24 日午前 5 時ごろまでの間，3，4 回にわたり，多量の覚せい剤粉末を水に溶かして身体に注射し，覚せい剤中毒性精神障害に陥り，幻覚妄想の圧倒的支配下にある心神喪失状態になり，同日午前 5 時ころ，同人方 2 階の 4 畳の間において，その内妻 A（昭和 14 年 12 月 25 日生）が北鮮の大物スパイであり，同女を殺害しなければ日本国が滅亡するとの妄想に支配され，同人方にあった刃渡り 56.4 センチメートルの白鞘造りの脇差及び刃渡り 53.3 センチメートルの黒鞘造りの脇差で，就寝中の同女の腹部，背部，後頭部等を突き刺し，切りつけ，よって同女をして，間もなく同所において，失血死するに至らせた際，右 Y が同女を殺害に及ぶものとの認識の下に右 Y に対し右脇差し 2 本を手渡して同人の右犯行を容易ならしめ，もってその犯行を幇助したものである。」

罪名従属性

共犯の錯誤

349 法定的符合説

最判昭和 25 年 7 月 11 日刑集 4 巻 7 号 1261 頁／判タ 4・47
（百選 I 91） ⇒*304*

350 共犯過剰

最判昭和 23 年 5 月 1 日刑集 2 巻 5 号 435 頁

【判決理由】「弁護人 A，B の上告趣意書第二点は『原審はその法律の擬律に際して次の如き記載あり「法律に照すと被告人の判示所為中第一の(イ)の点は刑法第 235 条第 60 条に第一の(ロ)の点は同法第 236 条第 1 項第 60 条に第二の点は同法第 256 条第 2 項に当るから右の第一の(ロ)の点については被告人は犯行当時窃盗の犯意しか持って居らず共犯者である判示 Y 等の強盗の行為は被告人の予期しないところであったから」なる記載の如く第一の(ロ)の事実について原審判決は刑法第 236 条第 1 項第 60 条を適用せるも右は全く法律の適用を誤りたるものにして上告人の所為に対しては刑法第 235 条の窃盗罪を適用すべきものなるにかゝはらず右の如く誤りて強盗罪の法条を適用せるものなり』というにある。

　然し原判決の法律適用の部分を見るとその最初の所に『第一の(ロ)の点は刑法第 236 条第 1 項第 60 条に当るが』とあるが結局は刑法第 38 条第 2 項により窃盗罪として同法第 235 条を適用し判示第一の(イ)と連続犯をなすものとして処分するものであることは判文上明白であって右最初の記載は要するに『生じた結果の点からすれば本来は刑法第 236 条第 1 項第 60 条に当るべき場合なのであるが』という意味に過ぎないので同法条を適用した趣旨でないことは疑を容れない，而して判示第一の(ロ)について被告人以外の共犯者は最初から強盗の意思で強盗の結果を実現したのであるがただ被告人だけは軽い窃盗の意思で他の共犯者の勧誘に応じて屋外で見張りをしたと云うのであるから被告人は軽い窃盗の犯意で重い強盗の結果を発生させたものであるが共犯者の強盗所為は被告人の予期しないところであるからこの共犯者の強盗行為について被告人に強盗の責任を問うことはできない訳である，然らば原判決が被告人に対し刑法第 38 条第 2 項により窃盗罪として処断したのは正当であって原判決には毫も所論の

⇒ *351・352*

如き擬律錯誤の違法はない，論旨は理由なきものである。」

351 傷害致死の教唆

大判大正 13 年 4 月 29 日刑集 3 巻 387 頁

【判決理由】「凡そ人の身体を不法に侵害する認識を以て為したる意思活動に因り人を死に致したるときは傷害致死罪を構成するものとす故に傷害致死罪に在ては他人に対し唯暴行を加ふるの意思ありを以て足れりとし人を死に致すの故意なきことを要するや論なし若し夫れ人を死に致すの故意あるに於ては殺人罪を構成するに至るへけれはなり是を以て苟も人を教唆して他人に暴行を加へしめたる以上は其の暴行の結果他人の身体を傷害し因て死に致したるに於ては教唆者は傷害致死の罪責に任せさるへからさるや事理の当然と言ふへし」

352 傷害致死と殺人の共同正犯

最決昭和 54 年 4 月 13 日刑集 33 巻 3 号 179 頁／判時 923・21，判タ 386・97
（百選 I 92，重判昭 54 刑 3）

【決定理由】「第 1 審判決は，被告人 X ら 7 名の右所為は刑法 60 条，199 条に該当するが，Y を除くその余の被告人らは暴行ないし傷害の意思で共謀したものであるから，同法 38 条 2 項により同法 60 条，205 条 1 項の罪の刑で処断する旨の法令の適用をし，原判決もこれを維持している。

　二　そこで，右法令適用の当否につき判断する。

　殺人罪と傷害致死罪とは，殺意の有無という主観的な面に差異があるだけで，その余の犯罪構成要件要素はいずれも同一であるから，暴行・傷害を共謀した被告人 X ら 7 名のうちの Y が前記福原派出所前で A 巡査に対し未必の故意をもって殺人罪を犯した本件において，殺意のなかった被告人 X ら 6 名については，殺人罪の共同正犯と傷害致死罪の共同正犯の構成要件が重なり合う限度で軽い傷害致死罪の共同正犯が成立するものと解すべきである。すなわち，Y が殺人罪を犯したということは，被告人 X ら 6 名にとっても暴行・傷害の共謀に起因して客観的には殺人罪の共同正犯にあたる事実が実現されたことにはなるが，そうであるからといって，被告人 X ら 6 名には殺人罪という重い罪の共同正犯の意思はなかったのであるから，被告人 X ら 6 名に殺人罪の共同正犯が成立するいわれはなく，もし犯罪としては重い殺人罪の共同正犯が成立し刑のみを暴行罪ないし傷害罪の結果的加重犯である傷害致死罪の共同正犯の

刑で処断するにとどめるとするならば，それは誤りといわなければならない。

　しかし，前記第 1 審判決の法令適用は，被告人 X ら 6 名につき，刑法 60 条，199 条に該当するとはいっているけれども，殺人罪の共同正犯の成立を認めているものではないから，第 1 審判決の法令適用を維持した原判決に誤りがあるということはできない（最高裁昭和 23 年(れ)第 105 号同年 5 月 1 日第二小法廷判決・刑集 2 巻 5 号 435 頁参照）。」

353　教唆犯と間接正犯の錯誤

仙台高判昭和 27 年 2 月 29 日判特 22 号 106 頁

【判決理由】　「被告人は犯罪の実行意思のなかった原判示 A 及び B を唆かして窃盗を決意，実行せしめたことを優に窺いえられるのであって被告人が自己のために実行々為をなすべく行動したものでないと認めるべきであるから原審が被告人の右事実を窃盗の教唆と認定したのは相当である。なお被告人は当時 B は刑事責任能力者と思惟していたが事実は刑事責任年令に達していなかったことが確認しえられるので此の点は窃盗の間接正犯の概念をもって律すべきであるが刑法第 38 条第 2 項により被告人は結局犯情の軽いと認める窃盗教唆罪の刑をもって処断さるべきが相当である」

354　教唆犯と間接正犯の錯誤

松山地判平成 24 年 2 月 9 日判タ 1378 号 251 頁

【事案】　被告人は，情を知らない中古車販売業者 A らをして，造成地に駐車中の B 所有の全油圧式パワーショベル 1 台（本件ユンボ）を同所から運搬させて窃取した，として起訴された。本判決は，A は被告人が本件ユンボの処分権限を有していないことを当初から知っていたと認定した上で，以下のように判示して，窃盗罪の間接正犯の成立を否定し，窃盗教唆罪の成立を認めた。

【判決理由】　「(1)　〔A が当初から事情を知っていたこと〕を前提にすると，A は自ら規範の障害に直面しているというべきであるから，もはや被告人が『情を知らない』A を道具として使用したと評価することはできない。また，A は被告人のことをある程度恐れていたことがうかがわれるが，これを超えて，被告人が A の行為を支配していたと認めるべき根拠はなく，かえって，A は本件ユンボの売却代金の過半を手にしているのであるから，A が幇助犯にとどまるということはなく，被告人をもって故意ある幇助的道具を使った間接正犯に問うこともできない。他に被告人の A に対する処分依頼行為が窃盗の間接

正犯（単独犯）としての実行行為に該当するというべき事情も見当たらないから，被告人の行為が窃盗の間接正犯に当たるという検察官の主張は，採用できない。……

（2）　Aが被告人に処分権限なきことを知りながら，甲社に対して本件ユンボを売却し，情を知らない同社従業員らにその搬出を依頼した行為は，窃盗（間接正犯）の実行行為に該当するから，Aは，窃盗の正犯に当たるというべきである。

この点，被告人がAに正犯意思があったことを認識していれば，黙示の共謀（共同実行の意思）を認定することができ，窃盗の共謀共同正犯に当たるというべきであるが，被告人がAの正犯意思を認識していない場合は（すなわち，間接正犯の故意であった場合は），被告人は，Aに本件ユンボの売却方を依頼し，その結果，Aが本件ユンボを売却するという窃盗の実行行為に及んでいるのであるし，間接正犯の故意はその実質において教唆犯の故意を包含すると評価すべきであるから，刑法38条2項の趣旨により，犯情の軽い窃盗教唆の限度で犯罪が成立すると認められる。」

［参考］　ローゼ・ロザール事件（GA 7, 322）

ロザールは自分の使用人ローゼに金をやるから一定の時刻に森の中を通るシュリーベを殺害するよう教唆した。ローゼは，その時刻に通りかかった男を射殺したが，それはハーニッシュという別人であった。プロイセン最高法院は，ローゼについては，「人」を殺そうとして「人」を殺したのであるから故意を阻却しないとして殺人既遂を，ロザールについても殺人既遂教唆の成立を認めた。

共犯と身分

身分の意義

355　横領罪の占有者

最判昭和27年9月19日刑集6巻8号1083頁／判タ25・47

【判決理由】「刑法65条にいわゆる身分は，男女の性別，内外国人の別，親族

の関係，公務員たるの資格のような関係のみに限らず，総て一定の犯罪行為に関する犯人の人的関係である特殊の地位又は状態を指称するものであって，刑法252条においては，横領罪の目的物に対する犯人の関係が占有という特殊の状態にあること，即ち犯人が物の占有者である特殊の地位にあることが犯罪の条件をなすものであって，刑法65条にいわゆる身分に該るものと云わなければならない。」

356 拐取罪の営利の目的

大判大正 14 年 1 月 28 日刑集 4 巻 14 頁

【事案】　被告人 X，Y，Z は共謀のうえ A 女（当時 17 歳）を誘拐したが，X には営利の目的があった。

【判決理由】　「原判決の判示事実に依れは被告 X は石川県河北郡宇の気村に於て料理屋営業を為す者にして大正 11 年春神戸市荒田町……B の 4 女 A 女（明治 40 年 3 月生）を向ふ 6 ヶ年間の稼高にて前借金 600 円を弁済すへき約束を以て芸妓に抱へ置きたる処其の後同 12 年 7 月 29 日 A 女は無断逃走して実家に帰へりたるに依り原審共同被告 Y に対し A 女を伴ひ来らは報酬金 100 円を与ふへしと告け被告 Z は右の事情を知て XY と 3 名共謀の上 Y に於て B 及 A 女を欺き遂に A 女を被告等の支配内に移置するに至りたるものなるを以て Y に営利の目的ありたることは論なき所にして又刑法第 225 条の営利の目的は同法第 65 条第 1，2 項の犯人の身分には該当せさるに依り既に此の点に於て XZ の行為は Y と同しく刑法第 225 条の営利誘拐の罪を構成する」

357 麻薬密輸入の営利の目的

最判昭和 42 年 3 月 7 日刑集 21 巻 2 号 417 頁／判時 474・5，判タ 204・144
（百選 I 93）　⇒*29*

358 大麻密輸入の営利の目的

東京高判平成 10 年 3 月 25 日判時 1672 号 157 頁／判タ 984・287
（重判平 10 刑 2）

【判決理由】　「所論に対する判断に先立ち，職権をもって調査するに，原判決は，本件大麻取締法違反幇助の罪となるべき事実として，被告人は，A，B らが，共謀の上，みだりに，営利の目的で，大麻を輸入しようと企て，2 回にわたり，右 B 及び情を知らない運搬人らを通してマカダミアナッツ缶内に隠匿した大麻をパラオ共和国から空路本邦に輸入した際，その情を知りながら，右

[3]　共犯の従属性　*453*

⇒ 359・360

B及び情を知らない運搬人らのパラオ共和国への旅行の手続をするとともに，右Bに大麻を隠匿するための前記マカダミアナッツ缶を引き渡すなどし，もって，右A，Bらの前記犯行を容易にしてこれを幇助したものである旨判示している。この判示は，公訴事実と同旨であって，被告人自身が営利の目的を持っていたことを含んでおらず，営利の目的をもつ者の大麻の密輸入を営利の目的をもたない者が幇助したことを判示したにとどまるから，営利の目的をもたない被告人に対しては，刑法65条2項により，刑法62条1項，大麻取締法24条1項を適用すべきであった。しかるに，原判決は，刑法62条1項，大麻取締法24条2項，1項を適用し，被告人に対し同条2項の罪の幇助罪の成立を認めているから，原判決には判決に影響を及ぼすことの明らかな法令の適用の誤りがあるというべきである。」

359 強姦罪における男性

最決昭和40年3月30日刑集19巻2号125頁／判時408・48，判タ175・152

【事案】 被告人X女はY，Zと共謀のうえY，ZにA女を強制性交（強姦）させた。

【決定理由】「強姦罪は，その行為の主体が男性に限られるから，刑法65条1項にいわゆる犯人の身分に因り構成すべき犯罪に該当するものであるが，身分のない者も，身分のある者の行為を利用することによって，強姦罪の保護法益を侵害することができるから，身分のない者が，身分のある者と共謀して，その犯罪行為に加功すれば，同法65条1項により，強姦罪の共同正犯が成立すると解すべきである。従って，原判決が，被告人Xの原判示所為に対し，同法177条前段，60条，65条1項を適用したことは，正当である。」

360 賭博罪の常習性

大判大正2年3月18日刑録19輯353頁

【事案】 被告人X，Y（非常習者）はZ（常習者）の賭博行為を幇助した。原審は，X，Yにつき，刑法65条1項，186条1項を適用した。

【判決理由】「刑法第65条第1項は犯人の身分を以て構成要件とせる犯罪に加功したるものは其身分あらさるも身分あるものの共犯として処分する事を規定したるものにして犯人の身分を以て其構成要件とせす単に刑の軽重の原因とせる犯罪に付ては何等関係なき条項なれは本件被告X同Yの如く賭博の常習なき者か賭博常習者の犯罪を幇助したる場合に於ては同条項は之を適用すへき筋合のものに非す」

361 堕胎罪の医師

大判大正 9 年 6 月 3 日刑録 26 輯 382 頁
⇒各論 *16*

【判決理由】「被告 X か一面懐胎の婦女を教唆して堕胎の決意を為さしめ他面医師を教唆して同婦女に対する堕胎手術を行ふへき決意を為さしめ因て 1 箇の堕胎行為を遂行せしめたる場合に於ては其前者に対する教唆行為は刑法第 61 条第 1 項第 212 条に後者に対する教唆行為は同第 61 条第 1 項第 214 条前段に該当する所元来被告の行為は 2 人を教唆して 1 箇の堕胎行為を実行せしめたるに過きされは包括的に之を観察し重き後者に対する刑に後ふへきものなるも被告は医師たる身分なきものなるを以て同第 65 条第 2 項に依り同第 213 条前段の刑を科すへきものとす」

362 消極的身分

大判大正 3 年 9 月 21 日刑録 20 輯 1719 頁

【判決理由】「医師の免許を受け居る者に於て他人か無免許医業の行為を為すの情を知て其者の住所に自己の出張所の看板を掲けしむる行為は之に依て一方一般患者の招来を便にすると共に他方無免許医業なる犯罪行為の発覚を一時なりとも阻止するの効あるか又は少くとも犯人をして意を安して犯罪行為を遂行するの便を享けしむるものなるを以て即無免許医業の犯罪行為を幇助するものと云はさるへからす従て之を其犯罪の従犯として処罰すへきは当然なり」

363 事後強盗

東京地判昭和 60 年 3 月 19 日判時 1172 号 155 頁
⇒各論 *288*

【事案】 被告人 X は A から現金を窃取したが，その直後に A から返還を請求された。被告人 Y は，X と共謀して金銭の取還を防ぐ目的をもって A に暴行を加え傷害を負わせた。

【判決理由】「被告人 Y は，被告人 X が事後強盗罪の構成要件の一部である窃盗を終了してから，被告人 X の行った窃盗の結果を十分認識して，窃盗にかかる金銭（飲み代）の取還を防ぐべく，被告人 X と意思相通じて被害者に暴行を加え，その結果傷害が生じているので，承継的共同正犯として強盗致傷の罪責を負うとの考え方もあり得ようが，事後強盗罪は，窃盗という身分を有する者が主体となる身分犯の一種であって，被告人 Y はその身分がないので

[3] 共犯の従属性 455

⇒ *364*

あるから，本件では承継的共同正犯の問題ではなく，共犯と身分の問題として把握すべきであり，この解決が本件事案の実態に即しているものと考える。それ故，身分のない被告人Yには，刑法65条1項により強盗致傷罪の共同正犯となるものと解するが，その刑は，同法65条2項によって傷害の限度にとどまると判断するのが相当である。」

364 事後強盗

大阪高判昭和62年7月17日判時1253号141頁／判タ654・260
（百選Ⅰ95）⇒各論 *289*

【事案】 被告人Xは財物を窃取したが，その直後に警備員Aに逮捕されそうになった。被告人Y，Zは，その時点でXと共謀のうえ逮捕を免れる目的をもってAに暴行を加え傷害を負わせた。原審は，Y，Zは事後強盗罪の主体ではないとして240条の適用を否定し，Xについてのみ「刑法240条前段（238条）に該当（但し，傷害罪の限度で同法60条も適用）する」とした。Xのみが控訴。

【判決理由】「原判決の法令適用について考えるのに，原認定のように，共犯者2名が被告人の犯行に関与するようになったのが，窃盗が既遂に達したのちであったとしても，同人らにおいて，被告人が原判示マスコットを窃取した事実を知った上で，被告人と共謀の上，逮捕を免れる目的で被害者に暴行を加えて同人を負傷させたときは，窃盗犯人たる身分を有しない同人らについても，刑法65条1項，60条の適用により（事後）強盗致傷罪の共同正犯が成立すると解すべきであるから（なお，この場合に，事後強盗罪を不真正身分犯と解し，身分のない共犯者に対し更に同条2項を適用すべきであるとの見解もあるが，事後強盗罪は，暴行罪，脅迫罪に窃盗犯人たる身分が加わって刑が加重される罪ではなく，窃盗犯人たる身分を有する者が，刑法238条所定の目的をもって，人の反抗を抑圧するに足りる暴行，脅迫を行うことによってはじめて成立するものであるから，真正身分犯であって，不真正身分犯と解すべきではない。従って，身分なき者に対しても，同条2項を適用すべきではない。），傷害罪の限度でのみしか刑法60条を適用しなかった原判決は，法令の解釈適用を誤ったものといわなければならないが，原判決は，被告人自身に対しては刑法240条（238条）を適用しているのであるから，右法令の解釈適用の誤りが，判決に影響を及ぼすことの明らかなものであるとはいえない。」

65 条 1 項の適用

365 65 条 1 項にいう共犯の意義

大判明治 44 年 10 月 9 日刑録 17 輯 1652 頁

【判決理由】「刑法第 65 条は共同正犯に関する例外規定にして之を教唆に適用す可きものにあらさることは同条文に『犯罪行為に加功したるとき』とあるに因て明瞭なるのみならす犯人の身分に依り構成すへき犯罪は其身分を有せさる者に於て之を実行するも犯罪の構成要件を欠如するを以て右例外規定の存するにあらさるよりは之を処罰する能はさるも教唆は正犯に従属し常に正犯と運命を共にすへきものなれは犯人の特別身分を有すると否とに拘はらす正犯にして其身分を有する以上は常に正犯に準して処罰すへきものなるを以て特に例外規定を設くるの要なし故に原院か刑法第 169 条同第 61 条第 1 項を適用し同第 65 条第 1 項を適用せさりしは正当にして本論旨は理由なし」

366 65 条 1 項にいう共犯の意義

大判昭和 9 年 11 月 20 日刑集 13 巻 1514 頁

【判決理由】「犯人の身分に因り構成すへき犯罪行為に身分なき者か加功したるときは其の身分なき者と雖仍共犯を以て論すへきものなることは刑法第 65 条第 1 項の明定する所にして其の加功行為の種類如何に依り或は共同正犯たる場合あるへく或は教唆若は従犯たる場合あるへきは当然なりとす而して偽証罪は法律に依り宣誓したる者に非されは犯すことを得さる犯罪なるを以て同条項に所謂身分に因り構成すへき犯罪行為に該当するものと謂ふへく身分なき者か此の犯罪行為に加功し相共に偽証を為さむことを謀議し以て之を遂行したるときは前示第一点に於て説明したる如く右身分なき者も亦偽証罪の共同正犯を以て律すへきものなれは原判決か判示偽証の事実に付身分なき被告人の行為に対し刑法第 65 条第 1 項及同第 60 条を適用し以て同法第 169 条の罪責を負はしめたるは正当にして所論の如き違法あることなし論旨理由なし」

367 業務上横領罪と 65 条

最判昭和 32 年 11 月 19 日刑集 11 巻 12 号 3073 頁

(百選 I 94)

【事案】 被告人 X は M 村の村長，Y は助役，Z は収入役であった。3 名は共謀のうえ Z が業務上保管していた金銭を費消した。

⇒ *368*

【判決理由】「挙示の証拠によると，右 Z のみが昭和 24 年 4 月 10 日頃より同年 8 月 30 日までの間右中学校建設委員会の委託を受け同委員会のため，昭和24 年 8 月 31 日より同年 12 月頃までの間 M 村の収入役として同村のため右中学校建設資金の寄附金の受領，保管その他の会計事務に従事していたものであって，被告人両名はかかる業務に従事していたことは認められないから，刑法65 条 1 項により同法 253 条に該当する業務上横領罪の共同正犯として論ずべきものである。しかし，同法 253 条は横領罪の犯人が業務上物を占有する場合において，とくに重い刑を科することを規定したものであるから，業務上物の占有者たる身分のない被告人両名に対しては同法 65 条 2 項により同法 252 条1 項の通常の横領罪の刑を科すべきものである。しかるに，第 1 審判決は被告人両名の判示第 1 の所為を単に同法 253 条に問擬しただけで，何等同法 60 条，65 条 1 項，2 項，252 条 1 項を適用しなかったのは違法であり，この違法は原判決を破棄しなければ著しく正義に反するものと認められる。」

65 条 2 項の適用

368 常習賭博罪と 65 条

大連判大正 3 年 5 月 18 日刑録 20 輯 932 頁

【事案】 被告人 X，Y は賭博常習者，Z は非常習者であったが，X は Y，Z の賭博行為を幇助した。原審は，Y を常習賭博罪，Z を単純賭博罪の正犯，X を常習賭博罪の幇助犯とした。

【判決理由】「賭博に関しては其実行正犯たると教唆犯若くは従犯たるとの別なく汎く是等の賭博行為に付き之を為すを常習とする者か其実行正犯たり教唆犯若くは従犯たる場合並に屢次如上の賭博行為を為すに因り反復して賭博を為す習癖か発現するに至りたる場合は皆同法第 186 条第 1 項の適用を免れさるものとす従て 2 人共に賭博を為し其 1 人に対しては常習賭博罪か成立し他の 1人に対しては通常賭博罪か成立する場合に其従犯か犯罪の当時賭博の常習を有するに於ては（従来賭博の常習ありたると其従犯たる行為を為すに依りて初めて其習癖か成立したるとを問はす）其者に対しては刑法第 65 条第 2 項の趣旨に依り同法第 186 条第 1 項を適用したる上一般従犯に関する減軽を為すへきも

のとす」

369 尊属殺と 65 条

大判大正 7 年 7 月 2 日新聞 1460 号 23 頁

【事案】 被告人 X，Y は共同して X の父 A を殺害した。原審は，Y につき「Y の殺人の所為は刑法第 65 条 1 項第 200 条に該当し Y に対しては同法 65 条 2 項に依り同法 199 条を適用して処断すべきものとす」とした。

【判決理由】「刑法第 200 条の罪は同第 156 条（虚偽文書偽造）の罪若くは同第 197 条（収賄罪）の罪等と異なり，犯人の身分に因り特に構成す可き犯罪に非ずして単に卑属親たる身分あるが為め特に其刑を加重するものに外ならざれば，判示の場合に於て被告 Y に対し法を擬せんとせば須らく刑法第 65 条第 2 項に據り同第 199 条同第 200 条等を適用せざる可からざるものなる事洵に所論の如し，然るに原審に於て被告 Y に対し同法第 65 条第 1 項を適用したりしは不法にして本論旨は理由あり」

370 非占有者による業務上横領の公訴時効

最判令和 4 年 6 月 9 日刑集 76 巻 5 号 613 頁

【事案】 他人の物の非占有者である被告人は，業務上占有者と共謀して他人の物を横領した。第 1 審判決は，被告人の行為は，刑法 65 条 1 項により，業務上横領罪に該当するが，被告人には業務上の占有者の身分がないので，同法 65 条 2 項により横領罪の刑を科することとなり，公訴時効の期間については，横領罪の法定刑を基準として刑事訴訟法 250 条を適用し，本件公訴提起時には公訴時効が完成していたとして，被告人に対し，同法 337 条 4 号により免訴を言い渡した。これに対して，控訴審判決は，公訴時効の期間は，成立する犯罪の刑を基準として定めるべきであるとし，業務上横領罪の法定刑を基準として刑事訴訟法 250 条を適用すると，公訴時効の期間は 7 年（同条 2 項 4 号）であるから，本件の公訴提起時に公訴時効は完成していないとして，第 1 審判決を法令適用の誤りを理由に破棄し，第 1 審判決と同旨の犯罪事実を認定して，被告人を懲役 2 年に処した。本判決は，以下のように述べて，原判決を破棄し，控訴を棄却した。

【判決理由】「公訴時効制度の趣旨は，処罰の必要性と法的安定性の調和を図ることにあり，刑訴法 250 条が刑の軽重に応じて公訴時効の期間を定めているのもそれを示すものと解される。そして，処罰の必要性（行為の可罰的評価）は，犯人に対して科される刑に反映されるものということができる。本件において，業務上占有者としての身分のない非占有者である被告人には刑法 65 条 2 項により同法 252 条 1 項の横領罪の刑を科することとなるとした第 1 審判決

⇒ *370*

及び原判決の判断は正当であるところ，公訴時効制度の趣旨等に照らすと，被告人に対する公訴時効の期間は，同罪の法定刑である5年以下の懲役について定められた5年（刑訴法250条2項5号）であると解するのが相当である。これによれば，本件の公訴提起時に，被告人に対する公訴時効は完成していたことになる。」

山口厚裁判官の補足意見　「1　公訴時効は処罰の必要性と法的安定性の調和の上に成り立つ制度であるが，処罰の必要性は被告人に科される刑の重さによって表されている。身分のない共犯に『通常の刑』を科す刑法65条2項は，身分がないことにより認められる処罰の必要性の相違を科し得る刑に反映させるための規定である。したがって，このように処罰の必要性をよりよく反映した刑が，法の定める制約の枠内において，公訴時効期間を決める基準とされるべきものといえる。そして，このような考慮を制約する枠として，ある事情が法律上の加重・減軽事由である場合に，『加重し，又は減軽しない刑』を公訴時効期間の基準とする旨を定める刑訴法252条の規定が問題となる。しかし，本件で問題となる刑法65条2項はこのような法律上の減軽事由を定めるものではないから，刑訴法252条の定める制約によって刑法65条2項適用以前の刑により公訴時効期間を決定すべきことになるわけではない。同項適用後の処罰の必要性が反映された刑によって公訴時効期間を定めることが相当である。

2　原判決は，共犯の統一的処理の理念により，本件では業務上横領罪の法定刑を基準として公訴時効期間を定めるのが相当だとしている。しかし，共犯の統一的処理といっても，そもそも共犯事件について公訴時効期間の統一を求める規定が存在するわけではない。また，共犯の場合に公訴時効の起算点を『最終の行為が終つた時』とする刑訴法253条2項は，同条1項の『犯罪行為が終つた時』を起算点とする一般規定を共犯の場合に確認するものにすぎないといえ，共犯事件について特則を定めるものとはいえない。さらに，同法254条2項は共犯事件について公訴提起による時効の停止の効果を他の共犯に及ぼしており，これ自体は共犯の統一的処理に沿うものではあるものの，このことはその他の事情による時効の停止には及ばない（同法255条1項参照）など，共犯の統一的処理の理念は，処罰の必要性を公訴時効期間に反映させるという制度趣旨に由来する要請を凌駕するような公訴時効制度の根幹にかかわるものとはいえないであろう。したがって，刑法65条2項の適用により指示される

横領罪の法定刑を公訴時効期間を定める基準とすることが相当である。

3 業務上占有者に非占有者が加功する本件の場合についての法廷意見の結論は，業務上占有者に占有者が加功する場合の取扱いとの均衡からも，相当な結論だと思われる。すなわち，業務上占有者に占有者が加功する場合には，刑法 65 条 2 項が適用されて，占有者には横領罪の共犯が成立することになると思われる（業務上占有者は占有者との関係では身分によって刑の軽重がある加減的身分であり，判例の立場によれば同条 1 項の適用はなく同条 2 項のみ適用されることになるはずだからである。したがって，占有者について公訴時効期間は 5 年となる。）。ここで，占有者よりも類型的に可罰的評価（処罰の必要性）が軽くなるべきだと思われる非占有者について，横領罪の法定刑ではなく，業務上横領罪の法定刑を基準として公訴時効期間を決めることは，それを占有者については 5 年としながら，非占有者については 7 年とするという不均衡を認めることになり，相当でないと解されるのである。」

[4] 共犯成立の限界

承継的共犯

371 強盗殺人罪の幇助

大判昭和 13 年 11 月 18 日刑集 17 巻 839 頁

【判決理由】「刑法第 240 条後段の罪は強盗罪と殺人罪若は傷害致死罪より組成せられ右各罪種か結合せられて単純一罪を構成するものなるを以て他人か強盗の目的を以て人を殺害したる事実を知悉し其の企画する犯行を容易ならしむる意思の下に該強盗殺人罪の一部たる強取行為に加担し之を幇助したるときは其の所為に対しては強盗殺人罪の従犯を以て問擬するを相当とし之を以て単に強盗罪若は窃盗罪の従犯を構成するに止まるものと為すへきにあらす原判示第二事実に依れは被告人 X は夫 Y（原審相被告人）か昭和 8 年 10 月 5 日午後 11 時過頃地下足袋を穿ちません棒を携へて自宅を立ち出てたるを以て同人の行動を憂慮し其の後を追ひ判示 A 方に到り同家住宅と東側納屋との間に於て夫 Y に出会したるところ同人は金員を強取する為遂に B（右 A の妻）を殺害

⇒ *372・373*

したる旨物語り尚金員を強取するに付協力を求められ玆に已むなく承諾し直ちにＹか開き呉れたるＡ方住宅表入口より屋内に侵入し点火したる蠟燭を手にしてＹに燈火を送りＹの金品強取を容易ならしめて以て其の犯行を幇助したりと謂ふに在れは右Ｙの金品強取を容易ならしめたる被告人Ｘの所為は冒頭説示の理由に依り強盗殺人罪の従犯を構成するものと言はさる可からす然らは右被告人Ｘの所為を刑法第236条第1項強盗の罪の従犯に問擬したる原判決は違法にして論旨結局理由あり」

372 強盗傷人罪の共同正犯

札幌高判昭和 28 年 6 月 30 日高刑集 6 巻 7 号 859 頁

【判決理由】「按ずるに刑法第240条前段の罪は強盗の結果的加重犯であって単純一罪を構成するものであるから，他人が強盗の目的を以て暴行を加えた事実を認識してこの機会を利用しともに金品を強取せんことを決意し，玆に互いに意思連絡の上金品を強取したものは，仮令共犯者がさきになしたる暴行の結果生じたる傷害につきなんら認識なかりし場合と雖も，その所為に対しては強盗傷人罪の共同正犯を以て問擬するのが正当である。しかして原判決挙示の証拠を綜合すれば，被告人は昭和28年1月24日午前1時過ぎ頃Ａ外1名と飲酒して札幌市南1条東4丁目の電車通を相前後して通行中，Ａが金品強取の目的を以て通りかかったＢの顔面を殴打し『金を出せ』と要求しているのを知って，自己もこの機会を利用して金品を強取せんことを企て，直ちにＡと協力し玆に同人と意思連絡の上先ずＢから同人所持の金700円を奪い，更にＡがＢの左腕を抑え，被告人がＢのはめていた腕時計を外してこれを強奪し，その際Ａの暴行によりＢの右眼部に治療1週間を要する打撲傷を負わしめた事実を認め得べく，原判決認定の事実もその判文において些か明瞭を欠くところがあるけれども，その趣旨とするところは畢竟右と同じである。しからば，被告人の所為は冒頭説示の理由により強盗傷人罪の共同正犯にあたること勿論であって，原判決には事実の誤認なく，所論には賛同し難い。論旨は理由がない。」

373 強盗罪の共同正犯

福岡地判昭和 40 年 2 月 24 日下刑集 7 巻 2 号 227 頁

【事案】　本判決の事実認定によれば，被告人Ｘは，Ｙが金品強取の目的でＡの頭部

を床柱に数回打ちつけ，陶器の灰皿で前額部を1回殴打する等の暴行，傷害を加え，A
から金銭を強取しようとした際，Aが反抗を抑圧されていることを知りながらYと共
謀のうえ金品を強取したものである。

【判決理由】「このように先行者の行為の途中に後行者が加わった場合につい
ては当裁判所は後行者の責任についてはそれ自体独立に判断すべきであって後
行者は先行者の責任を承継しないと解するのが相当であると考えるので（浦和
地方裁判所判決昭和33年3月28日第1審刑事裁判例集第1巻3号455頁，広
島高等裁判所判決昭和34年2月27日高等裁判所刑事判例集12巻1号36頁参
照）被告人に対しては判示腕時計等の奪取行為前におけるYの行為について
は責任がなく強盗罪として問責すべきものと考える。」

374　恐喝罪の共同正犯

名古屋高判昭和58年1月13日判時1084号144頁

【事案】　被告人Yほか3名はAを脅迫して2000万円を2回にわたり支払う旨約束さ
せ，そのうち1000万円を喝取した。被告人Xは，その後犯行に加わり，Aに対し
1000万円の口座振込を要求するなどしたが，Aが応じなかったため目的をとげなかっ
た。原審は，Xが喝取金の一部を分配金として取得していること，後半の実行行為に
加担していることを理由に恐喝既遂の共同正犯とした。

【判決理由】「本件において，被告人Xの加功前すでに先行行為者（共犯者
ら）による1000万円の喝取は完全に既遂状態に達し，その金員の分配も終了
していたのであるから，被告人Xにとってその既成の事実に対し支配を及ぼ
すことは不可能であったことが明らかである。したがって，この点の責任まで
も被告人Xに負わせることは相当でない。検察官が当審の弁論で引用する大
審院昭和13年5月31日並びに東京高裁昭和34年12月2日及び同月7日の各
判決は，いずれも事案を異にし本件に適切でない。もっとも，被告人Xは，
共犯者らとの間で，さきにY₁，Y₂が行った脅迫並びにこれによる被害者の畏
怖状態や3月3日残りの1000万円を支払うとの約束を容認したうえ，これら
を利用して爾後の犯行を遂行することを共謀し，現にこれらを利用して自らも
右金員支払いの要求行為を行っていると認められるから，その限度では，被告
人Xの行為は，その構成要件該当性を考察するうえで，同被告人に事前共謀
があった場合と価値的に同視しうるものと考えられ，この意味では共同正犯と
しての責任の内容について先行行為を承継しているということができるのであ

⇒ *375*

って，同被告人の加功後に被害者に対する脅迫行為がなかったとしても，同被告人はなお右 1000 万円については共同正犯として恐喝未遂の責任を免れないと解するのが相当である。」

375 傷害罪の共同正犯

最決平成 24 年 11 月 6 日刑集 66 巻 11 号 1281 頁／判時 2187・142，判タ 1389・109
（百選 I 81，重判平 25 刑 2）

【決定理由】 「1　原判決及びその是認する第 1 審判決の認定並びに記録によれば，本件の事実関係は，次のとおりである。

(1)　A 及び B（以下「A ら」という。）は，平成 22 年 5 月 26 日午前 3 時頃，愛媛県伊予市内の携帯電話販売店に隣接する駐車場又はその付近において，同店に誘い出した C 及び D（以下「C ら」という。）に対し，暴行を加えた。その態様は，D に対し，複数回手拳で顔面を殴打し，顔面や腹部を膝蹴りし，足をのぼり旗の支柱で殴打し，背中をドライバーで突くなどし，C に対し，右手の親指辺りを石で殴打したほか，複数回手拳で殴り，足で蹴り，背中をドライバーで突くなどするというものであった。

(2)　A らは，D を車のトランクに押し込み，C も車に乗せ，松山市内の別の駐車場（以下「本件現場」という。）に向かった。その際，B は，被告人がかねてより C を捜していたのを知っていたことから，同日午前 3 時 50 分頃，被告人に対し，これから C を連れて本件現場に行く旨を伝えた。

(3)　A らは，本件現場に到着後，C らに対し，更に暴行を加えた。その態様は，D に対し，ドライバーの柄で頭を殴打し，金属製はしごや角材を上半身に向かって投げつけたほか，複数回手拳で殴ったり足で蹴ったりし，C に対し，金属製はしごを投げつけたほか，複数回手拳で殴ったり足で蹴ったりするというものであった。これらの一連の暴行により，C らは，被告人の本件現場到着前から流血し，負傷していた。

(4)　同日午前 4 時過ぎ頃，被告人は，本件現場に到着し，C らが A らから暴行を受けて逃走や抵抗が困難であることを認識しつつ A らと共謀の上，C らに対し，暴行を加えた。その態様は，D に対し，被告人が，角材で背中，腹，足などを殴打し，頭や腹を足で蹴り，金属製はしごを何度も投げつけるなどしたほか，A らが足で蹴ったり，B が金属製はしごで叩いたりし，C に対し，被告人が，金属製はしごや角材や手拳で頭，肩，背中などを多数回殴打し，A に押さえさせた C の足を金属製はしごで殴打するなどしたほか，A が角材で肩を叩くなどするというものであった。被告人らの暴行は同日午前 5 時頃まで続いたが，共謀加担後に加えられた被告人の暴行の方がそれ以前の A らの暴行よりも激しいものであった。

(5)　被告人の共謀加担前後にわたる一連の前記暴行の結果，D は，約 3 週間の安静加療を要する見込みの頭部外傷擦過打撲，顔面両耳鼻部打撲擦過，両上肢・背部右肋

骨・右肩甲部打撲擦過，両膝両下腿右足打撲擦過，頚椎捻挫，腰椎捻挫の傷害を負い，Ｃは，約６週間の安静加療を要する見込みの右母指基節骨骨折，全身打撲，頭部切挫創，両膝挫創の傷害を負った。

2　原判決は，以上の事実関係を前提に，被告人は，Ａらの行為及びこれによって生じた結果を認識，認容し，さらに，これを制裁目的による暴行という自己の犯罪遂行の手段として積極的に利用する意思の下に，一罪関係にある傷害に途中から共謀加担し，上記行為等を現にそのような制裁の手段として利用したものであると認定した。その上で，原判決は，被告人は，被告人の共謀加担前のＡらの暴行による傷害を含めた全体について，承継的共同正犯として責任を負うとの判断を示した。

3　所論は，被告人の共謀加担前のＡらの暴行による傷害を含めて傷害罪の共同正犯の成立を認めた原判決には責任主義に反する違法があるという。

そこで検討すると，前記1の事実関係によれば，被告人は，Ａらが共謀してＣらに暴行を加えて傷害を負わせた後に，Ａらに共謀加担した上，金属製はしごや角材を用いて，Ｄの背中や足，Ｃの頭，肩，背中や足を殴打し，Ｄの頭を蹴るなど更に強度の暴行を加えており，少なくとも，共謀加担後に暴行を加えた上記部位についてはＣらの傷害（したがって，第１審判決が認定した傷害のうちＤの顔面両耳鼻部打撲擦過とＣの右母指基節骨骨折は除かれる。以下同じ。）を相当程度重篤化させたものと認められる。この場合，被告人は，共謀加担前にＡらが既に生じさせていた傷害結果については，被告人の共謀及びそれに基づく行為がこれと因果関係を有することはないから，傷害罪の共同正犯としての責任を負うことはなく，共謀加担後の傷害を引き起こすに足りる暴行によってＣらの傷害の発生に寄与したことについてのみ，傷害罪の共同正犯としての責任を負うと解するのが相当である。原判決の上記2の認定は，被告人において，ＣらがＡらの暴行を受けて負傷し，逃亡や抵抗が困難になっている状態を利用して更に暴行に及んだ趣旨をいうものと解されるが，そのような事実があったとしても，それは，被告人が共謀加担後に更に暴行を行った動機ないし契機にすぎず，共謀加担前の傷害結果について刑事責任を問い得る理由とはいえないものであって，傷害罪の共同正犯の成立範囲に関する上記判断を左右するものではない。そうすると，被告人の共謀加担前にＡらが既に生じさせていた傷害結果を含めて被告人に傷害罪の共同正犯の成立を認めた原判決には，傷害罪の共同正犯の成立範囲に関する刑法60条，204条の解釈適用を誤った法令違反があるものといわざるを得ない。」

376 騙されたふり作戦

最決平成 29 年 12 月 11 日刑集 71 巻 10 号 535 頁／判時 2368・15, 判タ 1448・62

【事案】 *291* の上告審は, 以下のように判示して詐欺未遂罪の共同正犯の成立を認めた。承継的共同正犯に関する原審の判断については *291* 参照。

【決定理由】 「(1) 原判決の認定によれば, 本件の事実関係は次のとおりである。

Ｃを名乗る氏名不詳者は, 平成 27 年 3 月 16 日頃, Ａ に本件公訴事実記載の欺罔文言を告げた（以下「本件欺罔行為」という。）。その後, Ａ は, うそを見破り, 警察官に相談してだまされたふり作戦を開始し, 現金が入っていない箱を指定された場所に発送した。一方, 被告人は, 同月 24 日以降, だまされたふり作戦が開始されたことを認識せずに, 氏名不詳者から報酬約束の下に荷物の受領を依頼され, それが詐欺の被害金を受け取る役割である可能性を認識しつつこれを引き受け, 同月 25 日, 本件公訴事実記載の空き部屋で, Ａ から発送された現金が入っていない荷物を受領した（以下「本件受領行為」という。）。

(2) 前記(1)の事実関係によれば, 被告人は, 本件詐欺につき, 共犯者による本件欺罔行為がされた後, だまされたふり作戦が開始されたことを認識せずに, 共犯者らと共謀の上, 本件詐欺を完遂する上で本件欺罔行為と一体のものとして予定されていた本件受領行為に関与している。そうすると, だまされたふり作戦の開始いかんにかかわらず, 被告人は, その加功前の本件欺罔行為の点も含めた本件詐欺につき, 詐欺未遂罪の共同正犯としての責任を負うと解するのが相当である。」

377 207 条の適用（否定）

大阪高判昭和 62 年 7 月 10 日高刑集 40 巻 3 号 720 頁／判時 1261・132, 判タ 652・254

⇒各論 *63*

【判決理由】 「思うに, 先行者の犯罪遂行の途中からこれに共謀加担した後行者に対し先行者の行為等を含む当該犯罪の全体につき共同正犯の成立を認め得る実質的根拠は, 後行者において, 先行者の行為等を自己の犯罪遂行の手段として積極的に利用したということにあり, これ以外には根拠はないと考えられる。従って, いわゆる承継的共同正犯が成立するのは, 後行者において, 先行者の行為及びこれによって生じた結果を認識・認容するに止まらず, これを自己の犯罪遂行の手段として積極的に利用する意思のもとに, 実体法上の一罪（狭義の単純一罪に限らない。）を構成する先行者の犯罪に途中から共謀加担し,

右行為等を現にそのような手段として利用した場合に限られると解するのが相当である。」

「ところで，前示の認定によれば，被告人は，甲野組事務所１階応接室へ現われた段階で，同室内におけるＺらの行動や被害者Ａの受傷状況，更にはＢ子の説明などにより，事態の成行きを理解し，同室内におけるＺらのＡへの暴行及びこれによる同人の受傷の事実を認識・認容しながら，これに途中から共謀加担したものといい得る。しかし，前示のような暴行罪そのものの性質，並びに被告人がＡに対し現実にはその顎を２，３回突き上げる程度の暴行しか行っていないことからみて，被告人が先行者たるＺらの行為等を自己の犯罪遂行の手段として利用する意思であったとか，これを現実にそのようなものとして利用したと認めることは困難である。従って，本件において，被告人に対しては，Ｚらとの共謀成立後の行為に対して共同正犯の成立を認め得るに止まり，右共謀成立前の先行者の行為等を含む犯罪全体につき，承継的共同正犯の刑責を問うことはできないといわざるを得ない。

しかして，本件においては，被害者Ａの原判示各傷害は，同人方居室内，タクシー内及び甲野組事務所内におけるＺ，Ｙ，Ｖらによる一連の暴行によって生じたものではあるが，一連の暴行のうち，被告人の共謀加担後に行われたと証拠上認定し得るものは，被告人による顎の突き上げ（２，３回）及びＹによる顔面殴打（１回）のみであって，Ａの受傷の少なくとも大部分は，被告人の共謀加担前に生じていたことが明らかであり，右加担後の暴行（特にＹの顔面殴打）によって生じたと認め得る傷害は存在しない。そうすると，被告人に対しては，暴行罪の共同正犯が成立するに止まり，傷害罪の共同正犯の刑責を問うことはできない。

右のような当裁判所の結論に対しては，刑法207条のいわゆる同時傷害罪の規定との関係で，異論があり得るかと思われるので，以下，若干の説明を補足する。

例えば，甲の丙に対する暴行の直後乙が甲と意思の連絡なくして丙に暴行を加え，丙が甲，乙いずれかの暴行によって受傷したが，傷害の結果を生じさせた行為者を特定できない場合には，刑法207条の規定により，甲，乙いずれも傷害罪の刑責を免れない。これに対し，甲の暴行終了後乙が甲と共謀の上暴行を加えた場合で，いずれの暴行による傷害か判明しないときには，前示のよう

な当裁判所の見解によれば，乙の刑責が，暴行罪の限度に止まることになり，甲との意思連絡なくして丙に暴行を加え同様の結果を生じた場合と比べ，一見均衡を失する感のあることは，これを否定し難い。しかし，刑法207条の規定は，2人以上で暴行を加え人を傷害した場合において，傷害を生じさせた行為者を特定できなかったり，行為者を特定できても傷害の軽重を知ることができないときには，その傷害が右いずれかの暴行（又は双方）によって生じたことが明らかであるのに，共謀の立証ができない限り，行為者のいずれに対しても傷害の刑責を負わせることができなくなるという著しい不合理を生ずることに着目し，かかる不合理を解消するために特に設けられた例外規定である。これに対し，後行者たる乙が先行者甲との共謀に基づき暴行を加えた場合は，傷害の結果を生じさせた行為者を特定できなくても，少なくとも甲に対しては傷害罪の刑責を問うことができるのであって，刑法の右特則の適用によって解消しなければならないような著しい不合理は生じない。従って，この場合には，右特則の適用がなく，加担後の行為と傷害との因果関係を認定し得ない後行者たる乙については，暴行罪の限度でその刑責が問われるべきこととなるのであって，右結論が不当であるとは考えられない。

　もっとも，本件のように，甲の暴行終了前に乙がこれに共謀加担し，丙の傷害が，乙の共謀加担の前後にわたる甲の暴行によって生じたと認められる場合には，乙の共謀加担後の甲，乙の暴行とその加担前の甲の暴行とを，あたかも意思連絡のない2名（甲及び甲'）の暴行と同視して，刑法207条の適用を認める見解もあり得るかと思われ，もし右の見解を是認し得るものとすれば，本件においても，同条の規定を媒介とすることにより，被告人に対し傷害罪の刑責を問う余地は残されていることになる。しかしながら，右のような見解に基づき被告人に傷害罪の刑責を負わせるためには，その旨の訴因変更（予備的変更を含む。）手続を履践して，事実上・法律上の論点につき被告人に防禦を尽させる必要のあることは当然であると解せられるところ，本件においては，検察官は，かかる訴因変更の請求をしていないし，また，本件が，訴因変更を促し又は命ずる義務があるとされるような事案でないことも明らかであると考えられる。従って，本件においては，右訴因変更手続が履践されたことを前提として，被告人につき傷害罪が成立するか否かを論ずる実益はないから，これ以上立ち入らないこととする。」

378 207 条の適用（肯定）

大阪地判平成 9 年 8 月 20 日判タ 995 号 286 頁
⇒各論 *64*

【事案】 Z が被害者 V に暴行を加えていたところ，被告人 X・Y はそれに途中から加わり，3 名共謀の上，V に暴行を加え，さらにその後 Z は単独でも暴行を加えた。この一連の暴行により，V は鼻骨骨折等の傷害を負ったが，その傷害は X・Y が Z に加勢する前後いずれの暴行により生じたのか不明である。

【判決理由】 「右認定を前提とすると，次の問題となるのは，被告人両名につき，傷害の承継的共同正犯が成立しないかである。これが成立するならば，被告人両名とも，共謀成立に先立つ Z の頭突き等の暴行についても共同正犯としての罪責を免れないことになる。

ところで，承継的共同正犯の成立範囲については諸説存するところではあるが，当裁判所は，『承継的共同正犯が成立するのは，後行者において，先行者の行為及びこれによって生じた結果を認識・認容するに止まらず，これを自己の犯罪遂行の手段として積極的に利用する意思のもとに，実体法上一罪を構成する先行者の犯罪に途中から共謀加担し，右行為等を現にそのような手段として利用した場合に限られると解する』立場（大阪高裁昭和 62 年 7 月 10 日判決・高刑集 40 巻 3 号 720 頁）に賛同するものである。

そこで，このような見地から本件につき検討すると，確かに，後行者たる被告人両名は，先行者たる Z が頭突き等の暴行を加えるのを認識・認容していたことが認められるが，それ以上に被告人両名がこれを『自己の犯罪遂行の手段として積極的に利用する意思』を有していたとか，現にそのような手段として利用したとかの事実は本件全証拠によっても認めることはできないから，結局，被告人両名には傷害の承継的共同正犯は成立しないというべきである。」

「しかし，以上から直ちに，被告人両名は共謀成立後の傷害の結果についてのみ傷害罪の共同正犯に問われると結論することはできない。

けだし，前記のとおり，本件傷害の結果は共謀成立の前後にわたる Z 及び被告人両名の一連の暴行によって生じたことは明らかであるが，それ以上に，これが Z の頭突き等の暴行にのみ起因するものであるのか，それともその後の被告人両名及び Z の暴行にのみ起因するものであるのか，はたまた両者合わさって初めて生じたものであるのかは，本件全証拠によってもこれを確定することはできないからである（なお，前掲関係証拠によれば，V の鼻骨骨折

はΖの最初の頭突きによって生じた可能性が濃厚であるが，被告人両名もその後Ｖの頭部等に多数回足蹴にしており，これらの暴行が右鼻骨骨折の形成に寄与した可能性も否定できないから，右傷害がΖの頭突きのみから生じたとは断定することはできない。）。

　そして，一般に，傷害の結果が，全く意思の連絡がない2名以上の者の同一機会における各暴行によって生じたことは明らかであるが，いずれの暴行によって生じたものであるのかは確定することができないという場合には，同時犯の特例として刑法207条により傷害罪の共同正犯として処断されるが，このような事例との対比の上で考えると，本件のように共謀成立の前後にわたる一連の暴行により傷害の結果が発生したことは明らかであるが，共謀成立の前後いずれの暴行により生じたものであるか確定することができないという場合にも，右一連の暴行が同一機会において行われたものである限り，刑法207条が適用され，全体が傷害罪の共同正犯として処断されると解するのが相当である。けだし，右のような場合においても，単独犯の暴行によって傷害が生じたのか，共同正犯の暴行によって傷害が生じたのか不明であるという点で，やはり『その傷害を生じさせた者を知ることができないとき』に当たることにかわりはないと解されるからである。」

379　207条の適用（肯定）

　最決令和2年9月30日刑集74巻6号669頁／判時2478・144，判タ1481・30

⇒各論 *65*

【決定理由】　「1　原判決の認定及び記録によれば，第1審判決判示第1の傷害に関する事実関係は，次のとおりである。

　⑴　A及びB（以下「Aら」という。）は，被害者に対し暴行を加えることを共謀した上，平成29年12月12日午後9時23分頃，被害者のいるマンションの部屋に突入し，被害者に対し，カッターナイフで右側頭部及び左頬部を切り付け，多数回にわたり，顔面，腹部等を拳で殴り，足で蹴るなどの暴行を加えた。

　⑵　被告人は，Aら突入の約5分後，自らも同部屋に踏み込んだ。被告人は，被害者がAらから激しい暴行を受けて血まみれになっている状況を目にして，Aらに加勢しようと考え，台所にあった包丁を取り出し，その刃先を被害者の顔面に向けた。この時点で，被告人は被害者に暴行を加えることについてAらと暗黙のうちに共謀を遂げた。

　その後，同月13日午前0時47分頃までの間に，同部屋において，被告人及びAは，

脱出を試みて玄関に向かった被害者を2人がかりで取り押さえて引きずり，リビングルームに連れ戻し，こもごも，背部，腹部等を複数回蹴ったり踏み付けたりするなどの暴行を加えた。また，Aらは，被害者に対し，顔面を拳で殴り，たばこの火を複数回耳に突っ込み，革靴の底やガラス製灰皿等で頭部を殴り付け，はさみで右手小指を切り付けるなどの暴行を加え，Aが，千枚通しで被害者の左大腿部を複数回刺した。

(3)　被告人が共謀加担した前後にわたる一連の前記暴行の結果，被害者は，全治まで約1か月間を要する右第六肋骨骨折，全治まで約2週間を要する右側頭部切創，左頬部切創，左大腿部刺創，右小指切創，上口唇切創の傷害を負った。これらの傷害のうち，右側頭部切創及び左頬部切創については，被告人の共謀加担前のAらの暴行により，左大腿部刺創及び右小指切創については，共謀成立後の暴行により生じたものであるが，右第六肋骨骨折及び上口唇切創については，いずれの段階の暴行により生じたのか不明である。なお，被告人が加えた暴行は，右第六肋骨骨折の傷害を生じさせ得る危険性があったと認められるが，上口唇切創の傷害を生じさせ得る危険性があったとは認められない。

2　原判決は，以上の事実関係を前提に，『先行者の暴行に途中から後行者が共謀の上加担したが，被害者の負った傷害が加担前の暴行によるものか加担後の共同暴行によるものか不明な場合においては，加担前の先行者による暴行と加担後の共同暴行を観念することができるから，この各暴行の間に同時傷害の特例を適用することは妨げられないというべきである』と説示し，被告人の共謀加担前のAらによる暴行と被告人の共謀加担後の共同暴行は，いずれも右第六肋骨骨折及び上口唇切創を生じさせ得る具体的危険性を有し，同一の機会に行われたものであるから，被告人は，左大腿部刺創及び右小指切創について傷害罪の共同正犯としての責任を負うだけでなく，刑法207条の適用により，右第六肋骨骨折及び上口唇切創についても傷害罪の責任を負うとの判断を示した。

3　所論は，先行者の暴行に途中から後行者が共謀の上加担したが，被害者の負った傷害が共謀加担前の先行者の暴行によるものか共謀加担後の共同暴行によるものか不明な場合には，先行者が当該傷害についての責任を負うから，後行者について刑法207条を適用することはできないという。

同時傷害の特例を定めた刑法207条は，二人以上が暴行を加えた事案においては，生じた傷害の原因となった暴行を特定することが困難な場合が多いことなどに鑑み，共犯関係が立証されない場合であっても，例外的に共犯の例によることとしている。同条の適用の前提として，検察官が，各暴行が当該傷害を生じさせ得る危険性を有するものであること及び各暴行が外形的には共同実行に等しいと評価できるような状況において行われたこと，すなわち，同一の機

⇒ *379*

会に行われたものであることを証明した場合，各行為者は，自己の関与した暴行がその傷害を生じさせていないことを立証しない限り，傷害についての責任を免れない（最高裁平成 27 年（あ）第 703 号同 28 年 3 月 24 日第三小法廷決定・刑集 70 巻 3 号 1 頁参照）。

　刑法 207 条適用の前提となる上記の事実関係が証明された場合，更に途中から行為者間に共謀が成立していた事実が認められるからといって，同条が適用できなくなるとする理由はなく，むしろ同条を適用しないとすれば，不合理であって，共謀関係が認められないときとの均衡も失するというべきである。したがって，他の者が先行して被害者に暴行を加え，これと同一の機会に，後行者が途中から共謀加担したが，被害者の負った傷害が共謀成立後の暴行により生じたものとまでは認められない場合であっても，その傷害を生じさせた者を知ることができないときは，同条の適用により後行者は当該傷害についての責任を免れないと解するのが相当である。先行者に対し当該傷害についての責任を問い得ることは，同条の適用を妨げる事情とはならないというべきである。

　また，刑法 207 条は，二人以上で暴行を加えて人を傷害した事案において，その傷害を生じさせ得る危険性を有する暴行を加えた者に対して適用される規定であること等に鑑みれば，上記の場合に同条の適用により後行者に対して当該傷害についての責任を問い得るのは，後行者の加えた暴行が当該傷害を生じさせ得る危険性を有するものであるときに限られると解するのが相当である。後行者の加えた暴行に上記危険性がないときには，その危険性のある暴行を加えた先行者との共謀が認められるからといって，同条を適用することはできないというべきである。

　これを本件訴訟手続の流れに即していえば，本件は，検察官が先行者と後行者である被告人との間に当初から共謀が存在した旨主張し，被告人がその共謀の存在を否定したが，証拠上，途中からの共謀が認められるという事案であるところ，このような被告人について刑法 207 条を適用するに当たっては，先行者との関係で，その傷害を生じさせた者を知ることができないか否かが問題となり，検察官において，先行者及び被告人の各暴行が当該傷害を生じさせ得る危険性を有するものであること並びに各暴行が同一の機会に行われたものであることを証明した場合，被告人は，自己の加えた暴行がその傷害を生じさせていないことを立証しない限り，先行者の加えた暴行と被告人の加えた暴行のい

ずれにより傷害が生じたのかを知ることができないという意味で，『その傷害を生じさせた者を知ることができないとき』に当たり，当該傷害についての責任を免れないのである。

　本件において，被告人が共謀加担した前後にわたる一連の前記暴行は，同一の機会に行われたものであるところ，被告人は，右第六肋骨骨折の傷害を生じさせ得る危険性のある暴行を加えており，刑法207条の適用により同傷害についての責任を免れない。これに対し，被告人は，上口唇切創の傷害を生じさせ得る危険性のある暴行を加えていないから，同条適用の前提を欠いている。そうすると，原判決には，被告人が同傷害についても責任を負うと判断した点で，同条の解釈適用を誤った法令違反があるといわざるを得ないが，この違法は判決に影響を及ぼすものとはいえない。」

必要的共犯

380　旧刑法における贈賄

大判明治37年5月5日刑録10輯955頁

【事案】　旧刑法は官吏収賄罪（284条）のみを規定し，贈賄の規定を持たなかったため，贈賄者を収賄の共犯として処罰しうるかが問題となった。

【判決理由】「官吏収賄罪の成立には贈賄を為さんとする贈賄者の所為と収賄を為さんとする官吏の所為とを必要とし其一方官吏の所為のみにては賄賂罪は成立することなかるへきは毫も疑を容れさる所なり詳言すれは賄賂聴許の場合に於ては賄賂の贈与を為さんとする贈賄者の意思と其贈与を受諾する収賄者の意思の合致を必要とし賄賂の収受の場合に於ては現に賄賂を提供する所の贈賄者と之を領収する所の収賄者との間に於て賄賂の授受ありたることを必要とす左すれは何れの場合に於ても贈賄者は収賄者と共に収賄罪の構成要件を充たすものなれは予備の所為を以て正犯を幇助し因て収賄罪の実行を容易ならしむる従犯にあらすして其加担行為に因り収賄罪を成立せしむる純然たる共犯たるの性質を有するものなり若し夫れ立法の主旨か贈賄を以て反法行為として之を罰するに在りとせんか贈賄者に対しても亦た刑罰の制裁を付すること尚ほ刑法第353条に於て特に明文を設け姦通罪の正犯たる有夫の婦に対して刑罰を科すると同時に其対手人に対しても亦た刑罰を科すると同一般なるへきを当然とす然

[4]　共犯成立の限界　　473

⇒ *381*

るに事茲に出てすして贈賄者に対して何等刑罰の制裁を設けさるより推究する
ときは其性質に於て官吏収賄罪の加担行為たる贈賄の所為は我刑法上犯罪を以
て目すること能はさるものと論せさるを得す贈賄の行為か収賄行為の反面にし
て其必要的加担行為たるに拘はらす其行為を為したる贈賄者に何等刑事上の責
任なき以上は贈賄者は収賄の教唆者としても其従犯としても責任を負ふことな
しと論断せさるへからす何となれは官吏収賄の必要的加担者たる贈賄者を罰せ
さる所の刑法は同一犯罪の教唆又は従犯としても之を罰せさるの精神なりと解
釈すへきは事理の当然なるを以てなり」

381 弁護士法違反事件

最判昭和 43 年 12 月 24 日刑集 22 巻 13 号 1625 頁／判時 547・93, 判タ 230・256
（百選 I 99）

【判決理由】「弁護士法 72 条は，弁護士でない者が，報酬を得る目的で，一般
の法律事件に関して法律事務を取り扱うことを禁止し，これに違反した者を，
同法 77 条によって処罰することにしているのであるが，同法は，自己の法律
事件をみずから取り扱うことまで禁じているものとは解されないから，これは，
当然，他人の法律事件を取り扱う場合のことを規定しているものと見るべきで
あり，同法 72 条の規定は，法律事件の解決を依頼する者が存在し，この者が，
弁護士でない者に報酬を与える行為もしくはこれを与えることを約束する行為
を当然予想しているものということができ，この他人の関与行為なくしては，
同罪は成立し得ないものと解すべきである。ところが，同法は，右のように報
酬を与える等の行為をした者について，これを処罰する趣旨の規定をおいてい
ないのである。このように，ある犯罪が成立するについて当然予想され，むし
ろそのために欠くことができない関与行為について，これを処罰する規定がな
い以上，これを，関与を受けた側の可罰的な行為の教唆もしくは幇助として処
罰することは，原則として，法の意図しないところと解すべきである。

　そうすると，弁護士でない者に，自己の法律事件の示談解決を依頼し，これ
に，報酬を与えもしくは与えることを約束した者を，弁護士法 72 条，77 条違
反の罪の教唆犯として処罰することはできないものといわなければならない。
しかるに，本件において，被告人らにつき，弁護士法違反教唆の罪の成立を認
めた原判決には，法令の解釈適用をあやまった違法があり，右違法は，判決に
影響を及ぼすことが明らかであって，原判決を破棄しなければ著しく正義に反

するものと認める。」

382 犯人による証拠偽造教唆

最決昭和 40 年 9 月 16 日刑集 19 巻 6 号 679 頁／判時 425・46，判タ 183・139
⇒各論 *584*

【決定理由】「犯人が他人を教唆して，自己の刑事被告事件に関する証憑を偽
造させたときは，刑法 104 条の証憑偽造罪の教唆犯が成立するものと解すべき
であるから，この点について同趣旨の解釈をした原判決の判断は正当である。」

383 犯人による犯人隠避教唆

最決令和 3 年 6 月 9 日裁判集刑事 329 号 85 頁／裁判所ウェブサイト

【決定理由】「犯人が他人を教唆して自己を蔵匿させ又は隠避させたときは，
刑法 103 条の罪の教唆犯が成立すると解するのが相当である（最高裁昭和 35
年（あ）第 98 号同年 7 月 18 日第二小法廷決定・刑集 14 巻 9 号 1189 頁参
照）。」

山口厚裁判官の反対意見「私は，被告人に犯人隠避・蔵匿罪の教唆犯の成立
を認めることは相当でないと考える。

刑法 103 条は，罰金以上の刑に当たる罪を犯した者（以下「犯人」という。）
が自ら行う蔵匿・隠避行為を処罰の対象としていない。それは，犯人が自ら逃
げ隠れしても『蔵匿』したとはいわないし，『隠避させた』という要件は犯人
隠避罪に該当する行為を行う者が犯人以外の者であることを前提としていると
理解できるからである。このように，犯人による自己蔵匿・隠避行為は同条が
定める構成要件に該当していない。この理由として，原判決のように，それら
の行為も同条の規定が保護する刑事司法作用に侵害を与え得るものではあるも
のの，犯人の刑事手続における当事者性を考慮して政策的に処罰を限定したも
のであるなどと説明されることがあるが，このような処罰の政策的な限定を理
論的に表現したものが，『犯人には期待可能性が認められない。』とする説明で
ある。

当審判例は，犯人が他人を教唆して，自らを蔵匿・隠避させた場合は，処罰
を限定する上記立法政策の射程外であり，教唆犯として処罰の対象となるとし
てきた。それを支える根拠・理由として幾つかのことが指摘されているが，犯
人が一人で逃げ隠れするより，他人を巻き込んだ方が法益侵害性が高まるとの

⇒ *384*

指摘がされることがある。このこと自体には理由があると考えられるが，他人の関与により高められた法益侵害性は，教唆された正犯者を処罰することによって対応し得るものであり，法益侵害性の高まりから犯人を教唆犯として処罰すべきことが直ちに導かれるわけではない。結局，正犯としてではなく，教唆者としては犯人を処罰の対象とし得ると解することは，『正犯としては処罰できないが，教唆犯としては処罰できる』ことを認めるものであり，この背後には，『正犯は罪を犯したことを理由として処罰され，教唆犯は犯罪者を生み出したことを理由として処罰される。』といういわゆる責任共犯論の考え方が含まれ，犯罪の成否を左右する極めて重要な意義がそれに与えられているように思われる。このような共犯理解は，他人を巻き込んだことを独自の犯罪性として捉え，正犯と教唆犯とで犯罪としての性格に重要な差異を認めるものであり，相当な理解とはいえないであろう。なぜなら，正犯も教唆犯も，犯罪結果（法益侵害）と因果性を持つがゆえに処罰されるという意味で同質の犯罪であると解されるからである。このような共犯理解によれば，正犯が処罰されないのに，それよりも因果性が間接的で弱く，それゆえ犯罪性が相対的に軽い関与形態である教唆犯は処罰されると解するのは背理であるといわざるを得ない。」

共犯の中止犯

384 中止犯の成立を否定した事例

最判昭和 24 年 12 月 17 日刑集 3 巻 12 号 2028 頁

【事案】 被告人 X は Y とともに A 宅に強盗に入り包丁を突きつけて金をだせと脅迫した。A の妻 B が 900 円を差し出したところ，X は「自分はそんな金はいらん，俺も困って入ったのだからお前の家も金がないのならばその様な金はとらん」といい，Y に対し「帰ろう」といって表へ出た。その後 3 分ほどして Y が出てきたが，Y は「お前は仏心があるからいかん，900 円は俺がもらって来た，それではタカリは出来ない」といった。

【判決理由】 「被告人が A の妻の差し出した現金 900 円を受取ることを断念して同人方を立ち去った事情が所論の通りであるとしても，被告人において，その共謀者たる 1 審相被告人 Y が判示のごとく右金員を強取することを阻止せず放任した以上，所論のように，被告人のみを中止犯として論ずることはでき

ないのであって，被告人としても右Yによって遂行せられた本件強盗既遂の
罪責を免れることを得ないのである。」

385 中止犯の成立を肯定した事例

東京高判昭和 51 年 7 月 14 日判時 834 号 106 頁
（重判昭 51 刑 3）　⇒*292*

【判決理由】「中止未遂は，犯罪の実行に着手した未遂犯人が自己の自発的な
任意行為によって結果の発生を阻止して既遂に至らしめないことを要件とする
が，中止未遂はもとより犯人の中止行為を内容とするものであるところ，その
中止行為は，着手未遂の段階においては，実行行為の終了までに自発的に犯意
を放棄してそれ以上の実行を行わないことで足りるが，実行未遂の場合にあっ
ては，犯人の実行行為は終っているのであるから，中止行為といいうるために
は任意に結果の発生を妨げることによって，既遂の状態に至らせないことが必
要であり，そのため結果発生回避のための真しな努力が要求される所以である。

　本件についてこれをみてみると，原判示関係証拠に，当審における事実調の
結果を併せ考えれば被告人らは，原判示の動機から原判示 A を殺害すること
を共謀し，被告人 X の意をうけた被告人 Y が，原判示刃渡り約 52 センチメ
ートルの日本刀を振り上げて被告人らの前に正座している A の右肩辺りを 1
回切りつけたところ，同人が前かがみに倒れたので，更に引き続き 2 の太刀を
加えて同人の息の根を止めようとして次の攻撃に移ろうとした折，被告人 X
が，同 Y に対し，『もういい，安（被告人 Y の意）いくぞ』と申し向け，次
の攻撃を止めさせ，被告人 Y もこれに応じて A に対し二の太刀を振り降ろす
ことを断念している事実が認定できるのである。そして，右証拠によれば，被
告人らとしても，右被告人 Y が A に加えた最初の一撃で同人を殺害できたと
は考えず，さればこそ Y は続けて次の攻撃に移ろうとしたものであり，A が
受けた傷害の程度も右肩部の長さ約 22 センチメートルの切創で，その傷の深
さは骨に達しない程度のものであった（医師 M 作成の A に対する診断書）の
であるから，被告人らの A に対する殺害の実行行為が原判示 Y の加えた一撃
をもって終了したものとはとうてい考えられない（なお，原判決は，右 Y の
加えた一撃により A は出血多量による死の危険があったというがこれを認め
るに足りる証拠はない。）。してみれば，本件はまさに前記着手未遂の事案に当
たる場合であり，被告人らとしては，A を殺害するため更に次の攻撃を加え

⇒ *386*

ようとすれば容易にこれをなしえたことは原判決もこれを認定しているとおりであるのに，被告人らは次の攻撃を自ら止めているのである。そして，被告人Xが，被告人Yに二の太刀を加えることを止めさせた理由として，被告人Xは，司法警察員及び検察官に対し，『Aの息の根を止め，とどめをさすのを見るにしのびなかった』『Aを殺してはいけない……懲役に行った後で，子供4人と狂っている妻のめんどうみさせるのはAしかいない，Aを殺してはいけないと思い……とどめを刺すのはやめさせた』と述べているのであって，かかる動機に基づく攻撃の中止は，法にいわゆる自己の意思による中止といわざるをえない。又，被告人Yにおいても，被告人Xにいわれるままに直ちに次の攻撃に出ることを止めているのである（なお，被告人Xが原説示のBらにAを病院に連れていくよう指示し，Aが直ちに国立埼玉病院に運ばれ治療を受けたことは原判決に示すとおりである。）。

してみれば，被告人らの原判示第一の殺人未遂の所為は刑法43条但書にいわゆる中止未遂に当たる場合である。」

386 共犯の中止の効果

大判大正2年11月18日刑録19輯1212頁

【判決理由】「原判決の判示事実に據れは被告Xは殺害の目的を以て人を斬り重傷を負はせたるも外部の障碍に因りて犯罪の発覚せんことを畏怖し殺害行為を遂行すること能はす現場を逃走するの止むなきに至りたる者にして犯人の意思以外の事情に強制せらるることなく任意に殺害行為を中止したる事実に非さること洵に明かなるを以て原判決に於て被告XYの行為を殺人未遂罪を以て論し中止犯として擬律せさりしは蓋し相当なるのみならす実行正犯の1人のみか単独の意思を以て実行を中止し若くは結果の発生を妨止したる場合に於ては右中止の効力は他の共犯人に及ふへきに非されは被告Xの行為か中止犯に該当すへきものと為すも中止に付き何等干与せさる被告Yの行為に付ては刑法第43条末段の規定を適用すへきものに非す」

共犯からの離脱

387 離脱の意思表示

東京高判昭和 25 年 9 月 14 日高刑集 3 巻 3 号 407 頁

【判決理由】「論旨は原判決は他の 3 名の者と地下足袋を窃盗することを共謀し，途中女鳥羽橋の辺まで行ったが犯行を思い止り単身で同所から引返したと認定しながら本件を有罪と認定したのは法律の解釈を誤ったものであるというにある。よって記録を調査するに原判決は『第一，昭和 22 年 3 月 1 日頃予て知合の Y_1 から Y_2，Y_3 も行くことになっているから地下足袋を窃みに行こうと誘はれこれに同意し，慈に 4 名共謀し被告人は同日午後 8 時頃右 Y_1 と共に当時被告人の居住して居た松本市折井町 K 方を出発し途中で Y_2，Y_3 と落合い女鳥羽橋の辺まで行ったが被告人は執行猶予中の身であることを思い出したので犯行を思い止り単身で同所から引返したが云々』と認定したが共謀者が判示の通り窃盗の罪を犯したので被告人をも右窃盗について責任あるとし有罪の認定をしたものである。しかし原判示と原判決引用の証拠を綜合すると被告人は窃盗現場に到る前判示女鳥羽橋附近に於て自発的に本件窃盗の意思を放棄し，これを他の共謀者にも明示した上引返したのであるが，判示 Y_1，Y_2，Y_3 は被告人の右脱退を諒承し右 3 名だけが意思連絡の上判示窃盗を遂行したものであることは明白である。かくの如く一旦他の者と犯罪の遂行を共謀した者でもその着手前他の共謀者にもこれが実行を中止する旨を明示して他の共謀者がこれを諒承し，同人等だけの共謀に基き犯罪を実行した場合には前の共謀は全くこれなかりしと同一に評価すべきものであって，他の共犯者の実行した犯罪の責を分担すべきものでない。従って原判決が上述のような証拠により原判示の如く事実の認定をしながらこれを窃盗の罪の共同正犯に問擬したのは法令の解釈を誤り，延いて判決に影響あるものである。」

388 他の共犯者が離脱を意識していた事例

福岡高判昭和 28 年 1 月 12 日高刑集 6 巻 1 号 1 頁

【判決理由】「数人が強盗を共謀し，該強盗の用に供すべき『匕首』を磨くなど強盗の予備をなした後，そのうちの 1 人がその非を悟り該犯行から離脱するため現場を立ち去った場合，たとい，その者が他の共謀者に対し，犯行を阻止

せず，又該犯行から離脱すべき旨明示的に表意しなくても，他の共謀者におい
て，右離脱者の離脱の事実を意識して残余の共謀者のみで犯行を遂行せんこと
を謀った上該犯行に出でたときは，残余の共謀者は離脱者の離脱すべき黙示の
表意を受領したものと認めるのが相当であるから，かかる場合，右離脱者は当
初の共謀による強盗の予備の責任を負うに止まり，その後の強盗につき共同正
犯の責任を負うべきものではない。けだし，一旦強盗を共謀した者と雖も，該
強盗に着手前，他の共謀者に対しこれより離脱すべき旨表意し該共謀関係から
離脱した以上，たとい後日他の共謀者において，該犯行を遂行してもそれは，
該離脱者の共謀による犯意を遂行したものということができないし，しかも右
離脱の表意は必ずしも明示的に出るの要がなく，黙示的の表意によるも何等妨
げとなるものではないからである。」

389　共謀関係の解消が必要とされた事例

松江地判昭和 51 年 11 月 2 日刑月 8 巻 11 = 12 号 495 頁／判時 845・127

【判決理由】「ところで一般的には犯罪の実行を一旦共謀したものでも，その
着手前に他の共謀者に対して自己が共謀関係から離脱する旨を表明し，他の共
謀者もまたこれを了承して残余のものだけで犯罪を実行した場合，もはや離脱
者に対しては他の共謀者の実行した犯罪について責任を問うことができないが，
ここで留意すべきことは，共謀関係の離脱といいうるためには，自己と他の共
謀者との共謀関係を完全に解消することが必要であって，殊に離脱しようとす
るものが共謀者団体の頭にして他の共謀者を統制支配しうる立場にあるもので
あれば，離脱者において共謀関係がなかった状態に復元させなければ，共謀関
係の解消がなされたとはいえないというべきである。

　本件においては，前述のとおり，被告人 X は T 組若頭の地位にあって組員
を統制し，同被告人を中心として A 殺害の共謀がなされていたのであるから，
仮りに同被告人がこの共謀関係から離脱することを欲するのであれば，既に右
共謀に基づいて行動を開始していた他の被告人ら（実行担当者であった被告人
Y が実行できないでいるため，他の被告人らがこれに代って実行する気配を
示していたことは明らかである。）に対し，A 殺害計画の取止めを周知徹底さ
せ，共謀以前の状態に回復させることが必要であったというべきところ，前認
定のとおり，同被告人は被告人 Z が犯行現場に向う際一応皆を連れて帰るよ

う指示したのみで，当時右現場付近に他の被告人らが参集しＡ殺害の危険性が充分感ぜられたにも拘らず，自ら現場に赴いて同所にいる被告人らを説得して連れ戻すなどの積極的行動をとらず，むしろ内心被告人Ｚらの実行行為をひそかに期待していたとみられるふしもあるのである。

してみれば結局被告人Ｘにおいて共謀関係の離脱があったと認めることはできないから，右被告人を除いたその余の被告人らにおいて，本件犯行の実行担当者や実行方法につき新たな共謀がなされ，これに基づいて右犯行が実行されたものであるにしても同被告人はこれが刑事責任を免れることはできないというべきである。」

390 共犯関係の解消が否定された事例

最決平成元年6月26日刑集43巻6号567頁／判時1315・145，判タ699・184
（百選Ｉ96，重判平元刑3）

【決定理由】　「一　傷害致死の点について，原判決（原判決の是認する1審判決の一部を含む。）が認定した事実の要旨は次のとおりである。(1)　被告人は，1審相被告人のＹの舎弟分であるが，両名は，昭和61年1月23日深夜スナックで一緒に飲んでいた本件被害者のＡの酒癖が悪く，再三たしなめたのに，逆に反抗的な態度を示したことに憤慨し，同人に謝らせるべく，車でＹ方に連行した。(2)　被告人は，Ｙとともに，1階8畳間において，Ａの態度などを難詰し，謝ることを強く促したが，同人が頑としてこれに応じないで反抗的な態度をとり続けたことに激昂し，その身体に対して暴行を加える意思をＹと相通じた上，翌24日午前3時30分ころから約1時間ないし1時間半にわたり，竹刀や木刀でこもごも同人の顔面，背部等を多数回殴打するなどの暴行を加えた。(3)　被告人は，同日午前5時過ぎころ，Ｙ方を立ち去ったが，その際『おれ帰る』といっただけで，自分としてはＡに対しこれ以上制裁を加えることを止めるという趣旨のことを告げず，Ｙに対しても，以後はＡに暴行を加えることを止めるよう求めたり，あるいは同人を寝かせてやってほしいとか，病院に連れていってほしいなどと頼んだりせずに，現場をそのままにして立ち去った。(4)　その後ほどなくして，Ｙは，Ａの言動に再び激昂して，『まだシメ足りないか』と怒鳴って右8畳間においてその顔を木刀で突くなどの暴行を加えた。(5)　Ａは，そのころから同日午後一時ころまでの間に，Ｙ方において甲状軟骨左上角骨折に基づく頸部圧迫等により窒息死したが，右の死の結果が被告人が帰る前に被告人とＹがこもごも加えた暴行によって生じたものか，その後のＹによる前記暴行により生じたものかは断定できない。

二　右事実関係に照らすと，被告人が帰った時点では，Ｙにおいてなお制裁を加えるおそれが消滅していなかったのに，被告人において格別これを防止

⇒ *391*

する措置を講ずることなく，成り行きに任せて現場を去ったに過ぎないのであるから，Ｙとの間の当初の共犯関係が右の時点で解消したということはできず，その後のＹの暴行も右の共謀に基づくものと認めるのが相当である。そうすると，原判決がこれと同旨の判断に立ち，かりにＡの死の結果が被告人が帰った後にＹが加えた暴行によって生じていたとしても，被告人は傷害致死の責を負うとしたのは，正当である。」

391 殺人未遂について共犯から離脱したと認められた事例

大阪地判平成 2 年 4 月 24 日判タ 764 号 264 頁

【判決理由】「しかしながら，前示のとおり，被告人Ｂは，昭和 62 年 12 月 26 日，被告人ＤにＳ組襲撃の方法まで具体的に指示されたにもかかわらず，同日Ｓ組襲撃に出かけてみると，それを実行する気を失って，Ｓ組事務所付近まで行きながら全く襲撃を実行しようとせず，その夜被告人Ｃに適当な理由を言って本件けん銃を渡して帰宅し，翌 27 日には，被告人Ｄらと連絡を断ち，前夜同被告人から指示されていた同日のＳ組襲撃の実行を放置し，その翌 28 日の夜，被告人Ｃに架電した際には，被告人Ｃから『昨日なんでこんかったんですか。』と尋ねられたのに対し，『達ちゃん，お前が音ならしたら，わしはわしで格好つけたるがなあ。』とあいまいなことを言い，怒った被告人Ｃに『もう，よろしいわ。』と言われて，それで終わり，被告人Ｃが被告人Ｄに右のような被告人Ｂの言動を報告すると，被告人Ｄは，『もうほっとけ。』とまで言って，Ｓ組襲撃の実行を被告人Ｃにやらせる決意をしたのであり，更に，関係各証拠によれば，被告人Ｂは，前記同月 28 日夜の被告人Ｃとの電話以後，被告人Ｄら全被告人と一切連絡を断って姿を隠し，被告人ＣらがＳ組を襲撃しようとして判示第 2 の犯行に及んだことも同月 30 日になって新聞を見て始めて知ったことが認められるのであって，以上によると，被告人Ｂは，遅くとも同月 28 日にはＨ殺害の報復の意思を完全に失っており，このことは，そのころ，前記のような被告人Ｂの言動，態度から被告人Ｄ，被告人Ｃ，被告人Ａ及び被告人Ｅらにも伝わっていたものと認められるから，被告人Ｂは，遅くとも同月 28 日ころには，被告人Ｄらとの間にＨが殺害されたことに対する報復の共謀から離脱し，判示第 2 及び第 3 の犯行には加担していないとみるべきである。」

392 共犯関係が一方的に解消された事例

名古屋高判平成14年8月29日判時1831号158頁

【判決理由】「論旨は，要するに，被告人は，原判示檜原公園駐車場において主犯格のBらとの共謀に基づき，Bと一緒に被害者に対して暴行（第1の暴行）を加えた後，Bの暴行を制止して被害者と話をし始めたところBから殴打されて気を失い，Bらと行動をともにすることができない状態になってしまったから，共犯関係からの離脱（あるいは共犯関係の解消）を認めるべき場合であるのに，これを認めず，その後Bが行った衣浦港岸壁における暴行（第2の暴行）の結果生じた傷害についてまで刑事責任を負わせた原判決は事実を誤認したものであって，これが判決に影響することは明らかである，というのである。

　そこで，原審記録を調査して検討するに，原判決挙示の関係証拠を総合すれば，本件の事実関係は原判決が（補足説明）⑵の①ないし⑨及び⑶において認定説示するとおりと認められる。これを要するに，被告人は共犯者Bとともに上記駐車場で被害者に暴行（第1の暴行）を加えたところ，これを見ていたCがやりすぎではないかと思って制止したことをきっかけとして同所における暴行が中止され，被告人が被害者をベンチに連れて行って『大丈夫か』などと問いかけたのに対し，勝手なことをしていると考えて腹を立てたBが，被告人に文句を言って口論となり，いきなり被告人に殴りつけて失神させた上，被告人（及びD子）をその場に放置したまま他の共犯者と一緒に被害者ともども上記岸壁に赴いて同所で第2の暴行に及び，さらに逮捕監禁を実行したものであり，被害者の負傷は⑴通院加療約2週間を要する上顎左右中切歯亜脱臼，⑵通院加療約1週間を要する顔面挫傷，左頭頂部切傷，⑶安静加療約1週間を要した頸部，左大腿挫傷，右大腿挫傷挫創，⑷安静加療約1週間を要した両手関節，両足関節挫傷挫創であるが，⑴は第1の暴行によって生じ，⑷は第2の暴行後の逮捕監禁行為によって生じたものと認められるが，⑵及び⑶は第1，第2のいずれの暴行によって生じたか両者あいまって生じたかが明らかでないものである。このような事実関係を前提にすると，Bを中心とし被告人を含めて形成された共犯関係は，被告人に対する暴行とその結果失神した被告人の放置というB自身の行動によって一方的に解消され，その後の第2の暴行は被告人の意思・関与を排除してB，Cらのみによってなされたものと解するのが

相当である。したがって，原判決が，被告人の失神という事態が生じた後も，被告人とＢらとの間には心理的，物理的な相互利用補充関係が継続，残存しているなどとし，当初の共犯関係が解消されたり，共犯関係からの離脱があったと解することはできないとした上，(2)及び(3)の傷害についても被告人の共同正犯者としての刑責を肯定したのは，事実を誤認したものというほかない（なお，原判決が(4)の傷害についてまで被告人の刑責を肯定したものでないことは，その補足説明(3)及び(4)に照らし明らかである。）。しかしながら，叙上の事実関係によれば，被告人は第１の暴行の結果である(1)の傷害について共同正犯者として刑責を負うだけでなく，(2)及び(3)の各傷害についても同時傷害の規定によって刑責を負うべきものであって，被害者の被った最も重い傷が(1)の傷害である本件においては，(2)及び(3)の各傷害について訴因変更の手続をとることなく上記規定による刑責を認定することが許されると解されるから，結局，原判決が(2)及び(3)の各傷害についての被告人の責任を肯認したことに誤りはなく，原判決はその根拠ないしは理由について誤りを犯したにすぎないことになる。原判決の誤認は判決に影響を及ぼすことが明らかなものとはいえず，論旨は理由がない。」

393 共犯関係の解消が否定された事例

最決平成 21 年 6 月 30 日刑集 63 巻 5 号 475 頁／判時 2072・152，判タ 1318・108
（百選 I 97，重判平 21 刑 3）

【決定理由】 「1 原判決及びその是認する第 1 審判決の認定並びに記録によれば，本件の事実関係は，次のとおりである。

(1) 被告人は，本件犯行以前にも，第 1 審判示第 1 及び第 2 の事実を含め数回にわたり，共犯者らと共に，民家に侵入して家人に暴行を加え，金品を強奪することを実行したことがあった。

(2) 本件犯行に誘われた被告人は，本件犯行の前夜遅く，自動車を運転して行って共犯者らと合流し，同人らと共に，被害者方及びその付近の下見をするなどした後，共犯者 7 名との間で，被害者方の明かりが消えたら，共犯者 2 名が屋内に侵入し，内部から入口のかぎを開けて侵入口を確保した上で，被告人を含む他の共犯者らも屋内に侵入して強盗に及ぶという住居侵入・強盗の共謀を遂げた。

(3) 本件当日午前 2 時ころ，共犯者 2 名は，被害者方の窓から地下 1 階資材置場に侵入したが，住居等につながるドアが施錠されていたため，いったん戸外に出て，別の共犯者に住居等に通じた窓の施錠を外させ，その窓から侵入し，内側から上記ドアの施錠を外して他の共犯者らのための侵入口を確保した。

(4) 見張り役の共犯者は，屋内にいる共犯者2名が強盗に着手する前の段階において，現場付近に人が集まってきたのを見て犯行の発覚をおそれ，屋内にいる共犯者らに電話をかけ，『人が集まっている。早くやめて出てきた方がいい。』と言ったところ，『もう少し待って。』などと言われたので，『危ないから待てない。先に帰る。』と一方的に伝えただけで電話を切り，付近に止めてあった自動車に乗り込んだ。その車内では，被告人と他の共犯者1名が強盗の実行行為に及ぶべく待機していたが，被告人ら3名は話し合って一緒に逃げることとし，被告人が運転する自動車で現場付近から立ち去った。

(5) 屋内にいた共犯者2名は，いったん被害者方を出て，被告人ら3名が立ち去ったことを知ったが，本件当日午前2時55分ころ，現場付近に残っていた共犯者3名と共にそのまま強盗を実行し，その際に加えた暴行によって被害者2名を負傷させた。

2 上記事実関係によれば，被告人は，共犯者数名と住居に侵入して強盗に及ぶことを共謀したところ，共犯者の一部が家人の在宅する住居に侵入した後，見張り役の共犯者が既に住居内に侵入していた共犯者に電話で『犯行をやめた方がよい，先に帰る』などと一方的に伝えただけで，被告人において格別それ以後の犯行を防止する措置を講ずることなく待機していた場所から見張り役らと共に離脱したにすぎず，残された共犯者らがそのまま強盗に及んだものと認められる。そうすると，被告人が離脱したのは強盗行為に着手する前であり，たとえ被告人も見張り役の上記電話内容を認識した上で離脱し，残された共犯者らが被告人の離脱をその後知るに至ったという事情があったとしても，当初の共謀関係が解消したということはできず，その後の共犯者らの強盗も当初の共謀に基づいて行われたものと認めるのが相当である。これと同旨の判断に立ち，被告人が住居侵入のみならず強盗致傷についても共同正犯の責任を負うとした原判断は正当である。」

394 共犯関係の成否

最判平成6年12月6日刑集48巻8号509頁／判時1534・135，判タ888・145
（百選Ⅰ98，重判平6刑2）

【判決理由】 「所論にかんがみ職権で調査すると，本件公訴事実について，被告人に共謀による傷害罪の成立を認め，これが過剰防衛に当たるとした第1審判決を維持した原判決の判断は，是認することができない。その理由は，次のとおりである。

一 本件公訴事実の要旨及び本件の経過

1 本件公訴事実の要旨は，被告人は，A及びBと共謀の上，昭和63年10月23日

午前1時45分ころ，東京都文京区……P会館前路上及び同区……Qビル1階駐車場
（以下「本件駐車場」という。）において，I（当時45歳）に対し，同人の背部等を足蹴
にし，その顔面等を手拳で殴打してその場に転倒させるなどの暴行を加え，よって，同
人に入通院加療約7か月半を要する外傷性小脳内血腫，頭蓋骨骨折等の傷害を負わせた，
というものである。

2　第1審判決は，公訴事実と同旨の事実を認定し，被告人らの本件行為について，
その全体を一連の行為として傷害罪が成立するものとし，これが過剰防衛に当たると認
めて，被告人に対し懲役10月，2年間執行猶予の判決を言い渡し，原判決も，第1審
判決の認定判断を是認し，被告人の控訴を棄却した。

　二　原判決の認定事実と判断

1　原判決は，本件の事実関係について，次のように認定している。

被告人は，昭和63年10月22日の夜，中学校時代の同級生であるA，B，C及びD
とともに，近く海外留学するDの友人Eを送別するために集まり，Qビル2階のレス
トラン『R』で食事をし，翌23日午前1時30分ころ，同ビルとは不忍通りを隔てた反
対側にあるP会館前の歩道上で雑談をするなどしていたところ，酩酊して通りかかっ
たIが，付近に駐車してあったAの乗用車のテレビ用アンテナに上着を引っかけ，こ
れを無理に引っ張ってアンテナを曲げておきながら，何ら謝罪等をしないまま通り過ぎ
ようとした。不快に思ったAは，Iに対し，『ちょっと待て。』などと声をかけた。Iは，
これを無視してP会館に入り，間もなく同会館から出て来たが，被告人らが雑談をし
ているのを見て，険しい表情で被告人らに近づき，『おれにガンをつけたのはだれだ。』
などと強い口調で言った上，『おれだ。』と答えたAに対し，いきなりつかみかかろう
とし，Aの前にいたDの長い髪をつかみ，付近を引き回すなどの乱暴を始めた。被告
人，A，B及びC（以下「被告人ら4名」という。）は，これを制止し，Dの髪からI
の手を放させようとして，こもごもIの腕，手等をつかんだり，その顔面や身体を殴る
蹴るなどし，被告人も，Iの脇腹や肩付近を2度ほど足蹴にした。しかし，Iは，Dの
髪を放そうとせず，Aの胃の辺りを蹴ったり，ワイシャツの胸元を破いたりした上，D
の髪をつかんだまま，不忍通り（車道幅員約16.5メートル）を横断して，向かい側に
ある本件駐車場入口の内側付近までDを引っ張って行った。被告人ら4名は，その後
を追いかけて行き，Iの手をDの髪から放させようとしてIを殴る蹴るなどし，被告人
においてもIの背中を1回足蹴にし，Iもこれに応戦した。その後，ようやく，Iは，D
の髪から手を放したものの，近くにいた被告人ら4名に向かって，『馬鹿野郎』などと
悪態をつき，なおも応戦する気勢を示しながら，後ずさりするようにして本件駐車場の
奥の方に移動し，被告人ら4名もほぼ一団となって，Iを本件駐車場に追い詰める格
好で追って行った。そして，その間，本件駐車場中央付近で，Bが，応戦の態度を崩さ
ないIに手拳で殴りかかり，顔をかすった程度で終わったため，再度殴りかかろうとし

たが，Cがこれを制止し，本件駐車場の奥で，今度はAがIに殴りかかろうとしたため，再びCが2人の間に割って入って制止した。しかし，その直後にAがIの顔面を手拳で殴打し，そのためIは転倒してコンクリート床に頭部を打ちつけ，前記の傷害を負うに至った。なお，IがDの髪から手を放した本件駐車場入口の内側付近からAの殴打により転倒した地点までの距離は，20メートル足らずであり，この間の移動に要した時間も短時間であり，被告人ら4名のうちBやCは，IがいつDの髪から手を放したか正確には認識していなかった。

2　原判決は，右認定事実に基づき，IがP会館前でDの髪をつかんだ時点から，Aが本件駐車場奥でIを最終的に殴打するまでの間における被告人ら4名の行為は，本件駐車場中央付近でBを制止した後のCの関係を除き，相互の意思連絡のもとに行われた一連一体のものとして，その全体について共同正犯が成立し，これが過剰防衛に当たると判断した。

三　原判決の認定判断の当否について

1　原判決の認定した前記事実関係のうち，本件駐車場の奥の方に移動した際，被告人ら4名が『Iを本件駐車場奥に追い詰める格好で追って行った』とする点については，後述のように，これを是認することはできない。

2　本件のように，相手方の侵害に対し，複数人が共同して防衛行為としての暴行に及び，相手方からの侵害が終了した後に，なおも一部の者が暴行を続けた場合において，後の暴行を加えていない者について正当防衛の成否を検討するに当たっては，侵害現在時と侵害終了後とに分けて考察するのが相当であり，侵害現在時における暴行が正当防衛と認められる場合には，侵害終了後の暴行については，侵害現在時における防衛行為としての暴行の共同意思から離脱したかどうかではなく，新たに共謀が成立したかどうかを検討すべきであって，共謀の成立が認められるときに初めて，侵害現在時及び侵害終了後の一連の行為を全体として考察し，防衛行為としての相当性を検討すべきである。

3　右のような観点から，被告人らの本件行為を，IがDの髪を放すに至るまでの行為（以下，これを「反撃行為」という。）と，その後の行為（以下，これを「追撃行為」という。）とに分けて考察すれば，以下のとおりである。

　㈠　まず，被告人らの反撃行為についてみるに，IのDに対する行為は，女性の長い髪をつかんで幹線道路である不忍通りを横断するなどして，少なくとも20メートル以上も引き回すという，常軌を逸した，かつ，危険性の高いものであって，これが急迫不正の侵害に当たることは明らかであるが，これに

⇒ *394*

対する被告人ら4名の反撃行為は，素手で殴打し又は足で蹴るというものであり，また，記録によれば，被告人ら4名は，終始，Iの周りを取り囲むようにしていたものではなく，A及びBがほぼIとともに移動しているのに対して，被告人は，1歩遅れ，Cについては，更に遅れて移動していることが認められ，その間，被告人は，IをDから離そうとしてIを数回蹴っているが，それは6分の力であったというのであり，これを否定すべき事情もない。その他，Iが被告人ら4名の反撃行為によって特段の傷害を負ったという形跡も認められない。以上のような諸事情からすれば，右反撃行為は，いまだ防衛手段としての相当性の範囲を超えたものということはできない。

　　㈡　次に，被告人らの追撃行為について検討するに，前示のとおり，A及びBはIに対して暴行を加えており，他方，Cは右両名の暴行を制止しているところ，この中にあって，被告人は，自ら暴行を加えてはいないが，他の者の暴行を制止しているわけでもない。

　被告人は，検察官に対する供述調書において，『IさんがDから手を放した後，私たち4人は横並びになってIさんを本件駐車場の奥に追い詰めるように進んで行きました。このような態勢でしたから，他の3人も私と同じように，Iさんに対し，暴行を加える意思があったのだと思います。』と供述しているところ，原判決は，右供述の信用性を肯定し，この供述により，被告人ら4名がIを駐車場奥に追い詰める格好で追って行ったものと認定するとともに，追撃行為に関して被告人の共謀を認めている。しかし，記録によれば，Iを追いかける際，被告人ら4名は，ほぼ一団となっていたということができるにとどまり，横並びになっていたわけではなく，また，本件駐車場は，ビルの不忍通り側と裏通り側とのいずれにも同じ6メートル余の幅の出入口があり，不忍通りから裏通りを見通すことができ，奥が行き詰まりになっているわけではない。そうすると，被告人ら4名が近付いて来たことによって，Iが逃げ場を失った状況に追い込まれたものとは認められないのであり，『被告人ら4名は，Iを駐車場奥に追い詰める格好で追って行った』旨の原判決の事実認定は是認することができない。したがって，また，被告人の右検察官に対する供述中，自分も他の3名もIに暴行を加える意思があったとする部分も，その前提自体が右のとおり客観的な事実関係に沿わないものというべきである以上，その信用性をたやすく肯定することはできない。

　そして，Ｉを追いかける際，被告人ら４名がほぼ一団となっていたからといって，被告人ら４名の間にＩを追撃して暴行を加える意思があり，相互にその旨の意思の連絡があったものと即断することができないことは，この４人の中には，Ａ及びＢの暴行を２度にわたって制止したＣも含まれていることからしても明らかである。また，Ａ及びＢは，第１審公判廷において，Ｉから『馬鹿野郎』と言われて腹が立った旨供述し，Ｉの右罵言がＡらの追撃行為の直接のきっかけとなったと認められるところ，被告人がＩの右罵言を聞いたものと認めるに足りる証拠はない。

　被告人は，追撃行為に関し，第１審公判廷において，『謝罪を期待してＩに付いて行っただけであり，暴行を加えようとの気持ちはなかった。Ｄの方を振り返ったりしていたので，ＢがＩに殴りかかったのは見ていない。ＣがＡとＩの間に入ってやめろというふうに制止し，一瞬間があって，これで終わったな，これから話し合いが始まるな，と思っていたところ，ＡがＩの右ほおを殴り，Ｉが倒れた。』旨供述しているのであって，右公判供述は，本件の一連の事実経過に照らして特に不自然なところはない。

　以上によれば，被告人については，追撃行為に関し，Ｉに暴行を加える意思を有し，Ａ及びＢとの共謀があったものと認定することはできないものというべきである。

　4　以上に検討したところによれば，被告人に関しては，反撃行為については正当防衛が成立し，追撃行為については新たに暴行の共謀が成立したとは認められないのであるから，反撃行為と追撃行為とを一連一体のものとして総合評価する余地はなく，被告人に関して，これらを一連一体のものと認めて，共謀による傷害罪の成立を認め，これが過剰防衛に当たるとした第１審判決を維持した原判決には，判決に影響を及ぼすべき重大な事実誤認があり，これを破棄しなければ著しく正義に反するものと認められる。

　そして，本件については，訴訟記録並びに原裁判所及び第１審裁判所において取り調べた証拠によって直ちに判決をすることができるものと認められるので，被告人に対し無罪の言渡しをすべきである。」

不作為による共犯

395 不作為による片面的従犯

大判昭和 3 年 3 月 9 日刑集 7 巻 172 頁

⇒*328*

396 不作為による殺人幇助

大阪高判昭和 62 年 10 月 2 日判タ 675 号 246 頁

【事案】 被告人 X は，暴力団組長であったが，Y と共謀して，倒産した会社の社長 A から隠し財産の所在を聞き出す目的で A を山中に拉致し暴行，脅迫を加えたが，はかばかしい返答を得られなかったため，結局，A を殺害したとして起訴された。原審は，X，Y を殺人罪の実行共同正犯としたが，被告人側は事実誤認を主張して控訴。控訴審において，検察側は，X につき不作為による殺人罪の訴因を予備的に追加した。

【判決理由】「一　不作為による殺人罪ではなく同幇助罪の成立を認めた理由

　1　本件犯行に至る経緯及び犯行の態様の詳細は，すでに認定・判示したとおりであるが，不作為による殺人罪又は同幇助罪の成否を論ずるに必要な限度でこれを要約してみると，以下のとおりである。すなわち，

　……（中略）……

　(5)　被告人は，右 2 度目の殴打ののち，Y から，A を更に山林内に連れ込んで脅すので協力してほしいと求められたため，これを了承の上，共同して，同人をトランク内から引き出し，約 20 メートル離れた付近の山林内へ運び込んだところ，その直後，Y から，A を脅すための道具（スコップとつるはし）を車から取ってきてくれるように依頼された。

　(6)　ところで，被告人は，それまで，Y の A 殺害を阻止しようとの意図のもとに，Y と行動を共にしていたが，同人が被告人の不意を衝いて A を 2 度までつるはしの金具で殴打し，重傷を負わせてしまったため，右山林内においては，被告人としても，殺人の前科があって共犯と疑われ易い自己の立場にかんがみ，本件一連の犯行の発覚を阻止する必要があり，そのためには Y が A を殺害することがあっても，自分と直接共同してではなく，あるいは自分の目前で行うのでなければ，これを放置するのもやむを得ないとの考えに至っていた。

　(7)　そこで，被告人は，前記 5 の Y の依頼を奇貨とし，自己の不在中同人

がA殺害の挙に出ることを予測・認容しながら，両名のそばを離れて約10分間前記土砂採取場付近で時を空費し，その間に，Yは，Aの頸部に布製ベルトを1回巻きつけて強く絞めつけ，同人を窒息死させて殺害した。以上のとおりである。

2 次に，被告人が，山林内において，Yからスコップとつるはしの持参を依頼された際の状況として，次の諸点を指摘することができる。すなわち，

(1) 山林内には，つるはし等の凶器は存在しなかったが，被告人の制止さえなければ，Yにおいて，すでに抵抗の気力を失っているAを殺害することは容易であったこと

(2) しかし，被告人が同席して殺害を阻止する構えを崩さない限り，体力的にもはるかに劣るYにおいて（被告人が，優に180センチメートルはあろうと思われる長身であるのに比べ，Yは，はるかに小柄である。また，Yも，元暴力団×組の組員であったが本件当時すでに離脱していて懲役刑の前科はなく，現役の暴力団組長で殺人罪の前科を有する被告人と比べると，格が下であるとみられる。），A殺害の挙に出ることはまず考えられず（この点は被告人も自認するところである。），また，万一Yが右殺害を図ったとしても，特段の凶器を有しないYの行動を被告人は容易に阻止し得たと認められること

(3) 右山林内には，他に，YのA殺害を阻止し得る者はいなかったこと

3 そして，右1，2指摘の事実関係のもとにおいては，被告人は，Yからスコップやつるはしの持参を依頼されても，これに応ずることなく同席を続け，YによるA殺害を阻止すべき義務を有していたと解すべきである。しかるに，被告人は，前記1(7)記載の意図（予測・認容）のもとに，約10分間その場を離れることにより，YのA殺害を容易ならしめたものであるから，不作為による殺人幇助罪の刑責を免れないというべきである。

4 本件において，検察官の予備的訴因は，不作為による殺人罪（正犯）の成立を主張するが，被告人に課せられる前示のような作為義務の根拠及び性質，並びに被告人の意図が前示のようにAの殺害を積極的に意欲したものではなく，単に，これを予測し容認していたに止まるものであること等諸般の事情を総合して考察すると，本件における被告人の行為を，作為によって人を殺害した場合と等価値なものとは評価し難く，これを不作為による殺人罪（正犯）に問擬するのは，相当ではないというべきである。」

397 不作為による傷害致死幇助

札幌高判平成 12 年 3 月 16 日判時 1711 号 170 頁／判タ 1044・263

(百選 I 85, 重判平 12 刑 5)

【事案】 被告人は，内縁の夫 A が，自分の連れ子である D を，その顔面，頭部を殴打し転倒させるなどの暴行を加え死亡させた際，それを制止することなく放置した。原判決は，不作為による幇助が成立するためには，「犯罪の実行をほぼ確実に阻止し得たにもかかわらずこれを放置したこと」が必要であるところ，そのために必要な，被告人が A の暴行を実力をもって阻止することは，その場合には被告人が負傷していた可能性があること，被告人は妊娠中であり胎児の健康にまで影響が及んだ可能性もあることなど，著しく困難な状況にあったとして，不作為による傷害致死罪幇助の成立を否定した。

【判決理由】 「一 後述する不作為による幇助犯の成立要件に徴すると，原判決が掲げる『犯罪の実行をほぼ確実に阻止し得たにもかかわらず，これを放置した』という要件は，不作為による幇助犯の成立には不必要というべきであるから，実質的に，作為義務がある者の不作為のうちでも結果阻止との因果性の認められるもののみを幇助行為に限定した上，被告人に具体的に要求される作為の内容として A の暴行を実力をもって阻止する行為のみを想定し，A と D の側に寄って A が D に暴行を加えないように監視する行為，あるいは，A の暴行を言葉で制止する行為を想定することは相当でないとした原判決には，罪刑法定主義の見地から不真正不作為犯自体の拡がりに絞りを掛ける必要があり，不真正不作為犯を更に拡張する幇助犯の成立には特に慎重な絞りが必要であることを考慮に入れても，なお法令の適用に誤りがあるといわざるを得ない。

　二 そこで，被告人に具体的に要求される作為の内容とこれによる A の犯罪の防止可能性を，その容易性を含めて検討する。

　1 まず，A と D の側に寄って A が D に暴行を加えないように監視する行為は，数メートル離れた台所の流し台から A と D のいる寝室に移動するだけでなし得る最も容易な行為であるところ，関係証拠によれば，A は，以前，被告人が A のせっかんの様子を見ているとせっかんがやりにくいとの態度を露わにしていた上，本件せっかんの途中でも，後ろを振り返り，被告人がいないかどうかを確かめていることが認められ，このような A の態度にかんがみると，被告人が A の側に寄って監視するだけでも，A にとっては，D への暴行に対する心理的抑制になったものと考えられるから，右作為によって A の暴行を阻止することは可能であったというべきである。

2 次に，Ａの暴行を言葉で制止する行為は，Ａを制止し，あるいは，宥める言葉にある程度の工夫を要するものの，必ずしも寝室への移動を要しない点においては，監視行為よりも容易になし得る面もあるところ，関係証拠によれば，Ａは，Ｄに対する暴行を開始した後も，Ｄ及び被告人の反応をうかがいながら，１発ずつ間隔を置いて殴打し，右暴行をやめる機会を模索していたものと認められ，このようなＡの態度にかんがみると，被告人がＡに対し，『やめて。』などと言って制止し，あるいは，Ｄのために弁解したり，Ｄに代わって謝罪したりするなどの言葉による制止行為をすれば，Ａにとっては，右暴行をやめる契機になったと考えられるから，右作為によってＡの暴行を阻止することも相当程度可能であったというべきである（被告人自身も，原審公判廷において，本件せっかんの直前，言葉で制止すれば，その場が収まったと思う旨供述している。）。

3 最後に，Ａの暴行を実力をもって阻止する行為についてみると，原判決も判示するとおり，被告人が身を挺して制止すれば，Ａの暴行をほぼ確実に阻止し得たことは明らかであるところ，右作為に出た場合には，Ａの反感を買い，自らが暴行を受けて負傷していた可能性は否定し難いものの，Ａが，被告人が妊娠中のときは，胎児への影響を慮って，腹部以外の部位に暴行を加えていたことなどに照らすと，胎児の健康にまで影響の及んだ可能性は低く，前記第三の三のとおり，被告人がＡの暴行を実力により阻止することが著しく困難な状況にあったとはいえないことを併せ考えると，右作為は，Ａの犯罪を防止するための最後の手段として，なお被告人に具体的に要求される作為に含まれるとみて差し支えない。

4 そうすると，被告人が，本件の具体的状況に応じ，以上の監視ないし制止行為を比較的容易なものから段階的に行い，あるいは，複合して行うなどしてＡのＤに対する暴行を阻止することは可能であったというべきであるから，右１及び２の作為による本件せっかんの防止可能性を検討しなかった原判決の法令適用の誤りは，判決に影響を及ぼすことが明らかというべきである。」
「（補足説明）

1 不作為による幇助犯は，正犯者の犯罪を防止しなければならない作為義務のある者が，一定の作為によって正犯者の犯罪を防止することが可能であるのに，そのことを認識しながら，右一定の作為をせず，これによって正犯者の

⇒ *397*

犯罪の実行を容易にした場合に成立し，以上が作為による幇助犯の場合と同視できることが必要と解される。

2　被告人は，平成8年3月下旬以降，約1年8か月にわたり，Aとの内縁ないし婚姻関係を継続し，Aの短気な性格や暴力的な行動傾向を熟知しながら，Aとの同棲期間中常にDらを連れ，Aの下に置いていたことに加え，被告人は，わずか3歳6か月のDの唯一の親権者であったこと，Dは栄養状態が悪く，極度のるい痩状態にあったこと，Aが，甲野マンションに入居して以降，CやDに対して毎日のように激しいせっかんを繰り返し，被告人もこれを知っていたこと，被告人は，本件せっかんの直前，Aが，Cにおもちゃを散らかしたのは誰かと尋ね，Cが，Dが散らかした旨答えたのを聞き，更にAが寝室でDを大きな声で問い詰めるのを聞いて，AがDにせっかんを加えようとしているのを認識したこと，Aが本件せっかんに及ぼうとした際，室内には，AとDのほかには，4歳8か月のC，生後10か月のF子及び被告人しかおらず，DがAから暴行を受けることを阻止し得る者は被告人以外存在しなかったことにかんがみると，Dの生命・身体の安全の確保は，被告人のみに依存していた状態にあり，かつ，被告人は，Dの生命・身体の安全が害される危険な状況を認識していたというべきであるから，被告人には，AがDに対して暴行に及ぶことを阻止しなければならない作為義務があったというべきである。

ところで，原判決は，被告人は，甲野マンションで，Aから強度の暴行を受けるようになって以降，子供達を連れてAの下から逃げ出したいと考えていたものの，逃げ出そうとしてAに見付かり，酷い暴行を受けることを恐れ，逃げ出せずにいたことを考えると，その作為義務の程度は極めて強度とまではいえない旨判示しているが，原判決が依拠する前記第二の一の被告人の供述(1)及び(2)は，前記第三の一の1及び2で検討したとおり，いずれもたやすく信用することができないから，右判示はその前提を欠き，被告人の作為義務を基礎付ける前記諸事実にかんがみると，右作為義務の程度は極めて強度であったというべきである。

3　前記第四の二のとおり，被告人には，一定の作為によってAのDに対する暴行を阻止することが可能であったところ，関係証拠に照らすと，被告人は，本件せっかんの直前，AとCとのやりとりを聞き，更にAが寝室でDを

大きな声で問い詰めるのを聞いて，AがDにせっかんを加えようとしているのを認識していた上，自分がAを監視したり制止したりすれば，Aの暴行を阻止することができたことを認識しながら，前記第四の二のいずれの作為にも出なかったものと認められるから，被告人は，右可能性を認識しながら，前記一定の作為をしなかったものというべきである。

4　関係証拠に照らすと，被告人の右不作為の結果，被告人の制止ないし監視行為があった場合に比べて，AのDに対する暴行が容易になったことは疑いがないところ，被告人は，そのことを認識しつつ，当時なおAに愛情を抱いており，Aへの肉体的執着もあり，かつ，Aとの間の第2子を懐妊していることもあって，Dらの母親であるという立場よりもAとの内縁関係を優先させ，AのDに対する暴行に目をつぶり，あえてそのことを認容していたものと認められるから，被告人は，右不作為によってAの暴行を容易にしたものというべきである。

5　以上によれば，被告人の行為は，不作為による幇助犯の成立要件に該当し，被告人の作為義務の程度が極めて強度であり，比較的容易なものを含む前記一定の作為によってAのDに対する暴行を阻止することが可能であったことにかんがみると，被告人の行為は，作為による幇助犯の場合と同視できるものというべきである。」

398　不作為による売春幇助

大阪高判平成2年1月23日高刑集43巻1号1頁／判タ731・244

【事案】　被告人Xは，Yが料理店を開店するにあたり，X名義で飲食店営業の許可を取得し，その名義をYに貸与してやった。Yは同料理店において売春の場所提供を行い，その後Xもうすうすその実態を知ったが放置していた。原審は，Xを売春防止法11条2項違反の罪の幇助犯が成立するとした。

【判決理由】　「そこで，検討するに，正犯者の犯罪を防止する法的作為義務のある者が，この義務に違反してその犯罪の防止を怠るとき，当該作為によって正犯者の犯罪を防止する事実的な可能性がある限り，不作為による幇助犯が成立するものと解されるが，不作為による幇助犯については，不真正不作為犯自体に実質的にみて犯罪成立の限界が不明確になりがちであるという点で罪刑法定主義にかかわる問題があり，更にそれが正犯の犯罪（刑罰）拡張事由としての幇助犯にかかる場合であるから，その成立の根拠となる法的作為義務の認定

は特に慎重でなければならず，あくまで例外としてその成立が明白な場合に限られなければならない（なお，被告人と正犯者Yとの間に，原判示第一の売春場所の提供を業とする罪について共謀が成立するなど，被告人についてYとの共同正犯を成立させるに足る事実は，本件証拠上認められず，被告人を同罪についての共同正犯者とする当初の訴因は，原審審理の過程において幇助犯の訴因に交換的に変更された。）。

　これを本件についてみるに，原判決は，被告人には，自己の先行行為に基づき自己名義の前記各営業許可をYに使用させないように作為することによって正犯者である同女の犯罪行為を防止すべき法的義務があるというものと解されるところ，なるほどYは，右各営業名義を用いて名目的に料理店『よしの』を営み，実態において業としてその客室を売春の場所に提供して原判示第一の犯行に及んだのであり，客観的にみれば，被告人の先行行為が正犯者Yの犯行を容易ならしめる一事情となっていることは否定できない。しかしながら，その先行行為というのは，料理店と飲食店との各営業許可名義の貸与であって，これらの営業許可は，当該店舗を売春の場所に提供することを許可するものでないことは勿論，これを容認するものでもない。すなわち，飲食店営業の許可はもっぱら食品衛生上の見地からの規制であって，もとより店内で行われる売春行為と直接の関係はない。また風俗営業規制の目的は，新法1条が明言しているように，善良の風俗と清浄な風俗環境を保持することにあって，料理店営業を都道府県公安委員会の許可にかからしめたことが，その店舗内において売春などの善良の風俗に反する行為が行われる危険性のあることと関連しているのはいうまでもないが，その許可自体は，事後に行われることのある営業者に対する行政処分や営業所に対する警察官の立入権等と相まって，そのような行為が行われるのを防止するためのものであり（なお，新法においては，そのような目的に沿った許可基準が明示されている。4条），本件料理店営業の許可についても，当局は『営業所出入口，踏込及びこれらに接続する施設において客待ちをし，又はさせ，もしくは客待ちのための構造設備を設けてはならない。』等の条件を付して，その防止を実効あらしめようとし，またこれによってその防止が可能であると判断したものと認められるのであって，料理店営業許可も，当該店舗を使用してする業としての売春場所の提供などその店内における犯罪行為と直接の関係はない。また，Yは，被告人とは関係なく独自の

判断に基づいて売春場所の提供を業とするに至ったのであって，被告人名義の
右各営業許可がなくてもその犯行をするについて顕著な支障があったとは認め
られない。一方，被告人は，前記のとおり，Ｙが売春場所の提供を業として
行うことについて一切関与しておらず，右各営業許可名義貸与の時点において，
Ｙが『よしの』において売春場所の提供を業とする意図を有することを認識
していなかっただけでなく，将来その店内においてそのような行為が行われる
ことを予見してもいなかったのである。以上の諸事情に徴すると，本件の場合，
右各営業名義の貸与という被告人の先行行為とＹの業としての売春場所の提
供との間には関連が乏しく，前者を根拠として，被告人について，Ｙが各営
業許可を使用するのを禁止し，あるいは各所管行政庁に対する許可取消請求を
するなどして同女の正犯行為を防止する法律的作為義務を認めることはできな
いといわざるを得ない。」

399　不作為による強盗致傷幇助

東京高判平成 11 年 1 月 29 日判時 1683 号 153 頁

（重判平 11 刑 4）

【事案】　4 名の者が，Ｈ市内のビル内にあるパチンコ店から売上金を集金した集金人
に対して暴行を加え，現金 1965 万円を奪い取り，その際同人に加療 10 日間の傷害を負
わせた。被告人Ｘは，パチンコ店と同じ経営者が経営する同ビル内のゲームセンター
の従業員であるが，強盗の実行行為者らに当日集金車が来ることを知らせるなどし，被
告人Ｙは，Ｘと同じゲームセンターの従業員であるが，Ｘから強盗の計画を知らされ
たが，警察等に通報するなどをしなかった。原判決は，Ｘを強盗致傷罪の共同正犯と
し，Ｙを同罪の幇助として処罰した。本判決は，Ｘを強盗致傷罪の共同正犯としたが，
Ｙについては同罪の幇助の成立を否定して無罪を言い渡した。

【判決理由】　「思うに，正犯者が一定の犯罪を行おうとしているのを知りなが
ら，それを阻止しなかったという不作為が，幇助行為に当たり幇助犯を構成す
るというためには，正犯者の犯罪を防止すべき義務が存在することが必要であ
るといえるのである。そして，こうした犯罪を防止すべき義務は，正犯者の犯
罪による被害法益を保護すべき義務（以下，「保護義務」という。）に基づく場
合と，正犯者の犯罪実行を直接阻止すべき義務（以下，「阻止義務」という。）
に基づく場合が考えられるが，この保護義務ないし阻止義務は，一般的には法
令，契約あるいは当人のいわゆる先行行為にその根拠を求めるべきものと考え
られるところ，本件に即してみると，被告人Ｙが各種遊技店を経営する株式

⇒ *399*

会社 A に雇用された従業員であることから，その雇用契約に基づく義務として右の保護義務ないし阻止義務があるか否かが検討されるべきであるといえる。

　そこでまず，被告人 Y が A の従業員として従事していた具体的な職務との関連において，右の保護義務ないし阻止義務が認められるか検討することとする。ところで，原判決は，被告人 Y について，『A に雇用されて，勤め，同社が経営する B の主任として，被告人 X と共に，同社（F 部長）から任されて同店の業務一般を管理し，その売上金や両替金等も管理し，その売上金を本社に納入すべく，同じビルの階下に在る C の金庫に，同店や，やはり，同じビルで同社が経営する D と有料駐車場の売上金と一緒に保管し，これを本社からの集金人に託する業務に従事していた』とした上，『これによれば，被告人 Y は，A に対して，被告人 X から，R ビルの売上金を本社に納入する業務に携わる者らと共に，右売上金が右集金人によって確実に本社に搬送されるよう努めるべき義務を負っていたものと解するのが相当である。』（133～134 頁）とし，結論として，『被告人 Y が被告人 X らの本件犯行の企てを事前に知りながら，同被告人の求めに応じて，これを黙認して過ごすことによって，その犯行を容易にした行為は，右の自らの A に対する任務に著しく背いたものといわなければならない。そして，これによると，被告人 Y は，自らの右行為について，刑事的にも，本件犯行を幇助したとの責任を負うべきものと解するのが相当である。』と判示する。これによると，原判決は，前記正犯者の犯罪を防止すべき義務に結びつく保護義務として，被告人 Y には売上金が集金人によって確実に本社に搬送されるよう努めるべき義務があり，その義務懈怠の不作為が幇助行為に当たるとし，さらに，右の集金人によって確実に本社に搬送されるよう努めるべき義務は，同被告人が B の売上金を本社に納入する義務に従事していたことに基づくものである，としているものと解される。

　原判決の右の認定，判断を検討するに，まず被告人 Y が従事していた職務内容をみると，同被告人は，B の業務全般に関与する者として，同店舗内に置かれたゲーム機の売上金，メダル販売機の売上金，玩具機の売上金を，B の金庫内に保管し，それを一定期間ごとに本社に納入する職務を負っていたが，その職務として行う各売上金の本社への納入の具体的な方法は，袋に納められた右の各売上金を B の金庫内に保管し，10 日に 1 回の割合で本社に納入するため，本社から集金に来る前日に，右売上金を B の金庫から同じビルの階下に

あるパチンコ店Cの金庫に運んで納めておき，その後は，毎日各遊技店を巡回して各店舗の売上金を集金する本社社員が，Cの金庫に納められているC，Dの各売上金と共に，収集して本社に運ぶというものであって（原判決自身も『これ（Bの売上金）を本社からの集金人に託する業務に従事していた』と判示する。），右Cの金庫からの収集と本社までの搬送は，経営する各遊技店の売上金を巡回して収集する本社側の担当社員によって行われており，被告人Yが，Cの金庫に移して納めたBの売上金について，その後の本社社員による収集及び本社への搬送に関与することはなかったのである。そうすると，被告人Yの売上金を本社へ納入するその職務も，Cの金庫へ移して納めるまでであって，その後の同金庫からの収集と本社への搬送は，もっぱら本社社員によって行われていたのであるから，右金庫に既に納められ，その後本社社員によって収集され本社に搬送されようとした本件金銭については，被告人Yの職務の対象から離れているので，同被告人に，原判決のいう『（本社からの）集金人によって確実に本社に搬送されるよう努めるべき義務』，すなわち前記保護義務を認めることはできないといわねばならない。

　さらに遡って考えると，原判決は，被告人YがBの売上金を本社に納入する業務に従事し，あるいは同売上金を本社に確実に納入されるよう努めるべき義務を負っていたというのであるが，被告人Xらが対象としたのはC，Dのパチンコ店の売上金であり，かつ現実に奪取された売上金は，C，Dその他の店舗の売上金であって，Bの売上金は含まれていないのであるが，そのような他店舗の売上金について，被告人Yが職務上どのように関係し，何故義務を負うのか説明がないのであり（原判決は，被告人YのAに対する従業員としての義務の内容に鑑みると，Bの売上金を本社に納入するのは，10日に1回の割合であり，本件犯行による被害金の中にBの売上金が含まれていないことは，同被告人の刑事責任を左右するものではない旨判示する。），むしろ，被告人Xらの本件強盗は，当初からパチンコ店の売上金を対象とし，被告人Yに対してもそのように説明されており，被告人Yにおいても，パチンコ店の売上金を対象とした犯行という認識であったのであるから，パチンコ店の売上金を対象とした犯行を前提として，被告人Yにおける職務上の関連や義務を検討すべきであり，そうすると，被告人Yはその職務としてパチンコ店の売上金に何ら関与することはなかったのであるから，そもそも同被告人の職場で

⇒ *399*

あるBでの職務を前提に，本件犯行に関する前記保護義務の存否を検討すること自体，正鵠を得たものとはいえない，というべきである。

さらに，Bの主任（店長）としての立場から，被告人Yに被告人Xの犯行を阻止すべき義務が認められるかを検討すると，被告人Yは，同被告人及び被告人Xを含めた正従業員3名並びにその他アルバイト員らが働くゲームセンターであるBの主任の立場にあったとはいえ，その職務内容は，ゲーム機の管理・点検，店内の巡視・監視，売上金及び両替用現金の管理・保管等，ゲームセンターとしての店舗の現場業務に関するものであって，そうした職務とは別途に，他の従業員らを管理・監督するような人事管理上の職務を行っていたわけではなく，原判決も，『被告人Xと同Yは，当時，いずれも，A経営のBに勤め，同店の業務全般に携わっており，同店では，被告人Yが，主任の立場にあったものの，被告人Xも，同社第1営業部長Fの指示を受けて，被告人Yと同様の仕事を任され，同等の立場でその業務に従事し，その売上金等を管理，保管していた。』と判示しており，被告人Yが被告人Xの行状を監督する職務を特に負っていたものではないから，被告人Yに職務上被告人Xの本件のごとき犯行を阻止すべき義務があったということはできない。

したがって，被告人Yについては，その職務との関係から，いずれにしても本件犯行に関する前記保護義務及び阻止義務を認めることができないといわねばならない。

なお，職務内容とは関係なく，従業員としての一般的地位から，前記保護義務及び阻止義務が認められるか考えると，もしその従事する具体的な職務内容と関連なく，一般的に，例えば雇用会社の財産について保護義務あるいはそれに対する犯罪の阻止義務が認められるとなると，その保護義務及び阻止義務が無限定的に広がってその限界が不明となり，ひいてはそれら義務懈怠の責任を問われないため取るべき行動内容があいまいとなって，余りに広くその義務懈怠の刑事責任が問われたり，あるいは犯罪告発の危険を負うべきかその懈怠の責任を問われるか進退両難に陥らせるなど，酷な結果を導きかねないといえるのであって，職務とは関係なく従業員としての地位一般から，保護義務あるいは阻止義務を認めることはできないといわねばならない。ただ，もしそうした義務が是認されることがあるとすれば，犯罪が行われようとしていることが確実で明白な場合に限られるものと考えられる。そこで，本件における被告人

Ｙの場合について検討すると，被告人Ｙが，10月18日ころ被告人Ｘから，Ｚ及び同被告人らが集金車を狙った強盗をやる計画があることを打ち明けられ，それを止めさせようとしたが，同被告人に拒否された上，やるしかないとの言葉を聞かされ，同月下旬ころ，出勤した朝方，ソファーに疲れた様子で座っていた同被告人から，『やろうとしたが，やれなかった』旨聞かされたことがあったというのであるから，被告人Ｙとしては，Ｚ及び被告人Ｘらによる強盗が近い時期に行われる可能性が高いとの推測がついたともいえるのである。しかし一方，被告人Ｙ自身は，Ｚら実際に強盗を実行しようとしている者からはそれについて全く話を聞いていないため，具体的な犯罪実行の時期，方法，さらには実行の決意の程度をはっきりと認識できず，また，被告人Ｘ自身，Ｚに集金車の到着を知らせることは承諾したものの，その後Ｚの度々の催促があっても，遅疑逡巡して決断が付かずに連絡を断る状態が続き，本件犯行当日の朝になってようやく決断をして，連絡をしたという状況であるから，被告人Ｙにおいて，その原審公判供述にあるように，被告人Ｘらが犯行を実行するのかどうか半信半疑のまま経過した，というのも一概に否定できず，被告人Ｙが本件犯行が実行される以前に，それが明白確実に実行されるとの認識を持ったものと，にわかに断定することはできないといわねばならない。そうすると，前記のように，従業員たる地位一般から保護義務ないし阻止義務が是認される場合があるとしても，被告人Ｙの場合それに該当するものと認めることはできない。

したがって，被告人Ｙについて，雇用契約による従業員たる地位一般から前記保護義務及び阻止義務を導くことはできないというべきである。

以上のとおりであって，被告人Ｙについて，いずれにしても不作為による幇助犯の成立を認める前提となる犯罪を防止すべき義務を認めることができないので，原判決の認定した被告人Ｘらの犯行を阻止しなかった不作為による幇助犯の成立を，認めることができず，結局，同被告人に対する前記予備的訴因の公訴事実については，その犯罪の証明がないことに帰着する。」

400 不作為による共同正犯

東京高判平成 20 年 10 月 6 日判タ 1309 号 292 頁
⇒*318*

⇒ *401*

中立的行為による幇助

401 ウィニー事件

最決平成 23 年 12 月 19 日刑集 65 巻 9 号 1380 頁／判時 2141・135, 判タ 1366・103
(百選 I 89, 重判平 24 刑 3)

【決定理由】 「1 本件は，被告人が，ファイル共有ソフトである Winny を開発し，その改良を繰り返しながら順次ウェブサイト上で公開し，インターネットを通じて不特定多数の者に提供していたところ，正犯者 2 名が，これを利用して著作物であるゲームソフト等の情報をインターネット利用者に対し自動公衆送信し得る状態にして，著作権者の有する著作物の公衆送信権（著作権法 23 条 1 項）を侵害する著作権法違反の犯行を行ったことから，正犯者らの各犯行に先立つ被告人による Winny の最新版の公開，提供行為が正犯者らの著作権法違反罪の幇助犯に当たるとして起訴された事案である。原判決の認定及び記録によれば，以下の事実を認めることができる。……（中略）……

2 第 1 審判決は，Winny の技術それ自体は価値中立的であり，価値中立的な技術を提供すること一般が犯罪行為となりかねないような，無限定な幇助犯の成立範囲の拡大は妥当でないとしつつ，結局，そのような技術を外部へ提供する行為自体が幇助行為として違法性を有するかどうかは，その技術の社会における現実の利用状況やそれに対する認識，さらに提供する際の主観的態様いかんによると解するべきであるとした。その上で，本件では，インターネット上において Winny 等のファイル共有ソフトを利用してやりとりがなされるファイルのうちかなりの部分が著作権の対象となるもので，Winny を含むファイル共有ソフトが著作権を侵害する態様で広く利用されており，Winny が社会においても著作権侵害をしても安全なソフトとして取りざたされ，効率もよく便利な機能が備わっていたこともあって広く利用されていたという現実の利用状況の下，被告人は，そのようなファイル共有ソフト，とりわけ Winny の現実の利用状況等を認識し，新しいビジネスモデルが生まれることも期待して，Winny がそのような態様で利用されることを認容しながら，本件 Winny を自己の開設したホームページ上に公開して，不特定多数の者が入手できるようにし，これによって各正犯者が各実行行為に及んだことが認められるから，被告人の行為は，幇助犯を構成すると評価することができるとして，著作権法違反罪の幇助犯の成立を認め，被告人を罰金 150 万円に処した。

3 この第 1 審判決に対し，検察官が量刑不当を理由に，被告人が訴訟手続の法令違反，事実誤認，法令適用の誤りを理由に控訴した。原判決は，幇助犯の成否に関する法令適用の誤りの主張に関し，インターネット上におけるソフトの提供行為で成立する幇助犯というものは，これまでにない新しい類型の幇助犯であり，刑事罰を科するには罪刑法定主義の見地からも慎重な検討を要するとした上，『価値中立のソフトをインター

ネット上で提供することが，正犯の実行行為を容易ならしめたといえるためには，ソフトの提供者が不特定多数の者のうちには違法行為をする者が出る可能性・蓋然性があると認識し，認容しているだけでは足りず，それ以上に，ソフトを違法行為の用途のみに又はこれを主要な用途として使用させるようにインターネット上で勧めてソフトを提供する場合に幇助犯が成立すると解すべきである。』とし，被告人は，本件Winnyをインターネット上で公開，提供した際，著作権侵害をする者が出る可能性・蓋然性があることを認識し，認容していたことは認められるが，それ以上に，著作権侵害の用途のみに又はこれを主要な用途として使用させるようにインターネット上で勧めて本件Winnyを提供していたとは認められないから，被告人に幇助犯の成立を認めることはできないと判示し，第1審判決を破棄し，被告人に無罪を言い渡した。

4　所論は，刑法62条1項が規定する幇助犯の成立要件は，『幇助行為』，『幇助意思』及び『因果性』であるから，幇助犯の成立要件として『違法使用を勧める行為』まで必要とした原判決は，刑法62条の解釈を誤るものであるなどと主張する。そこで，原判決の認定及び記録を踏まえ，検討することとする。

(1)　刑法62条1項の従犯とは，他人の犯罪に加功する意思をもって，有形，無形の方法によりこれを幇助し，他人の犯罪を容易ならしむるものである（最高裁昭和24年㈹第1506号同年10月1日第二小法廷判決・刑集3巻10号1629頁参照）。すなわち，幇助犯は，他人の犯罪を容易ならしめる行為を，それと認識，認容しつつ行い，実際に正犯行為が行われることによって成立する。原判決は，インターネット上における不特定多数者に対する価値中立ソフトの提供という本件行為の特殊性に着目し，『ソフトを違法行為の用途のみに又はこれを主要な用途として使用させるようにインターネット上で勧めてソフトを提供する場合』に限って幇助犯が成立すると解するが，当該ソフトの性質（違法行為に使用される可能性の高さ）や客観的利用状況のいかんを問わず，提供者において外部的に違法使用を勧めて提供するという場合のみに限定することに十分な根拠があるとは認め難く，刑法62条の解釈を誤ったものであるといわざるを得ない。

(2)　もっとも，Winnyは，1，2審判決が価値中立ソフトと称するように，適法な用途にも，著作権侵害という違法な用途にも利用できるソフトであり，これを著作権侵害に利用するか，その他の用途に利用するかは，あくまで個々の利用者の判断に委ねられている。また，被告人がしたように，開発途上のソ

フトをインターネット上で不特定多数の者に対して無償で公開，提供し，利用者の意見を聴取しながら当該ソフトの開発を進めるという方法は，ソフトの開発方法として特異なものではなく，合理的なものと受け止められている。新たに開発されるソフトには社会的に幅広い評価があり得る一方で，その開発には迅速性が要求されることも考慮すれば，かかるソフトの開発行為に対する過度の萎縮効果を生じさせないためにも，単に他人の著作権侵害に利用される一般的可能性があり，それを提供者において認識，認容しつつ当該ソフトの公開，提供をし，それを用いて著作権侵害が行われたというだけで，直ちに著作権侵害の幇助行為に当たると解すべきではない。かかるソフトの提供行為について，幇助犯が成立するためには，一般的可能性を超える具体的な侵害利用状況が必要であり，また，そのことを提供者においても認識，認容していることを要するというべきである。すなわち，ソフトの提供者において，当該ソフトを利用して現に行われようとしている具体的な著作権侵害を認識，認容しながら，その公開，提供を行い，実際に当該著作権侵害が行われた場合や，当該ソフトの性質，その客観的利用状況，提供方法などに照らし，同ソフトを入手する者のうち例外的とはいえない範囲の者が同ソフトを著作権侵害に利用する蓋然性が高いと認められる場合で，提供者もそのことを認識，認容しながら同ソフトの公開，提供を行い，実際にそれを用いて著作権侵害（正犯行為）が行われたときに限り，当該ソフトの公開，提供行為がそれらの著作権侵害の幇助行為に当たると解するのが相当である。

　(3)　これを本件についてみるに，まず，被告人が，現に行われようとしている具体的な著作権侵害を認識，認容しながら，本件 Winny の公開，提供を行ったものでないことは明らかである。

　次に，入手する者のうち例外的とはいえない範囲の者が本件 Winny を著作権侵害に利用する蓋然性が高いと認められ，被告人もこれを認識，認容しながら本件 Winny の公開，提供を行ったといえるかどうかについて検討すると，Winny は，それ自体，多様な情報の交換を通信の秘密を保持しつつ効率的に行うことを可能とするソフトであるとともに，本件正犯者のように著作権を侵害する態様で利用する場合にも，摘発されにくく，非常に使いやすいソフトである。そして，本件当時の客観的利用状況をみると，原判決が指摘するとおり，ファイル共有ソフトによる著作権侵害の状況については，時期や統計の取り方

によって相当の幅があり，本件当時の Winny の客観的利用状況を正確に示す証拠はないが，原判決が引用する関係証拠によっても，Winny のネットワーク上を流通するファイルの4割程度が著作物で，かつ，著作権者の許諾が得られていないと推測されるものであったというのである。そして，被告人の本件 Winny の提供方法をみると，違法なファイルのやり取りをしないようにとの注意書きを付記するなどの措置を採りつつ，ダウンロードをすることができる者について何ら限定をかけることなく，無償で，継続的に，本件 Winny をウェブサイト上で公開するという方法によっている。これらの事情からすると，被告人による本件 Winny の公開，提供行為は，客観的に見て，例外的とはいえない範囲の者がそれを著作権侵害に利用する蓋然性が高い状況の下での公開，提供行為であったことは否定できない。

　他方，この点に関する被告人の主観面をみると，被告人は，本件 Winny を公開，提供するに際し，本件 Winny を著作権侵害のために利用するであろう者がいることや，そのような者の人数が増えてきたことについては認識していたと認められるものの，いまだ，被告人において，Winny を著作権侵害のために利用する者が例外的とはいえない範囲の者にまで広がっており，本件 Winny を公開，提供した場合に，例外的とはいえない範囲の者がそれを著作権侵害に利用する蓋然性が高いことを認識，認容していたとまで認めるに足りる証拠はない。

　……（中略）……

　(4)　以上によれば，被告人は，著作権法違反罪の幇助犯の故意を欠くといわざるを得ず，被告人につき著作権法違反罪の幇助犯の成立を否定した原判決は，結論において正当である。」

　大谷剛彦裁判官の反対意見　「2……Winny の提供行為それ自体は，適法目的に沿って利用される以上何ら法益侵害の危険性を有しないが，その有用性がいわば濫用され侵害的に利用される場合に，提供行為が法益侵害の現実的な危険性，違法性を持つことになる（その意味で価値中立的行為ともいえよう。）。提供行為の法益侵害の危険性は，ソフトの利用者がどのような目的で，どのような対象にこれを利用するかという具体的な利用目的，態様にかかっており，侵害的利用の単なる可能性という程度では足りず，利用者の適法利用ではない侵害的利用についての具体的でより高度の蓋然性がある場合に，提供行為自体が

⇒ *401*

現実的な法益侵害の危険性を持ち，その違法性，可罰性が肯定されるといえよう。」

「3……本件の被告人の提供行為の可罰性を判断するに当たり，侵害的利用についての具体的でより高度の蓋然性が客観的に認められる状況下で提供されることを要件としたが，この点は幇助行為の可罰性の違法要素であり，構成要件要素とも考えられるのであり，そうすると犯罪成立の主観的要素（幇助の故意）として，この高度の蓋然性について認識・認容も求められることになる（なお，具体的な正犯の特定性については，いわゆる概括的な故意としての認識・認容で足りよう。）。

なお，原判決は，更に進んで，本件のような価値中立的行為の幇助犯の成立には侵害的利用を『勧める』ことを要するとしているが，独立従犯ではない幇助犯の成立をこのような積極的な行為がある場合に限定する見解が採り得ないことは，多数意見 4(1) のとおりである。

また，同様に，幇助犯としての主観的要素としては，この高度の蓋然性についての認識と認容が認められることをもって足り，それ以上に正犯行為を助長する積極的な意図や目的までを要するものではないといえよう。

4 そこで，本件についてみるに，……少なくとも平成 15 年 9 月に行われていた本件 Winny の公開・提供行為については，その提供ソフトの侵害的利用の容易性，助長性というソフトの性質，内容，また提供の対象，範囲が無限定という提供態様，さらに上記の客観的利用状況等に照らし，まずは客観的に侵害的利用の『高度の蓋然性』を認めるに十分と考えられる。」

「5 前記 3 のとおり，幇助犯が成立するには，主観的要素として，この客観的な高度の蓋然性についての認識と認容という幇助者の故意が求められる。多数意見は，結論として，被告人において，例外的とはいえない範囲の者がそれを著作権侵害に利用する蓋然性が高いことを認識，認容していたとまで認めることは困難である，として被告人の幇助の故意を認定していない。私は，本件において，被告人に侵害的利用の高度の蓋然性についての認識と認容も認められると判断するものであり，多数意見に反対する理由もここに尽きるといえよう。」

「多数意見は，被告人の幇助の故意を消極的，否定的に評価する事情として，開発スレッドへの書き込みに自らソフトの開発・提供の意図を書き込んでいた

とか，著作権者側の利益が適正に保護されることを前提とした新たなビジネスモデルの出現を期待していたとか，侵害的利用についてこれをしないよう警告のメッセージを発していたという点を挙げるが，これらは被告人に法益侵害の積極的意図が無かったという事情としてはもっともであるにしても，これらの事情が必ずしも法益侵害の危険性の認識・認容と抵触し，これを否定することにはならないと考えられる。提供行為の法益侵害の危険性を認識しているからこそ，このような利用が自らの開発の目的や意図ではなく，本意ではないとして警告のメッセージとして発したものと考えられる。被告人は，このようなメッセージを発しながらも，侵害的利用の抑制への手立てを講ずることなく提供行為を継続していたのであって，侵害的利用の高度の蓋然性を認識，認容していたと認めざるを得ない。」

Ⅶ 罪　数

[**1**]　包 括 一 罪

集合犯・営業犯

402　常習賭博罪

最判昭和 26 年 4 月 10 日刑集 5 巻 5 号 825 頁

【事案】　被告人 X は，昭和 23 年 4 月上旬及び中旬頃，A 等数名と共に前後 2 回，常習として賭博を行った。

【判決理由】　「常習賭博罪における数個の賭博行為は，包括して単純な一罪を構成する。」

403　出資法違反

最判昭和 53 年 7 月 7 日刑集 32 巻 5 号 1011 頁／判時 904・126，判タ 371・73

【事案】　金融業を営む被告人は，昭和 48 年 2 月 15 日から昭和 51 年 2 月 26 日までの間 465 回にわたり，33 名の顧客に対して，1 日あたり 0.3 パーセントを超える約 0.33 パーセントの割合による利息契約をしたうえ即時これを受領し，出資の受入れ，預り金及び金利等の取締りに関する法律 5 条 1 項に違反した。

【判決理由】　「法 5 条 1 項は，金銭の貸付を行う者が所定の割合を超える利息の契約をし又はこれを超える利息を受領する行為を処罰する規定であるところ，その立法趣旨はいわゆる高金利を取り締まって健全な金融秩序の保持に資することにあり，業として行うことが要件とされていないなど右罰則がその性質上同種行為の無制約的な反覆累行を予定しているとは考えられない。したがって，法 5 条 1 項違反の罪が反覆累行された場合には，特段の事情のない限り，個々の契約又は受領ごとに一罪が成立し，併合罪として処断すべきである。原判決は本件各所為がいわゆる営業行為としてされたことを理由に包括して一罪と評価すべきものとしているのであるが，同項違反の罪におけるように営業行為として反覆累行されること自体が行為の悪質性を著しく増大させるものである場合には，営業行為としてされたことをもって包括的な評価をすべき事由とする

のは相当でないと解される。記録を調べても，本件各所為を一罪と評価すべき
特段の事情は認められない。」

吸 収 一 罪

404 殺害の目的で日時場所を異にして攻撃を加えた場合

大判大正 7 年 2 月 16 日刑録 24 輯 103 頁

【判決理由】「殺害の目的を以て同一人に対し日時場所を異にして数次に攻撃
を加へ初めは著手未遂に了はりたるも尚其意思を継続して其遂行の機会を窺ひ
後遂行其目的を達したる場合に於ては其目的を達するに至る迄の攻撃行為は実
行行為の一部に外ならさるか故に同一日時場所に於て同一人を殺害したる場合
と斉しく数次の攻撃行為を包括的に観察し 1 箇の殺害行為と看做す可く之を各
別に観察して独立したる罪名に触るるものとなすを得す従て如斯場合には単純
なる 1 箇の殺人既遂罪を以て処断すへく殺人未遂罪と同既遂罪との連続一罪と
為すを得す原判決に依れは被告は A を殺害する目的を以て一たひ之れか実行
に著手したるも同人に於て逃走したる為め其目的を遂けさりし処其意思を継続
して遂行の機会を窺ひ再度の攻撃に於て遂に同人を殺害したるものなれは単純
なる 1 箇の殺人既遂罪を以て処断せさるへからす」

405 業務上過失傷害と殺人

最決昭和 53 年 3 月 22 日刑集 32 巻 2 号 381 頁／判時 885・172，判タ 362・216
（百選 I 14） ⇒*54*

【事案】 被告人は，狩猟に従事していて，同行していた A を熊と誤認して銃弾を発射
し，同人に傷害を負わせた。被告人は，苦悶する A の状態を見て間もなく同人が死亡
すると考え，目撃者がいないことから，同人を殺害して逃走しようと決意し，A の胸
部に銃弾 1 発を発射して同人を殺害した。原判決は，被告人の行為は，業務上過失傷害
罪と殺人罪に該当し，両者は，同一被害者に対する連続した違法行為ではあるが，責任
条件を異にする関係上併合罪の関係にあるものと解すべきである，とした。

【決定理由】「本件業務上過失傷害罪と殺人罪とは責任条件を異にする関係上
併合罪の関係にあるものと解すべきである，とした原審の罪数判断は，その理
由に首肯しえないところがあるが，結論においては正当である。」

406　盗品（贓物）有償譲受けと運搬

最判昭和 24 年 10 月 1 日刑集 3 巻 10 号 1629 頁

【判決理由】「原判決はその判示第三の事実において，被告人が，その故買に
かかる贓物を他に運搬した事実を認定し，これに対して刑法第 256 条第 2 項の
規定を適用していることは原判文上明らかであるが，同一人が既に故買した物
件を他に運搬するがごときは，犯罪に因て得たものの事後処分たるに過ぎない
のであって，刑法はかゝる行為をも同法第 256 条第 2 項によって処罰する法意
でないことはあきらかである。しからば原判決は罪とならない行為を罪として
処断した違法があるものと云わなければならない。」

407　現住建造物放火罪と重過失致死傷罪

熊本地判昭和 44 年 10 月 28 日刑月 1 巻 10 号 1031 頁

【事案】　被告人は，入院中の患者 30 数名が住居に使用している診療所に放火し，同診
療所をほぼ全焼させるとともに，その際逃げ遅れた患者 2 名を死亡させ 9 名に傷害を負
わせた。

【判決理由】「ところで，被告人に A，B の死亡及び C ら 9 名の傷害の結果を
予見しなかった重大な過失があったこと明らかであるが，既に現住建造物放火
罪として処罰する以上は右重過失致死傷の如きは当然右放火罪において予想さ
れている危険の範囲内の結果であるとして現住建造物放火罪に吸収され別罪を
構成せず，人の死傷については量刑上考慮すれば足りるものと解する。」

408　傷害罪と器物損壊罪

東京地判平成 7 年 1 月 31 日判時 1559 号 152 頁

【判決理由】「関係証拠によれば，判示第一のとおり，被告人は，A が掛けて
いた眼鏡の上からその顔面を手拳で殴打し，同人に傷害を負わせるとともに右
眼鏡レンズ 1 枚を破損させたことが認められるところ，この点の罪数について
検察官は，傷害罪と器物損壊罪が成立して両者は観念的競合の関係に立つと主
張する。しかしながら，眼鏡レンズの損壊は，顔面を手拳で殴打して傷害を負
わせるという通常の行為態様による傷害に随伴するものと評価できること，傷
害罪と器物損壊罪の保護法益及び法定刑の相違に加え，本件における結果も，
傷害は加療約 2 週間を要する顔面挫創兼脳震盪症等であるのに対し，レンズ破
損による被害額は 1 万円であることに照らすと，本件のような場合は検察官主
張のような観念的競合の関係を認める必要はなく，重い傷害罪によって包括的

に評価し（量刑にあたってレンズを破損させた点も考慮されることはもちろんである），同罪の罰条を適用すれば足りると解すべきである。」

409 窃取した預金通帳で預金を引き出す行為

最判昭和25年2月24日刑集4巻2号255頁

【判決理由】「次に論旨の後半は窃取しまたは騙取した郵便貯金通帳を利用して預金を引出す行為は贓物の処分行為として罪とならないと主張するのである。しかし贓物を処分することは財産罪に伴う事後処分に過ぎないから別罪を構成しないことは勿論であるが窃取または騙取した郵便貯金通帳を利用して郵便局係員を欺罔し真実名義人において貯金の払戻を請求するものと誤信せしめて貯金の払戻名義の下に金員を騙取することは更に新法益を侵害する行為であるからここに亦犯罪の成立を認むべきであってこれをもって贓物の単なる事後処分と同視することはできないのである。然らば原審が所論郵便貯金通帳を利用して預金を引出した行為に対し詐欺罪をもって問擬したことは正当であるから論旨は理由がない。」

接 続 犯

410 同一の場所で同一機会に行われた窃盗行為

最判昭和24年7月23日刑集3巻8号1373頁

(百選Ⅰ100)

【判決理由】「原審の確定した事実によると被告人は長男Aと共謀の上昭和22年12月14日午後10時頃から翌15日午前零時頃までの間3回にわたって栃木県塩谷郡喜連川村大字鷲宿字堀内所在喜連川農業会鷲宿（第4号）倉庫で同農業会倉庫係B保管の水粳玄米4斗入3俵づつ合計9俵を窃取したものであるというのであって原審は右事実を併合罪として処断しているのである，ところが右3回における窃盗行為は僅か2時間余の短時間のうちに同一場所で為されたもので同一機会を利用したものであることは挙示の証拠からも窺われるのであり，且ついずれも米俵の窃取という全く同種の動作であるから単一の犯意の発現たる一連の動作であると認めるのが相当であって原判決挙示の証拠によるもそれが別個独立の犯意に出でたものであると認むべき別段の事由を発見することはできないのである。然らば右のような事実関係においてはこれを一

罪と認定するのが相当であって独立した3個の犯罪と認定すべきではない。」

411 同一の場所で近接して行われた同一内容の公然わいせつ行為

最判昭和25年12月19日刑集4巻12号2577頁／判タ9・54

【事案】 被告人は、2日間前後7回劇場舞台において公然猥褻の行為を行った。原判決が、被告人の行為は、公然猥褻罪にあたり、併合罪である、と判示したのに対して、弁護人は、*410*の判例に違反すると主張して、上告した。

【判決理由】「所論判例は単一犯罪を認めたのであって所論の様な連続犯の理論を認めたのではない，本件の場合一回の出演中に数度裸体となったというならば或は右判例の場合に当るかも知れないけれどもそうではなくして前後7回各異る多数の観客の前に別個独立の演劇行為をしたのであるから7個の独立の犯罪があったものというに差支えない，刑法第55条がなくなった今日所謂意思継続があったからといってそれだけで一罪として処断しなければならないということはない，論旨は採用し難い。」

412 数か月間に数十回同一の中毒患者に麻薬を施用した行為

最判昭和31年8月3日刑集10巻8号1202頁／判タ63・48

【判決理由】「被告人は医師を開業し，麻薬施用者として免許を受けているものであるが，昭和23年6月15日頃より同年9月30日頃までの間54回（以下一の所為という）及び昭和26年8月10日頃より同年10月16日頃までの間35回（以下二の所為という）にわたり，自宅診療所において麻薬中毒患者であるAに対し，その中毒症状を緩和する目的をもって麻薬である塩酸モルヒネ注射89本（0.692瓦）を施用したというのであって，右一，二の各所為は，それぞれ各行為の間に時間的連続と認められる関係が存し，同一の場所で1人の麻薬中毒患者に対しその中毒症状を緩和するために麻薬を施用するという同一事情の下において行われたものであること原判決が有罪の言渡をした右事実につき挙示している証拠からも窺われ，かつ，いずれも同一の犯罪構成要件に該当し，その向けられている被害法益も同一であるから，単一の犯意にもとづくものと認められるのであって，右一，二の各所為は，それぞれ包括一罪であると解するのが相当であり，独立した各個の犯罪と認定すべきではない。」

413 近接した 2 箇所における速度違反行為

最決平成 5 年 10 月 29 日刑集 47 巻 8 号 98 頁／判時 1478・158, 判タ 833・157

（重判平 5 刑 4）

【事案】 被告人は，自動車を運転して高速道路を走行中，午後 1 時 22 分頃，最高速度が 80 キロメートルと指定されている a 地点において，145 キロメートル毎時の速度で走行し（第 1 行為），午後 1 時 32 分頃，最高速度が 70 キロメートルと指定されている b 地点において，160 キロメートル毎時の速度で走行した（第 2 行為）。被告人は，第 2 行為について起訴されたが，第一行為については，平成元年 12 月 8 日に略式命令によって罰金 10 万円に処せられ，この裁判は平成 2 年 1 月 5 日に確定していた。原判決は，第 1 と第 2 の行為は，時間的・場所的に比較的近接した地点において，包括的犯意の下になされたものであるから，包括一罪と評価するのが相当であり，従って，本件は，包括一罪の一部について既に確定判決があったことになるとして，刑事訴訟法 337 条 1 号により，被告人に対し免訴の言渡しをした。本判決は，以下のように判示したうえで，原判決を破棄し，道路交通法の速度違反の罪の成立を認めた。

【決定理由】「原判決の認定するところによれば，被告人は，平成元年 9 月 24 日，普通乗用自動車を運転して，名神高速自動車国道本線上りを大阪方面から名古屋方面に向かい，(1)　同日午後 1 時 22 分ころ，大阪府吹田市岸部北 4 丁目の同国道 517.9 キロポスト付近を，指定最高速度 80 キロメートル毎時を 65 キロメートル超える 145 キロメートル毎時の速度で進行通過した後，制限速度超過の状態で運転を続け，急カーブ，急坂，トンネル等の箇所を経て，(2)　同日午後 1 時 32 分ころ，大阪府三島郡島本町大字東大寺の同国道 498.5 キロポスト付近を，指定最高速度 70 キロメートル毎時を 90 キロメートル超える 160 キロメートル毎時の速度で進行し，本件違反行為に及んだというものである。このように本件においては制限速度を超過した状態で運転を継続した 2 地点間の距離が約 19.4 キロメートルも離れていたというのであり，前記のように道路状況等が変化していることにもかんがみると，その各地点における速度違反の行為は別罪を構成し，両者は併合罪の関係にあるものと解すべきである。したがって，右(1)の違反行為については罰金 10 万円の略式命令が確定していたとしても，右(2)の本件違反行為は，右(1)の罪とは併合罪の関係にある別個独立の罪であるから，右確定裁判の存在を理由として免訴すべきでないとした原判断は，正当である。」

414 長期間の傷害行為

最決平成 26 年 3 月 17 日刑集 68 巻 3 号 368 頁／判時 2229・112, 判タ 1404・99
(重判平 26 刑 4・刑訴 2)

【決定理由】「なお, 所論に鑑み, 第 1 審の公判前整理手続段階において検察官が 2 件の傷害被告事件につき変更請求をして許可された各訴因の特定について, 職権で判断する。

1 このうち A を被害者とする傷害被告事件 (以下「A 事件」という。) の訴因は, 『被告人は, かねて知人の A (当時 32 年) を威迫して自己の指示に従わせた上, 同人に対し支給された失業保険金も自ら管理・費消するなどしていたものであるが, 同人に対し, (1)平成 14 年 1 月頃から同年 2 月上旬頃までの間, 大阪府阪南市 (中略) の B 荘 C 号室の当時の A 方等において, 多数回にわたり, その両手を点火している石油ストーブの上に押し付けるなどの暴行を加え, よって, 同人に全治不詳の右手皮膚剝離, 左手創部感染の傷害を負わせ, (2) D と共謀の上, 平成 14 年 1 月頃から同年 4 月上旬頃までの間, 上記 A 方等において, 多数回にわたり, その下半身を金属製バットで殴打するなどの暴行を加え, よって, 同人に全治不詳の左臀部挫創, 左大転子部挫創の傷害を負わせたものである。』というものである。また, E を被害者とする傷害被告事件 (以下「E 事件」という。) の訴因は, 『被告人は, F, G 及び H と共謀の上, かねて E (当時 45 年) に自己の自動車の運転等をさせていたものであるが, 平成 18 年 9 月中旬頃から同年 10 月 18 日頃までの間, 大阪市西成区 (中略) 付近路上と堺市堺区 (中略) 付近路上の間を走行中の普通乗用自動車内, 同所に駐車中の普通乗用自動車内及びその付近の路上等において, 同人に対し, 頭部や左耳を手拳やスプレー缶で殴打し, 下半身に燃料をかけ, ライターで点火して燃上させ, 頭部を足蹴にし, 顔面をプラスチック製の角材で殴打するなどの暴行を多数回にわたり繰り返し, よって, 同人に入院加療約 4 か月間を要する左耳挫・裂創, 頭部打撲・裂創, 三叉神経痛, 臀部から両下肢熱傷, 両膝部瘢痕拘縮等の傷害を負わせたものである。』というものである。

2 これら訴因に加え, 各事件に関し検察官が提出した証明予定事実記載書面の内容及び検察官による釈明内容も踏まえると, 検察官は, 次の趣旨の主張をしていたものである。すなわち,

(1) A 事件については, ①A に対する傷害は, 約 4 か月の期間内において, 被告人が暴力等を通じて A を支配し, 経済面や居住場所も統制する状況の中で, A 方住居等というある程度限定された場所で, 憂さ晴らしや面白半分という共通の動機に基づきなされた暴行により生じたものであり, ②その暴行と傷害は, (ア)多数の機会に, 被告人が, A に対し, その両手を燃焼中の石油ストーブの上に押し付けることを主とする暴行を加えて, 両手に熱に起因する傷害を負わせ, (イ)多数の機会に, 被告人又は被告人から命じられた共犯者が, A に対し, その下半身を金属製バットで殴打することを主とする

暴行を加えて，左臀部挫創，左大転子部挫創の傷害を負わせ，㈻このような同じ態様の暴行の反復累行により，個別機会の暴行との対応関係を個々には特定し難いものの，これら傷害を発生させた上で，拡大ないし悪化させて，結局，全治不詳の右手皮膚剥離，左手創部感染，左臀部挫創，左大転子部挫創の傷害を負わせたものであることから，③一連の暴行により②㈻の傷害を生じさせたことを1個の公訴事実として訴因を明示，特定したものである。

　(2)　E事件については，①Eに対する傷害は，約1か月の期間内において，被告人が，Eを運転手として使い，暴力等を通じて服従させる状況の中で，当時の被告人方住居と被告人が関係する暴力団事務所との間を往復する自動車内，同住居付近に駐車中の自動車内及びその付近路上等というある程度限定された場所で，自己の力の誇示，配下の者に対するいたぶりや憂さ晴らしという共通の動機に基づきなされた暴行により生じたものであり，②その暴行と傷害は，㈠多数の機会に，被告人が，Eに対し，その頭部や左耳を拳やスプレー缶で殴打することを主とする暴行を加えて，左耳挫・裂創，頭部打撲・裂創の傷害を負わせ，㈡特定の機会に，被告人が，Eに対し，その顔面をプラスチック製の角材で殴る暴行を加えて，三叉神経痛等の傷害を負わせ，㈻多数の機会に，被告人又は被告人から命じられた共犯者らが，Eに対し，下半身に燃料をかけライターで点火して燃やし，下半身を蹴り付ける暴行を加えて，臀部から両下肢の一部範囲の熱傷や両膝部への傷害を負わせ，㈢このうち㈠及び㈻については，同じ態様の暴行の反復累行により，個別機会の暴行との対応関係を個々には特定し難いものの，これら傷害を発生させた上で，拡大ないし悪化させて，結局，㈡の点を含め，入院加療約4か月間を要する左耳挫・裂創，頭部打撲・裂創，三叉神経痛，臀部から両下肢熱傷，両膝部瘢痕拘縮等の傷害を負わせたものであることから，③一連の暴行により②㈢の傷害を生じさせたことを1個の公訴事実として訴因を明示，特定したものである。

　3　上記2の検察官主張に係る一連の暴行によって各被害者に傷害を負わせた事実は，いずれの事件も，約4か月間又は約1か月間という一定の期間内に，被告人が，被害者との上記のような人間関係を背景として，ある程度限定された場所で，共通の動機から繰り返し犯意を生じ，主として同態様の暴行を反復累行し，その結果，個別の機会の暴行と傷害の発生，拡大ないし悪化との対応関係を個々に特定することはできないものの，結局は一人の被害者の身体に一定の傷害を負わせたというものであり，そのような事情に鑑みると，それぞれ，その全体を一体のものと評価し，包括して一罪と解することができる。そして，いずれの事件も，上記1の訴因における罪となるべき事実は，その共犯者，被害者，期間，場所，暴行の態様及び傷害結果の記載により，他の犯罪事実との区別が可能であり，また，それが傷害罪の構成要件に該当するかどうかを判定

⇒ *415*

するに足りる程度に具体的に明らかにされているから，訴因の特定に欠けるところはないというべきである。」

415　街頭募金詐欺

最決平成 22 年 3 月 17 日刑集 64 巻 2 号 111 頁／判時 2081・157，判タ 1325・86
（百選 I 102，重判平 22 刑 7）

【決定理由】　「1　本件は，被告人が，難病の子供たちの支援活動を装って，街頭募金の名の下に通行人から金をだまし取ろうと企て，平成 16 年 10 月 21 日ころから同年 12 月 22 日ころまでの間，大阪市，堺市，京都市，神戸市，奈良市の各市内及びその周辺部各所の路上において，真実は，募金の名の下に集めた金について経費や人件費等を控除した残金の大半を自己の用途に費消する意思であるのに，これを隠して，虚偽広告等の手段によりアルバイトとして雇用した事情を知らない募金活動員らを上記各場所に配置した上，おおむね午前 10 時ころから午後 9 時ころまでの間，募金活動員らに，『幼い命を救おう！』『日本全国で約 20 万人の子供達が難病と戦っています』『特定非営利団体 NPO 緊急支援グループ』などと大書した立看板を立てさせた上，黄緑の蛍光色ジャンパーを着用させるとともに 1 箱ずつ募金箱を持たせ，『難病の子供たちを救うために募金に協力をお願いします。』などと連呼させるなどして，不特定多数の通行人に対し，NPO による難病の子供たちへの支援を装った募金活動をさせ，寄付金が被告人らの個人的用途に費消されることなく難病の子供たちへの支援金に充てられるものと誤信した多数の通行人に，それぞれ 1 円から 1 万円までの現金を寄付させて，多数の通行人から総額約 2480 万円の現金をだまし取ったという街頭募金詐欺の事案である。

　2　そこで検討すると，本件においては，個々の被害者，被害額は特定できないものの，現に募金に応じた者が多数存在し，それらの者との関係で詐欺罪が成立していることは明らかである。弁護人は，募金に応じた者の動機は様々であり，錯誤に陥っていない者もいる旨主張するが，正当な募金活動であることを前提として実際にこれに応じるきっかけとなった事情をいうにすぎず，被告人の真意を知っていれば募金に応じることはなかったものと推認されるのであり，募金に応じた者が被告人の欺もう行為により錯誤に陥って寄付をしたことに変わりはないというべきである。

　この犯行は，偽装の募金活動を主宰する被告人が，約 2 か月間にわたり，アルバイトとして雇用した事情を知らない多数の募金活動員を関西一円の通行人の多い場所に配置し，募金の趣旨を立看板で掲示させるとともに，募金箱を持たせて寄付を勧誘する発言を連呼させ，これに応じた通行人から現金をだまし取ったというものであって，個々の被害者ごとに区別して個別に欺もう行為を

行うものではなく，不特定多数の通行人一般に対し，一括して，適宜の日，場所において，連日のように，同一内容の定型的な働き掛けを行って寄付を募るという態様のものであり，かつ，被告人の1個の意思，企図に基づき継続して行われた活動であったと認められる。加えて，このような街頭募金においては，これに応じる被害者は，比較的少額の現金を募金箱に投入すると，そのまま名前も告げずに立ち去ってしまうのが通例であり，募金箱に投入された現金は直ちに他の被害者が投入したものと混和して特定性を失うものであって，個々に区別して受領するものではない。以上のような本件街頭募金詐欺の特徴にかんがみると，これを一体のものと評価して包括一罪と解した原判断は是認できる。そして，その罪となるべき事実は，募金に応じた多数人を被害者とした上，被告人の行った募金の方法，その方法により募金を行った期間，場所及びこれにより得た総金額を摘示することをもってその特定に欠けるところはないというべきである。」

[2] 科刑上一罪

観念的競合

416 観念的競合の意義

最大判昭和 49 年 5 月 29 日刑集 28 巻 4 号 114 頁／判時 739・36, 判タ 309・236
（百選 I 104, 重判昭 49 刑 4）

【事案】 被告人は，酒に酔って正常な運転ができないおそれのある状態で自動車を運転した罪と，酒酔いのため前方注視が困難な状態に陥り直ちに運転を中止し事故の発生を未然に防止しなければならない業務上の注意義務を怠って運転を継続した過失による業務上過失致死罪で，原審において有罪となった。原判決が両罪を併合罪としたのに対して，弁護人は，判例違反を主張して上告した。弁護人の引用する最決昭和 33 年 4 月 10 日は，極度の疲労と睡気で正常な運転をすることができないおそれがあったにもかかわらず仮睡状態のまま運転を継続した過失によって 1 名に傷害を負わせ，1 名を死に致したという事例について，無謀運転と業務上過失傷害，無謀運転と業務上過失致死の間にはそれぞれ観念的競合の関係がある，としたものである。

【判決理由】 「刑法 54 条 1 項前段の規定は，1 個の行為が同時に数個の犯罪構

成要件に該当して数個の犯罪が競合する場合において、これを処断上の一罪として刑を科する趣旨のものであるところ、右規定にいう1個の行為とは、法的評価をはなれ構成要件的観点を捨象した自然的観察のもとで、行為者の動態が社会的見解上1個のものとの評価をうける場合をいうと解すべきである。

　ところで、本件の事例のような、酒に酔った状態で自動車を運転中に過って人身事故を発生させた場合についてみるに、もともと自動車を運転する行為は、その形態が、通常、時間的継続と場所的移動とを伴うものであるのに対し、その過程において人身事故を発生させる行為は、運転継続中における一時点一場所における事象であって、前記の自然的観察からするならば、両者は、酒に酔った状態で運転したことが事故を惹起した過失の内容をなすものかどうかにかかわりなく、社会的見解上別個のものと評価すべきであって、これを1個のものとみることはできない。

　したがって、本件における酒酔い運転の罪とその運転中に行なわれた業務上過失致死の罪とは併合罪の関係にあるものと解するのが相当であり、原判決のこの点に関する結論は正当というべきである。以上の理由により、当裁判所は、所論引用の最高裁判所の判例を変更して、原判決の判断を維持するのを相当と認めるので、結局、最高裁判所の判例違反をいう論旨は原判決破棄の理由とはなりえないものである。」

417　酒酔い運転開始後すぐに事故を起こした場合

　　　　最決昭和 50 年 5 月 27 日刑集 29 巻 5 号 348 頁／判時 781・116, 判タ 325・284

【決定理由】「運転技術が未熟であり、しかも酒酔いのため自動車の運転を避けるべき注意義務があるのにこれを怠り、あえて運転を開始した重大な過失により、運転開始後約 100 メートル進行した地点で、酒の酔いと運転技術未熟のため的確なハンドル操作ができず自車を道路右側のブロック塀等に衝突させて、同乗者 3 名に傷害を負わせたという本件事案について、酒酔い運転の罪と重過失傷害の罪は、刑法 45 条前段の併合罪の関係にあるとした原判断は、正当である。」

418　覚せい剤取締法の輸入罪と関税法の無許可輸入罪の関係

　　　　最判昭和 58 年 9 月 29 日刑集 37 巻 7 号 1110 頁／判時 1092・37, 判タ 509・88
　　　　　　　　　　　　　　　　　　　　　　　　　　　　　　　　　　（重判昭 58 刑 2）

【判決理由】「無許可輸入罪の既遂時期は、覚せい剤を携帯して通関線を突破

した時であると解されるが，覚せい剤輸入罪は，これと異なり，覚せい剤を船舶から保税地域に陸揚げし，あるいは税関空港に着陸した航空機から覚せい剤を取りおろすことによって既遂に達するものと解するのが相当である。けだし，関税法と覚せい剤取締法とでは，外国からわが国に持ち込まれる覚せい剤に対する規制の趣旨・目的を異にし，覚せい剤取締法は，覚せい剤の濫用による保健衛生上の危害を防止するため必要な取締を行うことを目的とするものであるところ（同法１条参照），右危害発生の危険性は，右陸揚げあるいは取りおろしによりすでに生じており，通関線の内か外かは，同法の取締の趣旨・目的からはとくに重要な意味をもつものではないと解されるからである。

　そこで，進んで覚せい剤輸入罪と無許可輸入罪（未遂罪を含む。）との罪数関係について考えるに，右のように，保税地域，税関空港等税関の実力的管理支配が及んでいる地域を経由する場合，両罪はその既遂時期を異にするけれども，外国から船舶又は航空機によって覚せい剤を右地域に持ち込み，これを携帯して通関線を突破しようとする行為者の一連の動態は，法的評価をはなれ構成要件的観点を捨象した自然的観察のもとにおいては，社会的見解上１個の覚せい剤輸入行為と評価すべきものであり……それが両罪に同時に該当するのであるから，両罪は刑法54条１項前段の観念的競合の関係にあると解するのが相当である。よって，刑訴法410条２項により，原判決と相反する所論引用の各高裁判例を変更し，原判決を維持することとする。」

419　救護義務違反の罪と報告義務違反の罪との関係

　　最大判昭和51年９月22日刑集30巻８号1640頁／判時825・3，判タ340・114
　　　　　　　　　　　　　　　　　　　　　　（百選Ⅰ105，重判昭51刑4）

【判決理由】「刑法54条１項前段にいう１個の行為とは，法的評価をはなれ構成要件的観点を捨象した自然的観察のもとで行為者の動態が社会的見解上１個のものと評価される場合をいい（当裁判所昭和47年㈎第1896号同49年５月29日大法廷判決・刑集28巻４号114頁参照），不作為もここにいう動態に含まれる。

　いま，道路交通法72条１項前段，後段の義務及びこれらの義務に違反する不作為についてみると，右の２つの義務は，いずれも交通事故の際『直ちに』履行されるべきものとされており，運転者等が右２つの義務に違反して逃げ去るなどした場合は，社会生活上，しばしば，ひき逃げというひとつの社会的出

来事として認められている。前記大法廷判決のいわゆる自然的観察，社会的見解のもとでは，このような場合において右各義務違反の不作為を別個の行為であるとすることは，格別の事情がないかぎり，是認しがたい見方であるというべきである。

　したがって，車両等の運転者等が，1個の交通事故から生じた道路交通法72条1項前段，後段の各義務を負う場合，これをいずれも履行する意思がなく，事故現場から立ち去るなどしたときは，他に特段の事情がないかぎり，右各義務違反の不作為は社会的見解上1個の動態と評価すべきものであり，右各義務違反の罪は刑法54条1項前段の観念的競合の関係にあるものと解するのが，相当である。」

420　科刑上一罪の科刑
　最決平成19年12月3日刑集61巻9号821頁／判時2011・159，判タ1273・135
【決定理由】「所論は，詐欺と組織的な犯罪の処罰及び犯罪収益の規制等に関する法律10条1項の犯罪収益等隠匿とが刑法54条1項前段の観念的競合の関係に立つ場合，詐欺罪の法定刑は10年以下の懲役であり，犯罪収益等隠匿罪のそれは5年以下の懲役若しくは300万円以下の罰金又はこれの併科であるから，いわゆる重点的対照主義によれば，被告人に対する処断は重い刑を定める詐欺罪の法定刑によることになり，軽い罪である犯罪収益等隠匿罪の罰金刑を併科することはできないという。しかしながら，数罪が科刑上一罪の関係にある場合において，その最も重い罪の刑は懲役刑のみであるがその他の罪に罰金刑の任意的併科の定めがあるときには，刑法54条1項の規定の趣旨等にかんがみ，最も重い罪の懲役刑にその他の罪の罰金刑を併科することができるものと解するのが相当であり，この点に関する原判決の結論は正当である。」

421　科刑上一罪の科刑
　最判令和2年10月1日刑集74巻7号721頁／判時2529・109，判タ1497・65
【判決理由】「数罪が科刑上一罪の関係にある場合において，各罪の主刑のうち重い刑種の刑のみを取り出して軽重を比較対照した際の重い罪及び軽い罪のいずれにも選択刑として罰金刑の定めがあり，軽い罪の罰金刑の多額の方が重い罪の罰金刑の多額よりも多いときは，刑法54条1項の規定の趣旨等に鑑み，罰金刑の多額は軽い罪のそれによるべきものと解するのが相当である。」

牽連犯

422　牽連犯の意義

最大判昭和 24 年 12 月 21 日刑集 3 巻 12 号 2048 頁

【事案】　被告人は，A を殺害してその懐中時計を強奪しようと決意し，ハンマー及び匕首を携えて A のところへ赴き，A をハンマーで殴打して匕首で突き刺し，A の懐中時計を強奪したが，殺害の目的は遂げなかった。原判決は，匕首不法所持罪と強盗殺人未遂罪の成立を認め，両者を併合罪とした。

【判決理由】　「牽連犯は元来数罪の成立があるのであるが，法律がこれを処断上一罪として取扱うこととした所以は，その数罪間にその罪質上通例その一方が他方の手段又は結果となるという関係があり，しかも具体的にも犯人がかゝる関係においてその数罪を実行したような場合にあっては，これを一罪としてその最も重き罪につき定めた刑を以て処断すれば，それによって，軽き罪に対する処罰をも充し得るのを通例とするから，犯行目的の単一性をも考慮して，もはや数罪としてこれを処断するの必要なきものと認めたことによるものである。従って数罪が牽連犯となるためには犯人が主観的にその一方を他方の手段又は結果の関係において実行したというだけでは足らず，その数罪間にその罪質上通例手段結果の関係が存在すべきものたることを必要とするのである。然るに所論銃砲等所持禁止令違反の罪と強盗殺人未遂罪とは，必ずしもその罪質上通常手段又は結果の関係あるべきものとは認め得ないのであるから，たとえ，本件において被告人が所論強盗殺人未遂罪実行の手段として匕首不法所持罪を犯したものとしても，その一事だけで右両箇の罪を牽連犯とみることはできない。」

423　住居侵入罪と窃盗罪の関係

大判大正 6 年 2 月 26 日刑録 23 輯 134 頁

【判決理由】　「刑法第 54 条に所謂犯罪の手段とは或犯罪の性質上其手段として普通に用いらるへき行為を指称することは当院判例の示す所なり故に或犯罪の性質上普通に其手段として用ゐらるへき行為なる以上は犯人か当初より之を手段と為すの意思ありたると否とを問はす該行為は犯罪の手段に該当するものとす原審の認定する所に依れは被告は夜遺の目的を以て擅に A 方に侵入したる

⇒ *424・425*

後同所に於て財物を窃取したるものにして右家宅侵入の所為は窃盗行為の手段として普通に用ゐらるへきものなれは前段説示の理由に依り被告の所為は牽連罪を組成し同法条第1項後段に依り処断すへきものとす」

424　営利目的での麻薬の譲受けと譲渡しの関係

最判昭和 54 年 12 月 14 日刑集 33 巻 7 号 859 頁／判時 952・133, 判タ 406・100

【判決理由】「麻薬取締法は，麻薬の濫用による保健衛生上の危害を防止するため，麻薬の輸入，輸出，製造，製剤，譲渡し，譲受け，所持等の各行為を個別に規制し，営利の目的を刑の加重事由として設け，これを麻薬の譲受け・譲渡しのみならず他の違反行為についても付加していることにかんがみれば，麻薬の譲受けとその麻薬の譲渡しは，たとえそれが営利の目的で行われたものであるとしても，犯罪の通常の形態として手段又は結果の関係にあるものと解することはできず，右両罪は併合罪とするのが相当である。」

425　恐喝とその手段としての監禁の関係

最判平成 17 年 4 月 14 日刑集 59 巻 3 号 283 頁／判時 1897・3, 判タ 1181・156

(百選 I 103)

【判決理由】「そこで検討すると，所論引用の大審院大正 15 年(れ)第 1362 号同年 10 月 14 日判決・刑集 5 巻 10 号 456 頁は，人を恐喝して財物を交付させるため不法に監禁した場合において，監禁罪と恐喝未遂罪とが刑法 54 条 1 項後段所定の牽連犯の関係にあるとしたものと解される。ところが，原判決は，被告人が共犯者らと共謀の上，被害者から風俗店の登録名義貸し料名下に金品を喝取しようと企て，被害者を監禁し，その際に被害者に対して加えた暴行により傷害を負わせ，さらに，これら監禁のための暴行等により畏怖している被害者を更に脅迫して現金及び自動車 1 台を喝取したという監禁致傷，恐喝の各罪について，これらを併合罪として処断した第 1 審判決を是認している。してみると，原判決は，これら各罪が牽連犯となるとする上記大審院判例と相反する判断をしたものといわざるを得ない。

　しかしながら，恐喝の手段として監禁が行われた場合であっても，両罪は，犯罪の通常の形態として手段又は結果の関係にあるものとは認められず，牽連犯の関係にはないと解するのが相当であるから，上記大審院判例はこれを変更し，原判決を維持すべきである。」

共犯と罪数

426 共同正犯の罪数

【判決理由】「共同正犯は数人共同一体の関係にして相互に手足となり共同の目的を遂行するものなるか故に其 1 人より観察するときは共犯者の行為も亦自己の行為の一部を為すものにして同時に為したる共犯の行為は自己の意思活動と相合して 1 箇の行為を組成するものと認むるを相当とし従て数人共謀して各自同時に個個の人を殺害したるときは其各自の方面に数箇の殺人罪名に触るる 1 箇の行為あるものと解すへきものなりとす而して原判決に拠れは被告 X か原審共同被告 Y と共謀の上同時に同一場所に於て被告 X は A を Y は A 妻 B を各殺害し財物を奪取したる行為に係れるを以て即 2 箇の殺人及強盗致死各罪名に触るる 1 箇の行為あるものなれは之を包括的に観察して刑法第 54 条第 1 項前段に依り牽連の一罪として処断すへきものなるに拘はらす原判決は之を単に殺人罪及強盗致死罪に触るる 2 箇の行為の連続したるものとし処断したるは其失当なること洵に所論の如し」

427 共同正犯の罪数

【事案】 被告人 X は，Y 他 4 名と共謀のうえ，A ら 4 名の者に対して，こもごも殴る蹴るの暴行を加え，うち 3 名に傷害を負わせた。

【決定理由】「本件のように，数人共同して 2 人以上に対しそれぞれ暴行を加え，一部の者に傷害を負わせた場合には，傷害を受けた者の数だけの傷害罪と暴行を受けるにとどまった者の数だけの暴力行為等処罰に関する法律 1 条の罪が成立し，以上は併合罪として処断すべきであるから，原判決のこの点の判断は正当である。」

428 共犯の罪数

【事案】 被告人 X は，Y に対し，Z ら 5 名に偽証をさせるよう教唆し，Z ら 5 名に，Y の教唆に基づき，法廷において証人として各宣誓のうえ虚偽の陳述をさせた。

【判決理由】「教唆罪は実行正犯に随伴して成立するものなれは数人に対し縦

⇒ *429*

令1個の行為を以て偽証罪を犯さんことを教唆したりとするも其の教唆の結果
数人か偽証罪を犯すに至りたるときは数個の偽証罪成立し教唆者は各別に其の
刑責に任すへきものなれは則ち教唆者の行為は刑法併合罪に関する規定を適用
して論断すへきものに該当す教唆者を教唆したる場合亦其の理を同しくす」

429 共犯の罪数

最決昭和57年2月17日刑集36巻2号206頁／判時1039・143，判タ468・106
（百選I 107，重判昭57刑5）

【決定理由】「幇助罪は正犯の犯行を幇助することによって成立するものであ
るから，成立すべき幇助罪の個数については，正犯の罪のそれに従って決定さ
れるものと解するのが相当である。原判決の是認する第1審判決によれば，被
告人は，正犯らが2回にわたり覚せい剤を密輸入し，2個の覚せい剤取締法違
反の罪を犯した際，覚せい剤の仕入資金にあてられることを知りながら，正犯
の一人から渡された現金等を銀行保証小切手にかえて同人に交付し，もって正
犯らの右各犯行を幇助したというのであるから，たとえ被告人の幇助行為が1
個であっても，2個の覚せい剤取締法違反幇助の罪が成立すると解すべきであ
る。この点に関する原審の判断は，結論において相当である。

　ところで，右のように幇助罪が数個成立する場合において，それが刑法54
条1項にいう1個の行為によるものであるか否かについては，幇助犯における
行為は幇助犯のした幇助行為そのものにほかならないと解するのが相当である
から，幇助行為それ自体についてこれをみるべきである。本件における前示の
事実関係のもとにおいては，被告人の幇助行為は1個と認められるから，たと
え正犯の罪が併合罪の関係にあっても，被告人の2個の覚せい剤取締法違反幇
助の罪は観念的競合の関係にあると解すべきである。そうすると，原判決が右
の2個の幇助罪を併合罪の関係にあるとしているのは，誤りであるといわなけ
ればならない。」

かすがい現象

430 牽連犯の場合

最決昭和 29 年 5 月 27 日刑集 8 巻 5 号 741 頁／判タ 41・40
（百選 I 106）

【事案】 被告人は，離婚した A とその母 B さらにその傍らに寝ていた子供 C を，B 方に侵入して殺害した。第 1 審判決は，被告人の行為について，住居侵入と殺人は手段結果の関係にあるから，刑法第 54 条 1 項後段，第 10 条を適用して，犯情の重い殺人の罪に従って処断し，以上は併合罪であるから，犯情の最も重い C に対する殺人につき死刑を選択し，同法 46 条第 1 項本文に従い他の刑を併科せず，被告人を死刑に処す，と判示し，原判決もこれを是認した。

【決定理由】 「事実審の確定した事実によれば所論 3 個の殺人の所為は所論 1 個の住居侵入の所為とそれぞれ牽連犯の関係にあり刑法 54 条 1 項後段，10 条を適用し一罪としてその最も重き罪の刑に従い処断すべきであり，従って第 1 審判決にはこの点に関し法条適用につき誤謬あること所論のとおりであるが，右判決は結局被害者 C に対する殺人罪につき所定刑中死刑を選択し同法 46 条 1 項に従い処断しているのであるから，該法令違背あるに拘わらず原判決を破棄しなければ著しく正義に反するものとはいい得ない。」

431 観念的競合の場合

最判昭和 33 年 5 月 6 日刑集 12 巻 7 号 1297 頁

【判決理由】 「原判示第一，第二の各所為はいずれも，被告人が法定の除外事由なくして，業として同一の婦女を，公衆衛生又は公衆道徳上有害な売淫婦の業に就かせる目的で，婦女に売淫をさせることを業としている者に，接客婦として就業を斡旋し，雇主から紹介手数料として金員を受領し利益を得たというのである。従ってそれが労基法 6 条，118 条及び職安法 63 条 2 号に該当することは明白であるが，その所為は，これを社会的事実として観察するときは，1 個の行為と認められるのであって，刑法 54 条 1 項前段の解釈としても，1 個の行為にして労基法違反と職安法違反との 2 個の罪名に触れる場合に当るものと認めるのが相当である。次に記録によれば，被告人は第 1 審判決判示の如く，昭和 28 年 11 月 30 日発布同年 12 月 22 日確定の略式命令により職安法 63 条 2 号の罪につき有罪として処断されたのであるが，その略式命令認定の所為中㈠

⇒ *432*

及び㈢の所為については，その都度紹介手数料として金員を受領し利得をした
ものであり，かつその所為を反覆継続の意思を以て業としたものと認められる
から，その所為は，原判示第一及び第二の所為について先に説明したと同じ理
由によって，1個の行為であって同時に職安法 63 条 2 号の罪と労基法 6 条，
118 条の罪とに該当するものと認めるのが相当である。そうして右の労基法違
反の罪と原判示第一及び第二の労基法違反の罪とは 1 個の集合犯（営業犯）と
して単一の犯罪を構成するものと認められるから，この 1 個の労基法違反の罪
を媒介として前記略式命令認定の㈠及び㈢の職安法違反の罪と原判示第一，第
二の各職安法違反の罪ともまた一罪の関係に立ち，従って右略式命令の既判力
は原判示第一，第二の事実全部に及ぶものといわなければならない。」

[3] 併 合 罪

432 刑法 47 条の法意

最判平成 15 年 7 月 10 日刑集 57 巻 7 号 903 頁／判時 1836・40，判タ 1134・102
（重判平 15 刑 3）

【判決理由】「1 まず，原判決の第 1 審判決に関する理解について検討する。
　原判決は，第 1 審判決の刑法 47 条に関する解釈について論ずるに当たり，
同判決の説示を次のように引用している。
　『本件のうち，未成年者略取及び逮捕監禁致傷罪の犯情がまれにみる程極め
て悪質なのに対して，窃盗の犯行は，その犯行態様が同種の事案と比べても，
非常に悪質とまではいえず，またその被害額が比較的少額であり，しかもその
犯行後被害弁償がなされ，その被害者の財産的な被害は回復されて実害がない
等の事情があり，このような場合の量刑をどのように判断すべきかが問題にな
る。（中略）このように本件の処断刑になる逮捕監禁致傷罪の犯情には特段に
重いものがあるといわざるを得ず，その犯情に照らして罪刑の均衡を考慮する
と，被告人に対しては，逮捕監禁致傷罪の法定刑の範囲内では到底その適正妥
当な量刑を行うことができないものと思料し，同罪の刑に法定の併合罪加重を
した刑期の範囲内で被告人を主文掲記の刑に処することにした。』（原判決 4 頁，
原文は第 1 審判決 29 頁以下）

　そして，原判決は，第1審判決について，『要するに，原判決は，併合罪関係にある2個以上の罪につき有期懲役に処するに当たっては，併合罪中の最も重い罪の法定刑の長期が刑法47条により1.5倍に加重され，その罪について法定刑を超える刑を科する趣旨の量定をすることができる，と解していることが明らかである。しかしながら，このような原判決の刑法47条に関する解釈は，誤りであるといわなければならない。』（原判決4頁），『原判決は，併合罪全体に対する刑を量定するに当たり，再犯加重の場合のように，刑法47条によって重い逮捕監禁致傷罪の法定刑が加重されたとして，同罪につき法定刑を超える趣旨のものとしているが，これは明らかに同条の趣旨に反するといわざるを得ない。』（原判決6頁）と判示している。

　しかし，第1審判決の上記説示は，措辞がやや不適切であるといわざるを得ないが，その趣旨は，本件の犯情にかんがみ，逮捕監禁致傷罪と窃盗罪という2つの罪を併せたものに対する宣告刑は，逮捕監禁致傷罪の法定刑の上限である懲役10年でもなお不十分であるので，併合罪加重によって10年を超えた刑を使わざるを得ない旨を述べたものと解される。そのことは，原判決が『中略』として引用を省いた第1審判決の説示中において，『刑法が併合罪を構成する数罪のうち，有期の懲役刑に処すべき罪が2個以上含まれる場合の量刑については，加重単一刑主義を採り，その情状が特に重いときは，その各罪の刑の長期の合計を超えることはできないとしつつ，その長期にその半数を加えた刑期の範囲内で最終的には1個の刑を科すとした趣旨を勘案すると，併合罪関係にある各罪ごとの犯情から導かれるその刑量を単に合算させて処断刑を決するのではなく，その各罪を総合した全体的な犯情を考慮してその量刑処断すべき刑を決定すべきものと解される。』と判示されていること（第1審判決29頁）と対比すれば，いっそう明らかである。第1審判決が，刑法47条による併合罪加重に関し，併合罪中の最も重い罪について法定刑を超える刑を科する趣旨の量定をすることができると解していることが明らかであるなどと評するのは，相当でない。

　2　次に，原判決が示した刑法47条に関する解釈について検討する。

　原判決は，同条がいわゆる加重主義を採った趣旨について述べた上，『以上のような刑法47条の趣旨からすれば，併合罪全体に対する刑を量定するに当たっては，併合罪中の最も重い罪につき定めた法定刑（再犯加重や法律上の減

軽がなされた場合はその加重や減軽のなされた刑）の長期を 1.5 倍の限度で超えることはできるが，同法 57 条による再犯加重の場合とは異なり，併合罪を構成する個別の罪について，その法定刑（前同）を超える趣旨のものとすることは許されないというべきである。これを具体的に説明すると，逮捕監禁致傷罪と窃盗罪の併合罪全体に対する刑を量定するに当たっては，例えば，逮捕監禁致傷罪につき懲役 9 年，窃盗罪につき懲役 7 年と評価して全体について懲役 15 年に処することはできるが，逮捕監禁致傷罪につき懲役 14 年，窃盗罪につき懲役 2 年と評価して全体として懲役 15 年に処することは許されず，逮捕監禁致傷罪については最長でも懲役 10 年の限度で評価しなければならないというわけである。』（原判決 6 頁）と判示している。

　しかしながら，刑法 47 条は，併合罪のうち 2 個以上の罪について有期の懲役又は禁錮に処するときは，同条が定めるところに従って併合罪を構成する各罪全体に対する統一刑を処断刑として形成し，修正された法定刑ともいうべきこの処断刑の範囲内で，併合罪を構成する各罪全体に対する具体的な刑を決することとした規定であり，処断刑の範囲内で具体的な刑を決するに当たり，併合罪の構成単位である各罪についてあらかじめ個別的な量刑判断を行った上これを合算するようなことは，法律上予定されていないものと解するのが相当である。また，同条がいわゆる併科主義による過酷な結果の回避という趣旨を内包した規定であることは明らかであるが，そうした観点から問題となるのは，法によって形成される制度としての刑の枠，特にその上限であると考えられる。同条が，更に不文の法規範として，併合罪を構成する各罪についてあらかじめ個別的に刑を量定することを前提に，その個別的な刑の量定に関して一定の制約を課していると解するのは，相当でないといわざるを得ない。

　これを本件に即してみれば，刑法 45 条前段の併合罪の関係にある第 1 審判決の判示第 1 の罪（未成年者略取罪と逮捕監禁致傷罪が観念的競合の関係にあって後者の刑で処断されるもの）と同第 2 の罪（窃盗罪）について，同法 47 条に従って併合罪加重を行った場合には，同第 1，第 2 の両罪全体に対する処断刑の範囲は，懲役 3 月以上 15 年以下となるのであって，量刑の当否という問題を別にすれば，上記の処断刑の範囲内で刑を決するについて，法律上特段の制約は存しないものというべきである。

　したがって，原判決には刑法 47 条の解釈適用を誤った法令違反があり，本

件においては，これが判決に影響を及ぼし，原判決を破棄しなければ著しく正
義に反することは明らかである。」

Ⅷ　刑法の適用範囲

[1]　刑法の場所的適用範囲

犯罪地の意義

433　過失行為が国内で行われ結果が国外で発生した場合

大判明治 44 年 6 月 16 日刑録 17 輯 1202 頁

【判決理由】「失火罪の一構成要件たる過失行為にして日本帝国の版図内に於て行はれたる以上は仮令其犯罪構成の他の要件たる結果は日本帝国の版図外に於て発生したりとするも該罪は日本帝国内に於て犯されたるものとし日本帝国の法令に依り処罰せらるへきものとす而して原判決の事実認定に依れは本件発火の原因たる過失行為即ち被告か独逸汽船ゴーベン号に荷物 2 箇を託送するに当り一般に油紙は自燃的危険性あるを了知しなから右託送荷物中に『フアンシーペーパー』又は『レーザーペーパー』と称する油紙を積み重ね入れ置きたる過失行為は該汽船か日本帝国領海内にして即ち其版図に属する横浜港内に碇泊せる際に行はれたるものなれは仮令右過失に基く判示出火の事実か判示の如く日本帝国の版図外たる香港附近の大洋上に於て発生したるも被告は日本帝国内に於て失火罪を犯したるものとして日本帝国の刑法に依り処罰せらるへきものなり」

434　贈賄の約束が国内で行われ実行が国外で行われた場合

東京地判昭和 56 年 3 月 30 日刑月 13 巻 3 号 299 頁／判タ 441・156

【事案】　KDD 社長室長である被告人 X は，KDD を監督する郵政大臣官房電気通信管理官 Y と同電気通信参事官 Z を，便宜な取計らいを受けたことへの謝礼等の趣旨のもとに，KDD の費用負担でイタリア・スペイン観光旅行に招待することを社長室次長 A と共謀したうえ，Y 及び Z にこれを伝えて，もって賄賂の供与を約束し，これに基づいて右旅行に両名を招待して，航空運賃，ホテル宿泊代等の金額相当の財産上の利益を供与した。

【判決理由】「なるほど，本件賄賂の供与自体は他国の領域内で実行されてい

るのであって，これだけを切り離して考えれば，こうした供与にわが刑法の効力が及ばないことは刑法1ないし4条の諸規定に照らしても明らかである。しかし，わが刑法の場所的効力の範囲を決定するにあたって，わが国における法秩序の維持と法益保護との関連において，刑罰権の行使に支障がないことを基本とすべきであって，刑法1条1項にいう『日本国内ニ於テ罪ヲ犯シタル』とは，犯罪構成事実の全部が日本国内で実現したことを要すると限定して解釈すべきではなく，その一部が日本国内で実現するをもって足り，犯罪構成事実の範囲如何も，この観点から決すべきものと解するのが相当である。これを本件についてみると，賄賂の供与が国外で実行されているとしても，その共謀や約束が日本国内で行なわれていることは判示のとおりであるから，犯罪構成事実の一部が日本国内で実現されたものとして，賄賂の供与を含めた全体が刑法1条1項に規定する国内犯に該当すると解すべきである。」

435　犯罪の謀議が日本船舶内で行われた場合

仙台地気仙沼支判平成3年7月25日判タ789号275頁

【事案】　被告人は，日本国籍を有する鮪漁船の漁労長であるが，遠洋漁業の航海中に漁船上で甲板長AがBを浮玉で殴打して死亡させる事件が発生した。被告人は，Aから依頼されて，Aが作業中誤ってBの頭部に浮玉を当てた旨の虚偽の内容の死亡事故発生報告書等を船内で作成するとともに，これを写真電送することをAと共謀したうえ，一時下船してタヒチ島の事務所からファクシミリで海上保安部に宛て右偽造した死亡事故発生報告書等を写真電送して提出した。本判決は，被告人の行為は，証憑偽造罪及び偽造証憑行使罪に該当するとしたうえで，次のように判示した。

【判決理由】　「被告人は，日本国籍を有する船舶第八富山丸の外の外国領土に属するフランス共和国領タヒチ島パペーテにおいて，偽造した証憑を写真電送して行使したものであるが，この送信行為は，Aと共謀のうえなされたものである。したがって，犯罪行為の一部である共謀が第八富山丸の船内でなされたのである以上，その行為の全体について，日本国刑法の適用があり，本件については，偽造証憑行使証憑湮滅罪が成立する。」

436　国内の正犯行為を国外で幇助した場合

名古屋高判昭和63年2月19日高刑集41巻1号75頁／判時1265・156，判タ669・232

【判決理由】　「刑罰法規の場所的適用範囲に関する総則規定である刑法1条1項は，何人を問わず日本国内で罪を犯した者には，我が国刑法の刑罰法規が適

⇒　*437*

用される旨規定するところ，そもそも，幇助犯は，正犯の実行があって初めて犯罪として成立するものに過ぎないから，幇助犯の幇助行為そのものが行われた場所が我が国内ではなくても，正犯の実行が日本国内で行われた場合にも，幇助犯が日本国内において罪を犯したことになるといわざるを得ない道理であり，他方，刑法8条によれば，刑法総則の規定は，特別の規定がない限り，他の法令において刑を定めている場合にも適用するものとされているから，右刑法1条1項の規定は，大麻取締法と関税法とに対する各違反行為の幇助犯についても，当然適用されるところである。しかるところ，原判示の罪となるべき事実によると，被告人は，原判示のAによる大麻の日本国内への輸入行為とその際の税関長の許可を受けない右大麻の関税法上の輸入行為との際に，同人から右大麻の入手方の依頼を受けたので，同人に大麻売渡人を紹介し，右売渡人から右Aへの大麻の売渡しの席に同席したのであるが，この被告人の行為は確かに日本国外で行われたものに過ぎないものではあるが，右AがこのД被告人の幇助行為に基づき，原判示の正犯行為，すなわち大麻の日本国内への輸入とその際の税関長の許可を受けない右大麻の関税法上の輸入とをしたのは日本国内であるから，被告人の原判示の幇助行為もまた日本国内で行われたものに該当するといわざるを得ず，したがって，右幇助行為に対し，刑法8条，1条1項により，原判示の各刑罰法規を適用し得ることは明らかである。」

437　国内の正犯行為を国外で幇助した場合

最決平成6年12月9日刑集48巻8号576頁／判時1519・148，判タ870・111
（重判平6刑1）

【決定理由】「原判決の認定するところによれば，被告人は，Iらが日本国外から日本国内に覚せい剤を輸入し，覚せい剤取締法違反，関税法違反の各罪を犯した際，Cとともに，日本国外で右覚せい剤を調達してIに手渡し，同人らの右各犯行を容易にしてこれを幇助したというのである。右のように，日本国外で幇助行為をした者であっても，正犯が日本国内で実行行為をした場合には，刑法1条1項の『日本国内に於て罪を犯したる者』に当たると解すべきであるから，同法8条，1条1項により，被告人の前記各幇助行為につき原判示の各刑罰法規を適用した原判決は，正当である。」

438 条例の場所的適用範囲

高松高判昭和 61 年 12 月 2 日高刑集 39 巻 4 号 507 頁／判タ 631・244

【判決理由】「記録によれば，本件は，被告人が数回にわたり徳島県所在の自宅から香川県にある A 方に電話をして，同人の妻の B 子に対し『あんたが好きです。会ってほしい。』などと反覆して申向け，もって同女に著しく不安又は迷惑を覚えさせるようなことをしたという事案であるところ，原審は，公衆に著しく迷惑をかける暴力的不良行為等の防止に関する条例（昭和 38 年 12 月 23 日香川県条例 50 号）10 条，11 条 1 項は香川県の区域内における行為に対して適用されるのが原則であって，区域外の行為に本件条例を適用するには特段の根拠の存在することが必要であるが，本件被告人の行為は区域外でなされたものであり，本件条例を適用する特段の根拠はないとして，被告人は無罪としたのであるが，条例は当該地方公共団体の区域内の行為に適用されるのが原則であるものの，本件のように当該地方公共団体の区域外から区域内に向けて内容が犯罪となる電話をかける行為に及んだ場合には，電話をかけた場所のみならず，電話を受けた場所である結果発生地も犯罪地と認められるのであり，このように犯罪の結果発生地が香川県にあるとされる以上，行為者は直接的かつ現実的に香川県に関わりを持ったものというべく，香川県民及び滞在者と同様に本件条例が適用されるものと解すべきである。」

439 第 2 の北島丸事件

最判昭和 46 年 4 月 22 日刑集 25 巻 3 号 492 頁／判時 627・26，判タ 261・171

【判決理由】「原判決の維持する第 1 審判決は，被告人に対する本件公訴事実中一部については有罪の言渡をしたのであるが，その余の部分，すなわち，『被告人は，その所有する動力漁船第 11 ゆき丸（総トン数 6.91 トン）に船長兼漁労長として乗り組んでいたものであるところ，Y ほか 2 名と共謀のうえ，北海道知事の許可を受けないで，昭和 42 年 10 月 6 日午後 5 時頃から同月 9 日夕刻までの間，国後島ハッチヤウス鼻西沖合約 2.5 海里付近（3 海里以内）の海域（以下，本件操業海域という。）において，同船により流し網約 50 反を使用してさけを採捕し，もって小型サケ・マス流し網漁業を営んだ（以下，本件所為という。）』との事実については，理由中において，証拠によりこれを認めることができるけれども，罪とならない。しかし，この事実は，有罪と認めた事実と一罪をなすものとして起訴されたものであるから，主文において特に無

罪の言渡をしない旨判示した。……

　思うに，漁業法66条は，もともと同法65条1項に基づいて都道府県知事が定める規則等の規制に委ねられている漁業のうち一定のものに関する規定であって，北海道地先海面における漁業法66条1項の規定の適用範囲は，同法65条1項および水産資源保護法4条1項の規定に基づいて制定された北海道海面漁業調整規則（以下，規則という。）の適用範囲と関連して考えるべきものであり，結局，北海道地先海面に関しては，漁業法66条1項の規定は，本来，北海道地先海面であって，漁業法およびこれに基づく規則の目的である漁業秩序の確立のための漁業取締りその他漁業調整を必要とし，かつ，主務大臣または北海道知事が漁業取締りを行なうことが可能である範囲における漁業，すなわち，以上の範囲の，わが国領海における漁業および公海における日本国民の漁業に適用があるものと解せられる（規則前文，1条，漁業法84条1項，昭和25年農林省告示129号「漁業法による海区指定」参照）。そして，わが国の漁船がわが国領海および公海以外の外国の領海において漁業を営んだ場合，特別の取決めのないかぎり，原則として，わが国は，その海面自体においてはその漁船に対する臨場検査等の取締り（漁業法134条参照）の権限を行使しえないものである。しかし，漁業法および規則の目的とするところを十分に達成するためには，何らの境界もない広大な海洋における水産動植物を対象として行なわれる漁業の性質にかんがみれば，日本国民が前記範囲のわが国領海および公海と連接して一体をなす外国の領海においてした漁業法66条1項に違反する行為をも処罰する必要のあることは，いうをまたないところであり，それゆえ，漁業法66条1項の漁業禁止の規定およびその罰則である同法138条6号は，当然日本国民がかかる外国の領海において営む漁業にも適用される趣旨のものと解するのが相当である。すなわち，漁業法138条6号は，前記目的をもつ漁業法および規則の性質上，わが国領海内における同法66条1項違反の行為のほか，前記範囲の公海およびこれらと連接して一体をなす外国の領海において日本国民がした同法66条1項違反の行為（国外犯）をも処罰する趣旨を定めたものと解すべきである。

　ところで，国後島に対しては，現在事実上わが国の統治権が及んでいない状況にあるため，同島の沿岸線から3海里以内の海面については，北海道知事が日本国民に対し漁業の免許もしくは許可を与え，または臨場検査を行なうこと

ができないものであるとしても，本件操業海域は，前記範囲のわが国領海および公海と連接して一体をなす海面に属するものであるから，以上に述べたとおり，漁業法66条1項によって日本国民が本件操業海域において同項に掲げる漁業を営むことは禁止されこれに違反した者は同法138条6号による処罰を免れないものと解すべきである。

　しからば，被告人の本件所為に対し罪責を問いえないとした原判決および同旨の第1審判決は，いずれも法令の解釈適用を誤った違法があるものである。」

[2]　刑法の時間的適用範囲

法令の施行時期

440　法令の公布

最大判昭和33年10月15日刑集12巻14号3313頁／判時164・3

【事案】　被告人は，昭和29年6月12日午前9時頃広島市A方において覚せい剤を所持していた。第1審判決は，被告人の行為に覚せい剤取締法を適用したが，この法律は，昭和29年6月12日付け官報に掲載して公布された昭和29年法律第177号「覚せい剤取締法の一部を改正する法律」によって改正されたものであった。

【判決理由】　「成文の法令が一般的に国民に対し，現実にその拘束力を発動する（施行せられる）ためには，その法令の内容が一般国民の知りうべき状態に置かれることを前提要件とするものであること，またわが国においては，明治初年以来，法令の内容を一般国民の知りうべき状態に置く方法として法令公布の制度を採用し，これを法令施行の前提要件とし，そしてその公布の方法は，多年官報によることに定められて来たが，公式令廃止後も，原則としては官報によってなされるものと解するを相当とすることは，当裁判所の判例とするところである（昭和30年㈹第3号，同32年12月28日大法廷判決，集11巻14号3,461頁以下参照）。

　ところで官報による法令の公布は，一連の手続，順序を経てなされるものであるが，これを本件につき職権をもって調査すると，㈠昭和26年法律第252号覚せい剤取締法2条，14条，41条等を改正した昭和29年法律第177号覚せい剤取締法の一部を改正する法律（以下本件改正法律と略称する。）を掲載し

た昭和 29 年 6 月 12 日付官報は，同日午前 5 時 50 分，第 1 便自動車が東京駅
（関東，東海，近畿方面），新宿駅（山梨方面）の順序で 1 台，上野駅（北海道，
東北，北関東，北陸方面），両国駅（千葉方面）の順序で 1 台，同時に印刷局
から発送され，そして最終便は同日午前 7 時 50 分，東京駅（中国，四国，九
州方面），東京官報販売所の順序に積下すため，印刷局から発送された，㈡右
官報が全国の各官報販売所に到達する時点，販売所から直接に又は取次店を経
て間接に購読予約者に配送される時点及び官報販売所又は印刷局官報課で，一
般の希望者に官報を閲覧せしめ又は一部売する時点はそれぞれ異っていたが，
当時一般の希望者が右官報を閲覧し又は購入しようとすればそれをなし得た最
初の場所は，印刷局官報課又は東京都官報販売所であり，その最初の時点は，
右 2 ヶ所とも同日午前 8 時 30 分であったことが明らかである。

　してみれば，以上の事実関係の下においては，本件改正法律は，おそくとも，
同日午前 8 時 30 分までには，前記大法廷判決にいわゆる『一般国民の知り得
べき状態に置かれ』たもの，すなわち公布されたものと解すべきである。そし
て『この法律は，公布の日より施行する』との附則の置かれた本件改正法律は，
右公布と同時に施行されるに至ったものと解さなければならない。しかるに原
審の確定したところによれば，本件犯行は，同日午前 9 時頃になされたもので
あるというのであるから，本件改正法律が公布せられ，施行せられるに至った
後の犯行であることは明瞭であって，これに本件改正法律が適用せられること
は当然のことといわねばならない。」

犯罪時の意義

441　法律施行前に欺罔行為を行い施行後に発覚した場合

大判明治 43 年 5 月 17 日刑録 16 輯 877 頁

【判決理由】「原判決の事実認定に依れは被告は財物騙取の目的を以て判示の
約定証書 1 通を偽造し判示反訴請求の立証方法として明治 41 年 9 月 21 日第 2
回弁論の際被告弁護人をして之を裁判所に提出せしめ判示反訴請求金額を騙取
せんとしたるも訴訟進行中明治 42 年 3 月 28 日事発覚し遂に其目的を達せさり
しものにして本件犯罪に付被告か最終に欺罔手段を施したるは明治 41 年 9 月
21 日にして刑法施行前に在りと雖も其欺罔行為の効果は本件犯罪の発覚に依

り罪の完成を妨けられたる時期即ち明治42年3月28日迄継続し本件犯罪は此時期に於て終了したるものと云はさるへからす而して本件の如く犯罪の着手は仮令刑法施行前に在るも其罪か同法施行後に終了する以上は全部の犯罪行為に対し其終了当時の法律たる刑法を適用して処断すへく所論の如く刑法第6条に依り新旧刑法を比照し軽き法を適用処断すへきものにあらす」

442 包括一罪と刑の変更

大判明治43年11月24日刑録16輯2118頁

【判決理由】「原判決の認むる事実に依れは被告は免許を受けすして明治40年1月頃より同41年9月頃迄に亘り生葡萄酒6斗酒精7升砂糖7貫匁水5斗3升の割合を以て1石に付100分中6箇の容量を有する酒精を含有する甘葡萄酒16石8斗を製造したるものにして原判決に適用したる酒精及酒精含有飲料税法第2条は明治41年法律第19号の改正に依る規定なることは洵に所論の如く明治41年3月16日同上法律第19号施行以前に於ける無免許製造の部分を製造当時の法律に照せは論旨に掲くるか如く明治34年法律第8号及同38年法律第1号（非常特別税法中改正法律）第2条第4号第3項の1に依り税率1石に付18円にして之に5倍の造石税に相当する罰金を科すへきものなれとも原判決に認むる被告の行為は単一なる意思発動の下に前掲年月の間に亘り免許を受けす酒精含有飲料を製造して其数量16石8斗に達したりと云ふに在りて行為全部か一罪を組成するに過きさるを以て其犯罪の完成前に於て法律に依り刑の変更ありたる場合には行為全部に対し新旧法中其一を択ひ之を適用せさるへからす然り而して行為全部に付き観察すれは本件に在ては犯罪当時の法律に依り刑の変更ありたるものなるを以て刑法第6条は適用すへき限りにあらす且被告は犯罪の実行中前記明治41年法律第19号第2条に依り税率1石に付き21円となり之れに5倍の造石税に相当する罰金を科すへきものとなりたるに拘はらす無免許の儘製造を継続したるものなれは之れに対しては新法の適用を免れしむへき理由毫も之れあることなし故に被告の犯したる行為全部に対し原判決か新法たる明治41年法律第19号を適用したるは相当にして本論旨は理由なし」

443　牽連犯と刑の変更

大判明治 42 年 11 月 1 日刑録 15 輯 1498 頁

【判決理由】「原判決に於て確定せられたる所によれは本件偽証罪は明治 41 年 9 月 25 日の成立にして旧刑法施行の時に属し旧刑法第 223 条により処断せらるへき犯罪なり左れは之と刑法施行後に成立したる詐欺取財未遂（刑法第 246 条第 250 条）の罪と同時に裁判せらるるものなるか故に刑法の併合罪に関する規定により重き詐欺の刑を以て之を処断せさるへからす然るに原判決は偽証に対して旧法を適用せす単に刑法第 169 条を適用し而して之を重しとし之に依て被告を処刑せられたるは乃ち擬律の錯誤あるものと思料すと云ふに在れとも原判決に判示せられたる被告偽証の行為は旧刑法時代に完成し旧刑法に於ては同法第 223 条に該当し刑法に於ては同法第 169 条に該当し同罪は刑法施行後に成立したる本件詐欺未遂の行為に対しては手段たる関係を有するを以て同法第 54 条第 1 項後段に依り一罪として其最も重き偽証の刑を以て処断すへきものとす如此所論偽証の所為は旧刑法時代に完成したる犯罪行為なりと雖も刑法施行後に成立したる本件詐欺未遂の行為と牽聯して一罪を以て論すへき関係を有するか故に此一罪を構成する全部の行為に対しては総て刑法を適用すへく其行為の一部か旧刑法時代に発生したりとの理由を以て此一罪を分割して其一部に対しては新旧刑法を比照して軽き法を適用し他の部分に対しては刑法を適用すへきものに非さることは誠に明瞭なりとす」

444　幇助犯と刑の変更

大判明治 44 年 6 月 23 日刑録 17 輯 1252 頁

【判決理由】「原審に於て認定したる事実によれは『被告 X 及 Y の両名は明治 38 年中原審相被告 Z か不都合の事ありて A の怒りを招き破門せられたるを A に対し仲裁の労を執り元通り Z を青森の貸元になし置く事に至らしめ引続き 43 年 1 月に至る迄其関係を持続せしめ A か博徒結合図利の犯罪を幇助したるものなり』と云ふに在りて之に対して刑法を適用したり……従犯行為は正犯行為に附随して其刑責を負担するものなれは……其正犯行為か旧刑法時代より新刑法時代に亘り継続して行はれたるときは其正犯行為に対し新旧刑法を比照することなく単に新刑法のみを適用するか如く之を幇助したる従犯行為に対しては其従犯行為か旧刑法時代に終了したる場合に於ても単に新刑法のみを適用すへきものとす」

445 幇助犯と刑の変更

大阪高判昭和 43 年 3 月 12 日高刑集 21 巻 2 号 126 頁／判時 531・86

【事案】 被告人 X は，昭和 39 年 2 月下旬頃，Y が Z から拳銃及び実包を購入するのを斡旋し，Y は右拳銃及び実包を同日から昭和 41 年 1 月 7 日まで自宅において所持していたが，その間，法律が改正され，拳銃不法所持に対する法定刑が引き上げられた。

【判決理由】「従犯である被告人の本件幇助罪については従属性の立前上，その犯罪の成立，罪数が共に正犯のそれに従うべきものとすると，正犯と同じく前記昭和 40 年法律第 47 号による改正後の 31 条の 2 を適用することとなる筋合であるが，前記認定事実から明らかなように被告人は旧法当時の昭和 39 年 2 月下旬に拳銃及び実包の購入の斡旋をしたのに過ぎず，右購入斡旋により Y が Z から原判示拳銃及び実包を購入すればこれを不法に所持することは認識していたとはいえ，右幇助行為の態様からみて右拳銃等を購入することにともなう直後の不法所持の犯行を幇助する意思しかなかったとみるべきであって，Y がその後継続して右拳銃等を自宅納屋に隠匿保管して不法に所持していたことについては全く被告人の関知しないところであると認められる。このような場合には被告人の幇助犯の罪責は Y の右拳銃等の購入直後の所持の限度すなわち，Y が前記の如く Z から右拳銃等を購入し自宅に持ち帰るまでの不法所持の限度に止まると解すべきで幇助犯が正犯に従属するといっても本犯の本件犯罪行為は前記認定の通り改正前の犯罪行為と改正後の犯罪行為とを相合した 1 個の継続犯であって，単純一罪ではなく，改正前の犯罪行為を幇助したに過ぎない被告人に対し幇助の範囲を改正後の本犯の犯罪行為にまで及ぼして一罪の一部に対する幇助は全部に対する幇助に当るという結論を採用すべき限りではないのである。このような極端な従属性説は不当であって当裁判所は採ることができない。」

刑の変更の意義

446 執行猶予の条件

最判昭和 23 年 6 月 22 日刑集 2 巻 7 号 694 頁

【事案】 被告人は，原審において，傷害致死罪で懲役 2 年 6 月の刑の言渡しを受けたが，その後，刑法の一部を改正する法律（昭和 22 年法律第 124 号）によって，刑法 25

⇒　447

条の執行猶予の要件が「2年以下の懲役」から「3年以下の懲役」に変更された。

【判決理由】「刑法第6条は『犯罪後の法律に因り刑の変更ありたるときは其軽きものを適用す』と定めている。従って，同条が適用されるには，犯罪の制裁である刑が犯罪時と裁判時の中間において法律の改正によって変更され，その間に軽重の差を生じたことを前提としている。そして，犯罪の制裁である刑の変更は，刑罰法令の各本条で定めている刑が改正されるときに生ずるのが典型的な場合であるが，なお刑法の総則等に規定する刑の加重減軽に関する規定が改正された結果，刑罰法令の各本条に定める刑が影響を受ける場合にも生ずるであろう。いずれにしても，特定の犯罪を処罰する刑そのものに変更を生ずるのでなければならない。また，刑の軽重は刑法第10条によって刑の種類又は量の変更を標準として判断されるのである。されば，刑法第6条は特定の犯罪を処罰する刑の種類又は量が法律の改正によって犯罪時と裁判時とにおいて差異を生じた場合でなければ適用されない規定である。しかるに，本件で問題となっている刑の執行猶予の条件に関する規定の変更は，特定の犯罪を処罰する刑の種類又は量を変更するものではないから，刑法第6条の刑の変更に当らない。」

刑 の 廃 止

447　交通取締規則の改正

最大判昭和37年4月4日刑集16巻4号345頁／判時298・4

【判決理由】「㈠　本件公訴事実は，被告人は法定の除外事由がないのに，昭和32年10月19日午前10時15分頃，長岡市千手町1丁目……附近道路において，第2種原動機付自転車の後部荷台にA（当時26才）を乗車させて運転進行したものであるというのであり，右は，本件行為当時の道路交通取締法施行令41条による旧新潟県道路交通取締規則（昭和31年新潟県公安委員会規則第1号）8条の制限に違反したものであることが明らかである。しかし，右取締規則は昭和33年4月15日新潟県公安委員会規則第2号（同日施行）をもって全面的に改正され，その改正規則9条において，第2種原動機付自転車は除外され，本件のごとき場合は，その取締の対象にならないことになったのである。よって，この場合において，前記新潟県公安委員会規則の改正が，犯罪後

の法令による刑の廃止に当るものとして，刑訴 337 条 2 号により，被告人を免訴すべきものであるか否かにつき考えてみる。

（二）　道路交通取締法 23 条 1 項は『諸車の乗車，積載又はけん引の制限について必要な事項は，命令でこれを定める』と規定し，同 30 条は『……第 23 条第 1 項……の規定に基く命令には，3000 円以下の罰金又は科料の罰則を設けることができる』と定めており，右法律の委任に基づいて道路交通取締法施行令（昭和 28 年 8 月 31 日政令第 261 号，同 29 年 6 月 30 日政令第 181 号 5 条）41 条は『公安委員会は，自動車（そのけん引する諸車を含む。）及び前条第 1 項の荷車以外の諸車につき，道路における危険防止その他の交通の安全を図るため必要と認める乗車人員又は積載重量若しくは積載容量の制限を定めることができる』と規定し，同令 72 条は『左の各号の一に該当する者は，3000 円以下の罰金又は科料に処する』と規定して，同条 3 号に『……第 41 条……の規定に基く公安委員会の制限……に違反した者』と定めており，そして，右施行令 41 条の委任に基づいて，新潟県公安委員会規則により新潟県道路交通取締規則が定められ，それが本件犯行後昭和 33 年 4 月改正されたものであることは前に述べたとおりである。

（三）　そこで，前記道路交通取締法，同施行令の規定ならびに前記新潟県公安委員会規則および同規則の改正の関係をみると，道路交通取締法は，道路における危険防止およびその他の交通の安全を図ることを目的とするが（同法 1 条），道路交通事情の実体に照らし，これがため必要な道路交通の規制の具体的内容をすべて法律または政令に規定することは適当でなく，その基本的な事項はこれを法律および政令において定めたが，実施上の細則的な具体的内容は，これを地方の実状に即応して定めることが妥当であるとの見地から，地方の実状に通ずる公安委員会の判断に委かせることとしたものに外ならない。すなわち，公安委員会は，前記法律，政令の範囲内において，その時々の実状に応じ，或いは制限を強化し，或いはこれを緩和し，必要かつ適切な道路交通の制限を実施することを委かされているのであって，前記施行令 41 条は，公安委員会の定める制限が，その時々の必要により，適宜変更あるべきことを当然予想し，同 72 条は，行為当時の制限に違反する行為を（その違反行為の後において，右公安委員会の定めた制限の具体的内容が，その時々の必要により変更されると否とにかかわりなく）可罰性あるものとして処罰することとし，もって道路

⇒ *447*

交通取締法1条の目的を達成しようとしたものと解するを相当とする。このことは，前記施行令72条3号が，同令32条もしくは40条3項の規定に基づく制限または42条4項の規定に基づく警察署長の処分に違反した者を，同様に処罰している点からも窺うことができる。そして，このように解しても，それは道路交通取締行政の実状と，それを考慮して定められた前記法律，政令，規則の法意とからみて，敢えて罪刑法定主義に反するものというべきものではない。また，前記施行令41条，72条を前記のごとき趣旨のものと解する以上，右公安委員会の規則を，右41条の規定を具体的に充足する意味において，法規的性質を有するものであると解するとしても，この一事をもって，前記41条，72条の規定が空白刑法的のものであるということにはならない。

　㈣　されば，道路交通取締法23条1項，30条，同施行令41条，72条が，本件行為の後において改廃されなかった以上，たとえ右施行令41条の委任により公安委員会の定めた規則に改正があったとしても，前記法律，政令，規則が㈢に述べたような性質のものであるから，右道路交通取締法，同施行令の罰則規定は依然存続していたものといわねばならない。そして，その後，道路交通取締法，同施行令を廃止して新たに制定された道路交通法（昭和35年法律第105号）の附則14条は，新法の施行前にした行為に対する罰則の適用については，なお従前の例によるとしているのであるから，その限度において道路交通取締法，同施行令の罰則規定はなお有効であって，本件違反行為の可罰性は，今日に至るまで終始かわるところがないと解すべきである。」

判 例 索 引

著者紹介　　　山口 厚（やまぐち あつし）
　　　　　　　　　　東京大学名誉教授・早稲田大学名誉教授

　　　　　　　佐伯 仁志（さえき ひとし）
　　　　　　　　　　中央大学教授

　　　　　　　橋爪 隆（はしづめ たかし）
　　　　　　　　　　東京大学教授

判例刑法総論〔第 8 版〕

1994 年 3 月 30 日 初　版第 1 刷発行　　　2013 年 3 月 30 日 第 6 版第 1 刷発行
1998 年 3 月 30 日 増補版第 1 刷発行　　　2018 年 3 月 20 日 第 7 版第 1 刷発行
2002 年 12 月 20 日 第 3 版第 1 刷発行　　　2023 年 4 月 10 日 第 8 版第 1 刷発行
2006 年 3 月 15 日 第 4 版第 1 刷発行　　　2025 年 4 月 10 日 第 8 版第 4 刷発行
2009 年 3 月 30 日 第 5 版第 1 刷発行

著　　者　　　山口厚，佐伯仁志，橋爪隆

発行者　　　江草貞治

発行所　　　株式会社有斐閣

　　　　　　　〒101-0051 東京都千代田区神田神保町 2-17

　　　　　　　https://www.yuhikaku.co.jp/

装　　丁　　　デザイン集合ゼブラ＋坂井哲也

印　　刷　　　株式会社理想社

製　　本　　　大口製本印刷株式会社

装丁印刷　　　株式会社亨有堂印刷所

落丁・乱丁本はお取替えいたします。定価はカバーに表示してあります。
©2023，山口厚・佐伯仁志・橋爪隆．
Printed in Japan ISBN 978-4-641-13961-9